P9-ELU-916

2022
Manual para proclamadores de la palabra®

Ximena DeBroeck

Raúl H. Lugo Rodríguez

Raúl Duarte Castillo

LTP

RECURSOS
CATÓLICOS
EN ESPAÑOL

MANUAL PARA PROCLAMADORES DE LA PALABRA® 2022, © 2021 Arquidiócesis de Chicago. Todos los derechos reservados.

Liturgy Training Publications
3949 South Racine Avenue
Chicago, IL 60609
800-933-1800
fax: 800-933-7094
email: orders@ltp.org

Visítanos en www.LTP.org.

Editor: Ricardo López; cuidado de la edición: Víctor R. Pérez; corrección: Christian Rocha; tipografía: Juan Alberto Castillo; portada: Barbara Simcoe; diseño: Anna Manhart.

Impreso en los Estados Unidos de América

ISBN: 978-1-61671-617-2

MP22

ÍNDICE

Introducción iv

Adviento

I Domingo de Adviento
28 DE NOVIEMBRE DE 2021 1

II Domingo de Adviento
5 DE DICIEMBRE DE 2021 4

Inmaculada Concepción de la Virgen María
8 DE DICIEMBRE DE 2021 7

III Domingo de Adviento
12 DE DICIEMBRE DE 2021 11

Bienaventurada Virgen María de Guadalupe
11 Ó 13 DE DICIEMBRE DE 2021 14

IV Domingo de Adviento
19 DE DICIEMBRE DE 2021 17

Navidad

Natividad del Señor, misa de la vigilia
24 DE DICIEMBRE DE 2021 20

Natividad del Señor, misa de la noche
25 DE DICIEMBRE DE 2021 24

Natividad del Señor, misa de la aurora
25 DE DICIEMBRE DE 2021 27

Natividad del Señor, misa del día
25 DE DICIEMBRE DE 2021 30

Sagrada Familia de Jesús, María y José
26 DE DICIEMBRE DE 2021 34

Santa María, Madre de Dios
1 DE ENERO DE 2022 38

Epifanía del Señor
2 DE ENERO DE 2022 41

Bautismo del Señor
9 DE ENERO DE 2022 45

Tiempo Ordinario

II Domingo del Tiempo Ordinario
16 DE ENERO DE 2022 48

III Domingo del Tiempo Ordinario
23 DE ENERO DE 2022 51

IV Domingo del Tiempo Ordinario
30 DE ENERO DE 2022 56

V Domingo del Tiempo Ordinario
6 DE FEBRERO DE 2022 60

VI Domingo del Tiempo Ordinario
13 DE FEBRERO DE 2022 64

VII Domingo del Tiempo Ordinario
20 DE FEBRERO DE 2022 67

VIII Domingo del Tiempo Ordinario
27 DE FEBRERO DE 2022 70

Cuaresma

Miércoles de Ceniza
2 DE MARZO DE 2022 73

I Domingo de Cuaresma
6 DE MARZO DE 2022 77

II Domingo de Cuaresma
13 DE MARZO DE 2022 81

III Domingo de Cuaresma, Año C
20 DE MARZO DE 2022 85

III Domingo de Cuaresma, Año A
20 DE MARZO DE 2022 89

IV Domingo de Cuaresma, Año C
27 DE MARZO DE 2022 95

IV Domingo de Cuaresma, Año A
27 DE MARZO DE 2022 99

V Domingo de Cuaresma, Año C
3 DE ABRIL DE 2022 105

V Domingo de Cuaresma, Año A
3 DE ABRIL DE 2022 109

Domingo de Ramos de la Pasión del Señor
10 DE ABRIL DE 2022 114

Triduo Pascual

Jueves Santo,
Misa vespertina de la Cena del Señor
14 DE ABRIL DE 2022 126

Viernes Santo de la Pasión del Señor
15 DE ABRIL DE 2022 130

Vigilia Pascual en la Noche Santa
16 DE ABRIL DE 2022 142

Tiempo Pascual

Domingo de Pascua de
la Resurrección del Señor
17 DE ABRIL DE 2022 160

II Domingo de Pascua
(Domingo de la Divina Misericordia)
24 DE ABRIL DE 2022 164

III Domingo de Pascua
1 DE MAYO DE 2022 168

IV Domingo de Pascua
8 DE MAYO DE 2022 173

V Domingo de Pascua
15 DE MAYO DE 2022 176

VI Domingo de Pascua
22 DE MAYO DE 2022 179

Ascensión del Señor
26 Ó 29 DE MAYO DE 2022 183

VII Domingo de Pascua
29 DE MAYO DE 2022 187

Pentecostés, misa de la vigilia
4 DE JUNIO DE 2022 190

Pentecostés, misa del día
5 DE JUNIO DE 2022 197

Tiempo Ordinario

Santísima Trinidad
12 DE JUNIO DE 2022 201

Santísimo Cuerpo y Sangre de Cristo
19 DE JUNIO DE 2022 204

XIII Domingo del Tiempo Ordinario
26 DE JUNIO DE 2022 207

XIV Domingo del Tiempo Ordinario
3 DE JULIO DE 2022 211

XV Domingo del Tiempo Ordinario
10 DE JULIO DE 2022 215

XVI Domingo del Tiempo Ordinario
17 DE JULIO DE 2022 219

XVII Domingo del Tiempo Ordinario
24 DE JULIO DE 2022 222

XVIII Domingo del Tiempo Ordinario
31 DE JULIO DE 2022 226

XIX Domingo del Tiempo Ordinario
7 DE AGOSTO DE 2022 229

XX Domingo del Tiempo Ordinario
14 DE AGOSTO DE 2022 234

Asunción de la Bienaventurada
Virgen María, misa de la vigilia
14 DE AGOSTO DE 2022 237

Asunción de la Bienaventurada
Virgen María, misa del día
15 DE AGOSTO DE 2022 239

XXI Domingo del Tiempo Ordinario
21 DE AGOSTO DE 2022 243

XXII Domingo del Tiempo Ordinario
28 DE AGOSTO DE 2022 246

XXIII Domingo del Tiempo Ordinario
4 DE SEPTIEMBRE DE 2022 249

XXIV Domingo del Tiempo Ordinario
11 DE SEPTIEMBRE DE 2022 252

XXV Domingo del Tiempo Ordinario
18 DE SEPTIEMBRE DE 2022 258

XXVI Domingo del Tiempo Ordinario
25 DE SEPTIEMBRE DE 2022 262

XXVII Domingo del Tiempo Ordinario
2 DE OCTUBRE DE 2022 265

XXVIII Domingo del Tiempo Ordinario
9 DE OCTUBRE DE 2022 268

XXIX Domingo del Tiempo Ordinario
16 DE OCTUBRE DE 2022 271

XXX Domingo del Tiempo Ordinario
23 DE OCTUBRE DE 2022 274

XXXI Domingo del Tiempo Ordinario
30 DE OCTUBRE DE 2022 277

Todos los Santos
1 DE NOVIEMBRE DE 2022 280

Conmemoración de
Todos los Fieles Difuntos
2 DE NOVIEMBRE DE 2022 284

XXXII Domingo del Tiempo Ordinario
6 DE NOVIEMBRE DE 2022 287

XXXIII Domingo del Tiempo Ordinario
13 DE NOVIEMBRE DE 2022 291

Nuestro Señor Jesucristo,
Rey del Universo
20 DE NOVIEMBRE DE 2022 294

Nihil Obstat
Rev. Sr. Daniel G. Welter, JD
Canciller
Arquidiócesis de Chicago
6 de abril de 2021

Imprimatur
Obispo Auxiliar Robert G. Casey
Vicario General
Arquidiócesis de Chicago
6 de abril de 2021

El *Nihil Obstat* e *Imprimatur* son declaraciones oficiales de que un libro está libre de errores doctrinales y morales. No existe ninguna implicación en estas declaraciones de que quienes han concedido el *Nihil Obstat* e *Imprimatur* estén de acuerdo con el contenido, opiniones o declaraciones expresas. Tampoco ellos asumen responsabilidad legal alguna asociada con la publicación.

El P. Raúl H. Lugo Rodríguez es sacerdote de la Arquidiócesis de Mérida, Yucatán, México, y licenciado por el Instituto Bíblico Pontificio, de Roma. Docente y escritor, ahora trabaja entre los indígenas mayas. A él debemos notas y comentarios de Adviento, Navidad, y Domingos II–VII y XXI–XXXIV del Tiempo Ordinario.

Ximena DeBroeck obtuvo su Maestría en Teología, con concentración en Escrituras, del Seminario de St. Vincent, su Licencia en Teología Sagrada del Seminario de St. Mary y su doctorado en Teología Sistemática de la Duquesne University. Es Directora Ejecutiva del Departamento de Evangelización y Directora de la División de Formación Catequética y Pastoral en la Arquidiócesis de Baltimore. Ha impartido varios cursos de Teología y Escritura en varias instituciones. De su pluma son las notas y comentarios de Semana Santa y de la Vigilia Pascual.

Raúl Duarte Castillo, egresado del Instituto Bíblico Pontificio (Roma) y de la École Biblique (Jerusalén), ha dedicado su vida al estudio, enseñanza y difusión de las Sagradas Escrituras. Actualmente es rector de la Universidad Vasco de Quiroga en Uruapan, Michoacán. De su pluma llegan comentarios y notas de los domingos del Tiempo Pascual hasta la Asunción de María.

INTRODUCCIÓN

Hermanos y hermanas en el ministerio de proclamar la Palabra, con renovado entusiasmo y espíritu de discípulos misioneros nos disponemos a servir en nuestras comunidades de fe para que la palabra de Dios encuentre morada entre nosotros. Este es el propósito principal de este libro *Manual para proclamadores de la palabra 2022*, pues nos ayudará tanto a acoger al Verbo de la vida, como a buscar ser eficientes en nuestro servicio litúrgico dominical, al que acudimos para alimentarnos de la Palabra del Señor.

La valoración de la palabra de Dios en la liturgia y la riqueza del *Leccionario de la Misa* (cuya edición en español para usarlo en los Estados Unidos está en preparación) representan uno de los grandes frutos que ha generado para toda la Iglesia el pasado Concilio Vaticano II (1962–1965). Claro que podemos avanzar todavía más en la práctica celebrativa actual, ahondando la experiencia de una dinámica dialógica que le confiera vigor y vitalidad a este intercambio continuo entre Dios y su pueblo. Sufre la escucha de la palabra por la tendencia dominante a seguirla considerando tan sólo en su aspecto cognoscitivo, dejando de lado los demás elementos litúrgicos que la acompañan y enriquecen su acogida: espacio, gestos, ministerialidad, libros, ocasión, participantes y canto entre otros. Además, debemos reconocer que no pocas veces la escucha se mira sofocada por tanta verbosidad, yerros en la lectura, faltas del conocimiento literario más elemental que hacen que se pierda como si fuera apenas un sonido más en el ambiente de la reunión.

Con todo, nuestro misal actual vino a sustituir al antiguo *Misal Romano* del siglo XVI. En este misal la palabra de Dios contaba con 138 lecturas bíblicas. Por lo general, la Liturgia de la palabra constaba de dos lecturas, mayoritariamente cartas del Nuevo Testamento, excepto tres lecturas que se tenían del Antiguo, y evangelios. Ante esto, los padres conciliares tuvieron a bien ampliar las lecturas bíblicas, proporcionando lecturas más amplias, variadas y mejor seleccionadas (*Sacrosanctum concilium*, 35). Decretaron que, "para que la mesa de la palabra de Dios sea repartida a los fieles con mayor abundancia, vengan abiertos más ampliamente los tesoros de la Biblia de modo que, en un determinado número de años, se lea al pueblo la mayor parte de la Sagrada Escritura" (*Sacrosanctum concilium*, 51).

El actual Leccionario dominical y festivo contiene casi un cuatrocientos por ciento más de material bíblico con relación al misal tridentino. Se propuso que los domingos y días festivos se tuvieran tres lecturas: la primera, tomada del Antiguo Testamento; la segunda de un escrito apostólico, generalmente una carta; y la tercera, de los evangelios. Los evangelios sinópticos se leerían en tres años: Mateo, Marcos y Lucas. El evangelio de Juan entraría todos los años por Cuaresma y Pascua. Así pues, el fiel cristiano en tres años escucharía la palabra evangélica a través de las cuatro interpretaciones que los evangelistas canónicos hicieron de Jesús y su misterio.

El Vaticano II determinó ampliar las lecturas bíblicas, proporcionando lecturas más amplias, variadas y mejor seleccionadas.

Además, el Concilio ordenó que la primera lectura normalmente fuera siempre tomada de un libro del Antiguo Testamento, procurando que el tema de la perícopa escogida, tuviera semejanza de sentido con lo expresado en el evangelio. La segunda lectura estaría tomada de los escritos apostólicos, generalmente de las cartas y tocando un tema propio no necesariamente conectado con el tema del evangelio. Así se enriqueció el Leccionario de la Iglesia católica de manera sustancial.

El objetivo fundamental de la liturgia cristiana es considerar lo que es la palabra de Dios. ¿Por qué yo, cristiano, debo estar atento a lo que Dios me dice? En concreto, ¿cómo puedo por medio de las lecturas que me ofrece el Leccionario litúrgico acercarme a la palabra de Dios y convertirla en el alimento principal de mi propia vida? Es cierto que, en los primeros años después del Concilio pasado, los cristianos se dieron a la tarea de escuchar más y mejor la palabra santa. Hubo una gran respuesta popular a la propuesta del Concilio en este renglón. Hoy, sin embargo, este entusiasmo parece esfumarse, sobre todo entre los jóvenes. Actualmente, a muchos cristianos les ha parecido una lectura demasiado alejada de sus preocupaciones y objetivos. Muchos cursos sobre la Biblia, aún populares, parecen poner dificultades a los lectores en lugar de ayudar a la conversión y a favorecer el empleo constante de la Biblia para que acompañe y dé sentido a la vida diaria. Tal vez no se haya considerado ni meditado lo que significa que Dios haya hablado y siga hablando a través de esa palabra condensada en la Biblia.

Dios habla

Preguntémonos, ¿que significa que Dios recurra a la palabra para comunicarse con nosotros, sus criaturas? Comencemos por considerar lo que para el hombre de la Biblia significaba hablar. El judío o hebreo no separa el acto de hablar de la persona. La palabra es un fenómeno humano. El hebreo se comprende en lo que habla porque es su manera de situarse en el mundo; es capaz de mirarse en lo que habla. Por esto, esta manera de entender el hablar del hebreo resulta en un auténtico humanismo. El lenguaje es la expresión de la persona humana; es su salir al mundo, no la reacción humana al mundo exterior. Es el dominio del humano sobre este mundo. El ser humano sale al mundo exterior para dominarlo; no es que venga el mundo primero a él y se le imponga. Al contrario, hay una manifestación de poder, de autoridad de parte del hombre. El pasaje de la Torre de Babel explica mejor ese aspecto: la unidad del lenguaje es la suprema fuerza. Por esto dice el Génesis: "Veo que todos constituyen un pueblo con una misma lengua… Nada de lo que intenten ahora les será imposible" (11:6). La unidad del lenguaje es la suprema fuerza.

Lo dicho antes de la palabra humana en general vale en sumo grado para la palabra de Dios. La palabra de Dios produce la creación. Para contrastar nos sirve mirar al dios egipcio Atón de Hierápolis que creó el mundo, dice el mito, por medio de su propia semilla que colocó en su boca. En esta representación mitológica, el mundo es una emanación de la divinidad. En la Biblia, en cambio, Dios no creó por intermediario alguno; obró soberanamente por su palabra. El mundo no está dominado por una fuerza vital inmanente; está creado por alguien que domina y habla a los objetos. El mundo nuestro es el resultado de una palabra, es el fruto de un lenguaje de la divinidad. Por esto podemos entender que el ser humano no está confrontado con un mundo dominado por una fuerza fatal, sino que, por ser el mundo producto de la Palabra, es el instrumento para generar un diálogo.

El mundo formado por la Palabra es instrumento de diálogo.

El mundo es una escritura de Dios, cabe decir. Tiene el mundo sentido y dice algo acerca del que lo dijo, del que lo creó por la Palabra. Ese hablar divino es, por tanto, una palabra en busca de interlocución. Busca alguien que la atienda. El hombre está llamado a responderle. Esta es su vocación más fundamental: responder a esa palabra que tiene delante. Sea por la admiración o por la angustia, el mundo inquieta al hombre y lo problematiza; no lo deja impávido; lo está requiriendo.

Dios viene con su palabra

Dios no sólo ha hablado por su palabra hecha realidad en el cosmos, sino que se ha dirigido personalmente con su palabra a los humanos; ha venido a ellos. Es esa palabra personal lo que está como trasfondo que le da coherencia a la multiforme realidad. Por esto dice atinadamente san Juan, "En el principio era la palabra" (1:1), no el vacío. De aquí entendemos también la abundancia de los relatos de vocación bíblicos. En estas llamadas a una persona, se hace patente cómo Dios al dirigir su palabra a un hombre particular, crea en él una personalidad. Sobre todo, acaece esto claramente en los profetas principales. Entre estos, la palabra de Dios resplandece, no sólo como discurso, sino como productora de acciones reales. Dios dirige los acontecimientos con su palabra: los crea o los hace cambiar de rumbo, dándoles un sentido determinado. El Dios de los profetas es un Dios que habla, porque también dirige la historia del mundo. La palabra no regresa a Dios sin haber producido su fruto, su resultado (ver Isaías 55:11).

La alianza en el Sinaí es un intercambio de palabras, un diálogo entre Dios y su pueblo en camino de liberación. Israel se ha comprometido desde ese momento a una existencia dialógica; esta es su historia. El pueblo de Israel está siempre en una condición de respuesta y comprende que esto es la condición universal, de todo hombre que viene a este mundo, como dice Juan 1:9. Ya esto se vislumbraba en la alianza de Noé que abarcaba a toda la humanidad e incluso a la creación. Para el hebreo el hombre es un ser esencialmente capaz de responder, es decir, un responsable al que Dios le pedirá siempre una respuesta.

La alianza impulsa hacia el futuro. El vínculo entre Dios y el hombre es sustancialmente promesa: anuncia lo que va a ser. Cuando Dios habla, crea posibilidades nuevas. Dios no es un motor inmóvil, sino un artesano de la historia. Su palabra es solidaria con la escatología. La historia no se recomienza siempre como, en el fondo, lo pensaban los griegos, como si el hilo de la historia fuera un interminable círculo. El diálogo con Dios es generador de una libertad que injerta en la historia para irla modelando. Dicha libertad, generada de la comunión entre el humano y Dios trasciende y finaliza la historia, lo cual da a cada momento un significado que va más allá del punto temporal. Este punto de trascendencia también lo expresamos en la liturgia.

Jesús es la palabra encarnada de Dios

En el Nuevo Testamento hay un hecho fundamental: la venida de Jesús de Nazaret al mundo. Se presenta como la Palabra. Pero a otro nivel, "la Palabra estaba en Dios y Dios era la Palabra", como anuncia san Juan en su prólogo (1:1). A los judíos de su tiempo les llama la atención que Jesús-Palabra de Dios, enseña con autoridad, no con competencia. Sus adversarios eran más competentes. Con su palabra, llega Jesús a lo más hondo del hombre. Lo interpela y crea en el hombre una crisis que lo impulsa a dar una respuesta. Es una crisis de discernir entre rechazar o aceptar esa presencia que habla interpelando. Además, crea en el interior del hombre que acoge su palabra, posibilidades sublimes de existencia. Dirá Juan, "Les dio poder de llegar a ser hijos de Dios… nacieron de Dios" (Juan 1:12, 13).

Jesús trajo una novedad radical que le puso un dinamismo nuevo a la historia: el Reino de Dios. Ese reino ya está cerca, más aun, está presente en él; Jesús es su presencia. Con esta presencia, al hombre se le abre la posibilidad de no mantenerse sujeto al dominio de lo perecedero y efímero, sino de entrar al domino de Dios, gracias a que al escuchar a Jesús se produce el cambio radical, la *metanoia*, que es un cambio de mentalidad. Es como una revelación y revolución interior; se vuelve hijo de Dios. El hijo del Reino es como un campo sembrado, una semilla, una perla, un grano de mostaza o levadura de donde saldrán realidades ni siquiera soñadas por el ser humano. Las perspectivas cambian. El presente desemboca en el futuro: el tiempo final de la siega aclara el tiempo presente de la siembra. El hombre comienza a ser lo que llegará a ser al final. Por esto hay que dejarlo todo. "Que los muertos sepulten a sus muertos" (ver Lucas 9:60). El final nos jala hacia donde nos espera el Señor.

La Palabra engendra hijos de Dios para inyectar una fuerza nueva a la historia humana.

Cristo Jesús es la palabra definitiva de Dios. La palabra divina es su persona. Por eso, al contrario de Sócrates que rehusaba ser llamado maestro, porque decía ser terapeuta, Jesús sí exigía que él era el único maestro.

El Señor Jesús entregó el Espíritu Santo a su Iglesia, la comunidad de discípulos, para que llevara a comprender sus palabras prepascuales, o sea, también lo dicho con sus acciones, y diera una interpretación autorizada y plena a esas palabras que se escucharían en la comunidad para mantenerse fiel a su Señor. La Iglesia es este pueblo de personas que portan la palabra de Cristo Jesús.

Los discípulos son mensajeros de esta Palabra hecha carne. Se entienden como embajadores de esa palabra, que es un arma de dos filos: da vida o muerte. Todo depende de cómo se responda a esta palabra. Esta palabra es la que escuchamos cada vez que nos reunimos en su nombre para celebrar la Eucaristía. En concreto, en la fiesta dominical. Esta palabra nos interpela y exige una respuesta que no se quede en palabras nuestras, sino que se convierta en hechos que le den molde a la historia de cada día. Por esto nuestra casa, la vida cristiana, debe construirse bajo la fuerza de la palabra revelada en las Escrituras para que adquiera una solidez que no pueda ser destruida por los torrentes de otras palabras humanas (ver Mateo 7:24–27).

La Palabra celebrada

Nuestra celebración litúrgica tiene como uno de sus fundamentos la celebración de la palabra que transita hasta convertirse en pan sagrado y en alimento para el cristiano. Toda liturgia celebra la Palabra. El culto cristiano aglutinado en una serie de signos, símbolos, movimientos, gestos y oportunidades nos ofrece la palabra de Dios, siembra nuestra esperanza en un futuro cierto, que influye y fortifica nuestra vida cotidiana.

Fundamentalmente nuestra liturgia está conformada con el acto central de la presencia hablada, anunciada, proclamada y real del Señor en medio de su comunidad de discípulos, a los que se da sacramentalmente en el pan consagrado y partido, y que nos conduce a alabar a Dios con nuestras voces, sí, pero sobre todo con acciones concretas de caridad, día con día. Es la palabra de Dios recibida y celebrada la que se amplifica cuando vamos al encuentro de nuestros hermanos y hermanas y transforma el mundo en experiencia del Reino de Dios.

La Iglesia nos invita este año litúrgico a dejarnos modelar por la interpretación que nos ofrecerá de la palabra Jesús, a través de la lectura más o menos continua del Evangelio según san Lucas en las misas dominicales. Para la parte de la Liturgia de la palabra, cada año la Iglesia escoge uno de los tres evangelios llamados sinópticos para ofrecernos una interpretación variada y unitaria del significado de la vida, muerte y resurrección del Señor.

El evangelio de este año

Si bien Lucas era de origen pagano, se convirtió a la fe cristiana. Era originario de Acaya, región de la actual Grecia. Se acercó al conocimiento de Jesús a través de las distintas tradiciones orales y escritos que circulaban en los círculos cristianos sobre el Señor. Esto lo afirma claramente el evangelista en el prólogo con el que inicia su evangelio. Es el primero que quiere hacer también obra de historiador.

En su obra, san Lucas muestra su talento y preparación para transmitir con orden y solidez: escogió sus fuentes y desde la crítica de su capacidad intelectual y de su fe, le dio a su evangelio una estructura bastante clara. Después de una presentación en paralelo de los eventos que desembocan en los nacimientos de Jesús y de Juan Bautista (Lucas 1-2), coloca su narración de las enseñanzas y obras de Jesús sobre los rieles de una vía que llegará hasta Jerusalén. Los siguientes capítulos de su obra tienen como escenario Galilea, pero llegados al capítulo 9, establece claramente su ruta: "Cuando se acercaba el día en que debía salir de este mundo, Jesús se encaminó con decisión a Jerusalén" (Lucas 9:51). Dentro de este camino a la ciudad santa va acomodando los destinitos episodios y discursos que le entregaba la tradición y sus pesquisas personales. De esta forma, con esa línea hacia Jerusalén hace clara la invitación fundamental de Jesús de que quien quiera ser su discípulo, se una a su camino, que consistirá en seguir al Señor en su muerte en la cruz para resucitar con él.

Al Evangelio según san Lucas lo van a acompañar dos lecturas: una, toma del Antiguo Testamento y otra del Nuevo (mayoritariamente de las cartas de san Pablo). De esta forma se sigue lo indicado por el Concilio Vaticano II, que enseña que para entender el centro de la celebración litúrgica, el misterio de Cristo Jesús, hay necesidad de entenderlo desde al Antiguo Testamento y los demás escritos del Nuevo Testamento, ya que todos estos libros forman una unidad: la palabra de Dios. Por esto Jesús en su camino a Emaús mostró a sus acompañantes esta relación entre los dos Testamentos: "Y, comenzando por Moisés y todos los profetas, les explicó todo lo que en las Escrituras se referían a él" (Lucas 24:27).

Teniendo en cuenta esta enseñanza metodológica de Jesús, la Iglesia desde sus inicios no ha dejado de lado el Antiguo Testamento y lo ha leído y explicado a la luz de la vida, muerte y resurrección de su Señor. Así continúa explicando todas las Escrituras, generación tras generación.

> Todas las Escrituras hablan de Cristo y Cristo nos revela a Dios y su misterio de salvación.

Proclamadores de la Palabra

Lo que en este año litúrgico, el C, la Iglesia va a explicarnos el misterio de Cristo Jesús en las asambleas litúrgicas, en las que usted, estimado proclamador de la palabra, brinda un servicio esencial, tiene sus pautas en las lecturas que se encuentran en este Manual. Los comentarios son una ayuda para entender con mayor claridad y profundidad esa palabra escrita que Dios nos dirige. Es una palabra que solicita ser escuchada, acogida y amada; de allí le viene su fuerza. Pero también es una palabra débil, porque puede sufrir abuso; podríamos decir que el abuso o uso impropio se dará, cuando no sea escuchada la palabra de Dios, cuando las lecturas sean omitidas o cambiadas arbitrariamente, o incluso cuando un predicador hable de algo que no haya sido proclamado. Este libro quiere ser una ayuda para crear en usted un lector que acoja la palabra y la ponga en práctica, y un proclamador que la comparta eficazmente con sus hermanos congregados a escucharla. Por lo mismo, la actitud primera será la de recibir la palabra con respeto, humildad y verdad, pero también con toda responsabilidad para poder entregarla y que cumpla su función. A la vocación y actitud interna debe corresponder la aptitud técnica y personal.

Comencemos mencionando apenas lo más externo. Es indispensable comprobar el buen funcionamiento de los micrófonos y la acústica del lugar, pero también hacer que el ambón, como el altar, sea visible desde todos los ángulos de la iglesia. Hay que cuidar que nada obstruya la clara escucha de lo que se proclama. Pasemos a algo más personal.

Es necesario que el proclamador lea, una vez y otra, el texto que le corresponde hasta familiarizarse con él. Primeramente, deberá aclarar cualquier duda sobre el significado de cada palabra y frase de la lectura con ayuda de un diccionario hasta poder decir de qué trata esa lectura; luego pasará a observar la organización o distribución del texto. Este *Manual* ayuda mucho en esto. Fíjese en cada párrafo, dónde comienza y termina, y procure hacerse de una idea de lo que se trata allí. Quizá note repeticiones, asonancias y variaciones que ayudan a expresar el sentido del texto. Conviene mucho recurrir a una Biblia para comprender mejor el alcance de una idea particular. Consideremos siempre que si entendemos bien el texto, lo proclamaremos mejor, y la asamblea recibirá y abrazará con mayor facilidad esa palabra.

Finalmente, digamos lo esencial sobre la proclamación. Consideremos el tono que usted va a emplear al proclamar frente a la asamblea. No busque dramatizar ni edulcorar la voz. Sea natural, y potencie su voz desde el diafragma o estómago, no desde la garganta. Ejercítese; inhale por la nariz, llene la parte baja del estómago y exhale por la boca manteniendo apretado el estómago. Sostenga la intensidad de su voz en una frase completa, hasta la coma o el punto. No corte antes. Si la frase es larga, administre bien su aire y vea dónde pueda respirar, para que la idea que está pronunciando no se estropee.

Apóyese en los signos de puntuación. Cuide mucho la velocidad de su lectura. Haga un intervalo en la coma (cuente hasta uno, mentalmente) y en los puntos (cuente hasta dos en un punto y seguido; hasta tres en el punto y aparte). Dele su lugar al silencio. Eleve un poco la voz para preguntar (¿?), al exclamar (¡!). Recuerde que usted transmite emociones, colores, reacciones y actitudes de los personajes de la lectura.

Ejercítese leyendo en voz alta, enfatizando la dicción y vocalización apropiadas. Ensaye con otros ministros para mejorar su técnica personal de proclamación. Recuerde que la Palabra de Dios tiene su propia fuerza y belleza capaz de transformar la vida de quien la escucha con sincero corazón.

Otros recursos de estudio

AA.VV. *Comentario bíblico latinoamericano*, 3 vols., Estella: EVD, 2005.

E. Aguilar y F. Legarreta, *Introducción a Pablo. Romanos y Gálatas* (BBB 18), Estella: EVD, 2018.

F. Bovon, *El evangelio según san Lucas*, 4 vols., Salamanca: Sígueme, 1995–2010.

S. Carrillo Alday, *El evangelio según san Lucas*, Estella: EVD, 2008.

I. Gómez-Acebo, *Lucas* (GLNT 3) Estella: EVD, s/a.

C. Junco, *Palabra sin fronteras: Los profetas de Israel*, México: San Pablo, 2000.

J. Kodell, *El evangelio de san Lucas* (CBC 3), Collegeville, MN, 1995.

C. Langner, *Evangelio de Lucas y Hechos de los Apóstoles* (BBB 16), Estella: EVD, 2010.

R. López Rosas y P. Richard, *Evangelio y Apocalipsis de san Juan* (BBB 17) Estella: EVD, 2006.

J. Loza y R. Duarte, *Introducción al Pentateuco. Génesis* (BBB 3), Estella: EVD, 2007.

J. Malina y R. L. Rohrbaugh, *Los evangelios sinópticos y la cultura mediterránea del siglo I. Comentario desde las ciencias sociales*, Estella: EVD, 1996.

J. Piedad Sánchez, *Sabiduría de Israel. Introducción al estudio de la poesía sapiencial*, México: Paulinas, 2004.

D. Rainer, *Comentario al evangelio de Lucas* (EyC 2), Estella: EVD, 2001.

F. Ramis, *Hechos de los Apóstoles* (GLNT, 5) Estella: EVD, 2010.

I DOMINGO DE ADVIENTO

Lectura de consuelo: que eso lo note la asamblea en el tono de tu voz.

Jesús es el vástago santo del tronco de David. Pronuncia la profecía con claridad.

Para meditar

I LECTURA Jeremías 33:14–16

Lectura del libro del profeta Jeremías

"Se **acercan** los días, dice el Señor,
   en que **cumpliré** la promesa que hice a la casa de Israel
   y a la casa de Judá.

En aquellos días y en aquella hora,
   yo haré **nacer** del tronco de David un vástago **santo**,
   que **ejercerá** la justicia y el derecho en la tierra.
Entonces Judá estará a salvo, Jerusalén estará **segura**
   y la llamarán 'el Señor es **nuestra justicia**'".

SALMO RESPONSORIAL Salmo 25:4bc–5ab, 8–9, 10 y 14

R. A ti, Señor, levanto mi alma.

Señor, enséñame tus caminos,
   instrúyeme en tus sendas:
   haz que camine con lealtad;
   enséñame, porque tú eres mi Dios
   y Salvador. **R.**

El Señor es bueno y es recto,
   y enseña el camino a los pecadores;
   hace caminar a los humildes con rectitud,
   enseña su camino a los humildes. **R.**

Las sendas del Señor son misericordia
   y lealtad
para los que guardan su alianza y
   sus mandatos.
El Señor se confía con sus fieles,
   y les da a conocer su alianza. **R.**

I LECTURA Conocidos como "El libro de la Consolación", los capítulos 30–33 del libro de Jeremías constituyen una colección de oráculos de salvación que, aunque fueron pronunciados en referencia a las tribus del Reino del Norte, recuperan ahora su validez y son ampliadas para que los habitantes de Judá también los sientan como dirigidos a ellos, el Reino del Sur; sus destinatarios son aquellos que ahora padecen el exilio en Babilonia: Dios anuncia el retorno del pueblo deportado, les augura serenidad y tranquilidad cuando lleguen de nuevo a su tierra (30:10), todo ello por puro amor de Dios, en una intervención gratuita de parte de Dios e inmerecida por parte del pueblo.

El inicio del capítulo anuncia la curación de la herida de Israel y el restablecimiento de la salud de Judá. El pueblo de Dios en su conjunto experimentará una sanación maravillosa (33:6) que incluye el perdón de los pecados (33:8) y la restauración de la comunidad cual esposa rescatada y perdonada por Dios de todas sus infidelidades (33:10–11). En este marco, resuena este anuncio: la justicia y la paz que el Señor promete a su pueblo llegará a través de un renacimiento de la dinastía davídica. Dios, que no olvida sus promesas, garantizará al pueblo justicia y paz, suscitando un soberano del linaje de David, elegido por él.

El castigo del exilio no es un rechazo de parte de Dios: ha sido el fruto de las infidelidades del pueblo al Dios de la alianza. Pero la misericordia de Dios es más grande que todas las traiciones de su pueblo. El retoño santo, el vástago del tronco de David es, los cristianos lo sabemos, Jesús el Mesías, cuyo advenimiento esperamos, a partir de este domingo, con ansia y ardor.

II LECTURA   1 Tesalonicenses 3:12—4:2

**Lectura de la primera carta del apóstol san Pablo
a los tesalonicenses**

Hermanos:
Que el Señor los llene y los haga **rebosar** de un amor **mutuo**
    y hacia todos los demás,
  como el que **yo** les tengo a ustedes,
  para que él conserve sus corazones **irreprochables**
    en la santidad ante Dios, nuestro **Padre**,
  hasta **el día** en que venga nuestro Señor **Jesús**, en compañía
    de **todos** sus santos.

Por lo demás, hermanos,
  les rogamos y los **exhortamos** en el nombre del Señor Jesús
    a que **vivan** como conviene,
  para **agradar** a Dios, según aprendieron **de nosotros**,
  a fin de que **sigan** ustedes progresando.
Ya conocen, en efecto,
  las **instrucciones** que les hemos dado de **parte** del Señor Jesús.

La oración de bendición pide rebosar de amor mutuo. Que tu proclamación despierte ese deseo en la asamblea.

Imprime tono exhortativo a tu lectura. Vivir para agradar a Dios es un consejo que la comunidad debe sentirse invitada a seguir.

EVANGELIO   Lucas 21:25–28, 34–36

Lectura del santo Evangelio según san Lucas

En aquel tiempo, Jesús dijo a sus discípulos:
  "Habrá señales **prodigiosas** en el sol, en la luna y en
    las estrellas.
En la tierra, las naciones se **llenarán** de angustia
  y de miedo por el **estruendo** de las olas del mar;
    la gente se **morirá** de terror y de **angustiosa** espera
      por las cosas **que vendrán** sobre el mundo,
  pues hasta las estrellas se **bambolearán**.

La fuerza simbólica del texto exige una lectura clara y pausada. Con aplomo, lee los anuncios que producen angustia.

II LECTURA En los capítulos 2:1—3:13, Pablo recuerda su ministerio en Tesalónica y confiesa el cariño que siente por la comunidad. Recuerda también las dificultades que experimentó y las fuertes oposiciones que tuvo que sortear, en el afán de predicarles el evangelio de la salvación a los tesalonicenses, a quienes ama con tierno cuidado de padre. Después, del capítulo 4:1 al 5:22, se ocupará el Apóstol de algunos problemas concretos por los que pasa la comunidad: el trato entre los esposos, el retraso de la venida del Señor o la suerte de los difuntos. A caballo entre estas dos secciones se encuentran los versículos que escuchamos hoy como segunda lectura.

Pablo ha recibido noticias a través de Timoteo, que ha visitado recientemente Tesalónica por envío del Apóstol: a pesar de algunas dificultades, los tesalonicenses han crecido en la fe y permanecen firmes. Por eso Pablo, desde la distancia, bendice a toda la comunidad deseándole crecimiento en el amor mutuo.

Nuestro texto encuentra su lugar de proclamación en este tiempo de Adviento porque el Apóstol exhorta a la comunidad a conservarse irreprochables hasta el día de la segunda venida de Jesús con todos sus santos, es decir, con aquellos discípulos y discípulas que han alcanzado ya la vida eterna. Esta evocación que hace el Apóstol de la manifestación gloriosa de Jesús cierra la primera parte de la carta y abre la sección exhortativa. Esa segunda venida de Jesús es el horizonte de nuestra espera en estos dos primeros domingos del Adviento.

EVANGELIO El discurso del que está extraída la lectura de hoy

Remarca el contraste: lo que para muchos causa de angustia, para los cristianos es un llamado a la esperanza.

La frase final encierra el llamado propio del Adviento. Lee pausadamente con tono de consejo, pero sin afectación.

Entonces **verán venir** al Hijo del hombre en una nube,
con **gran** poder y majestad.

Cuando estas cosas comiencen a suceder,
pongan atención y **levanten** la cabeza,
porque **se acerca** la hora de su liberación.
Estén **alerta**, para que los vicios, con el libertinaje,
la embriaguez y las preocupaciones de **esta vida**
no **entorpezcan** su mente y aquel día los sorprenda
desprevenidos;
porque caerá **de repente** como una trampa
sobre **todos** los habitantes de la tierra.

Velen, pues, y hagan oración continuamente,
para que puedan escapar de todo lo que ha de suceder
y comparecer **seguros** ante el Hijo del hombre".

abarca prácticamente todo el capítulo 21. Las polémicas entre Jesús y las autoridades de Israel en el templo han terminado y ahora el telón de fondo es el final de los tiempos, la segunda venida de Jesús. En una primera parte (vv. 5–24) se habla de la destrucción de Jerusalén como signo del inicio de una nueva época y de las tribulaciones por las que deberán atravesar los seguidores del Mesías. Después, Jesús advierte a sus discípulos que hay que estar atentos a los signos que preceden a su segunda venida.

El lenguaje de nuestro texto tiene el estilo de los oráculos proféticos que invocaban convulsiones cósmicas cuando expresaban una especial presencia del Señor (ver Isaías 13; 34; Ezequiel 32; Joel 3). Todavía hoy, tales signos cósmicos nos impresionan y sacuden. La venida del Hijo del Hombre será causa de miedo para la gente, pero para los discípulos de Jesús tales signos son anuncio de la definitiva liberación. Por más temibles que parezcan los signos anunciados, los seguidores del Mesías no habrán de perder la esperanza. El Maestro vendrá para llevar a la plenitud su proyecto de justicia.

Después de la parábola de la higuera, que la lectura litúrgica omite (vv. 29–33), resuena la recomendación de estar alertas y vivir en permanente vigilancia para que el discernimiento del discípulo no se nuble con los vicios. La oración juega un papel de primera importancia y ha de ser constante y permanente. Esta invitación tiene resonancia especial en el tiempo de Adviento que estamos viviendo.

II DOMINGO DE ADVIENTO

La hermosura de este poema requiere una lectura intensa y cuidada.

I LECTURA   Baruc 5:1–9

Lectura del libro del profeta Baruc

Jerusalén, **despójate** de tus vestidos de luto y aflicción,
   y vístete para siempre
   con el **esplendor** de la gloria que Dios te da;
   envuélvete en el manto de la justicia de Dios
   y **adorna** tu cabeza con la diadema de **la gloria** del Eterno,
   porque Dios **mostrará** tu grandeza
   a cuantos **viven** bajo el cielo.
Dios te dará un nombre **para siempre**:
   "Paz en la justicia y **gloria** en la piedad".

Este llamado a la esperanza debe proclamarse con emoción para despertar el entusiasmo de la asamblea.

Ponte de pie, Jerusalén, sube a la altura,
   levanta los ojos y **contempla** a tus hijos,
   reunidos de oriente y de occidente,
   a **la voz** del espíritu,
   gozosos porque Dios se **acordó** de ellos.
Salieron **a pie**, llevados por los enemigos;
   pero Dios te los devuelve **llenos** de gloria,
   como **príncipes** reales.

La acción de Dios alcanza el cosmos entero. Lee este párrafo final para suscitar admiración ante la obra de la naturaleza y alegría por la salvación que Dios realiza.

Dios ha ordenado que se abajen
   todas las montañas y **todas** las colinas,
   que se **rellenen** todos los valles hasta **aplanar** la tierra,
   para que Israel camine **seguro** bajo la **gloria** de Dios.
Los bosques y los árboles **fragantes**
   le darán **sombra** por orden de Dios.

I LECTURA El libro de Baruc es una colección de textos que muy probablemente circularon durante mucho tiempo de manera independiente hasta que, hacia mitad del siglo i antes de Cristo, fueron reunidos bajo el nombre de Baruc, el hombre de confianza del profeta Jeremías y su secretario.

En la segunda parte de este libro (3:9—5:9) encontramos dos hermosos poemas. En el primero, el autor encuentra en el alejamiento de los mandamientos de la alianza, fuente de sabiduría para el pueblo escogido, la razón por la que el pueblo ha sido deportado a Babilonia. Es un poema que se dirige a las raíces de la deportación a Babilonia. El segundo poema, en cambio (4:5—5:9) se orienta paulatinamente hacia una visión esperanzadora: Judá no será destruido, Dios lo restaurará.

Nuestra lectura de hoy forma parte de la sección final del poema. Ha llegado, después de un largo y doloroso sufrimiento, la hora de que Jerusalén cambie sus ropas de luto y de tristeza por la vestidura de la gloria de Dios, que viene a salvarla. En Jerusalén, el pueblo todo se ve representado; y en la alegría final participan no solamente los desterrados que regresan llenos de gozo, sino la naturaleza entera —montañas y colinas, bosques y plantas aromáticas— que es restaurada por la misericordia que procede de Dios. Una buena oportunidad para recordar que el tiempo de Adviento es tiempo de gozo y de restauración y que nos involucra tanto a los seres humanos como a la naturaleza toda de la que somos custodios.

II LECTURA El texto de nuestra segunda lectura está tomado del inicio de la carta, un largo saludo que el

Porque el Señor **guiará** a Israel en medio de **la alegría**
   y a la **luz** de su gloria,
      escoltándolo con **su misericordia y su justicia**.

SALMO RESPONSORIAL   Salmo 126:1–2ab, 2cd–3, 4–5, 6
R. El Señor ha estado grande con nosotros, y estamos alegres.

Cuando el Señor cambió la suerte de Sión,
   nos parecía soñar:
   la boca se nos llenaba de risas,
   la lengua de cantares. **R.**

Hasta los gentiles decían:
   "El Señor ha estado grande con ellos".
El Señor ha estado grande con nosotros,
   y estamos alegres. **R.**

Que el Señor cambie nuestra suerte,
   como los torrentes de Negueb.
Los que sembraban con lágrimas
   cosechan entre cantares. **R.**

Al ir, iba llorando,
   llevando la semilla;
   al volver, vuelve cantando,
   trayendo sus gavillas. **R.**

II LECTURA   Filipenses 1:4–6, 8–11

Lectura de la carta del apóstol san Pablo a los filipenses

La lectura muestra el desbordado amor de Pablo por los Filipenses. Que la comunidad reunida experimente en tu lectura ese afecto. Lee con emoción y tono sereno.

Hermanos:
Cada vez que me acuerdo de **ustedes**,
   le doy **gracias** a mi Dios
   y **siempre** que pido por ustedes, lo hago con **gran alegría**,
      porque han **colaborado** conmigo en la **causa** del Evangelio,
         desde el primer día **hasta ahora**.
Estoy **convencido** de que aquel que comenzó en ustedes esta obra,
   la irá perfeccionando **siempre** hasta el día **de la venida**
      de Cristo Jesús.

Mira a la asamblea. Haz sentir a la comunidad reunida que somos los destinatarios de este amor de Dios.

Dios es testigo de cuánto los amo a todos ustedes
   con el amor **entrañable** con que los ama Cristo Jesús.
Y **esta** es mi oración por ustedes:
   Que su amor siga creciendo **más y más**
   y se traduzca en un **mayor** conocimiento
   y sensibilidad **espiritual**.

Apóstol dirige a sus amados filipenses. Nos hace recordar el inapreciable valor de la amistad. Pablo comienza agradeciendo a Dios por el compromiso que los filipenses manifiestan en el seguimiento del evangelio y en su difusión. Es motivo también de su agradecimiento el hecho de que entre el evangelizador y los evangelizados ha crecido una relación de afecto que se ha manifestado en una solidaridad efectiva de los filipenses para con el Apóstol (Filipenses 4:15).

Pablo también realiza una oración de intercesión: pide que los cristianos de Fili-

pos no dejen de crecer en el discernimiento y en una profunda sensibilidad. Sólo así podrán presentarse limpios, honestos, irreprochables en el día de la venida del Señor. Pablo es consciente de que la obra de la gracia la ha comenzado Dios en los corazones y él mismo la llevará a término, pero sabe bien que la gracia necesita siempre de una respuesta generosa de parte de quien la recibe. Frutos de justicia, de honestidad, es lo que Dios espera también de nosotros en este tiempo de adviento.

EVANGELIO   Lucas inicia el relato del ministerio de Jesús poniendo las coordenadas históricas de la aparición del Bautista: quién era el emperador romano, quiénes los gobernantes de la provincia sirio-palestina donde Jesús había nacido y crecido, quiénes los funcionarios religiosos de la Jerusalén de aquel tiempo. Es cierto que el autor del evangelio se presenta como alguien que "ha investigado todo con cuidado" (Lucas 1:1–4), pero no se trata aquí de la simple insistencia de un historiador. La mención precisa del momento histórico tiene también una finalidad teoló-

El párrafo final es clave en el Adviento. Lee pausadamente, subrayando las palabras en negritas.

Así podrán escoger siempre **lo mejor**
  y llegarán limpios e **irreprochables**
    al día de la venida de Cristo,
  llenos de los frutos de la justicia,
  que nos viene de **Cristo Jesús**,
  para **gloria** y alabanza de Dios.

EVANGELIO   Lucas 3:1–6

Lectura del santo Evangelio según san Lucas

En el año **décimo quinto** del reinado del César Tiberio,
  siendo **Poncio Pilato** procurador de Judea;
  Herodes, tetrarca de Galilea;
  su hermano **Filipo**, tetrarca de las regiones
    de Iturea y Traconítide;
  y **Lisanias**, tetrarca de Abilene;
  bajo el pontificado de los sumos sacerdotes **Anás y Caifás**,
  vino la **palabra de Dios** en el desierto sobre **Juan**,
  hijo de Zacarías.

Entonces comenzó a recorrer toda la comarca del Jordán,
  predicando un bautismo **de penitencia**
    para el **perdón** de los pecados,
  como está **escrito** en el libro de las predicciones
    del profeta **Isaías**:

Ha resonado una voz en el desierto:
  Preparen *el camino del Señor,*
  hagan **rectos** *sus senderos.*
Todo valle será **rellenado**,
  toda montaña y colina, **rebajada**;
  lo tortuoso se hará **derecho**,
  los caminos ásperos serán **allanados**
  y **todos** *los hombres verán la salvación de Dios.*

Las frases iniciales son datos históricos que no se siguen fácilmente. Respeta los signos de puntuación para que el acento mayor se decante en las dos últimas líneas, donde está el el verbo principal, "vino".

El párrafo presenta la identidad de Juan Bautista. Lee pausadamente.

La cita de Isaías es un poema y como tal debe leerse. Apóyate en las palabras en negrillas para enfatizar las acciones.

gica: Dios, que se ha revelado siempre dentro de la historia como un *Dios con nosotros*, se hará especialmente presente en la persona de su Hijo, nacido en un tiempo y una geografía determinados, como una invitación a que cada época y cada circunstancia sea un lugar de revelación, un lugar de encuentro con su misterio.

Que sean mencionadas también las autoridades romanas y no solamente las judías, encierra ya un mensaje cifrado: la predicación del Bautista anuncia la llegada de aquél que traerá la salvación no sólo al pueblo de Israel, sino a todas las naciones.

Es toda la humanidad la destinataria de esta intervención definitiva de Dios.

Juan Bautista asume lo profetizado por el Segundo Isaías (Isaías 40–55), el llamado profeta de la consolación. El anuncio es gozoso, puesto que termina con la afirmación de que todos veremos la salvación de Dios, pero requiere de un esfuerzo personal, representado en lenguaje de restablecimiento de equilibrios perdidos: rellenar valles, rebajar montañas, enderezar lo tortuoso, allanar los caminos ásperos. Como diríamos en lenguaje coloquial: poner de nuevo el piso parejo.

Más adelante (Lucas 3:7–18) Juan desmenuzará la manera en que cada sector de la sociedad de la época deberá responder a su llamado. Construir un mundo con igualdad de oportunidades puede ser un mensaje muy actual para nosotros en este tiempo de adviento.

INMACULADA CONCEPCIÓN DE LA VIRGEN MARÍA

I LECTURA   Génesis 3:9–15, 20

Lectura del libro del Génesis

La narración tiene su propia lógica y ritmo. Respeta los signos de puntuación y lee de manera expresiva, pero sin exagerar.

Después de que el hombre y la mujer
   comieron del fruto del árbol **prohibido**,
   el Señor Dios **llamó** al hombre y le preguntó:
   "¿Dónde estás?"
Éste le respondió:
   "**Oí** tus pasos en el jardín; y **tuve miedo**,
   porque estoy **desnudo**, y me **escondí**".
Entonces le dijo Dios:
   "¿Y **quién** te ha dicho que estabas **desnudo**?
   ¿**Has comido** acaso del árbol del que te **prohibí** comer?"
Respondió Adán:
   "**La mujer** que **me diste** por compañera
   me **ofreció** del fruto del árbol **y comí**".
El Señor Dios dijo a **la mujer**:
"¿**Por qué** has hecho esto?"
Repuso la mujer:
"La serpiente **me engañó** y comí".

Las frases son duras y deben leerse con fuerza: son las consecuencias del mal uso de la libertad.

Entonces dijo el Señor Dios a la serpiente:
   "Porque has hecho **esto**,
   serás **maldita** entre **todos** los animales
   y entre **todas** las bestias salvajes.
Te **arrastrarás** sobre tu vientre
      y **comerás polvo**
   todos los días de tu vida.

I LECTURA Los once primeros capítulos del libro del Génesis reúnen tradiciones populares que circulaban en el entorno del Medio Oriente desde tiempos antiguos, procedentes de Mesopotamia, Canaán y Egipto. Los relatos de estos once capítulos están muy lejos de la manera como abordamos actualmente el origen de nuestro mundo y nuestra especie, recurriendo a teorías científicas basadas en descubrimientos de la ciencia. Pero, al mismo tiempo, están muy cerca de la forma como los seres humanos nos hemos transmitido los valores y las normas de conducta a tra-

vés de los siglos: por medio de la creación de relatos aleccionadores. Los seres humanos somos narradores natos y nos gusta comunicarnos a través de cuentos y relatos. Estas narraciones son vehículos para transmitir una determinada manera de ver la vida, las relaciones entre las personas y las relaciones con Dios.

Después de dos relatos de creación (capítulos 1 y 2), el libro del Génesis aborda uno de los temas que han sacudido a los pensadores de todos los siglos: el origen del bien y del mal, de la gracia y del pecado. Una narración llena de vivacidad (3:1–24)

describe la primera trasgresión, la desobediencia de origen. Entre los innumerables árboles del huerto, el Creador prohíbe comer de uno solo de ellos. La tentación de dominar a Dios y ponerlo a nuestro servicio, sin reconocer nuestros límites de creatura, termina venciendo a Adán y Eva, que comen del fruto prohibido. La desnudez, que era antes signo de plenitud (2:25), es ahora signo de vergüenza, de culpabilidad.

Una cadena de traiciones se introduce en la convivencia y rompe la armonía original. Dios emite su sentencia: la condición del hombre y de la mujer estará ahora

Este párrafo convierte el regaño en promesa. Imprime tono de esperanza a las dos líneas finales que anuncian el misterio de la madre de Jesús.

Pondré **enemistad** entre ti y la mujer,
    entre tu descendencia y **la suya**;
    y su descendencia **te aplastará** la cabeza,
    mientras tú **tratarás** de morder su talón".

El hombre le puso a su mujer el nombre de "Eva",
    porque ella fue la madre de **todos** los vivientes.

Para meditar

SALMO RESPONSORIAL   Salmo 98:1, 2–3ab, 3c–4

R. Canten al Señor un cántico nuevo, porque ha hecho maravillas.

Canten al Señor un cántico nuevo,
    porque ha hecho maravillas:
    su diestra le ha dado la victoria,
    su santo brazo. **R.**

El Señor da a conocer su victoria,
    revela a las naciones su justicia:
    se acordó de su misericordia y su fidelidad
    en favor de la casa de Israel. **R.**

Los confines de la tierra han contemplado
    la victoria de nuestro Dios.
Aclama al Señor, tierra entera;
    griten, vitoreen, toquen. **R.**

II LECTURA   Efesios 1:3–6, 11–12

Lectura de la carta del apóstol san Pablo a los efesios

Este hermoso himno de bendición pide un tono exultante y gozoso. La fraseología es compleja y cada palabra debe leerse con claridad para que la asamblea comprenda el contenido.

Bendito sea Dios,
    Padre de nuestro Señor **Jesucristo**,
    que nos ha bendecido **en él**
    con **toda** clase de bienes espirituales y celestiales.
Él nos **eligió** en Cristo, **antes** de crear el mundo,
    para que fuéramos **santos**
    e **irreprochables** a sus ojos, por **el amor**,
    y **determinó**, porque **así** lo quiso,
    que, por medio de Jesucristo, **fuéramos** sus hijos,
    para que **alabemos y glorifiquemos** la gracia
    con que nos **ha favorecido** por medio de su Hijo amado.

---

rodeada de fatiga y de insatisfacción. La muerte proyecta ahora su sombra sobre la creación. En medio de la sentencia, un anuncio esperanzador: la serpiente será derrotada por la descendencia de una mujer. Los cristianos vemos en aquella mujer a María, la nueva Eva, la que nos trae al Redentor.

II LECTURA   La carta a los Efesios es una carta circular, es decir, una misiva escrita para ser leída en distintas comunidades del Asia Menor. Ya para la segunda mitad del siglo II comenzó a llevar como destinatarios a los cristianos de Éfeso, ciudad en la que Pablo evangelizó hacia el final de su segundo viaje y que se convirtió en el centro geográfico en el que Pablo se afincó por cerca de tres años y desde donde se trasladaba para visitar comunidades cercanas en sus desplazamientos misioneros.

La sección inicial de la carta (1:3—3:21) se concentra en describir en qué consiste el misterio de Dios y cómo nos revela él su voluntad. Para Pablo, se trata de la revelación de un secreto que Dios había mantenido oculto en su corazón, pero que nosotros hemos conocido por medio de su hijo Jesucristo. Se trata de una obra de reconciliación total, en la que no habrá ya distinción de procedencias de dos pueblos, judíos y no judíos, Dios conforma para sí un nuevo pueblo, derribando el muro que separaba a los elegidos de aquellos que no lo eran. Ahora sabemos, en Cristo, que la elección de Israel no era sino un botón de muestra de lo que Dios quería hacer con la humanidad entera: hacer que todo tenga a Cristo por cabeza y, en su seguimiento, reunir a la iglesia, que es la familia de Dios (2:19).

Esta sección inicial comienza con un himno, del que hoy leemos un fragmento.

Mira a la asamblea en este párrafo final. Es un anuncio que debe llegar al corazón de todos los oyentes.

Con Cristo somos herederos también nosotros.
Para **esto** estábamos destinados,
   por **decisión** del que lo hace todo **según** su voluntad:
   para que **fuéramos** una alabanza **continua** de su gloria,
   nosotros, los que ya antes **esperábamos** en Cristo.

EVANGELIO   Lucas 1:26–38

Lectura del santo Evangelio según san Lucas

Detrás de una sencilla narración se esconde un gran acontecimiento en el orden de la fe. Lee con claridad y ritmo ágil.

En aquel tiempo,
   el **ángel** Gabriel fue enviado por Dios
   a una ciudad de Galilea, llamada **Nazaret**,
   a una **virgen** desposada con un varón de la estirpe de David,
   llamado **José.**
La virgen se llamaba **María.**

Entró el ángel a donde ella estaba y le dijo:
   "**Alégrate, llena** de gracia, el Señor **está** contigo".
Al oír **estas** palabras,
   ella se preocupó **mucho**
   y se preguntaba **qué querría decir** semejante saludo.

El ángel anuncia la encarnación y la misión de Jesús. Lee pausadamente para que todos alcancen a comprender.

El ángel le dijo:
   "**No temas**, María, porque **has hallado** gracia ante Dios.
   Vas **a concebir** y a dar a luz **un hijo**
   y le pondrás por nombre **Jesús.**
Él será **grande** y será llamado **Hijo** del Altísimo;
   el Señor Dios le dará el trono de David, **su padre**,
   y él **reinará** sobre la casa de Jacob **por los siglos**
   y su reinado **no tendrá fin**".

Es una bendición al Dios Trino por la obra de salvación universal: nos ha elegido gratuitamente, nos ha hecho participar de su santidad, nos ha dado la gracia de ser sus hijos. Y todo esto lo ha realizado por medio de Cristo Jesús, en quien todos esperamos encontrar la redención final.

La santidad plena anunciada en este himno, de la que participa la Virgen María desde el momento mismo de su concepción, no es mérito humano sino obra de la gracia de Cristo. La madre del Hijo de Dios es también su discípula y su heredera.

Madre de la Iglesia, María nos señala siempre el camino hacia Cristo.

EVANGELIO A diferencia del evangelio de la infancia de Mateo, Lucas subraya más la participación de María en el misterio de la salvación. Después de la anunciación del nacimiento de Juan Bautista a Zacarías, sacerdote del templo de Jerusalén (1:5–25), viene este segundo relato de anunciación, ahora dirigido a una muchacha de aldea. El contraste no deja de llamar la atención: la primera anunciación se realiza en el majestuoso escenario del

templo de Jerusalén, la Ciudad Santa por excelencia. La segunda ocurre en un poblado sencillo y periférico. En el primer caso, sin embargo, el nacimiento anunciado es el del precursor, cuya función es relativa al Mesías al que más tarde deberá anunciar. En nuestra lectura, en cambio, el anunciado es el Mesías de Israel, hijo de David e hijo de Dios.

El relato de la visita de Gabriel a María está lleno de alusiones al Antiguo Testamento (Sofonías 3:14–15; Isaías 7:14; 9:7; 2 Samuel 7:9–12, 14–16; Miqueas 4:5–7) que enriquecen la narración. El saludo angélico

La acción del Espíritu es esencial en el relato. Isabel es muestra patente de que Dios genera fecundidad donde hace falta vida. Que el auditorio note esto.

La frase final de María cierra con broche de oro el relato. Léela con convicción.

María le dijo entonces al ángel:

"¿**Cómo** podrá ser esto, puesto que yo **permanezco virgen**?"

El ángel le contestó:

"El Espíritu Santo **descenderá** sobre ti
y el **poder** del Altísimo te cubrirá con su sombra.

Por eso, **el Santo**, que va a nacer **de ti**,
será llamado **Hijo de Dios**.

Ahí tienes a tu parienta **Isabel**,
que a pesar **de su vejez**, **ha concebido** un hijo
y ya va en el **sexto** mes la que llamaban **estéril**,
porque no hay **nada imposible** para Dios".

María contestó:

"**Yo soy** la esclava del Señor;
cúmplase en mí lo que me has dicho".

Y el ángel **se retiró** de su presencia.

le otorga a María el título de *favorecida*, la que ha recibido de Dios una gracia grande. Cuando la Biblia fue traducida al latín, el título *favorecida* tomó su forma de "gratia plena", llena de gracia. Los cristianos vemos en este título no solamente una denominación más, sino el reconocimiento de una realidad más honda que vislumbramos en esta fiesta de la Inmaculada Concepción: la especial deferencia de Dios hacia la Virgen María tiene como razón fundamental, no el mérito de aquella jovencita de pueblo, sino el haber sido llamada para ser madre de aquél que había de venir a someter a la serpiente antigua.

María, a diferencia de Zacarías, no duda. La pregunta acerca de cómo sucederán las cosas proviene de la realidad que ella experimenta: aunque está ya desposada con José, es todavía virgen. La respuesta del ángel nos llena de estupor: este nacimiento será obra de Dios. La aceptación final de María, "yo soy la esclava del Señor", su libertad entregada libremente al proyecto salvador de Dios, la convierte en madre de toda la humanidad, nueva Eva, modelo para los creyentes.

III DOMINGO DE ADVIENTO

Poema de júbilo: dale el tono de una invitación alegre.

I LECTURA   Sofonías 3:14–18

Lectura del libro del profeta Sofonías

Canta, hija de Sión,
    da gritos de júbilo, Israel,
    gózate y regocíjate **de todo corazón**, Jerusalén.

El Señor ha levantado su sentencia contra ti,
    ha expulsado **a todos** tus enemigos.
El Señor será el rey de Israel **en medio de ti**
    y ya no temerás **ningún** mal.

La presencia de Dios es fuente de consuelo. Lee las últimas líneas como si estuvieran dirigidas directamente a la asamblea que te escucha.

Aquel día dirán a Jerusalén:
    "**No temas**, Sión,
    que **no desfallezcan** tus manos.
El Señor, tu Dios, tu **poderoso** salvador,
    está **en medio** de ti.
Él se goza y se complace **en ti**;
    él te ama y se **llenará** de júbilo por tu causa,
    como en los **días** de fiesta".

I LECTURA Cuando Sofonías ejerció su ministerio profético reinaba en Judá, el rey Josías (640–609 a. C.) El rey aprovechó que el reino de Asiria se replegaba ante la amenaza de los babilonios para iniciar un movimiento de reforma en Judá que incluyó la destrucción de los santuarios paganos y la prohibición del culto a los dioses asirios. Sofonías aparece como el profeta que anuncia la llegada del Día del Señor, día de juicio y de sentencia contra los pecadores.

En la última parte del libro (3:9–20) se enclava nuestra lectura. Esta sección no tiene ya oráculos de amenaza; más bien anuncia la restauración futura. Sofonías anuncia que un resto sencillo y humilde escapará de la ira del Señor debido a la sencillez de corazón que les ha hecho permanecer fieles a la alianza y les ha mantenido en la práctica de la justicia y la hermandad.

Figura de este resto humilde es la ciudad de Jerusalén, llamada por el profeta Hija de Sión, que recibe con gozo el anuncio de la salvación que Dios le trae. La lectura desborda alegría porque Dios habita en medio de su pueblo, no como el castigador y justiciero de los capítulos precedentes, sino como el poderoso salvador que llega para establecer su habitación en el seno de aquel resto humilde que cumple su voluntad. En este tiempo de Adviento, la alegría que atraviesa nuestro texto nos hace mirar a María, la nueva Hija de Sión, representante de ese pueblo de corazón sencillo. También nosotros, que esperamos el nacimiento del Salvador, podemos ser renovados por su amor.

II LECTURA El fragmento de la Carta a los Filipenses que leemos hoy como segunda lectura le da nombre a este tercer domingo de Adviento, que se

Para meditar

SALMO RESPONSORIAL   Isaías 12:2–3, 4bcd, 5–6

R. Griten jubilosos, porque Dios de Israel ha sido grande con ustedes.

El Señor es mi Dios y salvador,
   con él estoy seguro y nada temo.
El Señor es mi protección y mi fuerza
   y ha sido mi salvación. **R.**

Den gracias al Señor,
   invoquen su nombre,
   cuenten a los pueblos sus hazañas,
   proclamen que su nombre es sublime. **R.**

Alaben al Señor por sus proezas,
   anúncienlas a toda la tierra.
Griten jubilosos, habitantes de Sión,
   porque Dios de Israel
   ha sido grande con ustedes. **R.**

II LECTURA   Filipenses 4:4–7

Lectura de la carta del apóstol san Pablo a los filipenses

Hermanos míos:
Alégrense **siempre** en el Señor;
se lo repito: ¡**alégrense**!
Que la benevolencia de ustedes sea conocida **por todos**.
El Señor está **cerca**.
No se inquieten **por nada**;
   más bien presenten en **toda ocasión** sus peticiones a Dios
      en la oración y la súplica, **llenos** de gratitud.
Y que la **paz** de Dios, que sobrepasa **toda** inteligencia,
   custodie sus corazones y sus pensamientos en **Cristo** Jesús.

La alegría es característica del cristiano y fuente de tranquilidad y paz interior. Lee con sereno entusiasmo.

conoce como *Gaudete*, es decir, "domingo para alegrarse". Nuestro pasaje forma parte de una unidad más larga (4:2–9) en la que Pablo se dirige a los dirigentes de la comunidad de Filipos y nos da un retrato de la vitalidad de esta comunidad, tan amada por el Apóstol: Evodia y Síntique deberán superar sus dificultades y recuperar la armonía, la mención de Clemente y otros discípulos anónimos da cuenta de la red numerosa de colaboradores con los que Pablo contaba para alentar el crecimiento de las comunidades.

Resuena el llamado de Pablo a vivir la alegría como característica del cristiano. No deja de ser paradójico que este llamado venga de alguien que está prisionero en una cárcel, pero, al mismo tiempo, fascinado por Cristo. Pablo nos comparte hoy cuál es la fuente de su sosiego y su alegría: la oración. Es en la oración que recibimos la paz que procede de Dios y su continua protección.

Central es también la llamada de Pablo a dar testimonio. El mundo debe conocer a los discípulos de Cristo por su benevolencia, por su bondad compasiva. En un ambiente convulso por la violencia necesitamos testi-

gos de aquella paz que sólo viene de Dios. No hay mejor manera de vivir esta preparación para la Navidad que a través de un testimonio alegre, que muestre que la fuerza que viene de Dios puede hacer que superemos situaciones que parecen no tener salida.

EVANGELIO   El evangelio de hoy continúa el que escuchamos la semana pasada. La llamada de Juan a la conversión y su invitación al signo del bautismo crean dudas y expectativas en sus oyentes: ¿hasta dónde debe llegar el com-

EVANGELIO   Lucas 3:10–18

Lectura del santo Evangelio según san Lucas

En aquel tiempo, la gente le **preguntaba** a Juan el Bautista:
    "¿**Qué** debemos hacer?"
Él contestó:
    "Quien tenga **dos túnicas**,
        que dé una al que no tiene **ninguna**,
    y quien tenga comida, que haga **lo mismo**".

También acudían a él los publicanos para que los bautizara,
        y le preguntaban:
    "**Maestro**, ¿qué tenemos que hacer **nosotros**?"
Él les decía:
    "**No cobren más** de lo establecido".
Unos soldados le preguntaron:
    "Y **nosotros**, ¿qué tenemos que hacer?"
Él les dijo:
    "**No extorsionen** a nadie, ni denuncien a nadie **falsamente**,
        sino **conténtense** con su salario".

Como el pueblo estaba en expectación
    y todos pensaban que quizá Juan era el Mesías,
    Juan los **sacó** de dudas, diciéndoles:
    "**Es cierto** que yo bautizo con agua,
        pero ya viene otro **más poderoso** que yo,
    a quien **no merezco** desatarle las correas de sus sandalias.
Él los bautizará con el Espíritu Santo **y con fuego**.
Él tiene el bieldo en la mano para **separar** el trigo de la paja;
    guardará el trigo en su granero **y quemará** la paja
        en un fuego **que no se extingue**".

Con éstas y otras muchas exhortaciones
    anunciaba al pueblo la buena nueva.

promiso de quien busca responder a este llamado? A quienes confiaban que la pertenencia al pueblo de Abrahán era suficiente para salvarse, el Bautista los desengaña: se necesita un cambio interior y ese cambio ha de reflejarse en la vida.

Distintos grupos se acercan al Bautista para escucharlo. Entre ellos destacan los cobradores de impuestos, considerados pecadores empedernidos, y algunos soldados. A su pregunta "¿qué debemos hacer?", Juan responde con acciones concretas: compartir los bienes con los necesitados, obrar con rectitud y justicia, no abusar del poder ni de la fuerza; cambios todos que van marcando un nuevo estilo de convivencia social, más apegado a la ética de la alianza. No se trata, pues, sólo de sentimientos interiores. La conversión debe atravesar la vida personal y social.

Lucas ha desarrollado a lo largo de todo el evangelio de la infancia (caps. 1 y 2) un ejercicio comparativo entre Juan Bautista y Jesús que llega a su culminación en el evangelio de hoy. Juan reconoce su inferioridad delante de Jesús (3:16–17) con una imagen reveladora: la tarea humillante de desatar las correas de las sandalias del amo corresponde al esclavo. Juan se considera menos que un esclavo delante de Jesús. Juan llama a la conversión del corazón, pero sólo Jesús juzga y perdona.

BIENAVENTURADA VIRGEN MARÍA DE GUADALUPE

La promesa de Dios llega a todas las naciones. Lee con tono agradecido y alegre, pero sin exagerar.

I LECTURA   Zacarías 2:14–17

Lectura del libro del profeta Zacarías

"Canta de gozo y regocíjate, Jerusalén,
    pues vengo a vivir **en medio de ti**, dice el Señor.
Muchas naciones se unirán al Señor en aquel día;
    ellas también serán **mi pueblo**
    y yo habitaré **en medio** de ti
    y sabrás que el Señor de los ejércitos
        me ha enviado **a ti**.
El Señor tomará nuevamente a Judá
    como su **propiedad personal** en la tierra santa
    y Jerusalén volverá a ser la ciudad elegida".

La frase final debe leerse con aplomo. Deja sentir el breve silencio antes de la fórmula responsorial conclusiva.

¡Que todos guarden silencio ante el Señor,
    pues **él se levanta** ya de su santa morada!

O bien:

I LECTURA   Apocalipsis 11:19; 12:1–6, 10ab

Lectura del libro del Apocalipsis del apóstol san Juan

Visión cautivadora y llena de simbolismo: léela con pasión y claridad.

Se **abrió** el templo de Dios en el cielo
    y **dentro** de él se vio el **arca de la alianza**.

I LECTURA La primera parte del libro del profeta Zacarías (caps. 1–8) es conocido como "el primer Zacarías" y reúne los oráculos pronunciados por un profeta que acompañó con su predicación a Israel cuando había ya terminado el exilio y los desterrados habían regresado a su tierra de origen. La reconstrucción del templo, centro de la vida religiosa de Israel, había ya iniciado. Zacarías ofrece, en una larga sección que va de 1:7 a 6:8, ocho visiones distintas. En cada una de ellas el profeta anuncia el amor de Dios, que ha cuidado de su pueblo, aun durante el tiempo en que éste estuvo desterrado en Babilonia.

Nuestra lectura está tomada de la tercera visión (2:6–17): Zacarías ve pasar a un hombre con una cinta de medir en la mano. Se dirige a la ciudad de Jerusalén para medir su largo y ancho. Zacarías le anuncia, en cambio, que la futura ciudad de Jerusalén ya no tendrá murallas, sino que estará abierta a todos los pueblos. El universalismo es una de las características de este profeta. Todos los pueblos formarán un solo pueblo en cuyo seno habitará Dios. Al fin resplandece la misión de Jerusalén y de Israel: ser signo del amor que Dios tiene por todos los pueblos de la tierra.

En el marco de la fiesta de Guadalupe, la lectura resuena con especial intensidad: el verdadero Dios por quien se vive ha querido poner su morada entre los pueblos originarios de este continente. Al igual que Zacarías profetizó a Israel, María de Guadalupe es mensajera del amor de Dios para los pueblos de este continente.

II LECTURA Los capítulos 4 al 8 del libro del Apocalipsis narran la apertura de los siete sellos. El cordero dego-

Apareció entonces **en el cielo** una figura **prodigiosa**:
    una mujer **envuelta** por el sol,
    con la luna **bajo sus pies**
    y con una corona de **doce** estrellas en la cabeza.
Estaba **encinta** y a punto de **dar a luz**
    y **gemía** con los dolores del parto.

Pero apareció también en el cielo otra figura:
    un **enorme** dragón, color de fuego,
    con **siete** cabezas y **diez** cuernos,
    y una corona en **cada una** de sus siete cabezas.
Con su cola
    barrió la tercera parte de las estrellas del cielo
    y las **arrojó** sobre la tierra.
Después se detuvo **delante** de la mujer que iba a dar a luz,
    para **devorar** a su hijo, en cuanto éste **naciera**.
La mujer dio a luz un **hijo varón**,
    destinado a gobernar **todas** las naciones
      con cetro **de hierro**;
    y su hijo fue llevado **hasta Dios** y hasta su trono.
Y la mujer **huyó** al desierto, a un lugar **preparado** por Dios.

Entonces oí en el cielo una voz poderosa, que decía:
    "**Ha sonado** la hora de la victoria de nuestro Dios,
    de su dominio y de su reinado, y **del poder** de su Mesías".

La contraparte de la celestial visión es la aparición del dragón. Que se note en tu tono la tensión amenazadora.

Pese a la amenaza, la vida triunfa sobre el poder del mal. Lee pausadamente.

La frase final es una exclamación de júbilo. Proclámala con alegría exultante.

Para meditar

SALMO RESPONSORIAL   Salmo 66:2–3, 5, 6 y 8

R. Que te alaben, Señor, todos los pueblos.

Ten piedad de nosotros y bendícenos;
  vuelve, Señor, tus ojos a nosotros.
Que conozca la tierra tu bondad
  y los pueblos tu obra salvadora. **R.**

Las naciones con júbilo te canten,
  porque juzgas al mundo con justicia;
  con equidad tú juzgas a los pueblos
  y riges en la tierra a las naciones. **R.**

Que te alaben, Señor, todos los pueblos,
  que los pueblos te aclamen todos juntos.
Que nos bendiga Dios
  y que le rinda honor el mundo entero. **R.**

---

llado, símbolo de Jesucristo muerto y resucitado, nos ha capacitado para entender la historia; habrá tribulaciones, pero al final vencerá el amor y Dios mismo secará las lágrimas de nuestros ojos (7:17). Viene después el ciclo de las trompetas (caps. 8–11). Apocalipsis 11:19 sirve de trampolín para nuestra lectura. El templo celestial se abre, con el arca de la alianza en su interior; las fuerzas que se oponían al reinado de Jesús muerto y resucitado serán definitivamente derrotadas. El arca, que según una versión recogida por 2 Macabeos 2:4–8 fue escondida en una cueva por el profeta Jeremías,

volvería a aparecer en la restauración definitiva del mundo. Ese tiempo, dice el autor del Apocalipsis, ha llegado ya.

Aparece una mujer vestida de sol, encinta y a punto de dar a luz, en lucha a muerte contra el dragón que la persigue y amenaza devorar a su hijo. El hijo, que gobernará a las naciones, es sin duda Jesús, llevado hasta el trono de Dios como resultado de su pasión salvadora y de su resurrección. Los cristianos hemos visto en esta mujer una figura de la Iglesia, que no deja de engendrar hijos para el Reino, y también de la Virgen María, que resguarda a la comuni-

dad del acoso del mal. María aparece como un lugar de refugio para quienes sufrimos los embates del mal. Esta lectura evoca aquel mensaje de Guadalupe a Juan Diego: "¿Acaso no estoy yo aquí que soy tu madre? ¿No estás en mi regazo?"

EVANGELIO El evangelio de la infancia de Lucas (caps. 1–2) procede en dípticos: dos anunciaciones, dos nacimientos, dos circuncisiones. El propósito es mostrar la superioridad de Jesús sobre Juan Bautista. En ese mismo esquema debemos considerar el encuentro entre

EVANGELIO   Lucas 1:39–47

Lectura del santo Evangelio según san Lucas

En aquellos días,
    María se encaminó **presurosa** a un pueblo
        de las montañas de Judea,
    y entrando en la casa de Zacarías, saludó a **Isabel**.
En cuanto ésta **oyó** el saludo de María, la creatura **saltó** en su seno.

Entonces Isabel **quedó llena** del Espíritu Santo, y levantando
        la voz, exclamó: "¡**Bendita tú** entre las mujeres y **bendito
    el fruto** de tu vientre!
¿Quién soy yo, para que la madre de mi Señor venga a verme?
Apenas llegó **tu saludo** a mis oídos,
    el niño saltó **de gozo** en mi seno.
Dichosa tú, que has creído,
    porque **se cumplirá** cuanto te fue anunciado
        de parte del Señor".

Entonces dijo María:
    "Mi alma **glorifica** al Señor
    *y mi espíritu se llena **de júbilo** en Dios, mi salvador*".

O bien: *Lucas 1:26–38*

El encuentro de María e Isabel tiene su propio ritmo. Lee calmadamente y respeta la puntuación, sin apresurarte.

Remarca la bendición que brota de los labios de Isabel. Es el centro del paralelismo entre el evangelio y la fiesta de Guadalupe.

Las dos últimas líneas inician el cántico de María. Léelas con devoción alegre.

---

dos mujeres que van a ser madres; la relevancia de María sobre Isabel muestra la distancia entre los dos frutos de sus respectivos vientres.

De nuevo, opinan algunos estudiosos, el arca de la alianza parece estar en el trasfondo del relato (2 Samuel 6). María, arca de la nueva alianza, visita la casa de Isabel y el niño que Isabel lleva en su seno "danza" en su vientre, como lo hizo David (2 Samuel 6:5). María permanece tres meses en casa de Isabel, el mismo tiempo que el arca estuvo en la casa de Obededón (2 Samuel 6:11) y fue bendición para su familia. El simbolismo apunta a una realidad que, a la luz de la fiesta de Guadalupe, adquiere su sentido pleno: María, "la que ha creído", mujer de fe, quiere que las promesas divinas se cumplan en este nuevo pueblo que nace del encuentro violento de dos culturas distintas.

Son dos también las alabanzas contenidas en nuestro texto. La primera ocurre cuando María es llamada bendita entre las mujeres e Isabel se refiere a ella como "la madre de mi Señor". La segunda alabanza, de la que solamente alcanzamos a leer las primeras frases, es el cántico que brota del corazón de María: Dios ha tenido misericordia con su pueblo y, en el hijo que todavía lleva en sus entrañas, María nos anuncia la salvación que viene de Dios.

IV DOMINGO DE ADVIENTO

Dios hace nacer lo grande desde lo pequeño. Haz sonar estas líneas con claridad y convicción.

Lee lentamente pero con soltura. No olvides que la que ha de dar a luz es María y que el pastor es Cristo. Que resuene en la asamblea esta promesa.

I LECTURA Miqueas 5:1–4

Lectura del libro del profeta Miqueas

Esto dice el Señor:
   "**De ti**, Belén Efrata,
   pequeña entre las aldeas de Judá,
   de ti saldrá **el jefe de Israel**,
   cuyos orígenes se remontan a tiempos **pasados**,
   a los días **más antiguos**.

Por eso, el Señor abandonará a Israel,
      mientras no dé a luz la que ha de dar a luz.
Entonces el resto de sus hermanos
      se unirá a los hijos de Israel.
El se levantará para **pastorear** a su pueblo
      con la fuerza **y la majestad** del Señor, su Dios.
Ellos habitarán **tranquilos**,
      porque la grandeza del que ha de nacer **llenará** la tierra
      y **él mismo** será la paz".

I LECTURA Miqueas es un profeta que predicó en el reino del sur en la segunda mitad del siglo VIII a. C. (739 a 727), una época de injusticia y corrupción. Por eso su predicación presenta denuncias contra comerciantes, sacerdotes, profetas, jueces y todo el pueblo. Considera el principal pecado contra la alianza la ambición por el dinero, lo que lleva a muchos a cometer injusticia y aprovecharse de los pobres. A pesar de esta realidad dolorosa, el profeta nunca pierde la esperanza en que Dios, bajo el gobierno de un descendiente de la casa

de David, traerá la paz y la justicia a todo el pueblo.

El pasaje que leemos hoy está enmarcado en la sección 4:1—5:14, que contiene promesas de salvación que vienen a restaurar al pueblo en medio de las desgracias que lo aquejan. Dios terminará dándole a su pueblo la unidad, y lo hará bajo el gobierno de un Mesías de la casa de David. Por eso el profeta vuelve la mirada hacia Belén, el pueblo del que salió David, y subraya su naturaleza humilde: un pueblo pequeño y apartado de los centros del poder. Es desde lo pequeño y humilde que Dios llevará a cumpli

miento sus promesas. Esto sucederá cuando la madre del Mesías dé a luz. Por eso desde la primera generación (Mateo 2:5–6), los cristianos hemos visto en esta promesa el anuncio del nacimiento de Cristo, que esperamos en el Adviento. Nuestros pueblos están sumidos en injusticia y miseria. También nosotros, como antes Israel, necesitamos al Salvador. La profecía de Miqueas es también para nosotros.

II LECTURA El autor de la Carta a los Hebreos es un predicador versado en las Escrituras. Escribe dirigién-

Para meditar

SALMO RESPONSORIAL   Salmo 80:2ac y 3b, 15–16, 18–19

R. Oh Dios, restáuranos, que brille tu rostro y nos salve.

Pastor de Israel, escucha,
   tú que te sientas sobre querubines,
      resplandece.
Despierta tu poder y ven a salvarnos. **R.**

Dios de los ejércitos, vuélvete:
   mira desde el cielo, fíjate,
   ven a visitar tu viña,
   la cepa que tu diestra plantó
   y que tú hiciste vigorosa. **R.**

Que tu mano proteja a tu escogido,
   al hombre que tú fortaleciste.
No nos alejaremos de ti:
   danos vida, para que invoquemos
      tu nombre. **R.**

II LECTURA   Hebreos 10:5–10

Lectura de la carta a los hebreos

Hermanos:
Al **entrar** al mundo, Cristo dijo, conforme al salmo:
   *No quisiste **víctimas** ni ofrendas;*
      *en cambio, me has dado un **cuerpo**.*
*No te agradan los **holocaustos** ni los sacrificios por el pecado;*
   *entonces dije—porque **a mí** se refiere la Escritura—:*
   *"Aquí estoy, Dios mío; **vengo** para hacer tu voluntad".*

Comienza por decir: *"No quisiste **víctimas** ni ofrendas,*
   *no te agradaron los **holocaustos***
      *ni los **sacrificios** por el pecado",*
   —siendo así que eso es lo que pedía la ley—;
   y luego añade:
   *"Aquí **estoy**, Dios mío; vengo para hacer tu voluntad".*

El pasaje es un comentario al Salmo 40. Subraya en tu lectura la frase fundamental que se repite dos veces. Que resuene en tu voz la entrega obediente de Cristo.

dose a cristianos que ya han recorrido un largo camino de formación y, aunque no han alcanzado la madurez total, han superado exitosamente las primeras pruebas de fe que han debido enfrentar. Serán ellos los primeros que escuchen este novedoso anuncio del mesianismo de Jesús interpretado desde la perspectiva del sumo sacerdocio: Jesús es nuestro sumo y eterno sacerdote.

En su demostración, el autor recurre al Salmo 40, que nuestra lectura cita profusamente. Quiere demostrar a los oyentes que la muerte y resurrección de Jesucristo constituye un verdadero sacrificio agradable al Padre. Al origen de este misterio pascual, el autor coloca la entrada de Jesús al mundo, siguiendo las palabras del salmo, como quien ha venido para hacer la voluntad del Padre. Esa disposición, presente en Cristo desde su mismo nacimiento, es el inicio de la entrega de toda su persona, que culminará en la muerte en la cruz. Quizá por eso muchos de los villancicos que cantamos en este tiempo relacionan la cuna y la cruz como dos momentos de un mismo misterio de salvación.

La lectura insiste en la dimensión salvífica de la entrega de Cristo: todos hemos sido santificados por su obediencia al Padre. También nosotros queremos que la disposición para cumplir el designio de Dios sea la marca de nuestro Adviento cristiano. Dios prefiere una actitud de entrega total a las ofrendas y los sacrificios.

EVANGELIO De nuevo escuchamos el relato de la visitación de María a Isabel. No es sólo el parentesco lo que une a estas dos mujeres que se encuentran. Ambas son objeto de una acción

Con esto, Cristo suprime los antiguos sacrificios,
    para establecer el nuevo.
Y en virtud de **esta voluntad**,
    todos quedamos **santificados** por la ofrenda
        del cuerpo de Jesucristo, hecha una vez **por todas**.

EVANGELIO   Lucas 1:39–45

Lectura del santo Evangelio según san Lucas

En aquellos días,
    María se encaminó **presurosa** a un pueblo
        de las montañas de Judea,
    y entrando en la casa de Zacarías, saludó a **Isabel**.
En cuanto ésta **oyó** el saludo de María, la criatura **saltó** en su seno.

Entonces Isabel quedó llena del Espíritu Santo,
    y levantando la voz, **exclamó**:
        "**¡Bendita** tú entre las mujeres **y bendito** el fruto de tu vientre!
¿**Quién** soy yo, para que la madre **de mi Señor** venga a verme?
Apenas llegó tu saludo a mis oídos,
    el niño **saltó** de gozo en mi seno.
Dichosa tú, que has creído,
    porque **se cumplirá** cuanto te fue anunciado
        de parte del Señor".

Lee sin prisa y con aplomo el párrafo conclusivo. La entrega de Jesús redunda en nuestra salvación.

El pasaje implica una lectura ágil y alegre. El encuentro entre estas dos madres es gozoso. Que esto se note en tu proclamación.

Esta bienaventuranza celebra la fe de María. Que la asamblea sienta en tu voz que ella es nuestro modelo de espera.

especial de Dios y la maternidad de cada una de ellas lleva el símbolo de lo imposible hecho posible gracias a la intervención divina. En efecto, Isabel era estéril. Todos conocemos el aprecio del pueblo de Israel por la fecundidad: permite el crecimiento del pueblo santo de Dios y garantiza su continuidad. La esterilidad es la negación de esta bendición divina y objeto de rechazo y desprecio (Génesis 15:2; 16:4; 30:1–2). Isabel, antes estéril (Lucas 1:36), ha recibido la visita compasiva de Dios y espera un hijo. María, por su parte, ha recibido un milagro mayor: de manera inesperada será madre

siendo todavía virgen; de su vientre purísimo nacerá el Mesías de Israel.

El encuentro de estas dos madres, sin embargo, supone una realidad aun mayor: el encuentro de los dos hijos que llevan en sus respectivos vientres. La proclamación de Isabel, llamando a María "la madre de mi Señor", adelanta el anuncio del señorío del Mesías Jesús que deberá realizar Juan Bautista en su ministerio, aún lejano en el tiempo. Por su parte, la entrada de María, que llena a Isabel del Espíritu Santo y hace saltar de gozo al niño que lleva en el vientre, adelanta también aquella misión del Mesías que

desembocará en la entrega del Espíritu a toda la Iglesia. Leer el relato de este encuentro nos prepara para la fiesta ya próxima de la Navidad.

NATIVIDAD DEL SEÑOR, MISA DE LA VIGILIA

I LECTURA   Isaías 62:1–5

Lectura del libro del profeta Isaías

La lectura anuncia la intervención de Dios a favor de Israel. Que tu voz y tu expresión corporal expresen un gozoso asombro.

Por amor a Sión no me callaré
   y por **amor** a Jerusalén no me daré **reposo**,
   hasta que **surja** en ella esplendoroso el justo
   y **brille** su salvación como una antorcha.

Entonces las naciones verán tu justicia,
   y tu gloria **todos** los reyes.
Te llamarán con un nombre **nuevo**,
   pronunciado por **la boca** del Señor.
Serás corona de gloria en la **mano** del Señor
   y **diadema** real en la palma de su mano.

Lee siguiendo los signos de puntuación. Subraya la transformación que Dios realiza con su intervención.

Ya no te llamarán "Abandonada",
   ni a tu tierra, "**Desolada**";
   a ti te llamarán "**Mi complacencia**"
   y a tu tierra, "**Desposada**",
   porque el Señor se ha complacido **en ti**
   y se **ha desposado** con tu tierra.

Lee con alegría contagiosa el párrafo conclusivo. Expresa el gozo de la convivencia conyugal.

Como un joven se desposa con una doncella,
   se desposará **contigo** tu hacedor;
   como el esposo **se alegra** con la esposa,
   así **se alegrará** tu Dios contigo.

I LECTURA   El libro de Isaías es como una matrioska, esas muñecas rusas de madera que son huecas por dentro y que contienen en su interior otra muñeca igual pero más pequeña, y ésta contiene otra y así sucesivamente hasta llegar a la más pequeña. Dentro del libro de Isaías hay al menos tres profetas distinguibles: el Primer Isaías (caps. 1–39) que contiene los oráculos de Isaías, hijo de Amoz, profeta que ejerció su ministerio hacia los años 740–698 a. C.; el Segundo Isaías, también llamado Déutero Isaías (caps. 40–55), profeta que predicó en medio del exilio de Babilonia en la segunda mitad del siglo vi; y el Tercer Isaías, nombrado también Trito Isaías (caps. 56–66), colección de oráculos pronunciados por varios profetas en el tiempo del posexilio, ya en pleno dominio persa.

La primera lectura de hoy es del Tercer Isaías. Refleja, por tanto, las dificultades entre los que han regresado del exilio y los que no se fueron. Encontramos tensiones y decepción porque, aunque los desterrados han vuelto ya a su patria, parecen no haber aprendido la lección, pues la injusticia y los abusos de poder continúan y contaminan el esfuerzo por reconstruir el templo y refundar la comunidad. El profeta enfrenta esta realidad desilusionante: la posibilidad de que el retorno generase un nuevo tipo de sociedad, más apegada a la ética de la alianza, parece esfumarse ante la multiplicación de los pecados y el renacimiento de la idolatría del poder y del dinero. Surge de nuevo la esperanza en una nueva y definitiva intervención divina.

El oráculo está lleno de esa esperanza. Su extensión es más amplia que la sección que se proclama en la liturgia (Isaías 62:1–12). El profeta declara su amor por la ciudad

Para meditar

SALMO RESPONSORIAL   Salmo 89:4–5, 16–17, 27 y 29

R. Cantaré eternamente las misericordias del Señor.

Sellé una alianza con mi elegido,
   jurando a David, mi siervo:
"Te fundaré un linaje perpetuo,
   edificaré tu trono para todas las
      edades". **R.**

Dichoso el pueblo que sabe aclamarte:
   caminará, oh Señor, a la luz de tu rostro;
   tu nombre es su gozo cada día. **R.**

Él me invocará: "Tú eres mi padre,
   mi Dios, mi Roca salvadora".
Le mantendré eternamente mi favor,
   y mi alianza con él será estable. **R.**

II LECTURA   Hechos 13:16–17, 22–25

Lectura del libro de los Hechos de los Apóstoles

Pablo pronunciará un discurso. Lee de manera que, desde el inicio, la asamblea sienta el suspenso por lo que se dirá.

Al llegar Pablo a Antioquía de Pisidia,
   se puso **de pie** en la sinagoga
   y haciendo una señal **para que se callaran**, dijo:

"Israelitas y cuantos temen a Dios, escuchen:
   el Dios del pueblo de Israel **eligió** a nuestros padres
   y **engrandeció** al pueblo,
      cuando éste vivía como **forastero** en Egipto.
Después los sacó de ahí con todo poder.
Les dio por rey a David, de quien hizo **esta alabanza**:
*He hallado a **David**, hijo de Jesé,*
   ***hombre** según mi corazón,*
   quien realizará todos mis designios.

El párrafo conclusivo es el de mayor contenido. Eleva un poco la voz en el anuncio y lee sin prisas.

Del linaje de David, conforme a la promesa,
   Dios hizo nacer para Israel **un salvador:** Jesús.
Juan **preparó** su venida,
   predicando **a todo el pueblo** de Israel
      un bautismo **de penitencia**,
   y hacia **el final** de su vida,
Juan decía:
   'Yo **no soy** el que ustedes piensan.
Después de mí
   viene uno a quien **no merezco** desatarle las sandalias' ".

de Jerusalén, símbolo del pueblo todo. Dos símbolos manifiestan la intervención salvadora de Dios. El primero es el apelativo nuevo de Jerusalén, es decir, la ciudad será regenerada por Dios desde sus mismas raíces; el segundo, el matrimonio: así como un esposo goza con su esposa, así el Señor, en apasionada declaración, proclama que no abandonará nunca más su pueblo.

La Navidad es una fiesta esponsal. En la cueva de Belén, Dios se ha casado para siempre con nosotros.

II LECTURA El libro de los Hechos de los Apóstoles narra la expansión del mensaje cristiano desde Jerusalén hasta los confines del mundo entonces conocido (1:8). Uno de los instrumentos para esa difusión fue Pablo, apóstol y viajero infatigable. A partir del capítulo 13, Hechos es una especie de bitácora de los cuatro viajes realizados por el Apóstol, tres de ellos viajes misioneros y, el último, un viaje de cautividad en el que Pablo fue conducido a Roma donde sería juzgado y, según una antigua tradición, martirizado.

Nuestra lectura contiene el inicio de un largo discurso (13:16–41) pronunciado en Antioquía de Pisidia, en la sinagoga donde se reunían tanto los habitantes judíos de esa ciudad perteneciente a la provincia romana de Asia, como otras personas no judías, pero que simpatizaban con la religión de Abrahán y que eran respetuosos de sus normas éticas, aunque no lo suficiente como para circuncidarse. A éstos se les conocía como "temerosos de Dios". De este largo discurso escuchamos los primeros versículos (13:16–17) en los que Pablo hace referencia a la liberación de Israel realizada

Algunos nombres de la genealogía serían desconocidos y difíciles. Ensaya la lectura en voz alta. Lee de corrido y atendiendo las pausas de los punto y coma.

Haz pausas para que se noten los tres bloques de nombres.

Después de la última frase del párrafo, continúa sin ruptura hacia la última sección de la triple división de la genealogía.

EVANGELIO   Mateo 1:1–25

Lectura del santo Evangelio según san Mateo

Genealogía de Jesucristo,
   hijo de David, hijo de Abraham:
Abraham **engendró** a Isaac, Isaac a Jacob,
   Jacob a Judá y **a sus hermanos**;
   Judá **engendró** de Tamar a Fares y a Zará;
   Fares a Esrom, Esrom a Aram, Aram a Aminadab,
   Aminadab a Naasón, Naasón a Salmón,
   Salmón engendró **de Rajab** a Booz;
   Booz engendró de Rut a Obed,
   Obed a Jesé, y Jesé **al rey David**.

David engendró de la mujer de Urías a Salomón,
   Salomón a Roboam, Roboam a Abiá, Abiá a Asaf,
   Asaf a Josafat, Josafat a Joram, Joram a Ozías,
   Ozías a Joatam, Joatam a Acaz, Acaz a Ezequías,
   Ezequías a Manasés, Manasés a Amón, Amón a Josías,
   Josías engendró a Jeconías y a sus hermanos,
   durante **el destierro** en Babilonia.

Después del destierro en Babilonia,
   Jeconías **engendró** a Salatiel, Salatiel a Zorobabel,
   Zorobabel a Abiud, Abiud a Eliaquim,
   Eliaquim a Azor, Azor a Sadoc, Sadoc a Aquim,
   Aquim a Eliud, Eliud a Eleazar, Eleazar a Matán,
   Matán a Jacob, y Jacob engendró **a José**,
   el esposo de María, de la cual nació **Jesús**, llamado Cristo.

De modo que el total de generaciones
   desde Abraham hasta David, es de **catorce**;
   desde David **hasta la deportación** a Babilonia, es **de catorce**,
   y de la deportación a Babilonia **hasta Cristo**, es de **catorce**.

en el éxodo, cuando el pueblo salió de la esclavitud liderado por Moisés, y continúa con la elección de David y la promesa mesiánica hecha a su descendencia.

Pues bien, afirma el Apóstol, esa descendencia davídica culmina en Jesús, cuyo nacimiento anticipamos en esta Vigilia de Navidad. Él es el salvador que lleva a su cumplimiento las promesas antiguas de Dios. A Juan Bautista es a quien corresponde ser el precursor de su venida. El llamado del Bautista nos muestra que la llegada del Mesías es un regalo inmerecido, producto de la bondad de Dios, que al mismo tiempo

requiere un compromiso de conversión de parte de quien quiere recibirlo. El tiempo de Navidad es tiempo de alegría, pero también de compromiso, reto de congruencia y no puro festejo.

EVANGELIO   Durante el tiempo de Navidad leeremos diversos pasajes de los Evangelios de la Infancia. Bajo esta denominación conocemos los capítulos evangélicos que reúnen antiguas tradiciones recogidas por la primera generación cristiana respecto al nacimiento del Salvador. Solamente dos evangelios tienen relatos de

la infancia: Mateo y Lucas. En ambos, ocupan los dos primeros capítulos.

El evangelio mateano de la infancia comienza con la genealogía de Jesús. Una lista de antepasados era importante para todo buen judío; solamente a través de ella se demostraba los vínculos de la sangre, la continuidad familiar y el reparto de herencias. Todo buen judío debía tener una ascendencia limpia de toda mancha hasta por cinco generaciones para poder tener prestigio social. La genealogía que nos trasmite Mateo inserta a Jesús en la historia de Israel, al mostrarlo como descendiente

Nueva sección: retoma el aliento y reanuda con lectura pausada y rítmica este párrafo.

Cristo vino al mundo de la siguiente manera:
Estando María, su madre, **desposada** con José,
   y **antes** de que vivieran juntos,
   sucedió que ella, **por obra** del Espíritu Santo,
   estaba **esperando** un hijo.
José, su esposo, que era hombre **justo**,
   no queriendo ponerla **en evidencia**,
   pensó dejarla **en secreto**.

Mientras pensaba en estas cosas,
   un ángel del Señor le dijo **en sueños**:
   "José, **hijo** de David,
   no dudes en recibir en tu casa a María, tu esposa,
   porque ella ha concebido **por obra** del Espíritu Santo.
Dará a luz un hijo
   y **tú** le pondrás el nombre de **Jesús**,
   porque él **salvará** a su pueblo de sus pecados".

Todo esto sucedió
   para que **se cumpliera** lo que había **dicho** el Señor
      por boca del profeta **Isaías**:
*He aquí que la **virgen** concebirá y dará a luz un hijo,*
   *a quien pondrán el nombre de **Emmanuel**,*
   *que quiere decir **Dios-con-nosotros**.*

La profecía ilumina todo el relato y le da nuevo significado. Léela con tono profundo y sin afectación.

Cuando José despertó de aquel sueño,
   hizo lo que **le había mandado** el ángel del Señor
   y **recibió** a su esposa.
Y sin que él **hubiera tenido** relaciones con ella,
   María dio a luz un hijo
   y él le puso por nombre **Jesús**.

Abreviada: *Mateo 1:18–25*

de Abrahán y del linaje mesiánico de David. Pero muestra también que Jesús se hermana con la humanidad toda, sin omitir a los antepasados que no aparecen como modelos de virtud, ni a mujeres que tienen irregularidades en relación con sus parejas pero que han jugado un papel importante en la historia de Israel. Jesús es el Mesías insertado en un pueblo concreto y participante en el todo de la naturaleza humana.

El Evangelio de Mateo tiene como destinatarios a judíos que han aceptado a Jesús. Por eso juega un importante papel la mención de textos del Antiguo Testamento,

para mostrar así a Jesús como el cumplidor de las escrituras antiguas. Por eso, al terminar la genealogía, Mateo narra la situación de María y José antes del nacimiento de Jesús: desposados, pero sin vivir juntos todavía, iluminando el hecho con la aparición de un ángel a José y la mención del texto de Isaías 7:14: Jesús es el Emmanuel, aquel que hace real la presencia de Dios en medio de su pueblo.

NATIVIDAD DEL SEÑOR, MISA DE LA NOCHE

Poema de alegría: léelo de menos a más hasta la culminación del párafo final. Sube levemente el volumen de la voz.

Este párrafo de culminación otorga tono navideño a toda la profecía. Lee con calidez y transmite gozo a través de la faz y el tono alegre en el momento de la proclamación.

I LECTURA   Isaías 9:1–3, 5–6

Lectura del libro del profeta Isaías

El pueblo que caminaba **en tinieblas**
  vio **una gran luz;**
  sobre los que vivían en tierra **de sombras,**
  una luz **resplandeció.**

Engrandeciste a tu pueblo
  e hiciste grande su alegría.
Se gozan **en tu presencia** como gozan al **cosechar,**
  como se **alegran** al repartirse el botín.
Porque tú **quebrantaste** su pesado yugo,
  la barra que **oprimía** sus hombros y el cetro de su tirano,
  como en el día de Madián.

Porque un niño nos ha nacido, un hijo se nos ha dado;
  lleva sobre sus hombros el signo **del imperio** y su nombre será:
  "Consejero **admirable**", "Dios **poderoso**",
  "Padre **sempiterno**", "**Príncipe** de la paz";
  para **extender** el principado con una paz **sin límites**
  sobre el **trono** de David y sobre **su reino;**
  para establecerlo y **consolidarlo**
  con la justicia y el derecho,
  desde ahora y **para siempre.**
El **celo** del Señor lo **realizará.**

I LECTURA Isaías 7:1—12:6 es conocido como el Libro del Emmanuel. Encuentra su eje central en la profecía (7:10–17) que san Mateo usó en su evangelio de la infancia para referirla a Jesús en su nacimiento. El ambiente histórico es complejo. El Imperio asirio avanza sometiendo a los pueblos del Medio Oriente y las consecuencias serán nefastas: Samaria, capital de Israel, caerá en el año 722 a. C. y desparecerá para siempre el reino del norte; Judá quedará sometida a los asirios y Jerusalén será asediada en el 701 a. C., pero el reino se mantendrá.

Un primer elemento del texto es el símbolo de la luz que trae la alegría plena. El anuncio de un rey davídico, figura mesiánica por excelencia, devuelve al pueblo la esperanza de que aquél viene a derrotar para siempre la injusticia y el abuso de autoridad. Y eso es obra de Dios. Por eso la profecía recuerda el "día de Madián" (Jueces 7–8), ejemplo de cómo Dios termina triunfando sobre sus enemigos.

Esta noche de Navidad le da a la profecía un sabor diferente: se anuncia el nacimiento de aquel rey mesiánico y se le conceden cuatro nombres que expresan el establecimiento de un reino consolidado en la justicia y el derecho. La primera generación cristiana reconoce que esta profecía se ha cumplido de manera excelente en el mesías Jesús, cuyo nacimiento hoy celebramos con gozo. El reino que Jesús trae establecerá para siempre la paz verdadera, basada en la justicia.

II LECTURA La carta a Tito refleja un tiempo en el que la comunidad cristiana primitiva, ya extendida fuera de Palestina, se compone no sólo por judíos

Para meditar

SALMO RESPONSORIAL   Salmo 96:1–2a, 2b–3, 11–12, 13

R. Hoy nos ha nacido el Salvador: que es Cristo el Señor.

Canten al Señor un cántico nuevo,
   canten al Señor, toda la tierra;
   canten al Señor, bendigan su nombre. **R.**

Proclamen día tras día su victoria.
Cuenten a los pueblos su gloria,
   sus maravillas a todas las naciones. **R.**

Alégrese el cielo, goce la tierra,
   retumbe el mar y cuanto lo llena;
   vitoreen los campos y cuanto hay en ellos,
   aclamen los árboles del bosque. **R.**

Delante del Señor, que ya llega,
   ya llega a regir la tierra:
   regirá el orbe con justicia
   y los pueblos con fidelidad. **R.**

II LECTURA   Tito 2:11–14

Lectura de la carta del apóstol san Pablo a Tito

Siéntete parte de la comunidad al proclamar esta lectura. Las frases en primera persona del plural deben resonar en el corazón de la asambea litúrgica.

Querido hermano:
La **gracia** de Dios se ha manifestado
   para **salvar** a todos los hombres
   y nos ha enseñado a **renunciar** a la irreligiosidad
   y a los deseos mundanos,
   para que vivamos, **ya desde ahora**,
   de una manera **sobria**, justa y **fiel a Dios**,
   en espera de la **gloriosa venida**
   del gran Dios y Salvador, Cristo Jesús, **nuestra esperanza**.
Él se entregó **por nosotros**
   para **redimirnos** de todo pecado y **purificarnos**,
   a fin de convertirnos en **pueblo suyo**,
   fervorosamente entregado a practicar **el bien**.

La entrega de Jesús desemboca en la creación de un pueblo nuevo. Lee con intensidad.

EVANGELIO   Lucas 2:1–14

Lectura del santo Evangelio según san Lucas

Se impone una lectura clara y cuidadosa para ofrecer esta información. Es la antesala del misterio de la navidad.

Por aquellos días, **se promulgó** un edicto de César Augusto,
   que **ordenaba** un censo **de todo** el imperio.
Este **primer** censo se hizo cuando Quirino era gobernador
   de Siria.

sino por creyentes que han sido formados en la cultura grecorromana.

La carta deja ver también la abulia en que algunos de los creyentes han caído debido al retraso de la parusía. El Maestro anunció que regresaría de nuevo para establecer su reino definitivo. Pero su segunda venida se retrasa y el fervor inicial comienza a desvanecerse. El problema no es cuándo se ha de realizar la segunda venida, sino cómo hay que esperarla. El cristianismo se nutre de la espera futura, pero es también acicate para vivir ya desde ahora aquello que esperamos.

Estos dos aspectos —una cristología de tinte universalista y el retraso de la parusía— son el trasfondo de nuestro pasaje.

Jesucristo aparece como Dios y salvador nuestro, uno de los testimonios más antiguos de la fe en la divinidad de Jesús. En la persona del Hijo de Dios hecho hombre, la gracia salvadora de Dios se ha hecho presente en la historia. La obra realizada en la Encarnación incluye también la formación de un pueblo nuevo. Esta obra gratuita realizada en Cristo en beneficio de la humanidad toda requiere una respuesta de aque-

llos que quieren mantenerse miembros de su pueblo santo. Entre la primera y la segunda venida de Cristo se sitúa un tiempo de fidelidad, de vida sobria, de entrega a la práctica del bien.

EVANGELIO En tres ocasiones el evangelio de hoy menciona al rey David y de paso a Belén, el lugar de su nacimiento. Esto no es casualidad. Detrás de las tradiciones antiguas recogidas en los evangelios de la infancia se halla la convicción de que Jesús es el cumplidor de las antiguas profecías que aseguraban que el

Todos iban a empadronarse, cada uno en su propia ciudad;
     así es que también José,
     perteneciente a la casa y familia de David,
     se **dirigió** desde la ciudad de Nazaret, en Galilea,
     a la ciudad de David, llamada Belén, para **empadronarse**,
     juntamente con María, su esposa, que **estaba encinta**.

Mientras estaban ahí, le llegó a María el tiempo de dar a luz
     y tuvo a su hijo **primogénito**;
     lo envolvió en pañales y lo recostó **en un pesebre**,
     porque **no hubo lugar** para ellos en la posada.

Lee pausadamente para que la comunidad contemple el misterio a través de tu lectura.

En aquella región había unos pastores
          que pasaban la noche en el campo,
     vigilando **por turno** sus rebaños.
Un **ángel** del Señor se les apareció
     y **la gloria** de Dios los **envolvió** con su luz
     y se llenaron **de temor**.
El ángel les dijo:
     "**No teman**. Les traigo una **buena** noticia,
     que **causará** gran alegría a **todo** el pueblo:
     hoy les ha nacido, en la ciudad de David,
     un **Salvador**, que es el Mesías, **el Señor**.
Esto les servirá de señal:
     encontrarán **al niño** envuelto en pañales
     y **recostado** en un pesebre".

El párrafo final explota de alegría. Mira a la asamblea al proclamar la alabanza angélica.

De pronto se le unió al ángel
          una multitud del ejército celestial,
     que **alababa** a Dios, diciendo:
     "¡**Gloria** a Dios en el cielo,
     y en la tierra **paz** a los hombres **de buena voluntad**!"

Mesías esperado procedería del linaje de David.

El censo que reporta san Lucas permite el desplazamiento de la familia que vivía en Nazaret. El plan de Dios se realiza por misteriosos caminos. Llama la atención que un acontecimiento salvífico tan importante venga a realizarse en una aldea de escasa importancia. Belén era conocida por su relación con el Mesías, según Miqueas 5:1–2, pero su poca relevancia combina con la sencillez y pobreza en que el acontecimiento salvífico habrá de realizarse: el Mesías nacerá donde comen los animales, en un pueblo que no será el suyo y tendrá de testigos únicos a unos pastores, oficio de mala reputación social. Insospechados son los caminos por los que Dios realiza su plan de salvación.

En las palabras del ángel resuena el texto de Isaías de la primera lectura. Los cuatro títulos de la profecía se transforman en tres nombres, vehículos del kerigma cristiano primitivo: salvador, mesías y señor (Filipenses 3:20).

NATIVIDAD DEL SEÑOR, MISA DE LA AURORA

I LECTURA   Isaías 62:11–12

Lectura del libro del profeta Isaías

Escuchen lo que el Señor hace oír
    hasta el **último** rincón de la tierra:

"Digan a la hija de Sión:
Mira que **ya llega** tu salvador.
El **premio** de su victoria lo acompaña
    y **su recompensa** lo precede.
Tus hijos serán llamados '**Pueblo santo**',
'**Redimidos** del Señor',
y **a ti** te llamarán
'Ciudad **deseada**, Ciudad **no abandonada**'".

El oráculo es solemne. Que tu voz sea la de un heraldo de buenas noticias.

Lee con parsimonia y claridad los nombres con que serán llamados los hijos y la ciudad de Jerusalén.

Para meditar

SALMO RESPONSORIAL   Salmo 97:1 y 6, 11–12

R. Hoy brillará una luz sobre nosotros, porque nos ha nacido el Señor.

El Señor reina, la tierra goza,
    se alegran las islas innumerables.
Los cielos pregonan su justicia,
    y todos los pueblos contemplan su gloria. **R.**

Amanece la luz para el justo,
    y la alegría para los rectos de corazón.
Alégrense, justos, con el Señor,
    celebren su santo nombre. **R.**

I LECTURA El Tercer Isaías (56–66) es una colección de oráculos que proceden de varios profetas cuyo ministerio profético se desarrolló entre los siglos vi y v a. C. De esta sección del libro de Isaías está tomada la primera lectura de esta Misa de la Aurora, popular sobre todo en algunos países nórdicos de Europa.

En apenas dos versículos, la lectura nos ofrece un poderoso mensaje. El marco histórico es el proceso de reconstrucción del templo y de la Ciudad Santa, una vez que los desterrados han vuelto del exilio babilónico. El capítulo 62 entona un hermoso cántico que proclama la restauración total de la Ciudad Santa: Jerusalén, la hija de Sión, que es aquí figura privilegiada del pueblo amado de Dios. La primera parte del himno ha sido ya leído en la Vigilia de Navidad.

La alegría de la restauración de Jerusalén llega a su culminación con la entrada gloriosa de su Dios y salvador. El profeta convoca a que se abran todas las puertas, aquellas puertas de esmeralda que el Segundo Isaías había anunciado ya desde el mismo destierro (ver 54:12) y que ahora despejan el camino para recibir la presencia de Dios. El resultado es inmediato: aquel puñado de sobrevivientes del exilio quedan ahora transformados en un pueblo santo, una comunidad redimida. Leído en clave mesiánica, como hace la iglesia al colocar este texto en el amanecer del día de la encarnación, este pasaje resulta un vigoroso llamado a que nuestras comunidades se dejen iluminar por Jesucristo, el sol que nos nace de lo alto.

II LECTURA Nos corresponde leer hoy el segundo de los dos himnos contenidos en la carta a Tito. El primero ha

II LECTURA   Tito 3:4–7

Lectura de la carta del apóstol san Pablo a Tito

Hermano:
Al **manifestarse** la bondad de Dios, nuestro salvador,
    y su amor **a los hombres**, él **nos salvó**,
    no porque nosotros hubiéramos hecho algo **digno**
        de merecerlo,
    sino por **su misericordia**.
Lo hizo mediante **el bautismo**, que nos **regenera** y nos renueva,
    por **la acción** del Espíritu Santo,
    a quien Dios derramó **abundantemente** sobre nosotros,
    por Cristo, nuestro **salvador**.
Así, **justificados** por su gracia,
    nos convertiremos en **herederos**,
    cuando se realice **la esperanza** de la vida eterna.

El misterio de salvación es totalmente gratuito. Que tu entonación exprese agradecimiento gozoso.

Los tres renglones finales son la derivación de toda la lectura. Proclámalos con emoción.

EVANGELIO   Lucas 2:15–20

Lectura del santo Evangelio según san Lucas

Cuando los ángeles los dejaron para **volver** al cielo,
    los pastores se dijeron unos a otros:
    "**Vayamos** hasta Belén,
    para ver **eso** que el Señor nos ha **anunciado**".

Se fueron, pues, a toda prisa y encontraron a María,
    a José **y al niño**, recostado en el pesebre.
Después de verlo, **contaron** lo que se les había dicho
        de aquel niño,
    y cuantos los oían quedaban **maravillados**.

Lee con especial de alegría para expresar la decisión gozosa de los pastores.

Subraya en tu lectura el sentido misionero de la frase dando énfasis al verbo contar.

---

sido proclamado en la Misa de Medianoche. Se trata de un himno de contenido bautismal, que ya se habría utilizado en la liturgia desde antes de la redacción de la carta.

El contexto inmediato (3:1–2) le permite al autor de la carta rescatar el himno que hoy se proclama: Pablo ha estado recomendando a la comunidad asistida por Tito insertarse en la sociedad para desde ahí dar testimonio de una vida nueva. Los invita a dejar de lado la agresividad y unirse a toda iniciativa social que redunde en el bien de la sociedad toda. La comunidad cristiana no es un ente extraño al conjunto social, sino que ha de contribuir a su edificación desde un testimonio de bondad y amabilidad ofrecido como un servicio humilde.

Pero estas obras, esta buena conducta exigida por Pablo a los cristianos, no ha de ser motivo de orgullo humano, porque es fruto de la obra realizada por Dios en nosotros a partir del bautismo. No son nuestras obras las que nos salvan, sino la gracia de Dios. No es la iglesia un equivalente simple de una organización filantrópica, sino muestra palpable de lo que Dios es capaz de hacer en la sociedad humana si ésta se abre a la acción de su gracia. El Espíritu Santo que se nos comunica en el bautismo es el que nos regenera como hijas e hijos de Dios, que nos capacita para contribuir con nuestras obras al bien de toda la sociedad, y que nos hace también herederos de la vida eterna.

EVANGELIO Nuestro pasaje es continuación del relato que se leyó en la Misa de Medianoche. Los pastores han sido sorprendidos, en medio de su vela nocturna, por el anuncio angélico. La Misa de Medianoche había terminado con el estallido de gozo por parte del ejército celestial

La contemplación de María debe resaltarse en la Proclamación.

María, por su parte,
    guardaba todas estas cosas y las **meditaba** en su corazón.
Los pastores se volvieron a sus campos,
    alabando y **glorificando** a Dios
        por **todo** cuanto habían visto y oído,
    según lo que se les había **anunciado.**

que se une al anuncio del nacimiento del Salvador en Belén. Ahora los pastores dejan sus campos y se dirigen a Belén para verificar con sus propios ojos el anuncio recibido.

Destacan hoy dos elementos importantes. El primero es la transformación de aquellos pastores: una vez que han presenciado el misterio de Dios encarnado, han pasado de ser simples receptores del mensaje a testigos y misioneros. Relatan a quien quiera escuchar la experiencia del anuncio angélico, y vuelven a sus campos alabando a Dios por todo lo que ha acontecido. Los pastores, para decirlo con palabras de Aparecida, son modelo de discípulos y misioneros.

El segundo elemento resaltado en el pasaje es el papel de María, la madre de Jesús. Ella "guardaba todas estas cosas y las meditaba en su corazón". Esta misma cualidad de María volverá a ser evocada más adelante (Lucas 2:51). Esta doble repetición nos ofrece una clave de la actitud interior de María: ella es modelo de contemplación y discernimiento. Nos enseña que las cosas de Dios no siempre muestran su evidencia de inmediato, sino que requieren un trabajo de profundización y de rumiar hasta encontrar la voluntad de Dios en los acontecimientos y aceptar realizarla en la propia vida.

NATIVIDAD DEL SEÑOR, MISA DEL DÍA

I LECTURA   Isaías 52:7–10

Lectura del libro del profeta Isaías

El lector toma la voz del profeta. Haz que la lectura alegre no le reste solemnidad a la proclamación de este anuncio importante.

¡**Qué hermoso** es ver correr sobre los montes
    al mensajero que **anuncia** la paz,
al mensajero que trae **la buena nueva**,
que **pregona** la salvación,
que dice a Sión: "Tu Dios **es rey**"!

Escucha: Tus centinelas alzan la voz
    y **todos a una** gritan alborozados,
porque ven **con sus propios ojos** al Señor,
que retorna a Sión.

El párrafo conclusivo decanta todo el mensaje de la lectura. Debe ser proclamado con claridad y firmeza.

Prorrumpan en gritos de alegría, ruinas de Jerusalén,
    porque el Señor **rescata** a su pueblo, **consuela** a Jerusalén.
Descubre el Señor su santo brazo
    a la vista **de todas** las naciones.
Verá la tierra **entera**
    la salvación que viene de **nuestro** Dios.

I LECTURA El Segundo Isaías predica en medio del exilio. Su tarea es consolar y animar a los desterrados y sembrar en ellos la esperanza del regreso a la tierra de la que fueron expulsados. Tres oráculos seguidos (51:9–16; 51:17–23 y 52:1–6) son fácilmente distinguibles porque comienzan con un llamado dirigido al pueblo en Babilona: "¡Despierta, despierta!". Este es el contexto inmediato de nuestra lectura de hoy, que es como una conclusión de estos tres oráculos previos.

Los cuatro versículos que componen nuestro pasaje son un canto de alabanza a un mensajero que trae buenas noticias: Dios llega a reinar. Que Dios venga y se acerque a su pueblo es, sin duda, una noticia que llena el corazón de alegría (40:9–10). La llegada de Dios trae consigo el don de la paz, ese *shalom* ("paz", "bienestar") que implica todo el cúmulo de bienes necesarios para una vida plena y feliz. Difícilmente haya en la Biblia otro término con el que se exprese mejor la plenitud de bondad y de salvación que Dios trae a nuestras vidas.

Una segunda afirmación del texto reza: "Tu Dios es rey", es decir, ha llegado a establecer su reinado. Babilonia, es bueno recordarlo, tiene a su propio dios en Marduk. Celebrado como el soberano de hombres y países, Marduk estaba a la cabeza de todo el panteón babilonio. Pues bien, el profeta anuncia que la realeza triunfal de Yahvé es mucho mayor a la de Marduk. Por eso mismo, la buena noticia es precisamente ésta: Dios viene a nuestro mundo para implantar su reino, y ese reino significa una plenitud de vida para todas las personas. La señal más clara será el regreso del pueblo a su tierra de origen.

Pero no podemos pasar por alto la apertura universalista del texto. Hacia el

Para meditar

SALMO RESPONSORIAL   Salmo 98:1, 2–3ab, 3cd–4, 5–6

R. Los confines de la tierra han contemplado la victoria de nuestro Dios.

Canten al Señor un cántico nuevo,
  porque ha hecho maravillas:
  su diestra le ha dado la victoria,
  su santo brazo. **R.**

El ha Señor da a conocer su victoria,
  revela a las naciones su justicia:
  se acordó de su misericordia y su fidelidad
  en favor de la casa de Israel. **R.**

Los confines de la tierra han contemplado
  la victoria de nuestro Dios.
  Aclama al Señor, tierra entera;
  griten, vitoreen, toquen. **R.**

Tañen la cítara para el Señor,
  suenen los instrumentos:
  con clarines y al son de trompetas,
  aclamen al Rey y Señor. **R.**

II LECTURA   Hebreos 1:1–6

Lectura de la carta a los hebreos

En **distintas** ocasiones y **de muchas** maneras
  habló Dios en el pasado a nuestros padres,
  por **boca de los profetas**.
Ahora, **en estos** tiempos,
  nos ha hablado **por medio de su Hijo**,
  a quien constituyó **heredero** de todas las cosas
  y por medio del cual **hizo** el universo.

El Hijo es el resplandor de la gloria de Dios,
  la imagen **fiel** de su ser
  y el sostén **de todas las cosas** con su palabra **poderosa**.
Él mismo, después de efectuar la **purificación** de los pecados,
  se sentó **a la diestra** de la majestad de Dios, en **las alturas**,
  tanto **más encumbrado** sobre los ángeles,
  cuanto **más excelso** es el nombre que, **como herencia**,
  le corresponde.

El párrafo se refiere a la progresividad de la revelación. Que en la lectura se sienta que Cristo es la palabra culminante del Padre.

Superior a los ángeles, el Hijo de Dios es descrito en los párrafos que siguen como el eje de la historia salvífica. Proclama estas líneas con aplomo y firmeza.

---

final de nuestra lectura el profeta anuncia que "todas las naciones", "la tierra entera", serán testigos de la obra salvadora de Dios. Jesús, cuyo nacimiento hoy celebramos, lleva a su realización plena esta profecía. Él es verdaderamente *Dios con nosotros* y su venida nos ha traído vida, y vida en abundancia (Juan 10:10).

II LECTURA   Los primeros cuatro versículos de esta lectura son mucho más que una simple introducción a toda la carta. Se trata de un apretado resumen de la larga trayectoria de la revelación

de Dios. Esta revelación ha sido progresiva y ha usado modos distintos de expresión. En este conjunto destacan los profetas, por sus oráculos clarividentes y por su importante contribución a la comprensión que el pueblo de Israel ha tenido del designio divino. Pero, de acuerdo con el autor de la carta a los Hebreos, toda la revelación ha sido dirigida a un objetivo final: presentar a Jesucristo como la Palabra de Dios por excelencia, la culminación de todo el proceso de revelación.

Jesucristo aparece como el principio y fin de todo lo creado. En él se realiza el pro-

yecto antiguo de Dios. Como bien señala un padre de la iglesia: cuando Dios dijo "hagamos al hombre a nuestra imagen y semejanza", pensó en Cristo. Pablo expresa eso mismo en Colosenses 1:15. Cuando el Hijo eterno de Dios toma carne de nuestra carne en la persona de Jesús, estamos ya seguros de saber quién es Dios y qué es lo que quiere de nosotros. Por eso, el lugar que Cristo ocupa en el misterio de la revelación es central.

La lectura continúa subrayando algunas cualidades que muestran la identidad profunda del Hijo: es el heredero de todo,

Porque ¿a cuál de los **ángeles** le dijo Dios:
   *Tú eres mi **Hijo**; yo te he engendrado hoy?*
   *¿O de **qué** ángel dijo Dios: Yo seré para él un **padre***
   *y él será para mí **un hijo**?*
Además, en **otro** pasaje,
   cuando introduce en el mundo a **su primogénito**, dice:
   ***Adórenlo** todos los ángeles de Dios.*

EVANGELIO   Juan 1:1–18

Lectura del santo Evangelio según san Juan

En el principio **ya existía** aquel que es la Palabra,
   y aquel que es **la Palabra** estaba con Dios y **era Dios**.
Ya en el principio él estaba **con Dios**.
Todas las cosas vinieron a la existencia **por él**
   y sin él **nada** empezó de cuanto existe.
Él era **la vida**, y la vida era **la luz** de los hombres.
La luz **brilla** en las tinieblas
   y las tinieblas **no la recibieron**.

Hubo un hombre enviado por Dios, que se llamaba Juan.
Este vino como **testigo**, para dar **testimonio** de la luz,
   para que todos creyeran **por medio de él**.
Él no era la luz, sino **testigo** de la luz.

Aquel que es la Palabra era la luz verdadera,
   que ilumina **a todo hombre** que viene a este mundo.
En el mundo **estaba**;
   el mundo había sido hecho **por él**
   y, sin embargo, el mundo **no lo conoció**.

Lee pausadamente. El prólogo de Juan es un poema de serena belleza. Lee con entonación poética pero sin afectación.

Este párrafo y el sexto se dedican a Juan Bautista y es secundario en relación con el poema dedicado a Jesús. Haz que el tono sea distinto, bajando un poco la voz.

---

expresión perfecta de su gloria, sostenedor de la creación entera… Imposible encontrar fuera de él el sentido de nuestras vidas y de nuestra historia. La vida de Jesús, culminada con su misterio pascual, lo ha convertido en soberano de todo y modelo único de humanidad plena. Esto es objeto de asombro y lo es aún más cuando contemplamos a aquél que es la revelación definitiva de Dios, en la pobreza de un pesebre situado en un poblado de poca importancia. Hebreos continuará con una exposición del misterio de Cristo (1:5—2:18) que inicia con la declaración de su superioridad sobre los ángeles,

esos mismos ángeles que, un día como éste, anunciaron a los pastores el nacimiento del Mesías.

EVANGELIO En las misas de la Vigilia, la Medianoche o la Aurora, la Iglesia proclama distintos relatos relacionados con el nacimiento de Jesús en Belén. La descripción de Lucas insiste en el misterio del Hijo de Dios nacido en un pesebre pobre, en tierra ajena, familia para la que no hubo lugar en la posada. Esta aproximación al nacimiento de Jesús es inspiradora: cualquier persona pobre y emigrante se identificaría

con ella ante este misterio de humildad. El impacto de las escenas hizo que Francisco de Asís celebrase la misa un día de Navidad no en una iglesia, sino en un comedero de animales, con buey y asno incluidos, para que todos los campesinos de Greccio contemplaran el misterio del Hijo de Dios hecho niño pobre.

Para la misa de este día de Navidad, la Iglesia no escoge ninguno de esos relatos sino el hermoso poema con el que se abre el cuarto evangelio. Es una invitación a mirar más hondo, a cavar más profundo en el misterio de la encarnación. El versículo Juan

El rechazo de Israel tiene como contraparte la aceptación de un nuevo pueblo de hijas e hijos de Dios. El párrafo pide una lectura pausada y gozosa.

Vino a los suyos y los suyos **no lo recibieron**;
  pero **a todos** los que lo recibieron
  les **concedió** poder llegar a ser **hijos** de Dios,
  a los que **creen** en su nombre,
  los cuales **no nacieron** de la sangre,
  ni del deseo de la carne, ni por voluntad **del hombre**,
  sino que nacieron **de Dios**.

La Navidad celebra precisamente lo anunciado en esta sección: el misterio de la Encarnación. Establece contacto visual con la asamblea al leer el párrafo.

Y aquel que es la Palabra se hizo hombre
  y **habitó** entre nosotros.
Hemos visto **su gloria**,
  gloria que le corresponde como a **Unigénito** del Padre,
  lleno de gracia y **de verdad**.

Juan el Bautista dio testimonio de él, clamando:
  "**A éste** me refería cuando dije:
  'El que viene **después** de mí, tiene **precedencia** sobre mí,
  porque **ya existía** antes que yo'".

La Encarnación tiene una dimensión salvífica: nos regala la vida de la gracia. Lee respetando los signos de puntuación.

De su plenitud hemos recibido todos gracia sobre gracia.
Porque **la ley** fue dada por medio de Moisés,
  mientras que la gracia y la verdad vinieron **por Jesucristo**.
A Dios **nadie** lo ha visto **jamás**.
  El Hijo **unigénito**, que está en el seno del Padre,
  es quien lo **ha revelado**.

Abreviado: *Juan 1:1–5, 9–14*

1.14 se constituye en quicio de todo el conjunto. El Hijo eterno de Dios es contemplado en su preexistencia. Bajo los símbolos de luz y tinieblas se cuenta el rechazo de Jesús y la aceptación que de él hace un pequeño grupo y, por el misterio de su encarnación y de su pascua, es glorificado por el Padre y constituido en Mesías revelador.

Para los cristianos, Jesús de Nazaret es Dios hecho carne humana. Su presencia se representa en el contraste de luz y tinieblas: la luz vino a los suyos, el pueblo de Israel, y no fue reconocida por su propia gente. Pero hubo algunas personas que sí lo recibieron y su recompensa ha sido llegar a ser hijos de Dios. El texto culmina con la proclamación de Cristo como superior a Moisés y a todas las mediaciones anteriores que Dios ha usado para dirigirse a la humanidad. Jesús está acurrucado en el seno del Padre y desde ahí se ha convertido para nosotros en el revelador definitivo. Su vida, palabras y obras nos muestran a Dios y nos hacen entrar en comunión con él.

SAGRADA FAMILIA DE JESÚS, MARÍA Y JOSÉ

Relato muy vivo y colorido: dale el tono cálido de una historia familiar.

I LECTURA   1 Samuel 1:20–22, 24–28

Lectura del primer libro de Samuel

En aquellos días,
Ana **concibió**, dio a luz un hijo
    y le puso por nombre **Samuel**, diciendo:
"Al **Señor** se lo pedí".
Después de **un año**, Elcaná, su marido,
    subió con toda la **familia**
        para hacer el sacrificio anual para **honrar** al Señor
    y para cumplir la **promesa** que habían hecho,
        pero **Ana** se quedó en su casa.

Lee despacio y claramente. Es la descripción de la ofrenda de Ana.

Un tiempo después, Ana **llevó** a Samuel,
    que todavía era muy pequeño,
    a la **casa** del Señor, en Siló,
    y llevó también un **novillo** de tres años,
    un **costal** de harina y un **odre** de vino.

En cumplimiento de su juramento, Ana, figura de María, entrega a Samuel. Dale tono de contemplación devota a tu lectura.

Una vez sacrificado el novillo,
Ana **presentó** el niño a Elí y le dijo:
"**Escúchame**, señor:
    te juro **por mi vida** que yo soy aquella mujer
        que estuvo **junto a ti**, en este lugar, **orando** al Señor.
Éste es el niño que yo le pedía al Señor
    y que **él** me ha **concedido**.

I LECTURA La figura de Samuel constituye el eslabón que une dos etapas distintas de la historia de Israel: la etapa de los Jueces, porque Samuel es considerado el último juez de Israel, y la etapa de la monarquía, porque es a Samuel a quien le toca ungir reyes a Saúl y a David. El libro de Samuel forma parte de un conjunto de libros (de Josué a Reyes) que narra la llegada de Israel a la Tierra Prometida, a época de los jueces y el período de la monarquía en sus dos momentos: la monarquía unida bajo Saúl, David y Salomón, y más tarde la monarquía dividida en dos reinos, el de Israel en el norte y el de Judá en el sur.

La sección 1:1–28 trae la escena del nacimiento de Samuel. Nuestra lectura es apenas un fragmento de esta unidad más amplia. Papel importante ocupa Ana, la madre, mujer amada por su esposo Elcaná, pero estéril. Continuamente humillada por la otra esposa de su marido, Ana implora un hijo y Dios le concede a Samuel, a quien le pone por nombre "Dios me ha escuchado", porque interpreta el nacimiento del niño como una respuesta a su súplica. En respuesta, Ana consagra a Samuel a Dios, a cuyo servicio lo entrega. En el sacrificio ofrecido ante el sacerdote, resalta el entorno religioso familiar en el que crecerá este servidor del Señor.

El marco de la fiesta de la Sagrada Familia puede arrojar una nueva luz sobre este antiguo texto. En tiempos antiguos la maternidad era casi la única razón de aprecio por las mujeres. Hoy, tras haber conquistado mayores espacios de igualdad, la mujer es valorada por muchos otros motivos. La maternidad puede ser en nuestros tiempos un símbolo más amplio, que sirva para que varones y mujeres comprendamos cuál es

Por eso, ahora **yo** se lo **ofrezco** al Señor,
  para que le quede **consagrado** de por vida".
Y adoraron al Señor.

Lectura alternativa: *Sirácide 3:3–7, 14–17*

Para meditar

SALMO RESPONSORIAL   Salmo 84:2–3, 5–6, 9–10

R. Señor, dichosos los que viven en tu casa.

¡Qué deseables son tus moradas,
Señor de los ejércitos!
Mi alma se consume y anhela
  los atrios del Señor,
  mi corazón y mi carne
  retozan por el Dios vivo. **R.**

Dichosos los que viven en tu casa,
  alabándote siempre.
Dichosos los que encuentran en ti su fuerza
  al preparar su peregrinación. **R.**

Señor de los ejércitos, escucha mi súplica;
  atiéndeme, Dios de Jacob.
Fíjate, oh Dios, en nuestro Escudo,
  mira el rostro de tu Ungido. **R.**

II LECTURA   1 Juan 3:1–2, 21–24

Lectura de la primera carta del apóstol san Juan

El mensaje central del pasaje radica en este primer párrafo. Léelo enfáticamente cual anuncio solemne.

Queridos hijos:
Miren **cuánto** amor nos ha tenido el Padre,
  pues no sólo **nos llamamos** hijos de Dios,
  sino que **lo somos**.
Si el mundo no **nos reconoce**,
  es porque tampoco lo ha reconocido **a él**.

Ser semejantes a Dios es la esperanza del creyente. La lectura debe expresar este sentido de expectación espiritual.

Hermanos míos,
  ahora somos **hijos de Dios**,
  pero aún no se ha **manifestado**
    cómo **seremos** al fin.
Y ya sabemos que, **cuando** él se manifieste,
  vamos a ser **semejantes** a él,
  porque lo **veremos** tal cual es.

la esencia de la familia y que la entrega —no la posesión— es lo que constituye el eje de las relaciones familiares. La historia de la infancia de Samuel es un acicate para la construcción de familias de cuidado mutuo, en las que la clave de relación no es el poder ni la autoridad, sino el cuidado y la entrega generosa.

| II LECTURA | El cuarto evangelio, las tres cartas y el Apocalipsis (todos ellos atribuidos a Juan) son el resultado de una tradición sobre la persona y el mensaje de Jesús, distinta de la plasmada

en los otros tres evangelios conocidos como evangelios sinópticos. La primera carta de san Juan refleja una crisis surgida hacia finales del siglo I entre las comunidades que se reunían en torno al testimonio del Discípulo Amado. El origen de la crisis parece ser la influencia en las comunidades de personas que tergiversan la tradición joánica presente en el cuarto evangelio y que niegan la encarnación, sosteniendo que la muerte de Jesús en la cruz fue solamente una apariencia, y, en el terreno de la moral, siembran discordias y ofrecen un testimonio solamente de palabras sin hechos que las avalen.

Por eso la carta tiene por momentos un lenguaje polémico e hiriente en contra de estos enemigos de la verdadera fe en Jesús Mesías.

Para el autor de la carta, en cambio, la novedad radical del mensaje de Jesús reside precisamente en el misterio de su encarnación. Si el Hijo de Dios se hizo verdaderamente —y no o de manera aparente— hijo de los hombres, si compartió nuestra humanidad, entonces el resultado de esta obra salvífica es que los seres humanos podemos llamarnos, y ser de veras, hijas e hijos de Dios. Sólo en el Hijo hecho hombre

Si nuestra conciencia no nos **remuerde**,
    entonces, hermanos míos,
    nuestra **confianza** en Dios es total.
Puesto que cumplimos los **mandamientos** de Dios
    y hacemos lo que le **agrada**,
    ciertamente obtendremos de él
        todo lo que le pidamos.

Ahora bien, **éste** es su mandamiento:
    que **creamos** en la persona de Jesucristo, su Hijo,
    y nos **amemos** los unos a los otros,
    conforme al **precepto** que nos dio.
Quien **cumple** sus mandamientos
    permanece en Dios y Dios en él.
En esto **conocemos**,
    por el **Espíritu** que él nos ha dado,
    que **él** permanece **en nosotros**.

Lectura alternativa: *Colosenses 3:12–21*

La sección conclusiva es la más importante porque revela el único mandamiento cristiano. Debe leerse con firmeza y con tono solemne.

EVANGELIO   Lucas 2:41–52

Lectura del santo Evangelio según san Lucas

Los padres de Jesús
    solían ir **cada año** a Jerusalén para las festividades
    de la Pascua.
Cuando el niño cumplió **doce** años,
    fueron a la fiesta, **según** la costumbre.
Pasados aquellos días, se volvieron,
    pero el niño Jesús **se quedó** en Jerusalén,
    sin que sus padres lo supieran.
Creyendo que iba en la caravana, hicieron **un día** de camino;
    entonces lo buscaron, y al **no encontrarlo**,
    regresaron a Jerusalén **en su busca**.

La narración tiene su propio ritmo. Lee como contando una historia familiar.

La permanencia del niño en el Templo irrumpe como un vuelco. Da cierto tono de inquietud a tu lectura.

alcanzamos los seres humanos la dignidad de ser hijas e hijos del Padre.

La lectura litúrgica agrupa versículos no consecutivos del capítulo 3 (versos 1–2 y 21–24) estableciendo un nexo entre dos secciones distintas. La primera, 2:29—3:10, afirma de manera contundente que, por su encarnación, el Hijo de Dios destruyó las obras del mal y en consecuencia nos llevó a la comunión plena con su Padre; esta comunión tendrá su manifestación plena cuando lleguemos a ser semejantes a Dios mismo. La segunda sección, 3:11–24, plantea la exigencia del amor fraterno y pondera el don

del Espíritu Santo, que nos hace capaces de amar hasta dar la vida por los hermanos.

EVANGELIO El evangelio de la infancia de Lucas culmina con una última escena. María y José peregrinaban anualmente a Jerusalén con motivo de las fiestas de Pascua. Cuando Jesús cumplió doce años los acompañó en la peregrinación, quedándose después en el templo sin haber avisado a sus padres. Es el único relato que retrata a Jesús en el umbral de lo que en aquella época se consideraba la entrada a la edad adulta.

Lucas muestra a Jesús en el centro mismo de la religiosidad judía, el templo. El pasaje puede leerse como una síntesis adelantada del Misterio pascual de Jesús. Algunos detalles así nos lo indican: los padres de Jesús lo encuentran en el templo "a los tres días", una alusión, sin duda, a aquella otra pascua en la que Jesús habrá de entregar su vida en la cruz y resucitar al tercer día; la sumisión final de Jesús a sus padres anuncia también aquel misterio de abajamiento y humillación al que se referirá Pablo en Filipenses 2:6–11; y su obediencia a María y José es una figura de la obediencia

El reclamo cariñoso dará oportunidad para que Jesús revele su misión, que sobrepasa el ambiente familiar. Lee sobriamente para evitar que suene a reproche.

Toda la vida oculta de Jesús se esconde tras esta frase. También la cualidad contemplativa de la Virgen. Lee con veneración.

Al tercer día lo encontraron en el templo,
    sentado en medio de los doctores,
  escuchándolos y haciéndoles **preguntas**.
Todos los que lo oían **se admiraban** de su inteligencia
    y de **sus respuestas**.
Al verlo, sus padres se quedaron **atónitos** y su madre le dijo:
  "Hijo mío, **¿por qué** te has portado así con nosotros?
Tu padre y yo te hemos estado buscando, llenos de angustia".
Él les respondió: "¿Por qué me andaban buscando?
  ¿No sabían que **debo ocuparme** en las cosas **de mi Padre**?"
Ellos **no entendieron** la respuesta que les dio.
Entonces **volvió** con ellos a Nazaret
  y siguió sujeto **a su autoridad**.
Su madre **conservaba** en su corazón **todas** aquellas cosas.

Jesús iba creciendo en saber, en estatura
    y en **el favor** de Dios y de los hombres.

al Padre, a la que se referirá más tarde Hebreos 5:8. A su vez, la conversación de Jesús con los maestros de la Ley, apunta a otra ocasión, hacia el final de su ministerio, cuando Jesús desarrollará polémicas conversaciones con los jefes de Israel (Lucas 19:47–48) en un contexto que anuncia su pasión ya próxima.

Leído en la fiesta de la Sagrada Familia, este texto adquiere nueva resonancia. El papa Francisco extrae dos enseñanzas del pasaje que pueden iluminar mucho a nuestras familias en cuanto a que Jesús nunca renegó de su familia, sino que aceptó que su proceso de crecimiento implicaba esta estructura fundamental como vía de crecimiento en el cuerpo y en el espíritu, y que la confianza de María y José al regreso de la peregrinación a Jerusalén implica que Jesús no vivió la familia como una relación cerrada y absorbente, sino que gracias a la confianza de sus padres se movía libremente y aprendía a caminar con los demás. Dos enseñanzas especialmente pertinentes para nuestras familias actuales.

SANTA MARÍA, MADRE DE DIOS

La fórmula de bendición es muy antigua. Lee con la certeza de ser portador de una piedad ancestral.

I LECTURA   Números 6:22–27

Lectura del libro de los Números

En aquel tiempo, **el Señor** habló a Moisés y le dijo:
   "Di a Aarón y a **sus hijos**:
   'De **esta manera** bendecirán a los israelitas:
El Señor **te bendiga** y te proteja,
   haga **resplandecer** su rostro **sobre** ti y te conceda su favor.
Que el Señor te mire **con benevolencia**
   y te conceda **la paz**'.

Así invocarán mi nombre sobre los israelitas
   y yo los bendeciré".

Haz contacto visual con la asamblea. Que sientan que la bendición va dirigida a cada uno de ellos.

Para meditar

SALMO RESPONSORIAL   Salmo 67:2–3, 5, 6 y 8

R. El Señor tenga piedad y nos bendiga.

El Señor tenga piedad y nos bendiga,
   ilumine su rostro sobre nosotros;
   conozca la tierra tus caminos,
   todos los pueblos tu salvación. **R.**

Que canten de alegría las naciones,
   porque riges el mundo con justicia,
   riges los pueblos con rectitud,
   y gobiernas las naciones de la tierra. **R.**

Oh Dios, que te alaben los pueblos,
   que todos los pueblos te alaben.
Que Dios nos bendiga; que le teman
   hasta los confines del orbe. **R.**

I LECTURA La cantidad de cifras contenidas en el cuarto libro de la Ley de Moisés provocó que fuera llamado "Números". Es un libro que aborda los cuarenta años de peregrinación del pueblo hebreo en medio del desierto, desde el monte Sinaí hasta las orillas del Jordán, en las fronteras mismas de la Tierra Prometida.

En medio de una sección que enumera leyes diversas (5:1—9:14) se encuentra la bendición que se proclama hoy. Encomendada a los sacerdotes, la función de bendecir se realiza invocando tres veces el nombre del Señor sobre los israelitas.

El objetivo de la bendición es implorar la protección de Dios y alcanzar su gracia y su favor. La consecuencia para la persona bendecida se concentra en el término hebreo *shalom* ("paz", "bienestar"), expresión que resume la totalidad de los bienes que Dios ha prometido a su pueblo y que hace que la vida personal y comunitaria del creyente llegue al máximo de su plenitud.

La bendición que Moisés transmite a Aarón y sus hijos es de gran belleza poética: evoca el rostro radiante de Dios, que brilla sobre la persona bendecida. Comenzamos, pues, el año implorando sobre nosotros

la bendición y pidiendo a Dios el don de la paz. Este día celebramos la Jornada Mundial de Oración por la Paz. Encabezada por el Papa, la comunidad cristiana invita a todas las personas de buena voluntad, independientemente de su credo, a unirse en oración para pedir la paz. Es un eco importante de la Navidad, que comienza con el himno angélico ¡Gloria a Dios en el cielo y paz en la tierra!

II LECTURA La octava de la Navidad se dedica a la celebración de la Virgen María, bajo el título Madre de Dios,

II LECTURA   Gálatas 4:4–7

Lectura de la carta del apóstol san Pablo a los gálatas

Hermanos:
Al llegar **la plenitud** de los tiempos,
    envió Dios **a su Hijo**, nacido de una mujer, nacido **bajo la ley**,
    para **rescatar** a los que estábamos bajo la ley,
    a fin de hacernos **hijos suyos**.

Puesto que ya son ustedes hijos,
Dios **envió** a sus corazones el Espíritu **de su Hijo**,
    que clama "**¡Abbá!**", es decir, ¡**Padre!**
Así que **ya no eres siervo**, sino hijo;
    y siendo **hijo**, eres también **heredero** por voluntad de Dios.

Celebramos hoy la maternidad de María. Lee con énfasis la frase "nacido de una mujer".

Mira a los oyentes cuando pronuncies la frase final. A ellos habla la Escritura.

EVANGELIO   Lucas 2:16–21

Lectura del santo Evangelio según san Lucas

En aquel tiempo,
    los pastores fueron **a toda prisa** hacia Belén
    y encontraron a María, a José y al niño,
        recostado en el pesebre.
Después de verlo,
    contaron lo que se les había dicho **de aquel niño**
    y cuantos los oían, quedaban **maravillados**.
María, por su parte, **guardaba** todas estas cosas
    y las meditaba **en su corazón**.

Encuentro con Cristo y misión evangelizadora resplandecen en los pastores. Enfatiza las dos dimensiones en tu lectura.

Lee pausadamente esta frase; la madre de Dios es modelo de discernimiento.

---

el más antiguo, que se remonta al Concilio de Éfeso en el año 431. El acierto de su ubicación en el marco de las fiestas de Navidad reside en resaltar la dimensión plena de la encarnación: Jesús es verdaderamente Dios que ha tomado carne de nuestra carne y se ha hecho de nuestra misma familia humana.

La carta a los Gálatas nombra el misterio de la encarnación como "la plenitud de los tiempos", o sea el vértice culminante de todo el diseño salvador del Padre, y menciona expresamente su ascendencia femenina: el Hijo de Dios ha nacido de una mujer. La consecuencia es insospechada. Rescatados del dominio de la Ley, superada la antigua economía de salvación, hemos sido puestos en una nueva relación con Dios, somos sus hijos adoptivos. En Cristo, todos podemos dirigirnos a Dios llamándole Padre, gracias al Espíritu Santo que ha sido derramado en nuestros corazones. Los misterios de la encarnación y la Pascua encuentran en este pasaje una armonía total. El resultado es nuestra libertad: no somos ya esclavos; somos hijos.

Modelo y protectora de la Iglesia, la santa Madre de Dios es invocada hoy por la liturgia en la oración colecta como intercesora para que los bienes de la salvación lleguen a todos los bautizados. De ella hemos recibido al autor de la vida. A ella consagramos este año que comienza. Su maternidad divina expresa el misterio de la encarnación que celebramos en la Navidad.

EVANGELIO El pasaje lucano que nos narra el nacimiento de Jesús es bastante amplio (Lucas 2:1–21). Hemos leído su primera parte en la Misa de Medianoche (2:1–14) y repetimos hoy la segunda parte, que había sido proclamada en la Misa de la Aurora (2:15–20), solamente

Lee este párrafo de manera que se sienta el gozo de testimoniar a Cristo.

Los pastores se volvieron a sus campos,
    alabando y **glorificando a Dios**
        por todo cuanto habían **visto y oído**,
    según lo que se les había **anunciado**.

Cumplidos los ocho días, circuncidaron al niño
    y le pusieron el nombre **de Jesús**,
    aquel **mismo** que había dicho el ángel,
    antes de que el niño fuera **concebido**.

se aumenta el versículo que menciona la circuncisión de Jesús, ocho días después.

Destacan en el relato, en primer lugar, los pastores que han recibido el anuncio del ángel y presenciado el coro angélico que alaba a Dios. Nunca se subrayará demasiado la elección de los pastores como los primeros destinatarios del anuncio del nacimiento de Jesús. La lógica humana, dada la importancia del mensaje, se hubiera inclinado por escoger más dignos destinatarios: acaso los sumos sacerdotes que, desde el templo de Jerusalén, dirigían la religión judía, o los ricos terratenientes que poseían medios

para que la noticia se esparciera a través de emisarios pagados… Sin embargo, los elegidos destinatarios del primer anuncio son pobres, adscritos a un oficio poco valorado, como signo de la identificación del Mesías con los que menos tienen.

El segundo elemento de la lectura, de pertinencia litúrgica, es la imagen de María como mujer de oración y representante de la corriente de los *anawin*, o pobres de Yahvé, que esperaban confiadamente la llegada del Mesías. En el inicio del año la Iglesia nos presenta a María como modelo de fe y de respuesta generosa, aun

cuando no tengamos total claridad ante el Misterio.

EPIFANÍA DEL SEÑOR

Oráculo de esperanza: léelo con solemnidad, subrayando el contraste repetido entre "luz" y "tinieblas".

I LECTURA   Isaías 60:1–6

Lectura del libro del profeta Isaías

Levántate y resplandece, Jerusalén,
   porque **ha llegado** tu luz
   y la gloria del Señor **alborea** sobre ti.
Mira: **las tinieblas** cubren la tierra
   y espesa niebla **envuelve** a los pueblos;
   pero sobre ti **resplandece** el Señor
   y en ti **se manifiesta** su gloria.
Caminarán los pueblos **a tu luz**
   y los reyes, **al resplandor** de tu aurora.

Igual que los Magos de Oriente, los desterrados vienen de lejos hasta Jerusalén. Que tu rostro y tu postura reflejen asombro de alegría.

Levanta los ojos y **mira** alrededor:
   todos se reúnen y vienen **a ti;**
   tus hijos llegan **de lejos**, a tus hijas las traen **en brazos.**
Entonces verás esto **radiante** de alegría;
   tu corazón se **alegrará**, y se **ensanchará**,
   cuando se **vuelquen** sobre ti los tesoros del mar
   y te traigan **las riquezas** de los pueblos.
Te **inundará** una multitud de camellos y dromedarios,
   procedentes de Madián y de Efá.
Vendrán **todos** los de Sabá
      trayendo **incienso y oro**
   y **proclamando** las alabanzas del Señor.

Subraya la mención de camellos, dromedarios, incienso, oro… son alusiones a la tradición cristiana de la Epifanía.

I LECTURA El Tercer Isaías (caps. 56—66) reúne oráculos que anuncian un futuro lleno de gloria para Jerusalén, que está aún siendo reconstruida después de que regresaron los desterrados de Babilonia. El Salmo 137 nos recuerda que, desde el destierro, los exiliados dirigían el corazón a la Ciudad Santa, símbolo del pueblo de la alianza: "Si me olvidara de ti, Jerusalén…". Toca ahora al profeta, después del retorno, seguir animando la esperanza de la comunidad.

A esta tarea contribuye un doble himno que canta la gloria de la Ciudad Santa (60:1–22 y 62:1–12). Escuchamos en esta fiesta de la Epifanía los primeros versículos del primero de estos dos cánticos. El pueblo comienza a levantarse de la humillación que le deparó el exilio; le toca ahora al profeta anunciar la restauración total, la reconstrucción del templo y la vuelta a la prosperidad. El símbolo de la luz le sirve al profeta para cantar su propósito: Jerusalén despunta resplandeciente y la salvación que Dios realiza en ella es como una antorcha que brilla.

Este texto es pertinente para la fiesta de la Epifanía. Jerusalén es luz que resplandece en la oscuridad, porque el Señor la ilu-

mina para siempre. Pero es también el centro hacia el cual confluyen todas las naciones. Por eso los pueblos aparecen dirigiéndose a Jerusalén en peregrinación y llevándole ofrendas y riquezas, porque la luz que la Ciudad Santa recibe de Dios está hecha para irradiarse.

El pasaje muestra en todo su esplendor el destino universal de la salvación que hoy celebra la fiesta de la Epifanía. La lejana procedencia de los peregrinos subraya una diversidad cultural que enriquece la fe de Israel y hace patente su misión: ser un botón de muestra de lo que Dios ha querido

Para meditar

SALMO RESPONSORIAL   Salmo 72:1–2, 7–8, 10–11, 12–13

R. Se postrarán ante ti, Señor, todos los pueblos de la tierra.

Dios mío, confía tu juicio al rey,
   tu justicia al hijo de reyes,
   para que rija a tu pueblo con justicia,
   a tus humildes con rectitud. **R.**

Que en sus días florezca la justicia
   y la paz hasta que falte la luna;
   que domine de mar a mar,
   del Gran Río al confín de la tierra. **R.**

Que los reyes de Tarsis y de las islas
   le paguen tributo.
Que los reyes de Saba y de Arabia
   le ofrezcan sus dones;
   que se postren ante él todos los reyes,
   y que todos los pueblos le sirvan. **R.**

El librará al pobre que clamaba,
   al afligido que no tenía protector;
   él se apiadará del pobre y del indigente,
   y salvará la vida de los pobres. **R.**

II LECTURA   Efesios 3:2–3, 5–6

Lectura de la carta del apóstol san Pablo a los efesios

Hermanos:
Han oído hablar de la **distribución** de la gracia de Dios,
   que se me ha confiado **en favor** de ustedes.
Por revelación se me dio a conocer **este misterio**,
   que no había sido **manifestado** a los hombres
      en **otros** tiempos,
   pero que ha sido revelado **ahora** por el Espíritu a sus santos
      apóstoles y profetas:
   es decir, que por el Evangelio,
   también los paganos son **coherederos** de la **misma** herencia,
   miembros del **mismo** cuerpo
   y **partícipes** de la misma promesa en Jesucristo.

Para la comprensión de este pasaje complejo, respeta los signos de puntuación, especialmente los punto y comas.

Mira a la asamblea. Los dos puntos anuncian el mensaje principal de la lectura: en Jesús somos coherederos, miembros de su cuerpo y partícipes de su promesa.

---

siempre para todos los pueblos. En Jesús comprenderemos después que el proyecto de salvación no reconoce más frontera que la apertura del corazón. Esta poderosa imagen desarrollará su último significado en la nueva Jerusalén, la ciudad celestial de Apocalipsis 21:9–27.

II LECTURA Con frecuencia el apóstol Pablo define su misión como el anuncio de un misterio que le ha sido revelado. Este misterio no es otro que el de Cristo, el Mesías, que hecho hombre por gratuito designio de Dios Padre, su hizo

uno de nosotros, anunció con palabras y obras la irrupción del Reino de Dios en el mundo y terminó derramando su sangre en la cruz para que el proyecto de Dios para la humanidad se hiciera posible. La resurrección y la glorificación de Cristo confirmó su testimonio de vida; es la reivindicación de Dios a su persona: Jesús ha sido constituido Señor del cielo y de la tierra y prolonga su presencia salvadora a través de la comunidad que él mismo ha generado, la Iglesia, el pueblo consagraño por el bautismo.

Un rasgo novedoso de la buena noticia que transmite Pablo es que el designio de

Dios, que se pensaba antes dirigido exclusivamente al pueblo de Israel y a quienes se asociaran a éste por la circuncisión y la obediencia a la Ley mosaica, muestra ahora su rostro universal. Por el bautismo, todas las naciones han sido hechas una comunidad santa, formamos un solo pueblo, el nuevo pueblo de Dios. Todos los pueblos de la tierra han sido llamados a compartir la promesa que Dios le formuló a Abrahán y han recibido la herencia de poder llegar a ser hijas e hijos suyos.

Como sabemos por el conjunto del Nuevo Testamento, esta universalidad se

EVANGELIO   Mateo 2:1–12

Lectura del santo Evangelio según san Mateo

Jesús nació en **Belén de Judá**, en tiempos del rey Herodes.
Unos **magos** de Oriente llegaron entonces a Jerusalén
    y preguntaron:
"¿**Dónde está** el rey de los judíos que acaba **de nacer**?
    Porque vimos **surgir** su estrella y hemos venido **a adorarlo**".

Al enterarse de esto, el rey Herodes se **sobresaltó** y **toda**
    Jerusalén con él.
Convocó entonces a los **sumos sacerdotes**
    y a los escribas del pueblo
    y les preguntó **dónde** tenía que nacer el Mesías.
Ellos le contestaron:
    "En **Belén de Judá**, porque así lo ha escrito el profeta:
    Y tú, Belén, tierra de Judá,
    no eres en manera alguna
    la menor entre las ciudades ilustres de Judá,
    pues de ti saldrá un jefe,
    que será el pastor de mi pueblo, Israel".

Entonces Herodes llamó **en secreto** a los magos,
    para que le **precisaran** el tiempo en que se les había **aparecido**
        la estrella y los mandó a Belén, diciéndoles:
    "**Vayan** a averiguar cuidadosamente **qué hay** de ese niño,
    y cuando lo encuentren, **avísenme** para que yo también vaya
        a adorarlo".

Pasaje de narración fascinante: debe leerse claramente y con la entonación adecuada.

Las cursivas dan testimonio de una cita del profeta Miqueas. Lee con solemnidad este anuncio antiguo.

Herodes simboliza a los enemigos del Mesías. Dale tono de ironía a sus engañosas palabras finales.

---

construyó no sin dificultades en la vida diaria de las comunidades. La integración de judíos y gentiles fue ocasión de desencuentros y solamente una gran dosis de paciencia histórica y la acción del Espíritu Santo lograron, como señala el mismo Apóstol algunos versículos antes (Efesios 2:14), hacer de todos los pueblos uno solo. La fiesta de la Epifanía, con la figura de los Reyes Magos de Oriente como símbolo de la diversidad cultural que se inclina ante el Mesías, nos obliga a los cristianos a un ejercicio cotidiano de tolerancia y empatía con todas las diversidades humanas. La comunidad cristiana está llamada a ser casa abierta para todos y todas.

EVANGELIO Difícilmente encontraremos en los evangelios de la infancia de Jesús algún relato que compita en popularidad con el de los Reyes Magos de Oriente, estos sabios que, venidos de lejos, representan a los pueblos paganos que se presentan ante el Mesías, lo adoran y le ofrecen regalos. La imaginación cristiana posterior ha revestido a estos personajes con rasgos que subrayan su diversidad: cabalgaduras distintas, vestimentas llamativas e incluso colores distintos de piel, como intuyendo el anuncio esencial de este pasaje: Jesucristo es un Mesías venido para todos los pueblos de la tierra.

La composición del relato se basa en pasajes del Antiguo Testamento y en la creencia popular de la influencia de las estrellas en la vida de las personas, especialmente como anunciadoras del nacimiento de gente considerada importante (reyes, sabios, héroes). Oráculos de Isaías, como el que leemos en la primera lectura, y otros anuncios como el de Números 24:17,

Que se escuche en tu proclamación la alegría por el reencuentro de la estrella.

La visita desemboca en adoración. Lee con devoción y asombro.

Después de oír al rey, los magos se pusieron en camino,
    y **de pronto** la estrella que habían visto surgir,
        comenzó **a guiarlos**,
hasta que se detuvo **encima** de donde estaba el niño.
Al ver de nuevo la estrella, **se llenaron** de inmensa alegría.
Entraron en la casa y **vieron al niño** con María, su madre,
    y postrándose, **lo adoraron**.
Después, **abriendo sus cofres**, le ofrecieron regalos:
    oro, **incienso** y mirra.
Advertidos durante el sueño de que **no volvieran** a Herodes,
    regresaron a su tierra **por otro camino**.

encuentran en este relato cabal cumplimiento. Las viejas profecías han llegado a su plenitud en el nacimiento del Mesías.

El relato de los Magos es una adelantada expresión de la contradicción a la que se verá sometido el mesianismo de Jesús: algunos como los Magos lo reconocen y lo aceptan, otros como Herodes y sus asesores lo rechazan y lo persiguen. Estos últimos conocen las Escrituras, las citan de memoria, pero no hacen el mínimo esfuerzo en ir a constatar su cumplimiento. Los Magos, en cambio, vienen de un largo viaje en el que han sido guiados solamente por una estrella, no conocen las Escrituras judías, pero buscan al recién nacido para ofrecerle su adoración; son el símbolo de quienes, con apertura de corazón, salen al encuentro del misterio salvífico con un corazón bien dispuesto. Este rechazo de Israel y la aceptación del proyecto de salvación por parte de los paganos, culminará con Jesús, crucificado a instigación de las autoridades judías, pero reconocido por un oscuro oficial romano (Mateo 27:54).

BAUTISMO DEL SEÑOR

I LECTURA   Isaías 40:1–5, 9–11

Lectura del libro del profeta Isaías

Este es un oráculo de consuelo. Subraya en tu lectura las palabras en negrilla; son las expresiones claves.

"**Consuelen**, consuelen a mi pueblo,
  dice nuestro Dios.
Hablen al **corazón** de Jerusalén
  y díganle **a gritos** que ya **terminó** el tiempo de su servidumbre
  y que ya ha **satisfecho** por sus iniquidades,
  porque ya ha **recibido** de manos del Señor
  castigo **doble** por todos sus pecados".

Las comparaciones son paradójicas: caminos en el desierto, valles elevados, montes rebajados… Remarca los contrastes en tu proclamación.

Una voz **clama**:
  "**Preparen** el camino del Señor en el desierto,
  construyan en el páramo
  una **calzada** para nuestro Dios.
Que **todo** valle se eleve,
  que **todo** monte y colina se rebajen;
  que lo torcido se **enderece** y lo **escabroso** se allane.
Entonces se revelará la **gloria** del Señor
  y **todos** los hombres la verán".
Así ha **hablado** la boca del Señor.

El mensajero de buenas nuevas es el Mesías. Esta sección final culminará en el tierno pastoreo de Dios. Haz una lectura acompasada.

Sube a lo **alto** del monte,
  mensajero de **buenas nuevas** para Sión;
  alza con **fuerza** la voz,
  tú que anuncias **noticias alegres** a Jerusalén.
Alza la voz y no temas;
  anuncia a los ciudadanos de Judá:
"**Aquí** está su Dios.

I LECTURA El himno de consuelo que escuchamos hoy es un hermoso ejemplo del contenido de todo el Segundo Isaías (Isaías 40—55), un profeta que, en medio de la amargura del exilio, siembra esperanza en el pueblo que sufre lejos de su tierra. Sus palabras son oráculos de aliento y esperanza. El profeta sabe que Ciro, rey de Persia, avanza incontenible y se acerca el tiempo de la derrota de los babilonios. A través de estos acontecimientos, el profeta lee los signos de la presencia de Dios. El Señor, que dirige la historia, va preparando el retorno de Israel a la tierra

de promisión cual pastor que congrega a su rebaño.

El oráculo destila alegría. El mensajero de buenas noticias declara que ha llegado la hora de experimentar la presencia salvadora de Dios. Es necesario estar a la altura de este don de misericordia; el pueblo es invitado a allanar los caminos, a corregir los desvíos. El profeta quiere despertar en el pueblo una actitud nueva que le permita recibir a Dios que le sale al encuentro.

En el día del bautismo del Señor, el eco de esta lectura resuena en la predicación de Juan Bautista. Nosotros somos el pueblo

que había errado su camino. Ahora somos invitados a ponernos en actitud de conversión para retornar al camino de la gracia. En Jesús, el ungido por el Espíritu, Dios mismo se hace presente en la historia humana. Estamos llamados a seguirlo como humildes discípulos. Dejamos atrás la ternura del pesebre para entrar, con el corazón consolado, al seguimiento de Jesús adulto.

II LECTURA Miembro del equipo de Pablo, Tito desarrolla una labor itinerante al servicio de la evangelización que el Apóstol de los gentiles despliega

Aquí llega el Señor, lleno de poder,
   el que con su **brazo** lo domina todo.
El premio de su **victoria** lo acompaña
   y sus **trofeos** lo anteceden.
Como **pastor** apacentará su rebaño;
   llevará en sus brazos a los corderitos recién nacidos
   y **atenderá** solícito a sus madres".

Para meditar

SALMO RESPONSORIAL Salmo 104:1–2a, 2b–4, 24–25, 27–28, 29–30

R. Bendice, alma mía, al Señor: ¡Dios mío, que grande eres!

Bendice, alma mía, al Señor:
¡Dios mío, qué grande eres!
Te vistes de belleza y majestad,
  la luz te envuelve como un manto. **R.**

Extiendes los cielos como una tienda,
  construyes tu morada sobre las aguas;
  las nubes te sirven de carroza,
  avanzas en las alas del viento;
  los vientos de sirven de mensajeros;
  el fuego llameante, de ministro. **R.**

Cuántas son tus obras, Señor,
  y todas las hiciste con sabiduría;
  la tierra está llena de tus criaturas.
Ahí está el mar: ancho y dilatado,
  en él bullen, sin número,
  animales pequeños y grandes. **R.**

Todos ellos aguardan
  a que les eches comida a su tiempo:
  se la echas, y la atrapan;
  abres tu mano, y se sacian de bienes. **R.**

Escondes tu rostro, y se espantan;
  les retiras el aliento, y expiran
  y vuelven a ser polvo;
  envías tu aliento, y los creas,
  y repueblas la faz de la tierra. **R.**

II LECTURA   Tito 2:11–14; 3:4–7

Lectura de la carta del apóstol san Pablo a Tito

Querido hermano:
La gracia de Dios se ha **manifestado**
   para salvar a **todos** los hombres
y nos ha enseñado a **renunciar**
  a la vida **sin religión** y a los deseos **mundanos**,
para que **vivamos**, ya desde ahora,
de una manera **sobria**, **justa** y **fiel** a Dios,
en **espera** de la gloriosa venida
   del gran **Dios y salvador**, Cristo Jesús, nuestra esperanza.

La recompensa es más grande que la renuncia. Da un tono más enfático a la promesa que a los vicios a los que tenemos que renunciar.

por el Imperio romano (en lo que hoy es Asia Menor y Europa). Realiza labores de mediación en Corinto dos veces y es el encargado en Acaya de la colecta que Pablo realiza en favor de las comunidades de la Iglesia de Jerusalén.

A este diligente discípulo se dirige esta carta, en cuyo contenido encontramos dos grandes aportaciones teológicas: un síntesis de cristología explicada a creyentes no judíos (2:11–14) y una teología del bautismo (3:4–7) que parece tener sus antecedentes en liturgias bautismales anteriores a la redacción de la carta. La lectura nos comparte algunos versículos de cada una de estas dos partes, entregándonos así, en un único texto litúrgico, lo más granado del mensaje de la carta.

Destacan tres mensajes. Lo primero es señalar que el plan de salvación nos coloca en una situación nueva, entre la encarnación del Hijo de Dios y su segunda venida gloriosa. Este es un tiempo de testimonio, de renuncia a la vieja manera de vivir. Lo segundo es recordar que, por un acto de pura misericordia, Dios nos ha redimido en Cristo y nos ha llamado a formar parte de su pueblo santo, una comunidad que —como Jesús mismo— está llamada a pasar por la vida haciendo el bien. Finalmente, el pasaje nos anuncia que esta gracia, que nos convierte en herederos del cielo, llega a nosotros a través del bautismo que mucho más que un rito es la incorporación a la vida de comunión con Dios.

EVANGELIO   La celebración litúrgica del Bautismo del Señor nos trae, en los tres ciclos litúrgicos, la narración del bautismo del Jesús tal como viene contada en cada uno de los tres primeros evangelios. Hoy leemos la narración de san Lucas.

Dirige la mirada a los oyentes. Nosotros somos ese pueblo redimido por Cristo. Lee pausadamente cada frase.

El se **entregó** por nosotros para **redimirnos** de todo pecado
    y **purificarnos**, a fin de convertirnos en **pueblo suyo**,
    fervorosamente entregado a practicar el **bien**.

Al manifestarse la **bondad** de Dios, nuestro Salvador,
    y su amor a los hombres, él nos **salvó**,
    no porque\ nosotros hubiéramos hecho algo **digno** de
        merecerlo,
    sino por su **misericordia**.
Lo hizo mediante el **bautismo**, que nos regenera y nos renueva,
    por la **acción** del Espíritu Santo,
    a quien Dios **derramó** abundantemente sobre nosotros,
    por Cristo, nuestro Salvador.
Así, **justificados** por su gracia,
    nos convertiremos en **herederos**,
    cuando se realice la **esperanza** de la vida eterna.

El bautismo cristiano se inspira en el bautismo de Jesús. Que se note en tu voz el gozo agradecido por la acción de la gracia en nosotros.

EVANGELIO   Lucas 3:15–16, 21–22

Lectura del santo Evangelio según san Lucas

En aquel tiempo,
    como **el pueblo** estaba en expectación
    y **todos pensaban** que quizá Juan el Bautista era **el Mesías**,
    Juan los sacó de dudas, **diciéndoles**:
    "Es cierto que **yo** bautizo **con agua**,
    pero ya viene **otro más poderoso** que yo,
    a quien **no merezco** desatarle
        las correas de **sus sandalias**.
Él **los bautizará** con el **Espíritu Santo** y con **fuego**".

Haz notar en tu lectura el constraste entre el bautismo de Juan y el del Mesías. Acentúa la reverencia de Juan al hablar del Mesías.

Sucedió que **entre la gente** que se bautizaba,
    también **Jesús** fue **bautizado**.
Mientras éste oraba, **se abrió el cielo** y el **Espíritu Santo**
    bajó sobre él en forma sensible, como de una paloma,
    y del **cielo** llegó **una voz** que decía:
    "**Tú eres mi Hijo,** el predilecto; en ti me **complazco**".

La unción con el Espíritu es el centro del misterio del bautismo de Jesús. Lee con solemnidad.

En 3:15–20, Lucas lleva a la conclusión el paralelismo entre Jesús y Juan Bautista que había venido desarrollando en los relatos de la infancia, mostrando a Juan reconociendo su inferioridad frente al Mesías. Frente a Jesús, Juan se considera menos que un esclavo, por eso se manifiesta indigno de realizar la tarea humillante de desatar las sandalias del Mesías. Su tarea es solamente bautizar en agua, mientras que a Jesús corresponderá sumergir a sus discípulos en una vida nueva, entregándoles el Espíritu Santo.

A diferencia de los otros evangelios, Lucas no insiste mucho en la descripción del acto mismo del bautismo. Es más, ya en el relato del bautismo (3:21–22) ni siquiera menciona a Juan Bautista. Le interesa más subrayar el significado de la acción: el bautismo de Jesús no es un bautismo para la conversión, como había anunciado Juan, sino la proclamación pública de parte del Padre que, con ecos del Salmo 2:7, presenta a Jesucristo como su Hijo amado, el elegido (Isaías 42:1–7) sobre quien desciende la plenitud del Espíritu Santo. Lo que se realiza en Jesús se actualiza también en el bautis-

mo cristiano, por el que somos constituidos hijos amados de Dios y templos del Espíritu. Tenemos que aspirar a que nuestra vida complazca plenamente al Padre.

II DOMINGO
DEL TIEMPO ORDINARIO

I LECTURA   Isaías 62:1–5

Lectura del libro del profeta Isaías

Eres tú la voz del oráculo profético. Dirígete a la asamblea con claridad solemne.

Por amor a Sión **no me callaré**
   y por amor **a Jerusalén** no me daré reposo,
   hasta que **surja** en ella esplendoroso el justo
   y **brille** su salvación como una **antorcha**.

Haz contacto visual con los oyentes. Esta asamblea es la destinataria de la lectura.

Entonces las naciones **verán** tu justicia,
   y tu gloria **todos** los reyes.
Te llamarán con un nombre **nuevo**,
   pronunciado por la **boca** del Señor.
Serás **corona** de gloria en la **mano** del Señor
   y **diadema** real en la palma de su mano.

Remarca el contraste y acentúa los atributos positivos.

Ya no te llamarán "**Abandonada**",
   ni a tu tierra, "**Desolada**";
   a ti te llamarán "Mi complacencia"
   y a tu tierra, "**Desposada**",
   porque el Señor se ha complacido **en ti**
   y se ha **desposado** con tu tierra.

La joven doncella con la que Dios quiere desposarse es la comunidad que escucha. Que tu voz exprese esta identificación.

Como un joven se desposa con una doncella,
   se desposará **contigo** tu hacedor;
   como el esposo se **alegra** con la esposa,
   así se alegrará tu Dios contigo.

I LECTURA Tomada del Tercer Isaías (Isaías 56—66), la lectura de hoy forma parte de una unidad más larga (62:1–12) y proclama el amor de Dios por su pueblo, simbolizado en la ciudad-esposa, Jerusalén. El pueblo recibe este anuncio profético en medio de una realidad compleja: los desterrados han regresado a su patria y se han reencontrado con aquellos coterráneos suyos que se quedaron, o sea que no fueron expulsados, sino que permanecieron en su tierra. Algunos oráculos del Tercer Isaías reflejan la tensión por el control del poder en un ambiente de división interna.

Nuestro texto quiere subrayar la idea fundamental de que el Señor habita realmente en medio de su pueblo. La reconstrucción de las relaciones entre Dios e Israel después del exilio queda simbolizada en la figura matrimonial: Dios se ha casado con la ciudad de Jerusalén y la ha coronado con una diadema real. La figura matrimonial, usada audazmente para hablar de Dios y el pueblo, viene ya desde el Segundo Isaías (Isaías 49:18; 54:5). Se trata de un noviazgo entre Dios y la ciudad. El "nombre nuevo" que recibirá Jerusalén es símbolo de lo inédito de esta intervención de Dios en favor de su pueblo.

La imagen matrimonial vincula esta lectura con el evangelio: en Caná, en medio de unas fiestas de boda, será Jesús el que actualice el matrimonio entre Dios y su pueblo, inaugurando así la irrupción del Reino de Dios.

II LECTURA Capital de la provincia de Acaya, Corinto contaba con poco más de medio millón de habitantes, con dos terceras partes de la población en

Para meditar

SALMO RESPONSORIAL Salmo 96:1–2a, 2b–3, 7–8a, 9–10a y c

R. Cuenten las maravillas del Señor a todas las naciones.

Canten al Señor un cántico nuevo,
  canten al Señor, toda la tierra;
  canten al Señor, bendigan su nombre. **R.**

Proclamen día tras día su victoria,
  cuenten a los pueblos su gloria,
  sus maravillas a todas las naciones. **R.**

Familias de los pueblos, aclamen al Señor,
  aclamen la gloria y el poder del Señor,
  aclamen la gloria del nombre del Señor. **R.**

Póstrense ante el Señor en el atrio sagrado,
  tiemble en su presencia la tierra toda.
  Digan a los pueblos: "El Señor es rey,
  él gobierna a los pueblos rectamente". **R.**

II LECTURA   1 Corintios 12:4–11

Lectura de la primera carta del apóstol san Pablo a los corintios

Hermanos:

Hay un ritmo implícito en las tres frases. Léelas sin desbalancear la unidad y equilibrio del conjunto.

Hay **diferentes** dones, pero el Espíritu es **el mismo**.
Hay **diferentes** servicios, pero **el Señor** es el mismo.
Hay **diferentes** actividades, pero Dios,
  que hace **todo** en todos, **es el mismo**.

Los dones muestran la riqueza de la diversidad. Da a cada uno su propio énfasis.

En **cada uno** se manifiesta el Espíritu para el **bien común**.
Uno recibe el don de la **sabiduría**;
  otro, el **don** de la ciencia.
A uno se le concede el don **de la fe**;
  a otro, la gracia de **hacer curaciones**,
  y a otro más, **poderes milagrosos**.
Uno recibe el don **de profecía**,
  y otro, el de **discernir** los espíritus.

El Espíritu es la fuente de todos los dones y el don mayor por excelencia. Lee pausadamente esta última frase.

A uno se le concede el don **de lenguas**,
  y a otro, el de **interpretarlas**.
Pero es uno **solo** y el **mismo** Espíritu el que hace **todo eso**,
  distribuyendo **a cada uno** sus dones, según su voluntad.

---

condición de esclavos y dos puertos marítimos que la convertían en un centro de intercambio de personas y mercancías. A partir de una numerosa población judía que habitaba en Corinto, Pablo funda ahí una comunidad cristiana hacia el año 50 d. C. (1 Corintios 4:15), convierte la ciudad en uno de sus epicentros de predicación y permanece allí cerca de año y medio.

Mientras andaba en sus viajes apostólicos, Pablo recibía informaciones sobre lo que ocurría en Corinto a través de su amplia red de colaboradores. Los mismos miembros de la comunidad le hacían llegar algunas consultas sobre problemas que aquejaban a la comunidad y amenazaban dividirla.

La multiplicidad de dones y carismas es una de las características de la Iglesia de Corinto. Esto, que desde el punto de vista de la fe es un don magnánimo de Dios y muestra de la vitalidad de la comunidad, se ha convertido en un problema, porque la desorganización y los orgullos humanos han derivado en la división interna de esta iglesia fundada por Pablo. La palabra del Apóstol ofrece a los corintios un criterio fundamental: los dones y carismas proceden del mismo Espíritu y han sido repartidos gratuitamente no para beneficio personal ni satisfacción de orgullos mundanos, sino para la edificación de la comunidad.

Hoy en día, nos toca discernir los nuevos carismas que el Espíritu hace surgir en nuestras comunidades, y evitar los abusos que testimonia la Carta a los Corintios.

EVANGELIO En el Tiempo Ordinario se evoca la vida pública de Jesús. En este domingo, el segundo ya del Tiempo Ordinario (el Bautismo del Señor ocupa el lugar del primero) nos sirve para

EVANGELIO   Juan 2:1–11

Lectura del santo Evangelio según san Juan

El relato es vivaz en sí mismo. Que también lo sea tu lectura de las distintas escenas.

En aquel tiempo, hubo una boda en **Caná** de Galilea,
     a la cual **asistió** la madre de Jesús.
Éste y sus discípulos **también** fueron invitados.
Como llegara a faltar **el vino**, **María** le dijo a Jesús:
     "Ya no tienen vino".
Jesús le contestó:
     "**Mujer**, ¿qué podemos hacer tú y yo?
     Todavía no llega mi hora".
Pero ella dijo a los que servían:
     "**Hagan** lo que él les diga".

La frase final de María es clave en el relato. Deja sentir su tono sereno y confiado.

Había allí seis tinajas de piedra,
     de unos **cien** litros cada una,
     que servían para las **purificaciones** de los judíos.
Jesús dijo a los que servían:
     "**Llenen** de agua esas tinajas".
Y las llenaron **hasta el borde**.
Entonces les dijo:
     "**Saquen** ahora un poco y llévenselo al mayordomo".

El párrafo va de la incertidumbre a la proclamación de un vino nuevo y mejor. Que tu entonación acompañe ese itinerario.

Así lo hicieron,
     y en cuanto el encargado de la fiesta **probó** el agua convertida
          en vino,
     sin saber su procedencia,
     porque **sólo** los sirvientes la sabían,
     llamó al novio y le dijo:
"**Todo** el mundo sirve **primero** el vino mejor,
     y cuando los invitados ya han bebido **bastante**,
     se sirve el **corriente**.
Tú, en cambio, has guardado el vino **mejor** hasta ahora".

Contempla a la asamblea en la lectura de estas frases finales.

Esto que Jesús hizo en Caná de Galilea
     fue la **primera** de sus señales milagrosas.
Así mostró **su gloria** y sus discípulos **creyeron** en él.

---

transitar a la vida adulta de Jesús, aunque no inicia todavía la lectura continua del evangelio de Lucas, que nos guiará este año.

Leemos hoy el primero de siete señales que Jesús realiza. Que el cuarto evangelio denomine señales a lo que otros evangelios llaman milagros, subraya su poder revelador. No son simples prodigios sobrenaturales; son vehículos a través de los cuales Jesús revela su identidad y su misión y que lo confirman como enviado del Padre. Esta primera señal se realiza en el marco de una boda a la que han sido invitados Jesús y sus discípulos y también su madre.

Los bienes anunciados por los profetas para los tiempos del Mesías (Isaías 25:6; Jeremías 31:12) incluyen banquetes con vino abundante. Pues bien, la acción de Jesús hace realidad esas profecías y anuncia la llegada del Reino como efusión de alegría: la antigua alianza, figurada por las seis tinajas de agua, queda transformada por el vino de la plenitud mesiánica. María adelanta la hora de Jesús y se convierte en símbolo de discipulado: "hagan lo que él les diga". Que sea llamada "mujer" insinúa la presentación de María como la nueva Eva, presente al inicio de la nueva creación que

implica la irrupción del Reino, y adelanta su presencia en la culminación de este misterio (Juan 19:26).

III DOMINGO DEL TIEMPO ORDINARIO

I LECTURA Nehemías 8:2–4, 5–6, 8–10

Lectura del libro de Nehemías

En aquellos días, **Esdras**, el sacerdote,
   trajo el libro **de la ley** ante la asamblea,
   formada por los hombres, las mujeres
   y **todos** los que tenían uso de razón.

Era el día **primero** del mes séptimo,
   y Esdras leyó **desde** el amanecer **hasta** el mediodía,
   en la plaza que está frente a la puerta del Agua,
   en **presencia** de los hombres, las mujeres
   y **todos** los que tenían uso de razón.
Todo el pueblo estaba **atento** a la lectura del libro de la ley.
Esdras estaba **de pie** sobre un estrado de madera,
   levantado para esta ocasión.
Esdras abrió el libro **a la vista** del pueblo,
   pues estaba en un sitio **más alto** que todos,
   y cuando lo abrió, el pueblo **entero** se puso de pie.
Esdras **bendijo** entonces al Señor, el **gran** Dios,
   y **todo** el pueblo, levantando las manos,
   respondió: "¡**Amén**!", e inclinándose,
   se postraron **rostro** en tierra.
Los levitas leían el libro de la ley de Dios **con claridad**
   y **explicaban** el sentido,
   de suerte que el pueblo **comprendía** la lectura.

Desde el inicio toma en cuenta que tú, como Esdras, estás al servicio de la proclamación de la Palabra.

Lee pausadamente, pero con soltura, la descripción de esta liturgia de proclamación.

La bendición culmina la proclamación de la Palabra. Dale solemnidad a este párrafo leyendo con aplomo.

I LECTURA Nuestra lectura está tomada del último libro de un conjunto literario conocido como la "obra cronística". Este conjunto abarca los dos libros llamados Crónicas, a los cuales un recopilador final añadió los libros de Esdras y Nehemías. Más que simple historia, estos libros nos traen una relectura teológica de los acontecimientos del pasado, desde David hasta el exilio babilónico.

Esta es el contexto histórico de nuestra lectura: Ciro, rey de Persia, ha vencido a los babilonios y ha autorizado el regreso de los desterrados procedentes de Babilonia.

El retorno implicó muchos problemas: la convivencia entre los que regresaban con los que nunca se fueron, la animadversión de los samaritanos ante sus vecinos nuevos, las distintas expectativas entre los diferentes grupos que retornaban… Las figuras de Edras (sacerdote) y Nehemías (funcionario de los persas en Babilonia) van a jugar un papel importante en la reconstrucción tanto de las edificaciones físicas de la ciudad de Jerusalén como del alma misma del pueblo que ha retornado del exilio a la Tierra Prometida.

La escena descrita por la lectura es impactante. Los retornados se han establecido ya en Jerusalén y en los pueblos circundantes. Se ha avanzado ya en la reconstrucción del Templo y las murallas que defienden la ciudad. Ahora, congregados en torno a la figura del sacerdote Esdras, escucharán la solemne proclamación del libro de la Ley de Moisés que de ahora en adelante y para siempre será el vínculo que mantendrá unida a la nación. El marco celebrativo, como puede constatarse versículos adelante, es la Fiesta de Las Chozas o Tabernáculos (Nehemías 8:13–18).

La palabra de Dios es siempre fuente de alegría y de generosidad. Lee con gozo.

Subraya la relación entre la escucha de la Palabra y la práctica de la caridad.

Entonces **Nehemías**, el gobernador,
   Esdras, el sacerdote y escriba,
   y los levitas que **instruían** a la gente,
   dijeron a **todo** el pueblo:
"Éste es un día **consagrado** al Señor, nuestro Dios.
No estén ustedes tristes **ni lloren**
   (porque **todos** lloraban **al escuchar** las palabras de la ley).
   Vayan a comer **espléndidamente**,
   tomen bebidas **dulces** y manden algo a los que **nada** tienen,
   pues **hoy** es un día **consagrado** al Señor, nuestro Dios.
No estén tristes,
   porque **celebrar** al Señor es **nuestra** fuerza".

Para meditar

SALMO RESPONSORIAL   Salmo 19:8, 9, 10, 15

R. Tus palabras, Señor, son espíritu y vida.

La ley del Señor es perfecta
   y es descanso del alma;
   el precepto del Señor es fiel
   e instruye al ignorante. **R.**

Los mandatos del Señor son rectos
   y alegran el corazón;
   la norma del Señor es límpida
   y da luz a los ojos. **R.**

La voluntad del Señor es pura
   y eternamente estable;
   los mandamientos del Señor
   son verdaderos
   y eternamente justos. **R.**

Que te agraden las palabras de mi boca,
   y llegue a tu presencia el meditar de mi corazón,
   Señor, roca mía, redentor mío. **R.**

II LECTURA   1 Corintios 12:12–30

Lectura de la primera carta del apóstol san Pablo a los corintios

El párrafo primero resume el mensaje de esta larga lectura. Léelo fraseando correctamente.

Hermanos:
   Así como el cuerpo **es uno** y tiene **muchos** miembros
   y **todos** ellos, a pesar de ser **muchos**,
   forman un **solo** cuerpo,
   así **también** es Cristo.

Se trata de un momento culminante en la historia judía. Purificados todos los miembros del pueblo, varones y mujeres, el sacerdote Esdras proclama la Ley de Moisés durante varias horas, ante la escucha atenta de la multitud reunida. Al terminar la lectura, el pueblo proclama a una sola voz "Amén", como signo de su compromiso con la palabra escuchada. De Israel la Iglesia ha heredado el amor y la reverencia por la Palabra de Dios, fuente de vida y manantial del que brota nuestro compromiso con la transformación del mundo. Ya el evangelio nos mostrará que la Palabra de Dios encuentra su culminación en la persona de Jesucristo.

II LECTURA Entre los capítulos 11 y 14, san Pablo comparte consejos a los cristianos de Corinto para ayudarlos a enfrentar algunas dificultades que se han presentado en las asambleas litúrgicas de la comunidad. Gracias a la red de colaboradores que coordina Cloe y a algunas cartas que los mismos corintios le han enviado, Pablo se ha enterado que han surgido algunas controversias que dividen a la comunidad: que si las mujeres deben llevar o no el velo puesto en las asambleas, que si todos deben compartir los mismos alimentos en la cena comunitaria que precede la Eucaristía, que si hay dones y carismas que sean superiores a otros… éstos y otros más serán los temas que desarrollará el Apóstol en esta sección de su carta.

Se trata, pues, de ofrecer una palabra que arroje luz sobre estas dificultades y que ayude a construir asambleas litúrgicas que edifiquen la fe de los participantes y que, al mismo tiempo, ofrezcan un testimonio de armonía y unidad hacia afuera, hacia quienes no son cristianos. La comunidad de

El Espíritu supera las divisiones étnicas y sociales. Enfatiza la frase "un solo cuerpo".

Porque **todos** nosotros, seamos judíos **o no** judíos,
esclavos **o libres**,
hemos sido **bautizados** en un **mismo** Espíritu,
para formar un **solo** cuerpo,
y a **todos** se nos ha dado a beber del **mismo** Espíritu.

El ejemplo del cuerpo habla por sí mismo. Enfatiza las preguntas.

El cuerpo **no** se compone de un **solo** miembro, sino **de muchos**.
Si el **pie** dijera:
"**No soy** mano, entonces **no formo** parte del cuerpo",
¿**dejaría** por eso de **ser parte** del cuerpo?
Y si el oído **dijera**:
"Puesto que no soy ojo, **no soy** del cuerpo",
¿dejaría **por eso** de ser parte del cuerpo?
Si **todo** el cuerpo fuera ojo, ¿**con qué** oiríamos?
Y si **todo** el cuerpo fuera oído, ¿**con qué** oleríamos?
Ahora bien,
Dios **ha puesto** los miembros del cuerpo
cada uno en su lugar, **según lo quiso**.
Si todos fueran un **solo** miembro, ¿**dónde** estaría el cuerpo?

Lo más débil y pequeño necesita de mayor cuidado. Con nuevo entusiasmo, lee con viveza el párrafo.

Cierto que los miembros **son muchos**,
pero el cuerpo **es uno solo**.
El ojo **no puede** decirle a la mano: "**No** te necesito";
ni la cabeza, a los pies: "Ustedes **no me hacen falta**".
Por el **contrario**,
los miembros que parecen **más débiles** son los **más necesarios**.
Y a los **más íntimos** los tratamos con **mayor** decoro,
porque los demás **no lo necesitan**.
Así formó Dios el cuerpo,
dando **más honor** a los miembros que **carecían** de él,
para que no haya **división** en el cuerpo
y para que **cada miembro** se preocupe **de los demás**.
Cuando un miembro **sufre**, **todos** sufren con él;
y cuando recibe **honores**, **todos** se alegran con él.

Corinto era muy viva y creativa y en ella abundaba una diversidad de dones venidos del Espíritu. Si bien la diversidad sea buena en sí misma, podía convertirse en fuente de conflictos, sobre todo cuando algunos consideraban su don como superior al de los demás y cuando se carecía de normas de convivencia para evitar abusos y rupturas de la armonía comunitaria. Pablo establece en 12.1–11 algunos criterios de discernimiento: los dones deben unir, no dividir, y un recto ejercicio de la autoridad debe normar la convivencia de los distintos carismas para

que colaboren al bien comunitario y no a su división y disgregación.

Al centro de estos consejos se sitúa el texto que leemos hoy. Se trata de una comparación que Pablo usa para hablar de la unidad que debe existir en la comunidad. El símil al que recurre el Apóstol es el del cuerpo humano (12:12–26). Un cuerpo formado de muchos miembros implica una interdependencia ordenada, donde cada miembro contribuya al conjunto sin estorbar ni perjudicar la función de los otros miembros y en donde los miembros más fuertes

se hacen responsables del cuidado de los más débiles.

Pablo refiere la imagen del cuerpo a la comunidad cristiana, a la que llama "el cuerpo de Cristo" (12:27–30). Todos los bautizados hemos de empeñarnos en mantener nuestra unidad con la cabeza, que es Cristo, para que la acción de su Espíritu haga de nosotros miembros solidarios los unos con los otros en una interdependencia amorosa que redunde en el bien espiritual de todo el conjunto.

Pues bien, ustedes **son** el cuerpo de Cristo
     y **cada uno** es un miembro de él.
En la Iglesia,
     Dios ha puesto en **primer** lugar a los **apóstoles**;
     en **segundo** lugar, a **los profetas**;
     en **tercer** lugar, a los **maestros**;
     luego, a los que hacen **milagros**,
     a los que tienen el don **de curar** a los enfermos,
     a los que **ayudan**, a los que **administran**,
     a los que tienen el don de lenguas y el **de interpretarlas**.
¿Acaso son **todos** apóstoles? ¿Son **todos** profetas?
¿Son todos maestros? ¿Hacen todos milagros?
¿Tienen **todos** el don de curar?
¿Tienen **todos** el don de lenguas y todos **las interpretan**?

Abreviada: *1 Corintios 12:12–14, 27*

> Las preguntas finales son retóricas, pues suponen una respuesta negativa. Lee como si hubiera eco.

EVANGELIO   Lucas 1:1–4; 4:14–21

Lectura del santo Evangelio según san Lucas

Muchos han tratado de escribir la historia
     de las cosas **que pasaron** entre nosotros, tal y como
     nos las trasmitieron los que las vieron **desde el principio**
     y que ayudaron en la predicación.
Yo **también**, ilustre Teófilo,
     después de haberme informado **minuciosamente** de todo,
     desde sus principios, pensé escribírtelo **por orden**,
     para que **veas** la verdad de lo que se te **ha enseñado**.

> Este primer párrafo nos revela el trabajo que se esconde detrás de los evangelios que leemos. Que tu lectura haga sentir que el destinatario es la Iglesia de hoy.

EVANGELIO Iniciamos hoy la lectura semicontinua del Evangelio de Lucas que nos acompañará a lo largo de este año litúrgico. El texto está compuesto de dos secciones: los primeros cuatro versículos del evangelio (1:1–4) y la solemne primera presentación que hace el evangelio de la persona y la misión de Jesús (4:14–21).

Lucas es el único evangelista que reconoce expresamente su dependencia de autores anteriores. Así lo señalan estos cuatro primeros versículos (conocidos como el prólogo del evangelio): Lucas es solamente un eslabón en una larga cadena de transmisores que lo preceden, a través de los cuales la memoria de Jesús se ha conservado y difundido. Porque menciona a los testigos oculares como una de las fuentes de la tradición que comparte, suponemos que Lucas, discípulo de Pablo (Colosenses 4:14), no estuvo presente en los acontecimientos que narra, pero que es un fiel transmisor y un investigador que ha puesto en cierto orden las tradiciones orales y escritas que ha recibido.

La lectura litúrgica de este prólogo de Lucas no pretende solamente ofrecernos una información accidental, sino ayudarnos a reconocer que nosotros, que hoy formamos las comunidades cristianas, somos depositarios de una tradición que nos sobrepasa, porque se conecta a través de la experiencia de las primeras iglesias de los inicios, con la tradición misma de Jesús. Esto hace de los cuatro evangelios nuestros documentos fundacionales, que nos dan identidad y rumbo cierto en medio de los vaivenes de la historia.

Cada uno de los evangelios empiezan con una solemne presentación de Jesús. Lucas lo hace mostrando a Jesús visitando la sinagoga del pueblo en el que ha crecido,

El paréntesis inidica un salto de tres capítulos, pero no debe interferir en la fluidez de tu lectura.

La lectura del oráculo es el momento culminante. Lee con profundidad la cita.

La frase de Jesús indica que "él" es el Mesías esperado. Léela como broche de oro de todo el pasaje.

(Después de que Jesús fue **tentado** por el demonio
    en el desierto),
    impulsado por el Espíritu, **volvió** a Galilea.
Iba enseñando en las sinagogas;
    todos lo alababan y su fama se **extendió** por toda la región.
Fue también **a Nazaret**, donde se había criado.
Entró en la sinagoga, como era **su costumbre** hacerlo los sábados,
    y se levantó para hacer la lectura.
Se le dio el volumen del profeta **Isaías**,
    lo desenrolló y **encontró** el pasaje en que estaba escrito:
El espíritu del Señor está sobre mí,
    porque me ha ungido para llevar a los pobres la buena nueva,
    para anunciar la liberación a los cautivos
    y la curación a los ciegos, para dar libertad a los oprimidos
    y proclamar el año de gracia del Señor.

Enrolló el volumen, lo devolvió al encargado y se sentó.
Los ojos de **todos** los asistentes a la sinagoga estaban **fijos** en él.
Entonces comenzó a hablar, diciendo:
    "**Hoy mismo** se **ha cumplido** este pasaje de la Escritura
        que **acaban** de oír".

Nazaret, a donde regresa después de haber convivido con el Bautista y haber superado las tentaciones. Se trata de un momento que define la identidad de Jesús y su misión. Tomando el texto de Isaías 61:1–2 para hacer la lectura, Jesús refiere el contenido de la profecía mesiánica a su propia persona: ungido por el Espíritu Santo, ha sido enviado para anunciar liberación a los pobres y perdón para todos. Cuando uno va al texto de Isaías, llama la atención encontrar que Jesús omite la última parte de la sentencia profética que se refiere al "día de la vengan-

za de Dios". Con esta omisión queda claro que Jesús viene a inaugurar un nuevo tiempo de misericordia, no de castigo.
Además de la cita de Isaías 61, Lucas añade otras dos alusiones del mismo libro (Isaías 42:7 y 58:6) para terminar de redondear la misión de Jesús. Para conocer la reacción de los oyentes habrá que escuchar el evangelio de la próxima semana.

IV DOMINGO
DEL TIEMPO ORDINARIO

I LECTURA   Jeremías 1:4–5, 17–19

Lectura del libro del profeta Jeremías

La vocación del profeta es un espejo de la tuya. Al ser proclamador, has sido elegido profeta. Créetelo.

En tiempo de **Josías**, el Señor me dirigió **estas** palabras:
"Desde **antes** de formarte en el seno materno, te **conozco**;
desde **antes** de que nacieras,
te **consagré** como profeta para las naciones.
Cíñete y prepárate;
ponte en pie y diles lo que **yo** te mando.
No temas, no titubees **delante** de ellos,
para que yo **no te quebrante**.

La misión viene acompañada de una promesa de auxilio y presencia constante de Dios. Mira a la asamblea en la última frase.

Mira: **hoy** te hago ciudad **fortificada**,
columna **de hierro** y muralla **de bronce**,
frente **a toda** esta tierra,
así se trate de los **reyes** de Judá,
como de sus **jefes**, de sus **sacerdotes**
o de la gente **del campo**.
Te harán la guerra, pero **no podrán** contigo,
porque yo estoy **a tu lado** para salvarte".

I LECTURA   Jeremías es un profeta que predicó bajo el gobierno de tres reyes distintos (Josías, Joaquín y Sedecías) y anunció y sufrió en carne propia el asedio de los babilonios y la deportación de los judíos a Babilonia. Su vida fue muy atribulada y en más de una vez su vida corrió peligro por su posición siempre crítica ante los reyes y autoridades de Israel y ante el abandono de la alianza con Dios por parte del pueblo, manifestado en una falsa seguridad religiosa, un culto hipócrita y el crecimiento de la injusticia y de la idolatría.

Los dos primeros versículos de la lectura (1:4–5) están tomados de la unidad 1:4–19 que nos comunica la vocación del profeta, la manera como Dios lo llamó. El diálogo del profeta con Dios parte de la palabra que Dios le dirige al llamarlo: "Yo te he formado, te conozco y te consagro profeta". Pero a esta palabra sigue una objeción de parte de Jeremías y una posterior confirmación de su misión, simbolizada en la mano de Dios que toca la boca de Jeremías. El profeta deberá cumplir con el mandato de Dios, o sea arrancar y destruir, pero también edificar y plantar. Las dos funciones, denuncia

y anuncio, caracterizarán la misión de todo profeta.

Los últimos tres versículos de la lectura, tomados del capítulo 1:11–19: vienen precedidos de dos visiones que Dios le presenta al profeta: la de una rama de almendro y la de una olla hirviendo. Estas visiones sirven para recordarle al profeta que Dios estará al pendiente de que sus palabras se cumplan, pero también para anunciar la desgracia que caerá sobre Judá por su abandono de la alianza. Estos versículos quieren animar al profeta en medio de las

Para meditar

SALMO RESPONSORIAL Salmo 71:1–2, 3–4a, 5–6ab, 15ab y 17

R. Mi boca anunciará tu salvación, Señor.

A ti, Señor, me acojo:
   no quede yo derrotado para siempre;
   tú que eres justo, líbrame y ponme a salvo,
   inclina a mí tu oído, y sálvame. **R.**

Se tú mi roca de refugio,
   el alcázar donde me salve,
   porque mi peña y mi alcázar eres tú.
Dios mío, líbrame de la mano perversa. **R.**

Porque tú, Dios mío, fuiste mi esperanza
   y mi confianza, Señor, desde mi juventud.
En el vientre materno ya me apoyaba en ti,
   en el seno tú me sostenías. **R.**

Mi boca contará tu auxilio,
   y todo el día tu salvación.
Dios mío, me instruiste desde mi juventud,
   y hasta hoy relato tus maravillas. **R.**

II LECTURA   1 Corintios 12:31—13:13

Lectura de la primera carta del apóstol san Pablo a los corintios

Hermanos:
Aspiren a los dones de Dios **más** excelentes.
Voy a mostrarles el camino **mejor** de todos.
Aunque yo hablara las lenguas de los hombres y **de los ángeles**,
   si no tengo **amor**, no soy más que **una campana** que resuena
      o unos platillos que **aturden**.
Aunque yo tuviera el don de **profecía**
   y **penetrara** todos los misterios,
   aunque yo **poseyera** en grado sublime el don de ciencia
   y mi **fe** fuera tan grande como para **cambiar** de sitio
      las montañas,
   si no tengo **amor**, nada **soy**.
Aunque yo repartiera en **limosna** todos mi bienes
   y aunque me dejara quemar **vivo**,
      si no **tengo amor** de nada me sirve.

El himno es un poema que requiere leerse respetando la puntuación. Ensáyalo y escoge las frases que enfatizarás.

Las frases "si no tengo amor…" son el eje de esta sección. Deben ser subrayadas con tono conclusivo.

dificultades, asegurándole que tendrá siempre la presencia de Dios sosteniéndolo.

Por el bautismo, los cristianos hemos sido constituidos profetas. También nosotros enfrentaremos oposición y dificultades si queremos ser fieles a la misión que Dios nos ha encomendado. Dios nos renueva hoy la promesa de que estará a nuestro lado para sostenernos.

II LECTURA La semana pasada escuchamos la comparación de la Iglesia con el cuerpo humano. Pablo la usó para hablar a los corintios sobre la necesi-

dad de vivir unidos a Cristo, que es nuestra cabeza, y aprovechar la diversidad de dones que el Espíritu Santo derrama sobre la comunidad, y así vivir en armonía y buscar la complementación. La multiplicidad de dones es algo bueno para la comunidad en su conjunto, pero dichos dones deben ejercitarse en orden y sin anarquía para no dañar a la Iglesia con divisiones.

El símil del cuerpo desemboca en este hermoso himno en el que, con palabras poéticas, Pablo presenta el único don que está por encima de todos y que es capaz de vincular las diversidades en la unidad: el amor.

La descripción que nos ofrece Pablo está lejos de identificarse con la pasión carnal (*eros*), ni siquiera se identifica del todo con el amor de amistad (*filia*) que, siendo generoso, no alcanza la altura del amor de entrega libre, de donación total (*ágape*), que es al que se refiere el Apóstol.

Tres secciones componen el himno paulino. En la primera, 13:1–3, se compara el amor con otros carismas del Espíritu y se señala la superioridad de éste sobre aquellos. Para quien no ama, la abundancia de carismas carece de sentido. En la segunda, 13:4–7, Pablo proclama las características

Este es el núcleo del himno. Después de leer las tres frases cortas conclusivas, haz un breve silencio.

El amor es **comprensivo**, el amor es **servicial**
　　y **no** tiene envidia;
　　el amor no es **presumido** ni se envanece;
　　no es grosero ni egoísta;
　　no se irrita **ni guarda** rencor;
　　no se alegra con la injusticia,
　　sino que **goza** con la verdad.
El amor disculpa **sin límites**,
　　confía sin límites,
　　espera sin límites,
　　soporta sin límites.

El amor dura **por siempre**;
　　en cambio, el don de profecía **se acabará**;
　　el don de lenguas **desaparecerá**
　　y el don de ciencia **dejará de existir**,
　　porque nuestros dones de ciencia y de profecía
　　　　son **imperfectos**.
Pero cuando **llegue** la consumación,
　　todo lo imperfecto **desaparecerá**.

El testimonio en primera persona de Pablo debe conectar con el plural subsiguiente.

Cuando yo era **niño**, hablaba **como niño**,
　　sentía como niño y **pensaba** como niño;
　　pero cuando **llegué** a ser hombre,
　　hice **a un lado** las cosas de niño.
Ahora vemos como en un espejo y **oscuramente**,
　　pero después será **cara a cara**.
Ahora sólo conozco de una manera **imperfecta**,
　　pero entonces **conoceré** a Dios como **él** me conoce **a mí**.

Lee con solemnidad la frase que proclama las virtudes teologales y la superioridad del amor.

Ahora tenemos estas **tres** virtudes:
　　la fe, la esperanza y el amor;
　　pero el amor es **la mayor** de las tres.

Abreviada: *1 Corintios 13:4–13*

---

del amor auténtico, el que brota del misterio pascual de Cristo: paciencia, bondad, alegría, capacidad de perdonar. Finalmente, en 13:8–13: el Apóstol subraya que no hay límites humanos ni temporales para el amor. Todos los otros carismas pasarán, porque responden a necesidades concretas. El amor, en cambio, subsiste como el alma misma de la convivencia cristiana.

Solamente al amor a Dios y a los hermanos, con las características descritas en la lectura, es capaz de hacernos llegar al máximo potencial de nuestra vida comunitaria: la comunión plena, con Dios y con los

hermanos. Caminar en el amor es transitar por una vía de maduración que no terminará hasta que nos fundamos con aquel misterio de amor inefable al que llamamos Dios.

EVANGELIO El evangelio de hoy continúa la lectura del domingo pasado. Lucas presenta a Jesús como aquél en quien se cumple la profecía de Isaías, y lo hace en el seno mismo de la sinagoga del pueblo donde Jesús ha crecido, Nazaret. Ungido por el Espíritu Santo para llevar la buena noticia a los pobres, Jesús proclama que en su persona ha llegado ya el "año de

gracia" del Señor (Levítico 25:8–17), cuando las deudas eran condonadas y los presos y esclavos volvían a la libertad.

Los versículos que escuchamos contienen la reacción de los coterráneos de Jesús. Han escuchado con asombro que Jesús aplicó el texto del profeta a su propia persona. Pronto, el impacto de las palabras del Maestro se va deslizando hacia la incredulidad. Quizá, piensan, fue un error que el jefe de la sinagoga permitiera leer y predicar a quien no poseía ninguna credencial de autoridad ofrecida por el templo y que era conocido solamente como "hijo de José".

EVANGELIO   Lucas 4:21–30

Lectura del santo Evangelio según san Lucas

En aquel tiempo,
    después de que Jesús leyó en la sinagoga
       un pasaje del libro de **Isaías**, dijo:
    "**Hoy mismo** se **ha cumplido** este pasaje de la Escritura
    que ustedes **acaban** de oír".
Todos le daban su aprobación y **admiraban** la sabiduría
    de las palabras que **salían** de sus labios,
    y se preguntaban: "¿No es **éste** el hijo de José?"

Jesús les dijo: "**Seguramente** me dirán aquel refrán:
    'Médico, **cúrate** a ti mismo'
    y haz **aquí**, en tu **propia** tierra, todos esos prodigios
    que hemos oído que has hecho **en Cafarnaúm**".
Y añadió: "Yo les **aseguro** que **nadie** es profeta **en su tierra**.
Había **ciertamente** en Israel **muchas** viudas
    en los tiempos de Elías, cuando **faltó** la lluvia
       durante tres años y medio,
    y hubo un hambre **terrible** en todo el país;
    sin embargo, a **ninguna** de ellas fue enviado Elías,
    sino a una viuda que vivía en **Sarepta**, ciudad de Sidón.
Había **muchos** leprosos en Israel, en tiempos del profeta **Eliseo**;
    sin embargo, **ninguno** de ellos fue curado sino **Naamán**,
    que era **de Siria**".

Al oír **esto**,
    todos los que estaban en la sinagoga se llenaron **de ira**,
    y levantándose, lo **sacaron** de la ciudad
    y lo llevaron hasta un **barranco** del monte,
    sobre el que estaba construida la ciudad, para **despeñarlo**.
Pero él, pasando por en medio de ellos, se **alejó** de ahí.

Las Escrituras se cumplen a plenitud en la persona de Jesús. Lee con claridad y firmeza la frase con que Él mismo lo proclama.

Sin exagerar, da cierto tono de reproche dolorido a las palabras de Jesús.

Que se note el contraste entre la agitación de los que quieren eliminar al Maestro y la dignidad serena de la última frase.

Jesús siente el rechazo que su persona despierta y continúa hablando de su misión. Recurre a la memoria de los dos más antiguos profetas, los que marcaron para siempre la vida de Israel: Elías (1 Reyes 17:8–16) y Eliseo (2 Reyes 5:1–14). La referencia de Jesús a los milagros realizados por estos dos profetas en beneficio de personas extranjeras produce indignación. Con estos ejemplos Jesús anuncia que la salvación no está atada a la pertenencia al pueblo de Israel, sino que es voluntad del Padre que llegue a todas las personas sin importar el origen étnico.

Lucas narra que al asombro inicial sigue el primer atentado en contra de Jesús. Las comunidades cristianas recordarán este pasaje cuando sean acusadas de querer destruir la religión judía (Hechos 21:27–36). La suerte de Jesús queda marcada, pues su anuncio encontrará corazones bien dispuestos, pero encontrará también feroz oposición. Habrá quienes se adherirán a su causa haciéndose sus discípulos y habrá aquellos que concebirán contra él un odio de muerte. Hoy también nosotros tenemos que tomar una decisión.

V DOMINGO
DEL TIEMPO ORDINARIO

I LECTURA   Isaías 6:1–2, 3–8

Lectura del libro del profeta Isaías

El año de la muerte del rey Ozías,
    vi al Señor, sentado sobre un trono muy alto y **magnífico**.
La orla de su manto **llenaba** el templo.
Había **dos** serafines junto a él, con **seis** alas cada uno,
    que se gritaban el uno al otro:

"**Santo, santo, santo** es el Señor, Dios de los ejércitos;
    su gloria llena **toda** la tierra".

Temblaban las puertas al clamor de su voz
    y el templo **se llenaba** de humo.
Entonces exclamé:

"**¡Ay de mí!**, estoy perdido,
    porque soy un hombre de labios **impuros**,
    que **habito** en medio de un pueblo de labios impuros,
    porque he visto **con mis ojos** al **Rey y Señor** de los ejércitos".

Después **voló** hacia mí uno de los serafines.
Llevaba en la mano **una brasa**,
    que había tomado del altar con unas tenazas.
Con la brasa **me tocó** la boca, diciéndome:

"Mira: Esto ha tocado **tus labios**.
Tu iniquidad **ha sido quitada**
    y tus pecados **están perdonados**".

Imponente manifestación de Dios: léela con reverencia y respeto.

El profeta experimenta su indignidad. Lee con corazón humilde.

El gesto final es purificatorio. Haz contacto visual cuando leas las palabras del ángel.

I LECTURA La visión que nos comparte hoy Isaías forma parte de una unidad más larga que abarca 6:1–13 y que con un poderoso lenguaje simbólico narra cuando el profeta recibe de Dios el llamado y se compromete a desarrollar su ministerio profético.

En medio un marco litúrgico, Dios aparece como rey del universo. Su trascendencia divina queda evidenciada por la presencia de estos seres alados, seres como de fuego, que entonan un himno que proclama a Dios tres veces santo. El himno litúrgico que cantamos al inicio de la plega-ria eucarística en nuestras misas está inspirado en esta proclamación angélica. Ante esta magnificencia, Isaías se hace consciente de su indignidad: no es más que un hombre impuro que vive en medio de un pueblo impuro; participa de la condición pecadora del pueblo al que será enviado.

La alusión a los labios impuros y la acción purificadora del serafín, que se acerca a la boca del profeta con un carbón encendido tomado del altar, indica que la misión que Isaías recibirá tiene que ver con el ejercicio de la predicación. La palabra del ser alado inviste de autoridad al profeta y lo ca-pacita para desarrollar la misión que ha de encomendársele.

La disposición de Isaías sorprende. Confiado en la llamada que recibe, está dispuesto a asumir la responsabilidad de hablar en nombre de Dios, aun cuando no conoce todavía las dificultades que encontrará. El final del pasaje (6:9–13), que no queda incluido en la lectura litúrgica, evidencia la cerrazón a la que se enfrentará el anuncio profético, la dureza de corazón del pueblo. Pero la palabra del profeta está siempre abierta a la esperanza: Dios suscitará "una décima parte", un resto pequeño

Que la comunidad sienta estas palabras finales como si estuvieran dirigidas a ella. Lee con claridad y firmeza.

Escuché entonces la voz del Señor que decía:
   "¿A quién **enviaré**? ¿**Quién** irá **de parte mía**?"
Yo le respondí: "**Aquí** estoy, Señor, **envíame**".

Para meditar

SALMO RESPONSORIAL   Salmo 138:1–2a, 2bc–3, 4–5, 7c–8

R. Delante de los ángeles tañeré para ti, Señor.

Te doy gracias, Señor, de todo corazón;
   porque cuando te hablaba, me escuchaste.
Delante de los ángeles tañeré para ti,
   me postraré hacia tu santuario. **R.**

Daré gracias a tu nombre:
   por tu misericordia y tu lealtad,
   porque tu promesa supera tu fama.
Cuando te hablaba, me escuchaste.
Acreciste el valor en mi alma. **R.**

Que te den gracias, Señor, los reyes
   de la tierra,
   al escuchar el oráculo de tu boca;
   canten los caminos del Señor,
   porque la gloria del Señor es grande. **R.**

Extiendes tu brazo y tu derecha me salva.
El Señor, completará sus favores conmigo:
   Señor, tu misericordia es eterna,
   no abandones la obra de tus manos. **R.**

II LECTURA   1 Corintios 15:1–11

Lee con la seguridad y confianza que da saber que el evangelio es fuerza de salvación.

Lectura de la primera carta del apóstol san Pablo a los corintios

Hermanos:
Les **recuerdo** el Evangelio que yo les prediqué
   y que ustedes **aceptaron** y en el cual están **firmes**.
Este Evangelio **los salvará**,
   si lo cumplen **tal y como** yo lo prediqué.
De otro modo, habrán creído **en vano**.

Pablo transmite un tesoro de la tradición. El tono de la proclamación de este credo primitivo habrá de ser solemne.

Les transmití, **ante todo**, lo **que yo mismo** recibí:
   que Cristo murió **por nuestros pecados**,
   como dicen **las Escrituras**;
   que fue sepultado y que **resucitó** al tercer día,
   según estaba **escrito**;
   que se le apareció **a Pedro** y luego a los Doce;
   después se apareció a más **de quinientos** hermanos reunidos,
   la mayoría de los cuales **vive aún** y otros ya murieron.

---

que servirá de semilla para el renacimiento del pueblo.

La palabra de los profetas es siempre un desafío. Por ella somos llamados a mirar la vida y discernirla desde una perspectiva distinta a la del mundo. Para nosotros los cristianos, esta perspectiva salvadora es la que nos comparte Jesús, el profeta por excelencia.

II LECTURA Todo el capítulo 15 de la primera carta a los Corintios (inusualmente largo [15:1–58]) está dedicado a iluminar algunas inquietudes que los co-

rintios le habían hecho llegar a Pablo a propósito de la suerte de los difuntos. Para responder a las dudas de los corintios, el Apóstol partirá de su fe farisea, que confesaba la resurrección de los muertos, la misma fe farisea que usará después como defensa cuando tenga que comparecer ante el Sanedrín después de haber enfrentado un intento de linchamiento en el templo de Jerusalén (Hechos 23:6).

Pero aquí Pablo no es solamente un fariseo, sino sobre todo un cristiano, un apóstol, un misionero. El Apóstol confesará que el Padre ha resucitado a Jesús y lo ha hecho

primicia de resurrección; es decir, sabe que la resurrección de Cristo tiene un sentido salvífico, que se extiende a todos los que creen en él y les ofrece un nuevo horizonte. Así que a lo largo de este capítulo hablará de la resurrección del Mesías y de la resurrección de los creyentes.

En la lectura de hoy escuchamos la primera parte de esta larga disertación. Se trata del anuncio del Misterio pascual de Cristo, tal como ha sido formulado por la tradición apostólica que Pablo ha recibido y a la que quiere permanecer fiel hasta en sus detalles. Garantía de esta fidelidad es la

Más tarde se le apareció **a Santiago**
    y luego **a todos** los apóstoles.

Finalmente, se me apareció **también a mí**,
    que soy como un aborto.
Porque **yo perseguí** a la Iglesia de Dios
    y por eso soy el **último** de los apóstoles
    e **indigno** de llamarme apóstol.
Sin embargo, por la gracia de Dios, **soy** lo que soy,
    y su gracia no ha sido **estéril** en mí;
    al contrario, he trabajado **más** que todos ellos,
    aunque no he sido **yo**,
    sino la **gracia** de Dios, que está **conmigo**.
De **cualquier** manera, sea yo, sean ellos,
    esto es lo que nosotros **predicamos**
    y **esto mismo** lo que ustedes **han creído**.

Abreviada: *1 Corintios 15:3–8, 11*

EVANGELIO   Lucas 5:1–11

Lectura del santo Evangelio según san Lucas

En aquel tiempo,
    Jesús estaba a orillas del lago de Genesaret
    y la gente **se agolpaba** en torno suyo
        para **oír** la palabra de Dios.
Jesús vio **dos barcas** que estaban junto a la orilla.
Los pescadores habían desembarcado
    y estaban **lavando** las redes.
Subió Jesús a una de las barcas, la de **Simón**,
    le pidió que la alejara un poco de tierra,
    y sentado en la barca, **enseñaba** a la multitud.

Pablo comenzará un testimonio personal de su conversión. Léelo con emoción pero sin sentimentalismo.

El relato es fluido pero tiene distintas secciones. Atiende y respeta la puntuación y mantén la vivacidad.

---

experiencia que nos han transmitido aquellos que fueron testigos presenciales de las apariciones del Resucitado. Pablo enumera a estos testigos y se coloca también él al final de la lista, consciente siempre de su indignidad pues de perseguidor fue llamado por el Resucitado a ser su apóstol.

La comunidad cristiana no es otra cosa que una gran cadena de testigos de la resurrección. La dimensión salvífica del Misterio pascual se hace presente en el mundo a través del testimonio cristiano. Bautizados en la muerte y resurrección de Jesús, queremos alcanzar, junto con Cristo, la vida eterna. Creer en la resurrección significa comprometerse a vivir ya como resucitados en la superación de odios y divisiones.

EVANGELIO Los cuatro evangelios son unánimes al señalar que desde el inicio de su ministerio Jesús se hizo de un círculo de discípulos. Entre ellos, el grupo de mayor intimidad con el Maestro será el grupo de los Doce. El discipulado iniciaba siempre con una llamada personal de Jesús y continuaba con una convivencia en la que los discípulos recibían de su Maestro enseñanzas más intensas.

A diferencia de Marcos (el evangelio más antiguo) que coloca la llamada de los primeros discípulos al inicio de la actividad de Jesús antes de realizar milagros, Lucas muestra a Jesús llamándolos después de comparecer en la sinagoga de Nazaret cuando ha hecho algunos milagros (Lucas 4:31–41). Ambos evangelios coinciden en situar la escena en el lago de Galilea. Nuestro pasaje presenta dos barcas con los pescadores lavando las redes tras una jornada de trabajo. La barca de Simón se convierte en la palestra desde la que Jesús enseña.

Este diálogo refleja la relación entre maestro y discípulo. Léelo imprimiendo fuerza.

Cuando acabó de hablar, dijo a Simón:
"**Lleva** la barca mar adentro y **echen** sus redes para pescar".
Simón **replicó**:
"**Maestro**, hemos trabajado **toda** la noche
y no hemos pescado **nada**; pero, **confiado** en tu palabra,
echaré las redes".
Así lo hizo y cogieron **tal cantidad** de pescados,
que las redes **se rompían**.
Entonces **hicieron señas** a sus compañeros,
que estaban en la **otra** barca,
para que vinieran a ayudarlos.
Vinieron ellos y **llenaron** tanto las dos **barcas**,
que casi se **hundían**.

Al ver esto,
Simón Pedro se **arrojó a** los pies **de Jesús** y le dijo:
"**¡Apártate** de mí, Señor, porque soy un **pecador**!"
Porque tanto él como sus **compañeros**
estaban llenos de **asombro** al ver la **pesca**
que habían **conseguido**.
Lo **mismo** les pasaba a **Santiago** y a **Juan**,
hijos de **Zebedeo**, que eran **compañeros** de Simón.

Pedro reconoce su indignidad. Dale tono humilde a su voz.

El párrafo final sintetiza misión y discipulado. Ve bajando el volumen para que las últimas palabras resuenen como haciendo eco.

Entonces Jesús **le dijo** a Simón:
"No temas; desde ahora serás **pescador de hombres**".
Luego **llevaron** las barcas a tierra,
y **dejándolo** todo, lo **siguieron**.

Cuando Jesús le pide a Pedro echar las redes para pescar, este experto pescador le advierte que han trabajado toda la noche sin éxito, por lo que era probable que no pescaran nada. Aun así, confía en la palabra de Jesús y la pesca es abundante. No solamente eso. Pedro y sus compañeros Santiago y Juan comenzarán a ser desde ahora pescadores de personas, lo que significa el inicio de un camino discipular que insinúa el papel que Pedro tendrá en el grupo de los Doce.

La barca es uno de los símbolos hallados en las antiguas tumbas cristianas de tiempos del Imperio romano. La Iglesia es como una barca en la que trabajamos para hacer presente a Jesús confiados, no en nuestras débiles fuerzas, sino en su palabra poderosa. Al igual que Pedro, también nosotros reconocemos nuestra indignidad porque somos todos pecadores. Pero, junto con él, escuchamos la llamada de Jesús a seguirlo en esta pesca de salvación. Amén de nuestras imperfecciones, Jesús nos invita a participar de su misión para poner nuestra fuerza en su Palabra.

VI DOMINGO
DEL TIEMPO ORDINARIO

El contraste que propone la lectura es fuerte. Lee el primer párrafo con acento contundente pero no amenazante.

Imprime un tono firme y tierno a este párrafo. Que la asamblea experimente en tu proclamación seguridad y confianza.

I LECTURA   Jeremías 17:5–8

Lectura del libro del profeta Jeremías

Esto dice el Señor:
"Maldito el hombre **que confía** en el hombre,
    que en él pone su fuerza y **aparta del Señor** su corazón.
Será como **un cardo** en la estepa,
    que **nunca disfrutará** de la lluvia.
Vivirá en **la aridez** del desierto,
    en una tierra **salobre e inhabitable**.

Bendito el hombre **que confía en el Señor** y en él pone su
        esperanza.
Será como un árbol plantado **junto al agua**,
    que hunde **en la corriente** sus raíces;
    cuando llegue el calor, **no lo sentirá**
    y sus hojas se conservarán **siempre verdes**;
    en año de sequía no se marchitará ni **dejará de dar frutos**".

I LECTURA La adquisición de sabiduría fue siempre muy valorada en Israel. No hablamos de la sabiduría concebida como acumulación de conocimientos, sino como experiencia de sensatez, como arte del buen vivir. Una tercera parte del Antiguo Testamento testimonia el amor de Israel por la sabiduría, mientras que en el Nuevo Testamento, Jesús es llamado "sabiduría de Dios" por san Pablo (1 Corintios 1:24).

Una serie de oráculos de tipo sapiencial han sido agrupados en Jeremías 17:5–11. Hay un claro paralelismo entre la primera lección y el salmo responsorial de hoy (Salmo 1). El profeta Jeremías invita a no poner nuestra seguridad en las consideraciones humanas, sino a confiar en Dios como quien se apoya en una roca segura. Quien confía en sí mismo es como un cardo en el desierto; el que confía en el Señor es como el árbol plantado junto al río. Los resultados son evidentes: sólo es verdadero sabio quien en Dios confía. Su vida dará frutos abundantes y gozará de la cercanía y protección de su Señor.

La advertencia de Jeremías es también para nosotros. Si algo hemos aprendido de acontecimientos recientes, como la pandemia de COVID-19, es que no somos autosuficientes, que dependemos los unos de los otros y que hemos de cultivar una relación armónica con la Madre Tierra. La lectura añade la invitación a reconocer que el ser humano, débil y dependiente, alcanza su plenitud solamente cuando se reconoce dependiente de un Dios que es amor y misericordia.

II LECTURA Pablo continúa hoy la disertación sobre la resurrección, cuya lectura iniciamos el domingo

Para meditar

SALMO RESPONSORIAL   Salmo 1: 1–2, 3, 4 y 6

R. Dichoso el hombre que ha puesto su confianza en el Señor.

Dichoso el hombre que no sigue el consejo
    de los impíos,
ni entra por la senda de los pecadores,
ni se sienta en la reunión de los cínicos;
sino que su gozo es la ley del Señor,
y medita su ley día y noche. **R.**

Será como un árbol
    plantado al borde de la acequia:
    da fruto en su sazón
    y no se marchitan sus hojas;
    y cuanto emprende tiene buen fin. **R.**

No así los impíos, no así;
    serán paja que arrebata el viento.
Porque el Señor protege el camino de los
    justos,
    pero el camino de los impíos acaba mal. **R.**

II LECTURA   1 Corintios 15:12, 16–20

Lectura de la primera carta del apóstol san Pablo a los corintios

Hay un tono de represión en este primer párrafo, casi de reproche. Lee la pregunta con claridad y firmeza.

Hermanos:
Si hemos predicado que **Cristo resucitó** de entre los muertos,
    ¿cómo es que algunos de ustedes **andan diciendo**
        que los **muertos no resucitan**?
Porque si los muertos no resucitan, **tampoco Cristo** resucitó.
Y si Cristo no resucitó, **es vana la fe** de ustedes;
    y por lo tanto, aún viven ustedes **en pecado**,
    y los que murieron en Cristo, **perecieron**.
Si nuestra **esperanza en Cristo** se redujera tan sólo
    a las cosas de esta vida,
    seríamos los **más infelices** de todos los hombres.

El segundo párrafo va deslizándose a la conclusión. Lee pausadamente y enfatiza la última frase que corona todo el pasaje.

Pero no es así, porque **Cristo resucitó**,
    y resucitó como **la primicia de todos** los muertos.

---

pasado. Toda fe es una apuesta de sentido. Busca testimoniar la creencia en un Ser Superior y ofrecer un horizonte para que las personas caminen hacia su realización plena. Pablo nos hace recordar hoy que la fe cristiana encuentra su fundamento en la resurrección de Cristo.

Casi todas las culturas se preguntan qué ocurre después la muerte. El ser humano experimenta su caducidad y su límite cuando piensa en su final irremediable. Pablo ofrece la resurrección de Cristo como vía para que la vida adquiera un sentido nuevo.

Jesús fue resucitado por Dios no como un beneficio personal, sino como una acción salvífica. Ante la afirmación de que los muertos no resucitan, Pablo opone un razonamiento que muestra la centralidad del misterio de la resurrección de Cristo y su consecuencia salvífica: la resurrección de los creyentes. Por eso Jesús es llamado "primicia de todos los muertos", expresión que se parafrasearía "el primero de los resucitados".

Romper el vínculo entre la resurrección de Cristo y la resurrección de los cristianos es una desviación de la que Pablo quiere

librar a los corintios. Dato central de la fe cristiana es la resurrección de Cristo. Por eso más adelante a Jesús, el Apóstol llamará "nuevo Adán", aquél cuya vida nueva, resucitada, lleva a su plenitud el sueño original de Dios y es fuente de una humanidad nueva.

EVANGELIO La sección 6:17–49 de Lucas contiene el equivalente al sermón de la montaña de Mateo. Se trata de una enseñanza ofrecida a los discípulos, pero cuyos destinatarios se amplían con la

EVANGELIO   Lucas 6:17, 20–26

Lectura del santo Evangelio según san Lucas

La introducción del sermón de Jesús crea cierta expectativa. Que tu lectura haga que la asamblea aguce sus sentidos.

En aquel tiempo,
Jesús **descendió del monte** con sus discípulos y sus apóstoles
    y se detuvo en **un llano**.
Allí se encontraba **mucha gente**,
    que había venido **tanto de** Judea y de Jerusalén,
    como de la costa de Tiro y de Sidón.

Haz contacto visual. Las bienaventuranzas son el centro del pasaje. Proclama con claridad.

Mirando entonces **a sus discípulos**, Jesús les dijo:
"Dichosos **ustedes los pobres**,
    porque de ustedes es el Reino de Dios.
Dichosos **ustedes los que ahora tienen hambre**,
    porque serán saciados.
Dichosos **ustedes los que lloran** ahora,
    porque al fin reirán.

La bienaventuranza con la que cierra la primera parte es paradójica. Lee con acento de gozo.

Dichosos serán ustedes cuando **los hombres los aborrezcan**
    y los expulsen de entre ellos,
    y cuando **los insulten** y maldigan
        por causa del Hijo del hombre.
Alégrense ese día y salten de gozo,
    porque su recompensa **será grande** en el cielo.
Pues así trataron sus padres **a los profetas**.

Los "ayes" son lamentos, no maldiciones. Lee con firmeza, pero sin tono de regaño.

Pero, ¡ay de ustedes, **los ricos**,
    porque ya tienen ahora su consuelo!
¡Ay de ustedes, **los que se hartan** ahora,
    porque después tendrán hambre!
¡Ay de ustedes, **los que ríen ahora**,
    porque llorarán de pena!
¡Ay de ustedes, **cuando todo el mundo** los alabe,
    porque de ese modo trataron sus padres **a los falsos profetas**!"

mención que Lucas hace de la zona costera de Tiro y Sidón, ciudades fenicias no judías.

Al inicio de este discurso, encontramos las bienaventuranzas. A diferencia de Mateo, que subraya las actitudes que deben caracterizar a un verdadero del discípulo, Lucas expone la cruda realidad de la pobreza, el hambre y el sufrimiento. Es muestra clara de la vertiente social del anuncio evangelizador de Jesús. Otra diferencia con respecto a Mateo es que nuestro texto contiene, además de cuatro bienaventuranzas, cuatro lamentos; se subraya así la responsabilidad de los que gozan de todos los

bienes, pero desoyen el sufrimiento de sus hermanos. Aquellos quedarán privados de los bienes que el reino trae.

El mensaje de las bienaventuranzas desafía lo que el mundo considera normal: vivir para enriquecerse, para disfrutar, centrado sólo en uno mismo. La propuesta de Jesús ofrece una nueva perspectiva que cuestiona la manera como vivimos y los valores que sostienen nuestra existencia. Pasar del egoísmo a la solidaridad, de la indiferencia a la compasión, del individualismo a la convicción de que todos compartimos una misma suerte y que hemos de

ser empáticos con el sufrimiento ajeno son las lecciones de este poderoso mensaje de Jesús, el catalizador del cambio de nuestras actitudes individuales y la plataforma desde la que se construya un mundo nuevo.

VII DOMINGO DEL TIEMPO ORDINARIO

I LECTURA   I Samuel 26:2, 7–9, 12–13, 22–23

Lectura del primer libro de Samuel

Relato interesante y muy dramático: mantén la austeridad al leerlo.

En aquellos días,
Saúl se puso en camino con **tres mil soldados** israelitas,
    bajó al desierto de Zif **en persecución de** David y acampó
        en Jakilá.

David y Abisay **fueron de noche** al campamento enemigo
    y encontraron a **Saúl durmiendo** entre los carros;
        su lanza estaba **clavada en tierra**, junto a su cabecera,
        y en torno a él **dormían Abner** y su ejército.
Abisay dijo entonces a David:

Infunde fuerza a las palabras de David.

"Dios te está poniendo al enemigo al **alcance de tu mano**.
Deja que lo clave ahora en tierra con un solo golpe **de su
        misma lanza**.
No hará falta repetirlo".
Pero David replicó: "**No lo moates**.
¿Quién puede atentar **contra el ungido** del Señor y quedar
        sin pecado?"

Entonces cogió David la lanza y **el jarro de agua** de la cabecera
        de Saúl
    y **se marchó** con Abisay.
Nadie los vio, **nadie se enteró** y nadie despertó; todos
        siguieron durmiendo,
    porque el Señor les había enviado **un sueño profundo**.

David cruzó **de nuevo el valle** y se detuvo en lo alto del monte,
a gran distancia **del campamento** de Saúl.

I LECTURA La historia de David, como la de casi todo héroe nacional, está llena de episodios subyugantes por su dramatismo y trascendencia. David es el elegido, al que la mano divina va conduciendo por una serie de peripecias insospechadas hasta hacerlo prototipo de rey. Antes de ascender al trono israelita, David estuvo al servicio del primer rey, Saúl. Al ver los éxitos militares y la querencia del pueblo que David había logrado, Saúl lo quiso matar. El episodio de hoy viene de esa persecución que el poderoso Saúl desata contra David y sus fieles partidarios.

La historia enseña que el ungido del Señor, el rey, es intocable. El rey de Israel había sido ungido por Samuel, y el mismo Samuel había ungido a David en la trama del libro. Esa unción hacía del individuo un sujeto consagrado, posesión exclusiva de Yahveh, y Yahveh solo dispondrá de esa vida. Atentar contra el ungido es atentar contra Dios mismo. David se abstiene de hacerle daño a Saúl, a pesar de que éste es su enemigo mortal.

La Iglesia es el pueblo de los ungidos de Dios. En el bautismo, todos y cada uno fue marcado con el crisma de la salvación para hacerse posesión exclusiva de Dios. La vida de cada ungido es preciosa y nos exige respeto y defensa absolutos. Pero, al igual que la vida cristiana, toda vida es invaluable porque ha sido convocada a la existencia por el hálito del Creador de todas las cosas, al que se debe y de quien recibe protección. Esto celebramos en nuestra liturgia dominical.

II LECTURA Pablo ha venido argumentando la veracidad de la resurrección corporal. Después del testimonio apostólico del acontecimiento pascual,

Eleva un poco la voz en la primera línea, pero luego aminora para hacer la salida de la lectura.

Desde ahí gritó:

"Rey Saúl, **aquí está tu lanza**, manda a alguno de tus criados a recogerla.

El Señor le dará a cada uno **según su justicia** y su lealtad,
pues él **te puso hoy** en mis manos,
pero yo no quise atentar **contra el ungido** del Señor".

Para meditar

SALMO RESPONSORIAL   Salmo 103 (102):1–2, 3–4, 8 y 10, 12–13

R. El Señor es compasivo y misericordioso.

Bendice, alma mía, al Señor,
oy todo mi ser a su santo nombre.
Bendice, alma mía, al Señor,
y no olvides sus beneficios. **R.**

Él perdona todas tus culpas
y cura todas tus enfermedades;
el rescata tu vida de la fosa,
y te colma de gracia y de ternura. **R.**

El Señor es compasivo y misericordioso,
lento a la ira y rico en clemencia;
no nos trata como merecen nuestros
pecados
ni nos paga según nuestras culpas. **R.**

Como dista el oriente del ocaso,
así aleja de nosotros nuestros delitos;
Como un padre siente ternura por sus hijos,
siente el Señor ternura por sus fieles. **R.**

II LECTURA   I Corintios 15:45–49

Lectura de la primera carta del apóstol san Pablo a los corintios

Hermanos:

Se avanza con frases de contraste; nota las afirmaciones principales y alárgalas con una lectura menos acelerada.

La Escritura dice que *el primer hombre, Adán, fue un ser que tuvo vida*;
el último Adán es **espíritu que da** la vida.
Sin embargo, no existe primero lo **vivificado por el** Espíritu,
sino lo puramente humano; lo **vivificado por el** Espíritu viene después.

El primer hombre, hecho de tierra, **es terreno**; el segundo **viene del cielo**.
Como fue el hombre terreno, así son **los hombres terrenos**;
como es el hombre celestial, así serán **los celestiales**.
Y del mismo modo que fuimos semejantes al **hombre terreno**,
seremos también semejantes al **hombre celestial**.

---

al que sumó su propia experiencia de haber visto al Señor, desmontó el absurdo de una vida cristiana que no se finque en la resurrección de los muertos. Luego hizo comparaciones para explicar que la diferencia entre resurrección y reanimación del cuerpo; así como hay cuerpos físicos, ha dicho, los hay espirituales. Ahora, en afirmaciones antitéticas, avanza que la resurrección de los muertos es la nueva creación y que corresponde al designio del Creador.

Pablo considera que la humanidad está tensada entre los dos extremos de la historia: el de su creación y el de su recreación,

representados por los respectivos prototipos históricos de los dos Adanes. El primero es prototipo de la humanidad viva (ver Génesis 2:7); el segundo, de la regeneración o la recreación espiritual. Al hablar Pablo del "último" subraya la novedad escatológica de Cristo.

Cristo resucitado no ha sido levantado de entre los muertos para volver a la existencia que poseía antes de morir. No. Cristo, el último Adán, es un espíritu vivificante, no una entidad física con vida. Pablo hace un salto dramático e insospechado hacia el designio divino para la historia: del portento de

tener seres vivos al asombro de generar vida. Esta vida, empero, no es como la terrenal; es celeste, pues viene del cielo.

Los bautizados participan ya de la vida nueva y celestial, porque no solo han muerto al ser sepultados con Cristo en las aguas bautismales, sino que han resucitado con él. Los sacramentos nos dan a probar de esa vida celeste que, aunque seminal, no es menos real ni poderosa. El Pueblo de Dios vive anclado en esta certeza que lo mueve a infundir en el mundo y sus estructuras el espíritu de lo último, de lo que Dios nos ha deparado a todos sus hijos.

EVANGELIO   Lucas 6:27–38

Lectura del santo Evangelio según san Lucas

En aquel tiempo, Jesús dijo a sus discípulos:
"**Amen a sus enemigos**, hagan el bien a los que los aborrecen,
    bendigan a quienes los maldicen y oren por quienes
        los difaman.
Al que te golpee en una mejilla, **preséntale la otra**;
    al que te quite el manto, **déjalo llevarse también** la túnica.
Al que **te pida**, dale; y al que se lleve lo tuyo, no se lo reclames.

Traten a los demás como quieran que los traten a ustedes;
    porque si aman **sólo a los que los** aman, ¿qué hacen
        de extraordinario?
También los pecadores aman a quienes los aman.
Si hacen el bien **sólo a los que les** hacen el bien, ¿qué tiene
        de extraordinario?
Lo mismo hacen los pecadores.
Si prestan **solamente cuando esperan** cobrar, ¿qué hacen
        de extraordinario?
También los pecadores prestan a otros pecadores,
    con la intención de cobrárselo después.

Ustedes, en cambio, **amen a sus enemigos**,
    hagan el bien y presten sin esperar recompensa.
Así tendrán un gran premio y **serán hijos del Altísimo**,
    porque **él es bueno hasta** con los malos y los ingratos.
Sean misericordiosos, como su Padre es misericordioso.

No juzguen y no serán juzgados; no condenen y no
        serán condenados;
    perdonen y serán perdonados.
Den y se les dará: recibirán una medida buena,
    bien sacudida, **apretada y rebosante** en los pliegues de su túnica.
Porque con la misma medida **con que midan**, serán medidos".

Ajusta tu actitud interior a las frases. Son un reflejo del genuino espíritu cristiano.

Haz un momentáneo contacto visual con la asamblea al llegar a las preguntas.

Mira a la asamblea para afirmar esta exhortación.

EVANGELIO Este fragmento del sermón de la llanura contiene directrices precisas para la vida discipular. Lo más singular del seguidor de Jesús es su amor a los enemigos. Son enemigos aquellos que los odian, que los maldicen y difaman, que los deshonran y despojan hasta de lo más indispensable. Por ellos hay que orar, hay que bendecirlos, someterse y no oponer resistencia; no cabe pagar con la misma moneda. El cristiano se guía por la bondad misericordiosa del Padre celestial. Este pacifismo que san Lucas promueve era la carta de presentación de los grupos cristianos en el Imperio romano que lo consideraba una amenaza al orden social. Los cristianos no son focos de conflicto sino de pacificación efectiva a todos los niveles sociales.

A nuestros ojos, la ética del sermón de la llanura parece ir a contrapelo de los modos vigentes de pensar. Nuestra actualidad reclama la equidad y el desarraigo de cualquier abuso. El Evangelio, por su parte, promueve desarticular la espiral de abusos y violencia, pero por medios pacíficos. Hoy, el discípulo de Jesús debe llevar la ética de Jesús a los derechos humanos y a las instancias de justicia que permitan crear una comunidad digna del Altísimo. La Iglesia, comunidad discipular, debe ser ya signo de la bondad misericordiosa del Padre sobre la tierra.

VIII DOMINGO
DEL TIEMPO ORDINARIO

Hilera de proverbios o máximas en dos tiempos: dales su tono y ritmo.

I LECTURA   Eclesiástico 27:5–8

Lectura del libro del Eclesiástico (Sirácide)

Al agitar **el cernidor**, aparecen las basuras;
   en la discusión aparecen los defectos del hombre.
En el horno se prueba la vasija del alfarero;
   la prueba del hombre está **en su razonamiento**.
El fruto muestra cómo ha sido **el cultivo de un** árbol;
   la palabra muestra **la mentalidad** del hombre.
Nunca alabes **a nadie antes de** que hable,
   porque ésa **es la prueba** del hombre.

Para meditar

SALMO RESPONSORIAL   Salmo 92 (91):2–3, 13–14, 15–16

R. Es bueno darte gracias, Señor.

Es bueno dar gracias al Señor
   y tocar para tu nombre, oh Altísimo,
   proclamar por la mañana tu misericordia
   y de noche tu fidelidad. **R.**

El justo crecerá como una palmera,
   se alzará como un cedro del Líbano:
   plantado en la casa del Señor,
   crecerá en los atrios de nuestro Dios. **R.**

En la vejez seguirá dando fruto
   y estará lozano y frondoso,
   para proclamar que el Señor es justo,
   que en mi Roca no existe la maldad. **R.**

I LECTURA   El Eclesiástico, o Sirácide, fue compuesto cuando los modos dominantes de pensar y de vivir eran los griegos: teatros, escuelas, bibliotecas, baños públicos, red de caminos, comercio, una lengua común y la novedad de las ideas significaron una modernización inusitada que clamaba la superioridad "civilizatoria" de las ciudades del Mediterráneo Oriental (siglos III–II a. C.). A los judíos que vivían en la Alejandría de Egipto, por ejemplo, los tocó directamente. El Eclesiástico se tradujo del hebreo al griego para acercar a las nuevas generaciones a los principios de vida judíos.

Cuando los cristianos se separaron de su matriz judía, ya consideraban el libro entre los escritos inspirados.

En el mundo griego el prototipo de hombre era uno sabio, poderoso y bello. La sabiduría consistía no tanto en acumular conocimientos, sino en las maneras de expresarlos con palabras. El dominio de la palabra se mostraba en el discurso convincente, capaz de doblegar las mentes y aunar voluntades. Había muchos retóricos, maestros en el uso de las palabras, cuyos discursos inundaban las plazas y los gimnasios, y sobre ellos advierte el sabio judío.

La controversia, el razonamiento y el silogismo son la criba que permite conocer la valía de un hombre. En un medio autoritario, de monólogo, no cabe lo diferente; pero es en la diversidad de puntos de vista que se pulsa el carácter de las personas. De las palabras poco importan la belleza y la cantidad; importa que discurran con razón. En un discurso, hay modos de descubrir lo irrazonable o improcedente, gracias a las reglas del silogismo. Hay discursos bellos pero erróneos y hasta mentirosos. También el pensar tiene su método para llegar a la verdad. El sabio aconseja sopesar lo que

SEGUNDA LECTURA   1 Corintios 15:54–58

Lectura de la primera carta del apóstol san Pablo a los corintios

Mensaje central de la fe cristiana: tu postura y modulación deben reflejar esto.

Hermanos:
Cuando nuestro ser **corruptible** y mortal
se revista **de incorruptibilidad** e inmortalidad,
entonces se cumplirá la palabra de la Escritura:
*La muerte **ha sido aniquilada** por la victoria.*
*¿**Dónde está**, muerte, tu victoria?*
*¿**Dónde está**, muerte, tu aguijón?*
El aguijón de la muerte **es el pecado** y la fuerza del pecado
es la ley.
Gracias a Dios, que nos ha dado **la victoria por** nuestro
Señor Jesucristo.

Contempla a la asamblea en las dos líneas centrales del párrafo. Cierra elevando la voz para infundir ánimo.

Así pues, hermanos míos **muy amados**,
estén firmes y **permanezcan constantes**,
trabajando siempre con fervor **en la obra** de Cristo,
puesto que ustedes saben
que sus fatigas **no quedarán** sin recompensa
por parte del Señor.

EVANGELIO   Lucas 6:39–45

Lectura del santo Evangelio según san Lucas

La enseñanza es clara; procura que el tono de las preguntas no se confunda con el de las afirmaciones. Marca los distintos momentos.

En aquel tiempo, Jesús propuso **a sus discípulos** este ejemplo:
"¿Puede acaso un ciego **guiar a otro** ciego? ¿No caerán los dos en
un hoyo?
El discípulo **no es superior** a su maestro;
pero cuando termine su aprendizaje, **será como su** maestro.

se oye, y sólo entonces pronunciarse por una persona.

Ante la multitud de discursos demagogos, las palabras del Eclesiástico guardan toda su vigencia. Jesús nos pedirá ser concisos y amantes de la verdad. Ésta es nuestra vocación de profetas en el mundo de hoy.

II LECTURA En el capítulo 15 de la segunda lectura de hoy, Pablo trata el tema de la resurrección de los muertos. Apenas antes había argüido la corporeidad de la resurrección de Jesús, cuan-

do explícita lo que esto implica para los creyentes. La corporeidad del cristiano también se beneficia de lo que ha acontecido con el cuerpo de Jesús. Pero la incorruptibilidad de la que habla el Apóstol es algo que está por cumplirse, según da fe la Escritura.

San Pablo increpa a la muerte, como si ésta fuera un ente concreto, con palabras de dos lugares proféticos, una línea de Isaías (25:8) y dos de Oseas (13:14), que tienen en común la palabra *muerte*. Pablo mira aniquilada la muerte en la resurrección de Cristo Jesús. Pero no se detiene allí; avanza para apuntalar uno de sus caballos de bata-

lla frente a los que aseguraban que a la salvación sólo se accede si uno se somete a la ley y sus obras. Pablo rebate esto asegurando que la ley en realidad es el poder del pecado. Ha sido la ley la que ha llevado a la muerte de cruz a Cristo, pero al resucitarlo, Dios ha proclamado victoria. En esta victoria se toma parte por la fe en Cristo Jesús.

La fe no es algo abstracto o aéreo, sino un modo de vida impregnado ya con el triunfo sobre la muerte y el pecado. La fe es un triunfo también corporal, pues el cuerpo del cristiano, bañado, ungido y santificado está llamado a ser incorruptible en el más

Marca los bloquecitos de cada tema haciendo las pausas de los párrafos. Toma aliento entre un bloque y otro.

¿Por qué ves la paja **en el ojo de tu** hermano y no la viga que
    llevas en el tuyo? ¿Cómo te atreves a **decirle a tu** hermano:
'Déjame quitarte **la paja que** llevas en el ojo',
    si no adviertes **la viga que** llevas en el tuyo? ¡Hipócrita!
Saca primero **la viga** que llevas en tu ojo
    y entonces podrás ver, para sacar **la paja del ojo** de tu hermano.

No hay árbol bueno que produzca **frutos malos**,
    ni árbol malo que produzca **frutos buenos**.
Cada árbol se conoce **por sus frutos**.
No se recogen higos de las zarzas, ni se cortan **uvas de
    los espinos**.
El hombre bueno dice cosas buenas, porque el bien está
    en su corazón,
    y el hombre malo dice cosas malas, porque el mal está
    en su corazón,
    pues la boca habla de lo que está **lleno el corazón"**.

Ve bajando la velocidad de tu lectura y pronuncia las negrillas con firmeza. Esto ayudará a retenerlas en la memoria.

---

allá y en el aquí y ahora. Se trata de una lucha diaria contra la corrupción y toda suerte de pecado. No hay que flaquear: Dios nos recompensará revistiendo nuestro cuerpo de su vida incorruptible.

EVANGELIO Seguimos escuchando instrucciones para ajustar la vida de la comunidad discipular. El discurso de Jesús trata tres tópicos principales: la relación entre maestro y discípulo, la corrección fraterna y la bondad verdadera.

El guía o líder entre los discípulos debe ser alguien capaz de discernir lo que está ocurriendo y lo que está por venir. No debe encabezar la comunidad alguien necio incapaz de escuchar o aprender algo nuevo, ni tampoco alguien que menosprecie a su propio preceptor. En la enseñanza y aprendizaje de la fe uno es siempre deudor de quienes lo acercaron al Señor. Este sentido de respeto a la tradición nos hermana a todos.

La corrección entre los discípulos exige ser exigentes con nosotros mismos. La autocrítica nivela la autoridad moral de los hermanos. Entre los discípulos, los guías han de ser los primeros conscientes de sus propias debilidades y pecados. Lo contrario es hipocresía. Nadie está por encima del otro, ni hay lugar al menosprecio de nadie. El Maestro es uno solo.

Se cosecha lo que se siembra y se cultiva en el trato comunitario. La bondad hay que externarla, practicarla y hacerla propia porque es un don de Dios. Ser discípulo de Cristo es abrir el corazón a esta bondad para hacerla fluir en la comunidad y llevarla al mundo. Ésta es nuestra vocación.

MIÉRCOLES DE CENIZA

Este es un ruego que debe salir del corazón; dale calidez y suavidad a tu tono de voz. No es algo impositivo.

Eleva un tanto la voz en este párrafo. Frasea bien cada acción y haz una pausa antes de la última.

I LECTURA   Joel 2:12–18

Lectura del libro del profeta Joel

Esto dice el Señor:
   "**Todavía** es tiempo.
Vuélvanse a mí de todo corazón,
   con ayunos, con **lágrimas** y llanto;
   enluten su corazón **y no** sus vestidos.

Vuélvanse al Señor Dios nuestro,
   porque es compasivo y **misericordioso**,
   lento a la cólera, rico en clemencia,
   y **se conmueve** ante la desgracia.

Quizá se arrepienta, **se compadezca** de nosotros
   y nos deje **una bendición**,
   que haga posibles las ofrendas y libaciones
   al Señor, nuestro Dios.

Toquen la trompeta en Sión, **promulguen** un ayuno,
   convoquen la asamblea, reúnan al pueblo,
   santifiquen la reunión, junten a los ancianos,
   convoquen a los niños, aun a los niños de pecho.
Que el recién casado **deje su alcoba**
   y su tálamo la recién casada.

I LECTURA Este Miércoles de Ceniza, la Iglesia nos habla de que tenemos que cambiar. Para esto toma la voz del antiguo profeta Joel. El profeta lanza un grito contra su pueblo que vive sin preocupaciones mayores. El Imperio aqueménida había construido una paz que se consideraba sólida y eterna. No se veía ningún enemigo enfrente. El culto había sido restaurado con el beneplácito y ayuda persa, y funcionaba perfectamente. Soplaban aires de prosperidad. Pero el profeta pone enfrente del pueblo una amenaza en la que jamás había pensado Israel: una plaga de langos-

tas que cual enorme ejército se comerá sus sueños de bienestar. Para enfrentar esta desgracia, Joel les propone que cambien su manera de vivir, y que esta decisión se manifieste en una penitencia que sea seria, sin el oropel de la apariencia.

Dios está detrás de la amenaza. El pueblo debe cambiar. Cada uno de nosotros debe cambiar de sistema de vida, nos dice la Iglesia al retomar esas palabras de Joel. Hacía tiempo que no veíamos ninguna amenaza política u económica mayor hasta que irrumpió una pandemia, que se ha llevado a muchos a la tumba. Mucha gente de fe en-

tiende que Dios estaría de algún modo detrás de esta pandemia: por confiar en sus haberes y poderes, el ser humano invadió el hábitat de otros organismos y, por ende, rebasó la ética de la investigación.

Dejar a Dios ser Dios, reconocer su soberanía y libertad, pues al final dependemos totalmente de su gracia, es lo que persigue el profeta Joel con su llamada de atención y es lo que la Iglesia, al inaugurar la Cuaresma, quiere que hagamos. Que nos pongamos en una actitud de auténtica penitencia, de la cual nuestros ritos son sólo imágenes. No debemos hacer una corrección cosmé-

El foco es la asamblea penitencial y el ruego por el perdón. Aminora el tono, pero no la intensidad. En las dos líneas finales procura mirar a la asamblea.

Entre el vestíbulo y el altar **lloren** los sacerdotes,
  ministros del Señor, diciendo:
  '**Perdona,** Señor, **perdona** a tu pueblo.
No entregues tu heredad **a la burla** de las naciones.
Que no digan los paganos: ¿**Dónde está** el Dios de Israel?'"
Y el Señor **se llenó** de celo por su tierra
  y **tuvo piedad** de su pueblo.

Para meditar

SALMO RESPONSORIAL Salmo 51:3–4, 5–6a, 12–13, 14, 17

R. Misericordia, Señor, hemos pecado.

Por tu inmensa compasión y misericordia,
Señor, apiádate de mí y olvida mis ofensas.
Lávame bien de todos mis delitos
  y purifícame de mis pecados. **R.**

Puesto que reconozco mis culpas,
  tengo siempre presentes mis pecados.
Contra ti solo pequé, Señor,
  haciendo lo que a tus ojos era malo. **R.**

Crea en mí, Señor, un corazón puro,
  un espíritu nuevo para cumplir tus
  mandamientos.
No me arrojes, Señor, lejos de ti,
  ni retires de mí tu santo espíritu. **R.**

Devuélveme tu salvación, que regocija,
  y mantén en mí un alma generosa.
Señor, abre mis labios
  y cantará mi boca tu alabanza. **R.**

II LECTURA   2 Corintios 5:20—6:2

Lectura de la segunda carta del apóstol san Pablo a los corintios

Nota cómo progresa el pensamiento y dale un tono convincente a la segunda oración. Haz allí una pausa doble y prosigue a menor velocidad.

Hermanos:
  Somos **embajadores** de Cristo,
  y por nuestro medio, es **Dios mismo** el que los exhorta
    a ustedes.
En **nombre** de Cristo les pedimos que se **reconcilien** con Dios.
  Al que **nunca** cometió pecado,
    Dios lo hizo "**pecado**" por nosotros,
    para que, **unidos a él,** recibamos la salvación de Dios
    y nos volvamos **justos** y santos.

---

tica, superficial. Debemos ir al fondo, allá donde uno se encuentra a solas con Dios. Cambiar por cambiar puede convertirse en una forma de seguir con lo mismo. Cambiar a fondo es cambiar de una vida egoísta a una vida que se construya en una relación sana y respetuosa con "lo demás", lo natural, lo cósmico y lo humano. Tal es el objetivo de esa ceniza que con devoción imponemos sobre nuestra cabeza.

II LECTURA La Iglesia nos coloca un trocito precioso de las Escrituras en el que san Pablo, embajador de Cristo, exhorta a los cristianos de Corinto a la reconciliación. Precisa que es Dios mismo el que los exhorta por medio de su voz de apóstol. Esta reconciliación trae los ecos de las palabras proféticas de las Escrituras que la anunciaban; su cumplimiento es cabal y absolutamente pasmoso: la entrega de Cristo Jesús a la muerte de cruz. Este paso inaudito que Dios ha dado busca que la humanidad entera abrace esa oferta gratuita (*gratia*) y que en este caso en particular los creyentes de Corintio se reconcilien con Dios.

El ser humano, rebelde a la voluntad de Dios, se vuelve presa de sus propios deseos y apetencias, y termina alejado, junto con los otros hombres y el resto de las creaturas, de la comunión con su Creador. Ese es el efecto de todo pecado. Por sus propias fuerzas, el hombre no puede revertir esta situación y está destinado a la muerte. Pero es justamente ese cauce lo que Dios revierte con la oferta de reconciliación en Cristo. Y lo ha revertido de la manera más insospechada: "Al que nunca cometió pecado, lo hizo pecado por nosotros" (1 Corintios 5:21) Esto es algo increíble. No hay muestra

Como **colaboradores** que somos de Dios,
    los exhortamos a **no echar** su gracia en saco roto.
Porque el Señor dice:
    En el tiempo favorable te escuché
    y en el día de la salvación te socorrí.
Pues bien,
    ahora es el tiempo favorable;
    ahora es el día de la salvación.

EVANGELIO   Mateo 6:1–6, 16–18

Lectura del santo Evangelio según san Mateo

En aquel tiempo, Jesús dijo a sus discípulos:
    "Tengan cuidado de **no practicar** sus obras de piedad
        delante de los hombres para que **los vean**.
De lo contrario, **no tendrán** recompensa con su Padre celestial.

Por lo tanto, cuando des limosna,
    no lo anuncies con trompeta,
    como hacen **los hipócritas** en las sinagogas y por las calles,
    para que los **alaben** los hombres.
Yo les **aseguro** que **ya recibieron** su recompensa.
Tú, **en cambio,** cuando des limosna,
    que **no sepa** tu mano izquierda **lo que hace** la derecha,
    para que tu limosna quede **en secreto**;
    y tu Padre, que **ve** lo secreto, **te recompensará**.

Da cierto dramatismo a las dos líneas finales, pero sin que sean conclusivas; termina en tono elevado.

Con seriedad pero sin tono de regaño, anuncia esta instrucción del Maestro a los suyos. En la línea final del párrafo, haz contacto visual con la asamblea.

Haz una pausa de dos tiempos antes de "Tú, en cambio".

más elocuente y poderosa del amor de Dios por el pecador destinado a la muerte. Dios abre la puerta de la cruz a la humanidad perdida. Pero el pecador puede echar en saco roto ese amor de Dios tan patente. Pablo insta a aprovechar la oportunidad (*kairós*), su gracia.

El Señor nos espera hoy con los brazos abiertos; basta que nos volvamos a él, que lo busquemos, para que él nos dé la gracia de la salud: Cristo. Hoy, al iniciar la Cuaresma, la oportunidad llega a nuestra puerta para unirnos en justicia y santidad con Dios, con los demás y con todas las creaturas.

EVANGELIO Con este Miércoles de Ceniza comenzamos la Cuaresma. La Cuaresma nos lleva paulatinamente al centro de la fiesta más propia de la fe cristiana: la Pascua. Estamos en un tiempo que la Iglesia quiere que sea de penitencia, que suena a reparación y que guarda evidente sabor negativo. Pero esto no es más que apariencia. El espíritu con que la Iglesia lo inicia es de gozo profundo, ya que nos lleva a la celebración de la liberación del mal que hay entre nosotros.

Jesús colocó en el sermón de la montaña los tres ejercicios fundamentales con que el pueblo de Dios era invitado a prepararse para poder acercarse y platicar con su Dios. Estos medios fueron la limosna, el ayuno y la oración. En este núcleo el hombre baja a las profundidades de su ser y allí se encuentra con su Dios. Mateo, adentrándose en su ambiente religioso judío, dice que "allí en lo oscuro", donde está solo el penitente y su Dios, se juega lo decisivo.

Para esto, la liturgia tomó unas palabras del sermón de la montaña. En esta parte, Mateo colocó tres obras principales de misericordia. Estas obras de misericordia tienen a Dios como motivador principal.

Acentúa la frase del contraste y da calidez a tu tono de voz.

Cuando ustedes hagan oración,
   no sean como los hipócritas,
   a quienes **les gusta** orar de pie
      en las sinagogas y en **las esquinas** de las plazas,
   para que **los vea** la gente.
Yo les **aseguro** que **ya recibieron** su recompensa.
Tú, **en cambio,** cuando vayas a orar,
   entra en tu cuarto, **cierra** la puerta y ora ante tu Padre,
   que está **allí,** en lo **secreto**;
   y **tu Padre,** que **ve** lo secreto, te **recompensará**.

Cuando ustedes ayunen, **no pongan** cara triste,
   como esos **hipócritas** que **descuidan** la apariencia de su rostro,
   para que la gente **note** que están **ayunando**.
Yo **les aseguro** que **ya recibieron** su recompensa.
Tú, en cambio, cuando ayunes,
   perfúmate la cabeza y **lávate** la cara,
   para que **no sepa** la gente que estás ayunando,
   sino **tu Padre,** que está en lo secreto;
   y tu Padre, **que ve** lo secreto, te **recompensará**".

Inyecta entusiasmo a las frases festiva y baja la velocidad conforme se acerca el final.

Pero el hombre debe despojarse de toda vanagloria. Si busca algún provecho individual, entonces no debe esperar nada de Dios.

Se invita a conectarse con Dios en la oración. Primero, con la limosna se despega uno de cualquier egoísmo o búsqueda desinteresada. Antes de darse uno mismo en favor de los demás, debe uno empezar por algo externo: dando desinteresadamente de nuestros bienes. Segundo, con la oración se dirige uno directamente a Dios, escucha uno a Dios y le responde. Tercero, imita uno al Señor en lo más propio del Evangelio, al darse sacrificando uno su vida por los demás. En este sentido va ese dolor que nos proporciona el ayuno: negarse uno de algo para después, negarse a uno mismo y, como dirá después Jesús, tomar la cruz y seguirlo.

Con esta invitación tripartita del Señor a la penitencia, la Iglesia nos abre posibilidades. Cualquiera de las tres formas nos encamina a salir de nuestro egoísmo y a fijar nuestra mirada en el Señor, que mira al interior de la persona, como acompasadamente lo repite Jesús tres veces.

Toda esta parte de la lectura evangélica nos empuja al inicio de la Cuaresma, a tener siempre a Dios como equilibrio de nuestro caminar.

I DOMINGO DE CUARESMA

Proclama con profunda reverencia este relato ancestral. Retrata la fidelidad del pueblo a la alianza con el Señor Dios.

En este resumen de la historia del pueblo adopta un tono confesional de la obra de Dios.

Marca las diferentes acciones apoyándote en la puntuación.

Prepara la salida de la lectura aminorando la velocidad de la lectura.

I LECTURA   Deuteronomio 26:4–10

Lectura del libro del Deuteronomio

En aquel tiempo, dijo Moisés al pueblo:
   "Cuando presentes **las primicias** de tus cosechas,
   el sacerdote **tomará** el cesto de tus manos
   y lo pondrá **ante el altar** del Señor, tu Dios.
Entonces tú dirás **estas palabras** ante el Señor, tu Dios:

   'Mi **padre** fue un arameo errante, que bajó a Egipto
   y se estableció **allí** con muy pocas personas;
   pero luego **creció**
      hasta convertirse en una **gran nación**,
   potente y **numerosa**.

Los egipcios nos **maltrataron**, nos oprimieron
   y nos **impusieron** una dura esclavitud.
Entonces **clamamos** al Señor, Dios **de nuestros padres**,
   y el Señor **escuchó** nuestra voz,
   miró nuestra humillación, nuestros trabajos y nuestra angustia.
El Señor **nos sacó** de Egipto con mano **poderosa** y
      brazo protector,
   con un terror **muy** grande, entre señales y **portentos**;
   nos trajo a **este país** y nos dio **esta tierra**,
      que mana leche y miel.
Por eso ahora yo traigo aquí **las primicias** de la tierra
      que **tú**, Señor, me has dado'.

Una vez que hayas dejado tus primicias ante el Señor,
   te **postrarás** ante él para adorarlo".

I LECTURA El Deuteronomio es el último libro del Pentateuco. La mayor parte del libro está dedicada a enseñar al pueblo los mandatos y normas que Dios dio a su pueblo para que éste viviera bien y en paz. Los versos que leemos hoy en la liturgia describen qué debe hacer un hebreo con lo primero que cosecha (primicias).

Según la antigua costumbre, cuando un hombre tiene una cosecha o mata un animal debe hacer participar a Dios de esto. A Dios le pertenece todo, pero el hombre necesita algo para vivir. Sin embargo, en re-

conocimiento de que el Creador y proveedor de la vida es Dios, el hombre le ofrece de lo mejor de su cosecha y de sus animales. No es que el antiguo creyente israelita pensara que Dios necesitaba algo, pues "tuyo es el cielo, la tierra y todo lo que ésta contiene" (ver Salmo 89:11). Sabía que era un símbolo llevarle al templo lo que se consideraba era lo mejor de un sembradío, lo primero que se cosechaba.

El texto describe el ritual que el hebreo llevaba a cabo al ofrecer a Dios sus primicias. El hombre iba al templo y, frente al altar, entregaba al sacerdote las primicias.

Se consideraba que Dios todo el día estaba mirando el altar. En cuanto entregaba las primicias al sacerdote, que las colocaba sobre el altar, el hombre recitaba un credo. Este pequeño credo enumeraba los grandes hechos realizados por Dios en favor de su pueblo: la salida de Egipto, la conducción por el desierto y el don de la tierra que le daba al pueblo lo suficiente para alimentarse.

Al igual que el hebreo que reconocía en la generosidad de Dios la fuente de su sostén, nosotros debemos hablar a los demás de este don fundamental de Dios. Porque

Para meditar

SALMO RESPONSORIAL   Salmo 91:1–2, 10–11, 12–13, 14–15

R. Está conmigo, Señor, en la tribulación.

Tú que habitas al amparo del Altísimo,
   que vives a la sombra del Omnipotente,
di al Señor: "Refugio mío, alcázar mío,
   Dios mío, confío en Ti". **R.**

No se acercará la desgracia,
   ni la plaga llegará hasta tu tienda,
porque a sus ángeles ha dado órdenes
   para que te guarden en tus caminos. **R.**

Te llevará en sus palmas,
   para que tu pie no tropiece en la piedra;
caminarás sobre áspides y víboras,
   pisotearás leones y dragones. **R.**

"Se puso junto a mí: lo libraré;
   lo protegeré porque conoce mi nombre,
me invocará y lo escucharé.
Con él estaré en la tribulación,
   lo defenderé, lo glorificaré". **R.**

II LECTURA   Romanos 10:8–13

Lectura de la carta del apóstol san Pablo a los romanos

Hermanos:
La Escritura **afirma**:
   Muy a tu alcance, en tu boca y en tu corazón,
   se encuentra la salvación,
      esto es, el asunto de la fe que predicamos.
Porque **basta** que cada uno **declare** con su boca
      que Jesús es **el Señor** y que **crea** en su corazón
      que Dios **lo resucitó** de entre los muertos,
   para que **pueda** salvarse.

En efecto, hay que **creer** con el corazón
      para **alcanzar** la santidad y **declarar** con la boca
      para alcanzar **la salvación**.
Por eso dice la Escritura:
   Ninguno que crea en él quedará defraudado,
   porque **no existe** diferencia entre judío y no judío,
   ya que uno mismo es el Señor **de todos**,
   espléndido **con todos** los que lo invocan,
   pues *todo el que invoque al Señor como a su Dios,*
   será salvado por él.

Apodérate del sentido del argumento para que tu lectura dé sentido al párrafo. Nota las frases de enlace que llevan la fuerza para convencer.

Esta breve unidad en el discurso amplía lo ya dicho. Páusate en el punto final.

Nota la reiteración de "todos" y hazla perceptible a la audiencia.

agradecer a Dios consiste en reconocer lo que él ha hecho por uno. De ahí que no baste un simple "gracias"; esta palabra debe desdoblarse y contar los hechos que el Señor Dios ha llevado a cabo en favor de uno mismo. Reconocemos al Donante y al don: al primero le demos gracias y al segundo lo aprovechamos para lo que es, o sea asumimos la responsabilidad que conlleva. Es la forma primitiva y real de toda acción de gracias.

Al inicio del tiempo cuaresmal reconozcamos lo que Dios nos concede para vivir. Dios da lo que el hombre necesita para vivir.

En lugar de ofrecerle comida, podemos nosotros, creyentes cristianos, mostrar nuestro reconocimiento a Dios en el ayuno y en la ayuda corresponsable por los más necesitados.

II LECTURA En la carta a los Romanos, Pablo argumenta que Dios oferta en el Evangelio de Cristo Jesús la salvación a toda persona que lo acoja o crea en él, sin que tenga que hacerse judío ni someterse a las prescripciones mosaicas (ver Romanos 1:16). Quien crea en esa Buena Nueva entra en una nueva relación

con Dios y queda justificado. En el segmento de nuestra lectura, el Apóstol recurre a la Escritura para afianzar la justificación por la fe; la Escritura traza la columna vertebral de lo escuchado en la liturgia: la palabra *salvación*.

Las referencias escriturarias dan la certeza al argumento paulino que se afianza en declarar con los labios y en creer con el corazón. Son acciones humanas. Por supuesto que ambas acciones no son aislables de la vida del creyente; más bien la envuelven. Tampoco son acciones individuales, privadas, por decirlo así. No. Son acciones perso-

EVANGELIO   Lucas 4:1–13

Lectura del santo Evangelio según san Lucas

El relato crece en dramatismo. Procura que tu tono y velocidad lo revelen a la asamblea.

En aquel tiempo,
    Jesús, **lleno** del Espíritu Santo, regresó del Jordán
    y conducido por **el mismo** Espíritu,
    se **internó** en el desierto,
    donde permaneció durante **cuarenta** días
    y fue **tentado** por el demonio.

El "hambre" es lo que desencadena lo siguiente. Haz contacto visual con la asamblea y una pausa en ese punto.

No comió **nada** en aquellos días, y cuando se completaron,
    sintió **hambre**.
Entonces el diablo le dijo:
    "Si eres el Hijo de Dios, **dile** a esta piedra
        que se **convierta** en pan".
Jesús le contestó:
    "**Está** escrito: *No sólo de pan vive el hombre*".

Después lo llevó el diablo a un monte **elevado** y en un instante
    le hizo ver **todos** los reinos de la tierra y le dijo:
    "A **mí** me ha sido entregado
        todo el poder y la gloria de estos reinos,
    y yo los doy **a quien quiero**.
    Todo esto será **tuyo**, si te arrodillas y me **adoras**".
Jesús le respondió:
    "**Está** escrito: *Adorarás al Señor, tu Dios, y a él sólo servirás*".

nales y públicas, de santidad, que deben notarse en los círculos donde los escuchas se desenvuelven. El señorío de Cristo está fincado en que Dios lo resucitó de entre los muertos. Y esta verdad del Evangelio creído y proclamado es la que santifica y salva.

Al inicio de la Cuaresma, la palabra de Dios nos llama a considerar lo que hay en nuestro corazón y promovemos con los labios. Esta palabra de salvación nos pide consonancia entre nuestras palabras y nuestras convicciones de bautizados. Analicemos dónde precisamos que esa palabra ancle para vigorizar nuestro compromiso de transformar nuestra realidad en el lugar del señorío de Jesús resucitado.

EVANGELIO El relato de las tentaciones de Jesús está estrechamente ligado al de su bautismo. Lucas coloca la genealogía de Jesús entre las dos historias para hacer ver que Jesús es un ser humano, hijo de Adán. Después se afirma la filiación divina, expresada en el bautismo por el padre celestial.

La ocasión de la tentación diabólica va a ser esa afirmación divina dada a Jesús por el Padre celestial. Tres veces va a repetir el tentador las consecuencias que se seguirían de esa afirmación. El cuadro literario está formado en base a un intercambio de opiniones, lo que le da vivacidad al diálogo.

Empieza Lucas situando a Jesús en el desierto, el de Judá, según se entiende. Una pequeña anotación: Jesús no comió por cuarenta días. Alusión clara a los cuarenta años de la travesía del pueblo de Dios por el desierto del Sinaí.

El tentador, aquí llamado Diablo, señala dos aspectos contradictorios: el ser hijo de Dios y el tener hambre. Luego forja la tentación. Como lo anterior no es posible, es con-

Las palabras de Jesús deben sonar contundentes. Da a la frase final una entonación tipo "continuará"; no está zanjada la batalla.

Entonces lo llevó a Jerusalén,
    lo puso en la parte **más** alta del templo y le dijo:
    "Si eres el Hijo de Dios, **arrójate** desde aquí,
    porque **está** escrito:
    Los ángeles del Señor tienen órdenes de cuidarte
    y de sostenerte en sus manos,
    para que tus pies no tropiecen con las piedras".
Pero Jesús le respondió:
    "También está escrito: *No tentarás al Señor, tu Dios".*

Concluidas las tentaciones, el diablo se retiró de él,
    hasta que llegara la hora.

tradictorio; entonces le propone a Jesús que convierta una piedra en pan; los hombres van a aceptarlo si él les da de comer de una manera milagrosa, sin que tengan que pasar los humanos por el camino normal, decretado por el Creador: "Comerás el pan con el sudor de tu frente" (Génesis 3:19). Jesús rechaza y hace ver que el alimento no es lo fundamental en el ser humano.

Según el Diablo, el Hijo de Dios puede y debe poseer el dominio mundial. Pues que lo emplee para ser aceptado por los hombres. Es lo que se ha visto desde que el hombre es hombre: acepta el dominio de otro hombre por medio del sojuzgamiento. Pues que emplee el poder, las armas, la fuerza y funde una sociedad conjuntada por medio de la fuerza, así fundará un reino mundial pacificado. Jesús rechaza la propuesta, pues ésta se opone a la libre adoración del hombre a Dios. El reino que inaugurará este Hijo de Dios es un reino donde reinará la libertad. En su tercera propuesta, el Diablo emplea la Escritura (ver Salmo 91:11–12). Que emplee el milagro. Los judíos, como dirá san Pablo, buscan el milagro para aceptar al Mesías, al Hijo de Dios. Pues que lo emplee y Jesús será aceptado.

En el fondo el Diablo ve en el Hijo de Dios a un ser sobrenatural, que empleará medios milagrosos para ser reconocido como Hijo de Dios. No entiende la Escritura, que es la que indicará a Jesús el camino que el Padre le ha delineado para mostrarse cual Hijo de Dios. El camino de la cruz, como explicará Jesús a los discípulos de Emaús, es el mostrado por la Escritura: deberá padecer el Mesías antes de ser glorificado.

II DOMINGO DE CUARESMA

I LECTURA   Génesis 15:5–12, 17–18

Lectura del libro del Génesis

En aquellos días, Dios **sacó** a Abram de su casa y le dijo:
  "**Mira** el cielo y **cuenta** las estrellas, si puedes".
Luego **añadió**: "Así **será** tu descendencia".

Abram **creyó** lo que el Señor le decía
  y, por **esa fe**, el Señor lo tuvo **por justo**.
Entonces le dijo: "**Yo soy** el Señor, el que **te sacó** de Ur,
  ciudad de los caldeos, para **entregarte** en posesión **esta tierra**".
Abram **replicó**: "Señor Dios, ¿**cómo** sabré que voy a poseerla?"
Dios le dijo:
  "**Tráeme** una ternera, una cabra y un carnero,
    todos **de tres años**; una tórtola y un pichón".

Tomó Abram aquellos animales, los partió **por la mitad**
  y puso las mitades una **enfrente** de la otra,
    pero **no partió** las aves.
Pronto comenzaron los buitres a **descender** sobre los cadáveres
  y Abram los **ahuyentaba**.

Estando ya para ponerse el sol,
  Abram cayó en un **profundo** letargo,
  y un **terror** intenso y misterioso se **apoderó** de él.
Cuando se puso el sol, hubo **densa** oscuridad
  y sucedió que un brasero **humeante** y una antorcha **encendida**,
  pasaron por entre aquellos animales partidos.

I LECTURA El interés del autor bíblico **es** trasmitir de forma ordenada los recuerdos orales que los antepasados de varias tribus habían guardado sobre Abram.

En este relato, Dios otorga a Abram la promesa que todo nómada del desierto espera como primer don: un hijo. Abram era un nómada y como tal no tenía una tierra estable con familiares o vecinos fijos que le fueran a auxiliar en su vejez. Por ende, necesitaba de un hijo que cuidara de él y de su mujer. Éste es el núcleo de esa narración que con el tiempo se extendió hasta tomar la bella forma actual.

Dios promete a Abram ser su escudo y paga. Es decir, lo necesario para que un nómada pueda vivir con éxito. Abrahán reacciona manifestando que esto de nada le sirve si no tiene la seguridad que puede darle un hijo. Lo que él llegue a poseer, lo heredará a un tal Eliezer, que no es carne de su carne. Entonces Dios lo sorprende: le otorgará un hijo. Un hijo en esas circunstancias equivalía a ofrecer lo imposible, pero era Dios el que lo prometía y, dice el texto, "Abram creyó y Dios se lo tuvo en cuenta".

Abram tuvo fe. Será un texto clave sobre el cual se fundará toda la teología del pueblo elegido de Dios. Además, le dará una tierra que compartirá con otras naciones.

Junto a la aclaración divina que aceptó, Abram pidió a Dios una señal (v. 7–8). El punto saliente y la señal definitiva se convierten en una alianza. Ésta es descrita como la alianza que hacían en la antigüedad los grupos nómadas: partir en dos a uno o varios animales y hacer pasar el fuego por en medio, mostrando con eso la seriedad de lo pactado, o sea al que no fuera fiel a lo pactado, el fuego lo consumaría.

De **esta** manera hizo el Señor, aquel día,
   una alianza con Abram, diciendo:
   "A tus descendientes doy **esta tierra**,
   desde el río de Egipto
      hasta el gran río Eufrates".

Para meditar

SALMO RESPONSORIAL   Salmo 27:1, 7–8a, 8b–9abc, 13–14

R. El Señor es mi luz y mi salvación.

El Señor es mi luz y mi salvación,
   ¿a quién temeré?
El Señor es la defensa de mi vida,
   ¿quién me hará temblar? **R.**

Escúchame, Señor, que te llamo;
   ten piedad, respóndeme.
Oigo en mi corazón:
   "Busca mi rostro". **R.**

Tu rostro buscaré, Señor,
   no me escondas tu rostro.
No rechaces con ira a tu siervo,
   que tú eres mi auxilio. **R.**

Espero gozar de la dicha del Señor
   en el país de la vida.
Espera en el Señor, sé valiente,
   ten ánimo, espera en el Señor. **R.**

II LECTURA   Filipenses 3:17—4:1

Lectura de la carta del apóstol san Pablo a los filipenses

Hermanos:
Sean todos ustedes **imitadores** míos
   y **observen** la conducta de aquellos
      que **siguen** el ejemplo que les he dado **a ustedes**.
Porque, como **muchas** veces se lo he dicho a ustedes,
   y **ahora** se lo repito llorando,
   hay **muchos** que viven como **enemigos** de la cruz de Cristo.
Esos tales acabarán en **la perdición**, porque su dios **es el vientre**,
   se enorgullecen de lo que **deberían** avergonzarse
   y **sólo** piensan en cosas **de la tierra**.

Esta exhortación apela más al testimonio personal que a la lógica racional. Evita la dureza en la voz y al llegar a la "cruz de Cristo" pausa y mira a la asamblea.

Esta alianza en unilateral. Dios es el que promete y da. Abram sólo recibe. De él no se requiere sino la fe. Esta fe a la que tantas veces aludirá san Pablo para justificar la salvación de Jesús.

Con esta alianza Abram se convierte en Abraham (Padre de una multitud), como será llamado en adelante. Al oír hoy esta lectura, estamos invitados a dejarnos llevar por el camino que Dios ha trazado para nosotros y que será siempre un camino semejante al de Abram.

II LECTURA Uno de los rasgos más llamativos de la carta a los Filipenses es que en varios de sus pasajes aparece la fuerza del testimonio apostólico. El testimonio no se reduce a un simple hablar en coherencia con el Evangelio de Cristo Jesús. Por supuesto que esto resultaba muy importante, pues cuando el apóstol redacta esta carta, lejos de ser escritos estaban todavía los evangelios que ahora llamamos canónicos. Por entonces, las tradiciones de Jesús corrían oralmente, de ahí que la fidelidad a lo dicho y hecho por él resultara sustancial. Pero Pablo no recalca la fidelidad en la comunicación sino la fidelidad en la imitación. De imitar a Cristo Jesús nace la fuerza de la palabra de un apóstol. De esto habla Pablo, pues él mismo dejó arraigado entre los filipenses cómo se vive al estilo de Jesús y sabe bien que el Evangelio no arraiga en el corazón del escucha sin el anclaje de la imitación de Cristo.

Pablo recomienda a la comunidad cristiana estar vigilante y observar a sus integrantes para alentar la conducta de aquellos que como Pablo viven acordes a la cruz de Cristo. Ésta es la auténtica tradición viva de la Iglesia. Es una emulación comunitaria de

Nosotros, en cambio, somos **ciudadanos** del cielo,
de donde **esperamos** que venga nuestro salvador, **Jesucristo**.
Él **transformará** nuestro cuerpo miserable
en un cuerpo **glorioso**, **semejante** al suyo,
en virtud del poder que tiene para **someter** a su dominio
todas las cosas.

Hermanos **míos**, a quienes **tanto** quiero y extraño:
ustedes, hermanos míos **amadísimos**,
que son mi **alegría** y mi corona, **manténganse** fieles al Señor.

Abreviada: *Filipenses 3:20—4:1*

EVANGELIO   Lucas 9:28–36

Lectura del santo Evangelio según san Lucas

En aquel tiempo,
Jesús se hizo **acompañar** de Pedro, Santiago y Juan,
y **subió** a un monte para hacer oración.
Mientras oraba, su rostro **cambió** de aspecto
y sus vestiduras se hicieron blancas y **relampagueantes**.
De pronto aparecieron conversando con él dos personajes,
rodeados de **esplendor**: eran **Moisés** y **Elías**.
Y hablaban de la muerte que le esperaba **en Jerusalén**.

Pedro y sus compañeros estaban **rendidos** de sueño;
pero, **despertándose**, vieron **la gloria** de Jesús
y de los que estaban **con él**.
Cuando éstos se retiraban, **Pedro** le dijo a Jesús:
"**Maestro**, sería bueno que nos quedáramos **aquí**
y que hiciéramos **tres** chozas:
una **para ti**, una **para Moisés** y otra **para Elías**",
sin saber lo que decía.

Notas laterales:

Esta apelación conmueve. Baja la velocidad de lectura y recuerda pausar antes de pronunciar la fórmula litúrgica de clausura.

Aprópiate del tono orante del relato. Evita darle tonos dramáticos, aunque es algo extraordinario lo que sucede. Mantén un tono sereno en todo momento.

Haz sonar las palabras de Pedro con cierta admiración.

Cristo crucificado. Los más visibles en una comunidad son sus líderes, los predicadores, los que coordinan y dirigen, pues son como paradigmas en esto de imitar a Jesús. Cada uno debe llevar las marcas de la cruz del Señor. Lo contrario a la espiritualidad de la cruz de Cristo es vivir afanados por el "vientre". *Vientre* se refiere a lo terreno opuesto a lo celestial; la espiritualidad del vientre es buscar lo que satisface los instintos pasionales primarios, llámense poder, riqueza, pereza, lujuria, honores, soberbia, o comer y beber sin recato a los pobres y hambrientos. Esto es vergonzoso. Contradi-

ce la cruz de Cristo. Digámosle pan al pan y al vino, vino.

El cristiano no desprecia su cuerpo; lo ajusta a la realidad última que le aguarda: la resurrección gloriosa, ocurrida ya en el cuerpo de Cristo por la fuerza de la gloria de Dios. A esta gloria se transita por la cruz. Dicha gloria tiene el poder de dominarlo todo y es lo que mueve al creyente a dominar todo impulso del vientre y sellarlo con la cruz, que se convierte en la identidad del discípulo de Cristo.

EVANGELIO La escena de la transfiguración del Señor está colocada a medio camino de su peregrinaje y es el resorte que lo empuja a encaminarse a Jerusalén. Le sigue una discusión entre sus discípulos sobre quién debería ser el mejor o el mayor. Se trata de una discusión sobre el poder entre ellos. Antes de esta oración de Jesús en el monte, también el evangelista habla en dos escenas sobre el poder. Jesús insistía en que el poder es para servir y en que antes de su resurrección debía padecer.

La voz celeste es la cúspide del relato. Dale
profundidad y pausa.

No había **terminado** de hablar,
    cuando se formó una nube que **los cubrió**;
    y ellos, al verse **envueltos** por la nube, se llenaron **de miedo**.
De la nube salió **una voz** que decía:
    "**Éste** es mi Hijo, mi escogido; **escúchenlo**".
Cuando **cesó** la voz, se quedó Jesús **solo**.

Los discípulos guardaron **silencio**
    y por entonces no dijeron **a nadie** nada de lo que habían visto.

En el relato lucano de la transfiguración del Señor, Jesús invitó a tres de sus discípulos a que lo acompañaran al monte a orar. Estando en oración, el Señor se transfiguró ante los tres discípulos, quienes participaron de esta especie de éxtasis. Aparecieron dos figuras del Antiguo Testamento, que hablaron con el Señor sobre su próxima muerte en Jerusalén. Es decir, para entender el tipo de Mesías sufriente del que les acababa de hablar, los discípulos tenían que ver todo el conjunto. Este Mesías llegará a su resurrección por medio del sufrimiento. Al decir que hablaba con estos dos personajes, el evangelista quiere que entendamos que tanto el Pentateuco como el libro de los Profetas, representados ambos por Moisés y Elías, tienen a la vista a un Mesías que por su sufrimiento por nosotros recibirá del Padre celestial la resurrección.

Los discípulos se callan. ¿Cómo podemos nosotros hablar del misterio de Jesús Mesías? La comunidad cristiana debe alegrarse y tener fija la mirada en ese Jesús transfigurado, glorioso, por medio del cual la Iglesia tendrá también su transfiguración gloriosa, siempre a través de la cruz.

Nuestra lectura de san Lucas tiene una dirección muy clara. La Ley y los profetas conducirán a un cristianismo que quiere entenderse partiendo de Jesús, a una iglesia que entiende que no debe presentar una faz diferente de la de Jesús. El camino para llegar a la resurrección pasa por la crucifixión. Durante la Cuaresma nos preparamos por este camino para celebrar la Pascua.

III DOMINGO DE CUARESMA, AÑO C

I LECTURA   Éxodo 3:1–8, 13–15

Lectura del libro del Éxodo

Este episodio cambia toda la historia de la salvación. Distingue sus partes y dales una intensidad particular.

En aquellos días,
   Moisés **pastoreaba** el rebaño de su suegro, Jetró,
      sacerdote de Madián.
En cierta ocasión llevó el rebaño **más allá** del desierto,
   hasta el **Horeb**, el monte de Dios,
   y el Señor se le apareció en **una llama** que salía de un zarzal.
Moisés observo con **gran** asombro
      que la zarza ardía **sin consumirse** y se dijo:
   "Voy a ver **de cerca** esa cosa **tan extraña**,
   por qué la zarza no se quema".

A la voz que llama a Moisés dale suavidad y firmeza; a la del pastor, prestancia.

Viendo el Señor que Moisés se había desviado **para mirar**,
   lo **llamó** desde la zarza:
   "¡Moisés, **Moisés!**"
Él respondió:
"Aquí estoy".
Le dijo Dios:
"¡**No** te acerques!
Quítate las sandalias,
   porque el lugar que pisas es tierra **sagrada**".
Y añadió:
"**Yo soy** el Dios de tus padres, el Dios de Abraham,
   el Dios de Isaac y el Dios de Jacob".

Entonces Moisés se **tapó** la cara,
   porque tuvo **miedo** de mirar a Dios.

I LECTURA Hoy escuchamos uno de los textos nucleares del Antiguo Testamento. El Dios que se había manifestado a los antepasados de los hebreos, a los Patriarcas, como el Dios de mi padre o padres ahora revela su nombre.

El contexto de esta manifestación es la salida de Egipto de los hebreos. Ellos habían terminado por convertirse en trabajadores de las construcciones del faraón, lo que para ellos, pastores acostumbraos a la libertad del campo, significaba ser esclavos.

Moisés era uno de ellos. Terminó en la corte del faraón y fue educado en la libertad. Esto le servirá enormemente. Moisés se da cuenta de que no era egipcio, sino que pertenece al grupo de esclavos hebreos. Hombre libre, él no se identifica con ellos, los esclavos; al contrario, intenta liberarlos. Fracasa. Se da cuenta de que liberar a un hombre era algo que va más allá de las fuerzas humanas. Huye al desierto y se olvida de sus sueños libertarios. Ya estaba preparado para la llamada del Señor.

La escena de su vocación es paradigmática. Al igual que los profetas, él será llamado por Dios y se rehusará poniendo obstáculos. Sólo que mientras los profetas se rehúsan una vez, Moisés lo hará cinco veces. La primera vez Moisés le pregunta a ese Dios misterioso su nombre, y así llevar a cabo la misión que le manda. Dios se identifica como el Dios de los antepasados de Moisés y le da su nombre propio. Moisés oye perfectamente el nombre del cual a través de los siglos los hebreos guardarán sólo las cuatro consonantes por respeto religioso y evitarán que se pronuncie. En su lugar, pronunciarán otros nombres como el Nombre o el Señor, o emplearán una circunlocución.

Las acciones de Dios marcan todo lo que se propone hacer. Frasea bien este párrafo y hazlo como deliberado. Es la voluntad de la liberación.

Pero el Señor le dijo:

"**He visto** la opresión de mi pueblo en Egipto,
    he oído sus quejas contra los opresores
    y conozco **bien** sus sufrimientos.
He descendido para **librar** a mi pueblo de la **opresión**
        de los egipcios,
    para **sacarlo** de aquellas tierras
    y **llevarlo** a una tierra buena y espaciosa,
    una tierra que mana **leche y miel**".

Moisés le dijo a Dios:

"**Está bien**. Me presentaré a los hijos de Israel y **les diré**:
    'El Dios de sus padres **me envía** a ustedes';
    pero cuando me pregunten **cuál** es su nombre,
    ¿**qué** les voy a responder?"

Al llegar al nombre divino, mira a la asamblea y prosigue hasta el final con un tono más decidido.

Dios le contestó a Moisés: "Mi nombre es **Yo-soy**"; y añadió:

"**Esto** les dirás a los israelitas: 'Yo-soy me envía a ustedes'.
También les dirás: '**El Señor**, el Dios de sus padres,
    el Dios de Abraham, el Dios de Isaac, el Dios de Jacob,
    me envía **a ustedes**'.
Éste es mi nombre **para siempre**.
Con **este** nombre me han de recordar
    de generación en generación."

Para meditar

SALMO RESPONSORIAL   Salmo 103:1–2, 3–4, 6–7, 8 y 11

R. El Señor es compasivo y misericordioso.

Bendice, alma mía, al Señor,
    y todo mi ser a su santo nombre.
Bendice, alma mía, al Señor,
    y no olvides sus beneficios. **R.**

Él perdona todas tus culpas
    y cura todas tus enfermedades;
    el rescata tu vida de la fosa,
    y te colma de gracia y de ternura. **R.**

El Señor hace justicia
    y defiende a todos los oprimidos;
    enseñó sus caminos a Moisés
    y sus hazañas a los hijos de Israel. **R.**

El Señor es compasivo y misericordioso,
    lento a la ira y rico en clemencia;
    como se levanta el cielo sobre la tierra,
    se levanta su bondad sobre sus fieles. **R.**

Pero el nombre divino casi siempre irá acompañado de la función fundamental de Dios: liberar, otorgar la verdadera libertad. Esta libertad se manifestará en la liberación de un pequeño grupo de esclavos que vendrá a ser su pueblo, el Pueblo de Dios. El don divino está por delante. La respuesta del grupo de hebreos con Moisés a la cabeza será obedecer las indicaciones divinas (la Ley) para ser libres, para caminar con Dios y habitar definitivamente con él.

II LECTURA La comunidad de Corinto suma unos cincuenta integrantes. Pese a ser pequeña, padece las tensiones propias de un grupo diverso. La mayoría eran jornaleros, esclavos y siervos; había también algunos nobles y uno que otro rico; los de linaje judío son contados en comparación con los no judíos. En la carta, Pablo teje fino. Aborda espinosos problemas particulares y, sobre todo, hace un llamado a la unidad comunitaria. En esta parte de la carta, Pablo aborda la actitud que hay que tener frente a los ídolos. Para

ello, recurre a las lecciones de la historia exodal del pueblo.

En el primer párrafo de la lectura de hoy, Pablo exhorta a los escuchas de su carta a la perseverancia bautismal, haciendo ver que no basta haber sido bautizados, ni comer y beber manjares espirituales, al mismo Cristo, pues la mayoría de los favorecidos con la liberación de la esclavitud de Egipto pereció en el desierto, es decir, sin haber gustado de las realidades de la tierra prometida. Aprendamos en cabeza ajena. La advertencia es que hay que vivir para

II LECTURA   1 Corintios 10:1–6, 10–12

Lectura de la primera carta del apóstol san Pablo a los corintios

El tono de la instrucción es el de un maestro que alecciona a sus alumnos. Evita edulcorar las frases; llévalas con cierta calma.

Hermanos:
No quiero que **olviden** que en el **desierto**
      nuestros padres estuvieron **todos** bajo la nube,
    todos cruzaron el mar Rojo
    y todos se **sometieron** a Moisés,
    por una especie de **bautismo** en la nube y en el mar.
Todos comieron el **mismo** alimento milagroso
    y **todos** bebieron de la **misma** bebida espiritual,
    porque **bebían** de una roca **espiritual** que los acompañaba,
      y la roca **era Cristo**.
Sin embargo, la **mayoría** de ellos **desagradaron** a Dios
    y **murieron** en el desierto.

En esta parte, mira a la asamblea no para retarla sino para crear comunión. Evita perder el ritmo de la lectura.

Todo esto sucedió como **advertencia** para nosotros,
    a fin de que **no** codiciemos cosas malas como **ellos** lo hicieron.
No murmuren ustedes
      como algunos de ellos **murmuraron**
    y **perecieron** a manos del ángel exterminador.
Todas estas cosas les sucedieron a nuestros **antepasados**
      como un ejemplo para **nosotros**
    y fueron puestas en las Escrituras como **advertencia**
      para los que vivimos en los **últimos** tiempos.
Así pues, el que **crea** estar firme, tenga cuidado de **no caer**.

agradar a Dios y que no basta participar de los dones celestiales.

El segundo párrafo de la lectura litúrgica clarividencia la lección, aunque deja fuera los versos siete a nueve del capítulo, donde Pablo menciona los crímenes del pueblo en su camino del desierto: la idolatría, la prostitución y la sedición (tentación), pero al llegar a la murmuración se retoma la voz litúrgica. La murmuración es la rebeldía, o sea renegar del guía, Moisés o Cristo, que nos lleva por un camino de penurias purificatorias. Por lo previo, se entiende que se exhorte a no andar detrás de cosas malas. Lo único puntualmente reprobable que se menciona es la murmuración, pero el tenor paulino anotó varios más. La lección está allí.

La Cuaresma vivida en la Iglesia nos da la oportunidad de examinar tanto nuestros vínculos comunitarios como los puntos en los que no vivimos agradando a Dios. Vale la pena reconsiderar si nuestra participación en las acciones litúrgicas nos hace sentir salvados, o si nos impulsa a vivir agradando a Dios y a perseverar en la fe, esperanza y caridad. Aprovechemos estos tiempos de gracias.

| EVANGELIO | Al pensar sobre la epidemia del coronavirus, más de alguno se habrá preguntado por qué. Esta pregunta esconde una negación de culpa. El Evangelio deriva esta preocupación a preguntarnos qué significa la llegada de la epidemia. ¿Tendrá que ver algo cono nosotros?

El convencimiento de que todo lo que sucede tiene un porqué lo encontramos a lo largo de la tradición cristiana. El que hace el mal, acaba mal, etc. Las formulaciones serán diferentes, pero todo lo queremos reducir a causa-efecto. Y no es así en la vida. Tal vez podemos apelar a la misma Biblia.

EVANGELIO Lucas 13:1–9

Lectura del santo Evangelio según san Lucas

En aquel tiempo,
   algunos hombres fueron a ver a Jesús
   y le contaron que Pilato había **mandado** matar a unos galileos,
   mientras estaban **ofreciendo** sus sacrificios.
Jesús les hizo este comentario:
   "¿**Piensan** ustedes que aquellos galileos,
   porque les sucedió **esto**,
   eran **más** pecadores que todos **los demás** galileos?
Ciertamente **que no**;
   y si ustedes no se arrepienten, **perecerán** de manera semejante.
Y aquellos dieciocho que murieron **aplastados**
       por la torre de Siloé,
   ¿piensan **acaso** que eran más culpables
   que **todos** los demás habitantes de Jerusalén?
Ciertamente **que no**;
   y si ustedes **no se** arrepienten,
   perecerán de manera semejante".

Entonces les dijo esta **parábola**:
   "Un hombre tenía una **higuera** plantada en su viñedo;
   fue a buscar higos y **no los encontró**.
Dijo entonces al viñador:
   'Mira, durante **tres años** seguidos
       he venido a **buscar** higos en esta higuera
   y **no** los he encontrado. Córtala.
¿Para qué ocupa la tierra inútilmente?'
El viñador le contestó:
   'Señor, déjala todavía **este año**;
   voy a **aflojar** la tierra alrededor
   y a echarle abono, para **ver** si da fruto.
Si no, el año que viene **la cortaré**'".

El episodio aborda algo que preocupa a los creyentes. Las palabras de Jesús no deben sonar duras sino como una advertencia que un hermano hace a sus parientes.

Aquí inicia algo distinto. Marca la palabra "parábola" para que la asamblea lo note.

Al llegar a esta pregunta, mira a la asamblea como invitándola a responder. Nota la contundencia de la frase final.

En Deuteronomio 28 se encuentra este pensamiento, que es negado tanto por Qohélet 8:13–14 como por Jesús mismo varias veces en el Evangelio.

El evangelio de hoy nos habla de dos casos en que murieron varios hombres. En vez de ir al porqué, Jesús lleva la pregunta a la situación de los presentes, a la finalidad. ¿Qué significa para nosotros? ¿Qué podemos nosotros sacar de estos dos hechos? Jesús no niega que nuestras acciones tengan sus consecuencias. Sí las tienen, pero no son irreversibles. Hay la posibilidad de revertirlas. Si cambiamos, podemos cambiar las consecuencias.

La parábola de la higuera nos da una respuesta. No hay que dejar que los casos que le llevaron a Jesús se queden en una simple noticia que pronto se olvidará; debemos preguntarnos sobre la culpabilidad de nuestros hechos. La conducta humana tiene una responsabilidad. La higuera debe dar higos. Si no los da, pierde su sentido. Igual nosotros, si no nos convertimos, si no producimos frutos de penitencia ahora en la Cuaresma, queda la recomendación final del dueño de la higuera. Dale todavía tiempo y ponle lo necesario para que dé frutos. Si no obstante estos cuidados, no fructifica, córtala.

Queda la indicación lucana de este trozo evangélico: el dueño de la higuera da una oportunidad. La Cuaresma es el tiempo de pedir y recibir este perdón. Es importante dirigir nuestra mirada a la oportunidad que nos ofrece el Señor en esta Cuaresma para que demos frutos.

III DOMINGO DE CUARESMA, AÑO A

Debe haber cierta urgencia y hasta angustia en las preguntas que se suceden.

Que Las palabras de la respuesta infundan certeza. Frasea deliberadamente las instrucciones a Moisés.

Prepara la interrogación final. No olvides hacer contacto visual con la asamblea antes de la fórmula de clausura.

I LECTURA   Éxodo 17:3–7

Lectura del libro del Éxodo

En aquellos días, el pueblo, **torturado** por la sed,
    fue a protestar **contra Moisés,** diciéndole:
    "¿Nos has hecho **salir** de Egipto
        para **hacernos morir** de sed a nosotros,
    a nuestros hijos y a nuestro ganado?"
Moisés **clamó** al Señor y le dijo:
    "¿**Qué puedo hacer** con este pueblo?
Sólo falta que me **apedreen**".
Respondió el Señor a Moisés:
    "**Preséntate** al pueblo, llevando contigo
        a algunos de los ancianos de Israel,
    toma en tu mano el cayado con que golpeaste el Nilo y **vete**.
Yo estaré **ante ti**, sobre la peña, en Horeb.
Golpea la peña y saldrá de ella **agua** para que beba el pueblo".

Así lo hizo Moisés a la vista de los ancianos de Israel
    y puso por nombre a aquel lugar **Masá y Meribá**,
    por la **rebelión** de los hijos de Israel
    y porque habían **tentado** al Señor, diciendo:
    "¿**Está** o **no está** el Señor en medio de nosotros?"

I LECTURA El Señor Dios ha sacado a su pueblo de la esclavitud de Egipto, pero no lo lleva inmediatamente a la tierra de los padres, la prometida. Los liberados deben aprender primero lo que significa ser libre. Ser libre conlleva un costo. El pueblo experimentará que la libertad le viene de Dios y que la recepción de ese don trae consigo responsabilidades.

Después de haber celebrado su compromiso con Dios en el monte Sinaí (u Horeb), el pueblo se va a encontrar con la nada, con el vacío, con el desierto. Si bien son libres, deben ser dignos receptores de esa libertad. No murmuran directamente contra Dios al faltarles el agua, sino contra Moisés. A éste le echan la culpa de que los haya sacado de Egipto, de la esclavitud. Lo acusan de que los sacó para que murieran junto con sus animales en el desierto. A los ojos de Moisés esta acusación tiene visos de paranoia. Dudan de la mediación de Dios a través de Moisés. Moisés no sabe qué salida tomar. Entonces se dirige a Dios, quien lo puso en ese puesto. Dios se siente interpelado en la queja y da a Moisés una indicación para solucionar la causa del problema. La solución de Dios contiene elementos que recuerdan a las anteriores soluciones. El bordón (o vara), con que Moisés había castigado a Egipto y con el que había contenido el agua del mar para abrir un camino y pasar al otro lado, debía recordar al pueblo la fuerza y bondad divinas.

Dios manda a Moisés a que pase delante del pueblo, tal como lo hizo antes de cruzar el mar de las Cañas. Lo envía a una roca. La roca es dura, obviamente más que el polvo o la arena. De esa dureza el Señor hace que brote agua. Esta acción se queda muy bien grabada entre el pueblo. La duda en la acción salvadora de Dios por medio de

Para meditar

SALMO RESPONSORIAL Salmo 95:1–2, 6–7, 8–9

R. Ojalá escuchen hoy la voz del Señor: "No endurezcan el corazón".

Vengan, aclamemos al Señor,
 demos vítores a la Roca que nos salva;
 entremos a su presencia dándole gracias,
 aclamándolo con cantos. **R.**

Entren, postrémonos por tierra,
 bendiciendo al Señor, creador nuestro.
Porque él es nuestro Dios,
 y nosotros su pueblo,
 él rebaño que él guía. **R.**

Ojalá escuchen hoy su voz:
 "No endurezcan el corazón como
  en Meribá,
 como el día de Masá en el desierto;
 cuando vuestros padres me pusieron
  a prueba
 y me tentaron, aunque habían visto
  mis obras". **R.**

II LECTURA   Romanos 5:1–2, 5–8

Lectura de la carta del apóstol san Pablo a los romanos

Que las frases de mediación "por…" se noten en la proclamación.

Hermanos:
Ya que hemos sido justificados **por la fe**,
 mantengámonos **en paz** con Dios,
 por mediación de nuestro Señor **Jesucristo**.
Por él hemos obtenido, con **la fe**,
 la **entrada** al mundo de la gracia,
 en el cual nos **encontramos**;
 por él, podemos **gloriarnos**
  de tener la **esperanza** de participar en **la gloria** de Dios.

Da mayor fuerza a la expresión del Espíritu Santo. Ralentiza la frase final para que tenga peso mayor.

La esperanza **no defrauda**,
 porque Dios ha **infundido** su amor en **nuestros corazones**
  por medio del **Espíritu Santo,** que **él mismo** nos ha dado.
En efecto, cuando **todavía** no teníamos fuerzas
  para **salir** del pecado,
 Cristo murió **por los pecadores** en el tiempo **señalado**.

Moisés se convierte en una duda de la presencia de Dios. ¿Está o no Dios entre nosotros? El Señor Dios de nuevo obró ante la imposibilidad humana, pero no sin llamar al pueblo la atención sobre lo que conlleva la libertad: hay que creer; lo que después germinará en fe.

II LECTURA El Evangelio de Cristo Jesús pide al que lo escucha una respuesta, su rechazo o su aceptación. El anuncio proclama que Dios resucitó a Jesús de entre los muertos y que lo ha establecido Señor de cielos y tierra. El que se

ampara bajo su señorío pasa del dominio del pecado y la muerte al reino de la vida nueva, inaugurado con la resurrección del Cristo. Someterse a Cristo es creer en este evangelio, que es la oferta de Dios para la salvación de todo ser humano, sin importar raza ni condición social. Pablo desarrolla en esta parte de la carta a los Romanos cómo es que el creyente se apropia la salvación anunciada.

En el segmento que escuchamos, Pablo primeramente anota el resultado de lo acontecido en Cristo Jesús: establecernos en paz con Dios. En esta paz, Cristo

es el mediador. El trasfondo es el del patronazgo vigente en la sociedad grecorromana. Cuando surge un conflicto entre un subordinado (cliente) y su señor (patrón), hace falta que alguien funja de mediador para acercarlos a restablecer la paz. En el modelo paulino de la reconciliación, la mediación de Cristo les ha conseguido a los creyentes un beneficio doble.

El primer beneficio que aporta la fe es situar al creyente en el estado de gracia divina. La relación con Dios, por tanto, no es una de haber y deber, como si se tratara de una contabilidad, sino de una paz gratuita,

Difícilmente habrá alguien que **quiera morir** por un justo,
　　aunque puede haber **alguno**
　　　　que esté **dispuesto** a morir por una persona
　　　　sumamente buena.
Y **la prueba** de que Dios nos ama
　　está en que Cristo murió **por nosotros**,
　　cuando aún éramos pecadores.

Asegúrate de que "la prueba" se anide en el corazón de la asamblea. Siéntete aludido y exprésalo en tu tono.

EVANGELIO　Juan 4:5–42

Lectura del santo Evangelio según san Juan

Esta lectura requiere una gran preparación. Distingue las escenas y lo más destacado de ellas para que tu tono, velocidad y acentuación guíen a los escuchas.

En aquel tiempo,
　　llegó **Jesús** a un pueblo de Samaria, llamado **Sicar**,
　　cerca del campo que dio Jacob a su hijo José.
Ahí estaba **el pozo de Jacob**.
　　Jesús, que venía **cansado** del camino,
　　se **sentó** sin más en el brocal del pozo.
Era cerca del mediodía.

Entonces llegó una mujer de Samaria a **sacar agua** y Jesús le dijo:
　　"**Dame** de beber".
(Sus discípulos habían ido al pueblo
　　　　a comprar comida).
La samaritana le **contestó**:
　　"**¿Cómo** es que tú, **siendo judío**, me pides de beber **a mi**,
　　　　que soy **samaritana**?"
(Porque los judíos **no tratan** a los samaritanos).
Jesús le dijo:
"Si conocieras **el don de Dios** y **quién es** el que te pide de beber,
　　tú le pedirías **a él**, y él te daría **agua viva**".

Las palabras de Jesús deben intrigar. Da ese tono misterioso a sus frases.

pero de ningún modo "barata" como bien apuntaba un teólogo del siglo pasado que denunciaba que muchos cristianos que cumplen escrupulosamente con todos los preceptos establecidos se consideran salvados por esa fidelidad servil. Esa, decía el teólogo, "es una gracia barata". Pablo habla de lo contrario.

El creyente se gloría no de satisfacer las estipulaciones demandadas por los mandatos divinos, sino de la esperanza cierta de ser glorificado, porque eso hace la gloria de Dios con sus fieles. La fe en Cristo Jesús infunde esa esperanza que nunca se vacía. En

la carta, de hecho, los versos tres a cinco exponen los obstáculos que supera la fe en una especie de encadenamiento: "nos gloriamos en las tribulaciones, sabiendo que la tribulación produce paciencia, la paciencia virtud templada, y la virtud templada esperanza". Ahora se ve que la esperanza cristiana es una convicción que va depurándose conforme el creyente lucha y supera obstáculos del pecado. ¿Pero qué sostiene la fe del creyente?

Con la fe, Dios dona también su Espíritu Santo al que cree; lo infunde en el corazón cuando, por la fe, reconoce que Dios ha

venido a encontrarlo siendo todavía pecador. El pecado es lo más detestable a los ojos de Dios, y deja al pecador incapacitado para acercarse a su Hacedor. Pero es el amor de Dios el que vence el pecado y abre la puerta de la gracia divina.

En el camino cuaresmal —y catecumenal— hacia la regeneración por los sacramentos pascuales, la persona va examinando sus actitudes y sus acciones ("pensamiento, palabra, obra y omisión", confesamos cada domingo) para reconocer esa condición pecadora dominada por el egoísmo que atosiga. Lejos de desesperarse

La mujer le respondió:
"Señor, **ni siquiera** tienes con qué sacar agua
y el pozo es **profundo,**
¿**cómo** vas a darme **agua viva**?
¿**Acaso** eres tú **más** que nuestro padre Jacob,
que nos dio **este pozo,** del que bebieron él,
sus hijos y sus ganados?"
Jesús le contestó: "El que bebe de esta agua **vuelve** a tener sed.
Pero el que beba del agua que yo le daré, **nunca más** tendrá sed;
el agua que **yo le daré** se convertirá **dentro de él**
en un **manantial** capaz de dar **la vida eterna**".

La mujer le dijo:
"Señor, dame de esa agua para que no vuelva a tener sed
ni tenga que venir hasta aquí a sacarla".
Él le dijo:
"Ve a llamar a tu marido y vuelve".
La mujer le contestó:
"No tengo marido".
Jesús le dijo:
"Tienes razón en decir: 'No tengo marido'.
Has tenido cinco, y el de ahora no es tu marido.
En eso has dicho la verdad".

La mujer le dijo:
"Señor, ya veo que eres **profeta.**
Nuestros padres dieron culto **en este monte**
y ustedes **dicen** que el sitio donde
se debe dar culto está **en Jerusalén**".
Jesús le dijo: "**Créeme,** mujer, que se acerca la hora
en que **ni en este monte** ni en Jerusalén adorarán al Padre.
Ustedes adoran **lo que no conocen;**
nosotros adoramos **lo que conocemos.**
Porque la salvación **viene** de los judíos.

Culmina la revelación del agua viva; da intensidad y cierta lentitud a esas palabras.

La mujer es instruida y busca respuestas. Este diálogo no es una controversia; evita toda rispidez.

---

o quedar abrumado por sus caídas, el fiel ha de mirar el amor de Dios, el Espíritu Santo infundido con la fe, para cobijarse bajo la gracia misericordiosa que el Creador nos oferta en Cristo. Este es el propósito de estos días de escrutinio y renovación en el corazón de la Iglesia.

EVANGELIO Después de haber hablado largo y tendido con Nicodemo, importante representante de los judíos, Jesús va a hablar ahora con una representante del pueblo samaritano, una mujer anodina que va en busca de agua.

Jesús aprovecha cualquier detalle para entrar en conversación e injertar su mensaje en la persona. Aquí el detalle es el agua del pozo. La mujer va en busca de agua. Muestra en esto una necesidad vital, que como todo lo que es importante se manifiesta en cosas simples, aquí lo es en el agua. En el pueblo de Sicar estaba el pozo que la tradición atribuía al patriarca Jacob, del que los samaritanos se sentían herederos legítimos.

La conversación empieza con una normal petición de Jesús: "Dame de beber". Es una súplica sencilla que habría hecho cual-

quier peregrino que pasaba por esa parte de Samaría. La mujer es samaritana y muy perspicaz. Se da cuenta de que es un judío el que le está pidiendo agua. El hecho que le pida agua a ella es raro, porque entre judíos y samaritanos había una enemistad de siglos. Jesús aprovecha la admiración para empezar a interesar a la mujer y abrirle poco a poco su corazón. Él tiene el agua que llena y evita la molestia de andar buscándola continuamente en pozos. La mujer entiende que le está hablando en sentido figurado. Es una llamada de Jesús a que se eleve la mujer a una plática más seria, espiritual.

Pero se acerca la hora, **y ya está aquí**,
  en que los que quieran dar culto **verdadero**
    adorarán al Padre **en espíritu y en verdad**,
  porque **así es** como el Padre **quiere** que se le dé culto.
Dios es **espíritu**, y los que lo adoran
  deben hacerlo en espíritu **y en verdad**".

Ensaya el "Soy yo, el que habla contigo".
Con esto culmina el diálogo con la mujer.

La mujer le dijo: "**Ya sé** que va a venir el Mesías
    (es decir, **Cristo**).
Cuando venga, **él** nos dará razón **de todo**".
Jesús le dijo: "**Soy yo,** el que habla contigo".

En esto **llegaron** los discípulos
  y se **sorprendieron** de que estuvieran conversando **con
    una mujer**;
  sin embargo, **ninguno** le dijo:
  '**¿Qué** le preguntas o **de qué** hablas con ella?'
Entonces la mujer dejó su cántaro,
  se fue **al pueblo** y comenzó a decir a la gente:
  "**Vengan** a ver a un hombre que me ha dicho
    todo lo que he hecho.
¿No será éste **el Mesías**?"
Salieron del pueblo y se pusieron **en camino** hacia donde él estaba.

Acelera tu lectura como acompañando
las acciones de la mujer que actúa con
toda presteza.

Mientras tanto, sus discípulos le **insistían**:
  "Maestro, **come**".
Él les dijo:
    "Yo **tengo** por comida, un **alimento** que ustedes **no conocen**".
Los discípulos comentaban **entre sí**:
    "¿Le habrá traído alguien **de comer**?"
Jesús les dijo:
  "Mi **alimento** es hacer la voluntad del que **me envió**
    y llevar a **término** su obra.
¿**Acaso** no dicen ustedes que **todavía** faltan
    cuatro meses para la siega?

La mujer no quiere ir por ese camino y prefiere lo superficial: conocer por curiosidad. Le hace una serie de preguntas generales que se escuchaban entre el pueblo. Los temas son religiosos: lo de la adoración legítima a Dios, si debe ser en el templo de Siquén o en el de Jerusalén. Nada personal. Había negado que Jesús le pudiera dar agua, pues ni siquiera traía cántaro. Pero Jesús le hace entender que su identidad no acaba en lo que ella ve, porque tiene un regalo maravilloso. Ella concede y le pide eso que parece absurdo. A su vez, para otorgar el don de agua viva, Jesús va a condicionarla.

Ahora Jesús va a lo profundo. Le pregunta por su marido. La mujer confiesa que no tiene esposo. Pero siente el golpe, deja ya las preguntas porque ya Jesús ha llegado a tocarle una fibra sensible. Tendrá que oír la afirmación plena de Jesús a su pregunta sobre el Mesías. Al confesarle que él es, se transforma y se va a anunciar a Jesús. Nos deja el narrador un pequeño detalle, la mujer olvidó el cántaro, objeto de su ida al pozo de Jacob, pero se ha llevado la gran pregunta vital. ¿Quién será ese hombre que le ha revelado lo de su marido?

La Cuaresma nos pide conocernos mejor, reconocernos. Como la mujer samaritana, dejarnos de pequeñeces y de asuntos que son de interés general y que no nos tocan en lo interior de nuestra relación con Dios y hurgar que hay de esto último. ¿Realmente tenemos un conocimiento interno de Jesús? Y algo muy importante, ¿lo hemos comunicado a los demás?

Son palabras que invitan a la reflexión y explican lo que la mujer ha hecho y lo que está desarrollándose en el relato.

Avanza con naturalidad. Esto es lo que las palabras previas anticiparon.

Este testimonio es poderoso, de primera mano. La asamblea debe reconocerlas como suyas; aquí están los samaritanos.

Pues bien, **yo** les digo:
  Levanten los ojos y **contemplen** los campos,
    que ya están **dorados** para la siega.
Ya el segador **recibe** su jornal y almacena
    frutos para la **vida eterna.**
De **este** modo se alegran **por igual** el sembrador y el segador.
Aquí **se cumple** el dicho:
    '**Uno** es el que siembra y otro **el que cosecha**'.
Yo los envié a **cosechar** lo que no habían **trabajado.**
Otros trabajaron y ustedes **recogieron** su fruto".

Muchos samaritanos de aquel poblado
    creyeron en Jesús por el testimonio de la mujer:
    'Me dijo **todo** lo que he hecho'.
Cuando los samaritanos **llegaron** a donde él **estaba**,
    le **rogaban** que se quedara con ellos, y **se quedó allí** dos días.
Muchos más creyeron **en él** al oír su palabra.
Y decían **a la mujer**:
    "**Ya** no creemos por lo que tú nos **has contado**,
      pues **nosotros mismos** lo hemos oído
    y sabemos **que él es,** de veras,
      el **salvador** del mundo".

Abreviado: *Juan 4:5–15, 19–26, 39, 40–42*

IV DOMINGO DE CUARESMA, AÑO C

La primera frase debe sonar categórica, pero sin tono altanero.

El tono es celebrativo, aunque nada se diga de los festejos. Es la primera fiesta de Pascua en el país y celebra que Dios cuida siempre de su pueblo liberado.

Para meditar

I LECTURA   Josué 5:9, 10–12

Lectura del libro de Josué

En aquellos días, el Señor dijo a Josué:
   "**Hoy** he quitado de encima de ustedes el **oprobio** de Egipto".

Los israelitas acamparon en Guilgal,
   donde **celebraron** la Pascua, al atardecer del día catorce del mes,
   en la llanura desértica de Jericó.
El día siguiente a la Pascua, comieron del fruto de la tierra,
   panes **ázimos** y granos de trigo tostados.
A partir de aquel día, **cesó** el maná.
Los israelitas ya **no volvieron** a tener maná,
   y desde **aquel** año
      comieron de los frutos que **producía** la tierra de Canaán.

SALMO RESPONSORIAL   Salmo 34:2–3, 4–5, 6–7

R. Gusten y vean qué bueno es el Señor.

Bendigo al Señor en todo momento,
   su alabanza está siempre en mi boca;
   mi alma se gloría en el Señor:
   que los humildes lo escuchen y se
      alegren. **R.**

Proclamen conmigo la grandeza del Señor,
   ensalcemos juntos su nombre.
Yo consulté al Señor, y me respondió,
   me libró de todas mis ansias. **R.**

Contémplenlo, y quedarán radiantes,
   el rostro de ustedes no se avergonzará.
Si el afligido invoca al Señor, él lo escucha
   y lo salva de sus angustias. **R.**

I LECTURA   Josué es una de las figuras mayores de la Biblia. Su nombre viene pegado a la entrada a la Tierra Prometida. La lectura de hoy aborda la celebración de la Pascua, una de las dos instituciones que fueron distintivas de Israel. Esta parte del libro de Josué fue compuesta con los recuerdos antiguos que conservaba el pueblo, pero su forma actual se la debemos a la generación que vino después del destierro babilónico a ocupar esta franja de tierra palestina.

La comunidad que escucha se enfrenta a las expresiones "Hoy", "En este día", "En aquel año" y otras. El autor quiere hacer presentes estos elementos de la narración al echar una mirada hacia el pasado y al futuro. Dios, dice Josué, les quita en esos momentos "La vergüenza de Egipto", lo que indica sujeción, esclavitud y peligro de muerte. En su lugar, Dios les ofrece un futuro de libertad, autodeterminación y gusto por los frutos cosechados en tierra propia. El texto escogido se refiere fundamentalmente a la Pascua, cuyo centro contiene la liberación de la esclavitud y la aceptación de la libertad, o sea un modo de vivir digno del pueblo de Dios. Al celebrar estos dos ritos

al principio de la entrada a la Tierra de Canaán, el autor quiere señalar que ambos son fundamental para todas las generaciones. Entre éstas estamos también los cristianos, herederos de las promesas.

Cuando no aparece más el maná, don de Dios, se termina el tiempo del maravilloso alimento divino y empieza la época de la sedentarización a partir de la cual la comida dependerá del fruto del trabajo de cada uno.

Al colocarnos frente a este relato, la liturgia quiere recordar a los cristianos que estamos ante el mismo caso que los antiguos hebreos; el "hoy" nos alcanza en

Recupera tu espíritu de alegre humildad por saberte redimido y pronuncia con convicción esta lectura.

II LECTURA   2 Corintios 5:17–21

Lectura de la segunda carta del apóstol san Pablo a los corintios

Hermanos:
El que vive **según** Cristo es una criatura nueva;
para él todo lo viejo **ha pasado**. Ya todo **es nuevo**.

Todo esto **proviene** de Dios,
que nos **reconcilió** consigo por medio de Cristo
y que nos confirió el ministerio de **la reconciliación**.
Porque, **efectivamente**, en Cristo,
Dios **reconcilió** al mundo consigo
y **renunció** a tomar en cuenta los pecados de los hombres,
y a nosotros **nos confió** el mensaje de la reconciliación.
Por eso, nosotros somos **embajadores** de Cristo,
y por nuestro medio,
es **Dios mismo** el que los exhorta a ustedes.
En **nombre** de Cristo les pedimos que **se reconcilien** con Dios.

Al que **nunca** cometió pecado,
Dios lo hizo "**pecado**" por nosotros,
para que, **unidos a él**, recibamos la salvación de Dios
y nos volvamos **justos y santos**.

Este párrafo causa estupor. Frasea con mucho cuidado cada línea, enfatizando el resultado de la obra divina.

EVANGELIO   Lucas 15:1–3, 11–32

Lectura del santo Evangelio según san Lucas

En aquel tiempo,
se acercaban a Jesús los publicanos y los pecadores
para **escucharlo**.
Por lo cual los fariseos y los escribas **murmuraban** entre sí:
"Éste **recibe** a los pecadores y **come** con ellos".

Captura el espíritu evangélico de las primeras líneas. Da calidez a tu tono para que la asamblea se sienta involucrada.

medio de la Cuaresma, porque nos alistamos para celebrar la Pascua. Así como cambió la vida de esos hebreos, así la Pascua cristiana debe cambiar radicalmente nuestra vida y orientarnos a esa nueva tierra a la que nos conduce el Resucitado.

II LECTURA El concepto de reconciliación guía la segunda lectura de hoy. La palabra indica volver a conciliar o traer a un acuerdo partes que, por algún motivo, se han separado. Hay que remover el motivo que las distancia para que vuelvan a la armonía mancomunada. De esto habla

Pablo en esta sección de la carta. La relación del Apóstol con la comunidad de Corinto venía pasando por una situación enojosa. Aunque desconocemos los pormenores, en tono genérico, puede decirse que hay un individuo (¿representaba a una facción?) que confrontó al propio Pablo. Pablo debió alejarse para evitar que la rispidez escalara. Ahora, aunque la situación parece haberse superado, este trasfondo le da un sentido muy concreto al discurso sobre la reconciliación.

La reconciliación llevada a cabo por Dios es una obra pasmosa, pues lo que

separa a la humanidad de su Creador es el pecado. Dios salva la separación de una manera tan inaudita como pavorosa. Pablo lo dice con unas formulaciones tan profundas como inquietantes. Hablando de Cristo, apunta que "al que nunca cometió pecado, Dios lo hizo pecado por nosotros". Hacer pecado al Inocente habla de la asunción plena de la humanidad en la obra de la salvación. La humanidad marcada por el pecado no puede sino pecar; está incapacitada de agradar a Dios o de ejercer la justicia ante Dios. El Cristo de Dios, Jesús, en su muerte, es "hecho pecado", pues la muerte

Jesús les dijo entonces esta **parábola**:
    "Un hombre tenía **dos** hijos, y el **menor** de ellos
        le dijo a su padre:
    '**Padre**, dame la **parte** de la herencia que me toca'.
Y él **les repartió** los bienes.

No muchos días después, el hijo menor, juntando todo lo suyo,
    se fue a un país **lejano**
    y allá **derrochó** su fortuna, viviendo de una manera **disoluta**.
Después de **malgastarlo** todo,
    sobrevino en aquella región una **gran hambre**
    y él empezó a padecer **necesidad**.
Entonces fue a pedirle **trabajo** a un habitante de aquel país,
    el cual lo mandó a sus campos **a cuidar cerdos**.
Tenía ganas de **hartarse** con las bellotas que comían los cerdos,
    pero **no lo dejaban** que se las comiera.

Se puso entonces a reflexionar y se dijo:
    '¡**Cuántos** trabajadores en casa de mi padre tienen pan **de sobra**,
    y yo, aquí, me estoy **muriendo** de hambre!
Me levantaré, **volveré** a mi padre y le diré:
    Padre, **he pecado** contra el cielo y **contra ti**;
    ya **no merezco** llamarme hijo tuyo.
Recíbeme como a uno de tus trabajadores'.

Enseguida se puso en camino hacia la casa de su padre.
Estaba todavía **lejos**,
    cuando su padre **lo vio** y se enterneció **profundamente**.
Corrió hacia él, y echándole los brazos al cuello,
    lo cubrió de besos.
El muchacho le dijo:
    'Padre, **he pecado** contra el cielo y **contra ti**;
    ya no merezco llamarme **hijo tuyo**'.

Los males del hijo menor empeoran. Subraya el hambre y la línea final de esta sección.

Acelera tu lectura con las acciones del padre. Envuélvete en el entusiamo del encuentro y compártelo con tu postura.

evidencia la humanidad cabal del Inocente. Justamente aquel motivo de discordia es asumido por Dios para crear la nueva concordia. Y todo esto realizado en su Hijo, al que no podía dejar en poder de la muerte. Dios resucita el cuerpo de Jesús, y al creer en él, nos le unimos para vivir justificados en su carne.

Lo que corresponde al creyente es vivir en consonancia con la obra de Dios: vivir en santidad y justicia. Todo aquello marcado por el pecado —es decir, por la rebeldía al mandamiento de Dios— debe ser abandonado, dejado atrás, porque pertenece al mundo viejo. Las divisiones y los enconos larvados en la comunidad deben ser abortados por los cristianos con la fuerza de la reconciliación que la muerte y resurrección de Cristo ha generado. Ser santos es abrazar la justicia de la obra divina, que en estos días de la Cuaresma se nos vuelve a ofertar.

EVANGELIO El capítulo 15 del Evangelio según san Lucas contiene tres parábolas que abordan la alegría que experimenta la persona que perdió algo. Este algo es una moneda, un animal o un hijo. Generalmente, la parábola que habla de la pérdida del hijo ha sido interpretada a partir del arrepentimiento del hijo. Otros intérpretes, pocos, se han fijado en el hermano que se molesta por el perdón paterno. Pocos también han enfatizado la misericordia del padre.

Jesús ser humano estaba dotado de un sentido agudo de la observación y tenía una mentalidad creativa. Arma una parábola en la crea literariamente tres personajes centrales: un padre, un hijo menor y otro mayor. El hijo menor es un desobligado que pide su herencia por adelantado. Esto era una gran

Pero **el padre** les dijo a sus criados:
  '¡**Pronto**!, traigan la túnica más rica y **vístansela**;
  pónganle un anillo en el dedo y sandalias en los pies;
  traigan el becerro gordo y **mátenlo**.
Comamos y hagamos **una fiesta**,
  porque este hijo mío estaba muerto y ha vuelto **a la vida**,
  estaba perdido y lo **hemos encontrado**'.
Y empezó el banquete.

El hijo mayor estaba en el campo y al volver,
  cuando se acercó a la casa,
  oyó la música y los cantos.
Entonces **llamó** a uno de los criados
  y le preguntó **qué pasaba**.
Éste le contestó:
  'Tu hermano **ha regresado**
  y tu padre mandó matar el becerro gordo,
  por haberlo recobrado **sano y salvo**'.
El hermano mayor **se enojó** y no quería entrar.

Salió entonces el padre y **le rogó** que entrara; pero él replicó:
  '¡Hace **tanto** tiempo que te sirvo,
  sin desobedecer **jamás** una orden tuya,
  y tú no me has dado **nunca** ni un cabrito
    para comérmelo con mis amigos!
Pero eso sí, viene ese **hijo tuyo**,
  que **despilfarró** tus bienes con **malas** mujeres,
  y **tú** mandas matar el becerro **gordo**'.

El padre repuso:
  '**Hijo**, tú **siempre** estás conmigo y **todo** lo mío es tuyo.
Pero era **necesario** hacer fiesta y **regocijarnos**,
  porque este hermano tuyo **estaba muerto** y ha vuelto **a la vida**,
  estaba **perdido** y lo hemos **encontrado**' ".

Hay como un nuevo arranque. Aunque es conocida la escena, no la leas con rapidez. La asamblea debe percibir lo que el hijo cavila.

Más que reclamo es amargura lo que tiene la voz del hijo mayor.

Con serenidad y en tono confidente, dale voz a la alegría del padre.

injuria en esa sociedad. Había que esperar la muerte del padre. El hijo mayor sí se sujeta a las costumbres de la época. Le va mal al hijo menor. No invierte su fortuna, la malgasta en diversiones insulsas hasta arruinarse. Cuando el hambre lo asalta recuerda que en la casa paterna los esclavos son tratados bien. Entonces se le ocurre que tal vez su padre lo admita de esclavo, porque jamás lo admitirá como hijo con derechos. Él ha dilapidado todos derechos, y de la peor forma.

El padre esperaba el regreso de su hijo, sin más interés que el cariño. Por esto,

cuando lo ve venir desde lejos, se adelanta a abrazarlo y besarlo. No deja siquiera que el hijo termine la frase de petición; lo recibe con gran alegría como si nada hubiera pasado.

El hijo mayor no comprende la alegría del padre. En aquél no hay más que interés. El padre es bueno también con él. Lo invita a alegrarse con él y con su hermano. Como buen narrador, Jesús deja allí el final para que el lector se aplique la parábola. Creo yo que así debemos entenderla también los lectores de hoy y mañana. Un final abierto,

como pregunta, que nos deja el Señor para que cada uno de nosotros lo resolvamos.

IV DOMINGO DE CUARESMA, AÑO A

I LECTURA   1 Samuel 16:1, 6–7, 10–13

Lectura del primer libro de Samuel

Relato ameno, popular y lleno de candor: que tu tono haga distintiva cada escena.

En aquellos días, dijo el Señor a Samuel:
  "**Ve** a la casa de Jesé, en **Belén**,
  porque de entre sus hijos me he escogido **un rey**.
Llena, pues, tu cuerno de aceite para ungirlo y **vete**".

Cuando **llegó** Samuel a Belén y vio a Eliab,
  el hijo mayor de Jesé, pensó:
  "Éste es, **sin duda**, el que voy a **ungir** como rey".

Nota que Dios conduce la acción desde dentro; dándole un cierto tono de complicidad a tu voz; baja su volumen.

Pero el Señor le dijo:
  "**No** te dejes impresionar por su **aspecto** ni por su **gran** estatura,
  pues yo lo he **descartado**,
  porque yo **no juzgo** como juzga **el hombre**.
El hombre se fija en **las apariencias**,
  pero el Señor se fija en **los corazones**".

Así fueron pasando ante Samuel **siete** de los hijos de Jesé;
  pero Samuel dijo:
  "**Ninguno** de éstos es el **elegido** del Señor".

En el último párrafo, página siguiente: Imprime entusiasmo a la orden de Dios. Alarga la línea final y haz contacto visual con el auditorio.

Luego le preguntó a Jesé:
  "¿Son éstos **todos** tus hijos?"
Él respondió:
  "Falta el **más pequeño**, que está cuidando el rebaño".

I LECTURA David es una figura fuerte dentro de la Biblia. Lo es por haber sido elegido por Dios para ser un rey diferente de Saúl, pues como le dice Dios a Samuel: "El hombre se fija en las apariencias, pero el Señor se fija en los corazones".

Como humano que era, David tuvo deficiencias que supo reconocer. No buscó maneras de justificar sus graves falencias, avergonzado, las aceptó. Con todo, él siempre tuvo al Señor en su corazón, y esto lo hace singular.

En primer lugar, la narración de la unción de David es presentada en la primera lectura de hoy de una manera simple, con el halo que tienen los cuentos que se guardan con esmero entre el pueblo. El narrador dice claramente que David fue elegido por Dios. Ya se cuidará el Señor de ofrecerle las oportunidades para que se manifieste su elección.

Entre los hermanos de David que fueron llamados por orden del profeta Samuel para designar de parte de Dios al que sucedería a Saúl, David ni siquiera fue tenido en cuenta en la primera ronda. Él era el más pequeño, y para lo único que servía era para cuidar el pequeño rebaño que tenía su familia. David aprendió desde chico a cuidar ovejas. El oficio rústico de ser pastor hará que aprenda a defender las ovejas de las amenazas de las fieras y hasta a quitárselas cuando se las quieran llevar. Esta enseñanza estaba incluida dentro del mandato que había recibido el profeta Samuel de Dios: "Úngelo, porque éste es".

Esta elección se manifestará en la batalla del valle de Ela. Las virtudes aprendidas en el cuidado de las ovejas, David las va a describir al rey Saúl, cuando éste lo llame

Samuel le dijo:
"Hazlo **venir,** porque no nos sentaremos a comer
hasta que llegue".
Y Jesé lo mandó llamar.

El muchacho era **rubio,** de ojos vivos y **buena presencia.**
Entonces el Señor dijo a Samuel:
"Levántate y **úngelo,** porque **éste es**".
Tomó Samuel el cuerno con el aceite
y lo **ungió** delante de sus hermanos.

Para meditar

SALMO RESPONSORIAL   Salmo 22:1–3a, 3b–4, 5, 6

R. El Señor es mi pastor, nade me falta.

El Señor es mi Pastor, nada me falta:
en verdes praderas me hace recostar;
me conduce hacia fuentes tranquilas
y repara mis fuerzas. **R.**

Me guía por el sendero justo,
por el honor de su nombre.
Aunque camine por cañadas oscuras,
nada temo, porque tú vas conmigo:
tu vara y tu cayado me sosiegan. **R.**

Preparas una mesa ante mí,
enfrente de mis enemigos;
me unges la cabeza con perfume,
y mi copa rebosa. **R.**

Tu bondad y tu misericordia me acompañan
todos los días de mi vida,
y habitaré en la casa del Señor
por años sin término. **R.**

II LECTURA   Efesios 5:8–14

Lectura de la carta del apóstol san Pablo a los efesios

Este exhorto a vivir cristianamente pronúncialo con el ánimo y la convicción de quien conoce bien ese camino.

Hermanos:
En otro tiempo ustedes fueron **tinieblas,**
pero **ahora,** unidos al Señor, **son luz.**
Vivan, por lo tanto, como **hijos** de la luz.
Los **frutos** de la luz son **la bondad,** la santidad y **la verdad.**
Busquen lo que es **agradable** al Señor
y no tomen parte en las obras **estériles** de los que son **tinieblas.**

---

para desanimarlo de ir a pelear contra Goliat. En el corazón de ese muchacho hay un corazón sencillo que, por ser tan llano, dice lo que siente y hace lo que hace. Habilidoso con la honda, él ve las posibilidades de vencer con ella al filisteo. Como sabe tirar bien, calcula que puede pegarle en la frente al guerrero filisteo Goliat; en caso de errar, jamás podría alcanzarlo Goliat, armado de fierro.

Esta sencillez de corazón es lo que llamamos humildad, reconocimiento de lo que uno es. Por esto en la narración de hoy, el Señor descarta a sus hermanos porque,

aunque tienen la apariencia, por dentro no hay nada.

La primera lectura debe llevarnos a los que nos preparamos para la Pascua a considerar esa virtud básica para cambiar de vida: la humildad, o sea un corazón como el de David. Tal vez la arrogancia y la soberbia se han apoderado de nosotros en lo que va del milenio. La epidemia por la que estamos pasando es una llamada de Dios a volver a ese corazón simple y llano como el de este pequeño David, quien llegó a ser el gran rey precisamente por confiar más en Dios que en sus rudimentarias habilidades. Se cono-

cía bien, y esto fue suficiente para dejarse guiar por Dios, quien era el que obraba en favor de su pueblo.

II LECTURA Estamos en la sección exhortativa de la carta. Desde la exhortación, el creer (el tener fe) no es lo decisivo en la vida del ser humano, sino el hacer. Lo determinante es obrar conforme a las convicciones que se tienen y que se cultivan. Se nota que, para algunos de los destinatarios del escrito (una comunidad cristiana), el haberse hecho bautizar en el nombre de Cristo no les significó

Amaina un tanto el paso de tu proclamación y haz que se note la palabra "luz" a lo largo de toda la lectura.

Al contrario, repruébenlas **abiertamente**;
    porque, si bien las cosas que ellos hacen **en secreto**
        da rubor **aun mencionarlas**,
    al ser **reprobadas** abiertamente, todo queda **en claro**,
    porque **todo** lo que es iluminado
        por la luz se **convierte** en luz.

Por eso se dice: *Despierta, tú que duermes;*
    levántate de entre los muertos y Cristo será tu luz.

EVANGELIO   Juan 9:1–41

Lectura del santo Evangelio según san Juan

El relato tiene varios cuadros. Identifícalos y da acentuación propia a los personajes que van apareciendo.

En aquel tiempo,
    Jesús vio al pasar a un ciego **de nacimiento**,
    y sus discípulos le preguntaron:
    "Maestro, ¿**quién** pecó para que éste naciera ciego,
        él o sus padres?"
Jesús respondió:
    "Ni **él** pecó, ni **tampoco** sus padres.
Nació **así** para que **en él** se manifestaran las obras de Dios.
Es **necesario** que yo haga las obras del que me **envió**,
    mientras es **de día**,
    porque luego llega la noche y ya **nadie** puede trabajar.
Mientras esté en el mundo, **yo soy** la luz del mundo".

Aunque estas palabras son muy solemnes, haz que suenen naturales y comunes. Es el modo de hablar de Jesús en este evangelio.

Dicho esto, escupió en el suelo, hizo **lodo** con la saliva,
    se lo puso en los ojos al ciego y le dijo:
"**Vé** a lavarte en la piscina de **Siloé**" (que significa '**Enviado**').
Él fue, **se lavó** y volvió **con vista**.

---

un cambio de vida, pues seguían con sus arraigados modos de pensar y actuar. Ahora, esta exhortación coloca a los creyentes ante la realidad desde la perspectiva dualista de la luz y las tinieblas a fin de que entiendan mejor lo que implica su conversión.

El autor establece un antes, que identifica la situación de vida sin Cristo. Sin Cristo, los efesios eran tinieblas. No es que el ser humano sea intrínsecamente tenebroso y malo. El exhorto se vale de la metáfora para indicar la ética que gobierna los actos de los efesios a partir de lo que producen.

Los frutos malos de un árbol nos dicen que el árbol es malo. Del mismo modo, por los actos se juzga la naturaleza de los efesios. Sin especificar aquí las obras tenebrosas, se dice que son estériles y vergonzantes; implícitamente, es obvio que son obras que no agradan a Dios. Desde las líneas últimas se deduce que los efesios vivían como dormidos, y aquí esta condición se asimila a la de los muertos. A partir de aquí se traza la línea ética de lo que significa vivir acorde a la nueva condición de bautizados, vivir en la luz.

La luz es Cristo. En el bautismo los creyentes recibieron esa luz. Cuando fueron sumergidos en el agua bautismal, se levantaron mirando hacia donde nace la luz del sol. Éste es el trasfondo del exhorto que urge a los efesios a actuar en consecuencia. Éste es el después que no ha cesado y que se prolonga hasta ahora.

Las obras de la luz agradan a Dios y representa una vida luminosa. El autor enuncia tres sustantivos (o cualidades) que resumen las obras de la luz: la bondad, la santidad y la verdad. Estas son tres condiciones de Dios, de quien los efesios son

Aparecen las voces de los vecinos y conocidos. No separes mucho una opinión de otra ni sus reacciones.

Entonces los vecinos y los que lo habían visto antes
    pidiendo limosna, preguntaban:
    "¿No es **éste** el que se sentaba a pedir limosna?"
Unos decian: "Es **el mismo**".
Otros: "No es él, sino que **se le parece**".
Pero él decía: "**Yo soy**".
Y le preguntaban:
    "Entonces, ¿**cómo** se te abrieron los ojos?"
Él les respondió:
    "El **hombre** que se llama Jesús hizo lodo,
    me lo puso en los ojos y me dijo:
    'Ve a Siloé y **lávate**'.
Entonces **fui,** me lavé y comencé **a ver**".
Le preguntaron: "¿En **dónde** está él?"
Les contestó: "**No lo sé**".

Entran en el relato los fariseos, pero es el curado la voz principal; debe ir sonando más y más conconvincente.

Llevaron entonces ante los fariseos al que **había sido** ciego.
Era **sábado** el día en que Jesús hizo lodo y le abrió los ojos.
También los fariseos le preguntaron **cómo** había adquirido la vista.
Él les contestó:
    "Me puso lodo en los ojos, me lavé y **veo**".
Algunos de los fariseos comentaban:
    "Ese hombre **no viene** de Dios, porque no guarda el sábado".
Otros replicaban:
    "¿**Cómo** puede un pecador hacer semejantes prodigios?"
Y había **división** entre ellos.
Entonces **volvieron** a preguntarle al ciego:
    "Y tú, ¿**qué piensas** del que te abrió los ojos?"
Él les contestó: "Que es **un profeta**".

Procura que las autoridades suenen como verdaderos fiscales, pero sin exagerar el tono demandante.

Pero los judíos **no creyeron** que aquel hombre,
    que había sido ciego, hubiera **recobrado** la vista.
Llamaron, pues, a sus padres y les preguntaron:
    "¿Es éste **su hijo,** del que ustedes **dicen** que nació ciego?
¿Cómo es que **ahora** ve?"
Sus padres contestaron:
    "Sabemos que **éste** es nuestro hijo y que nació **ciego**.

hijos. Se espera que ellos obren en consecuencia, pues han sido unidos a Cristo y no les cabe sino vivir agradando a su Padre.

Igual que los efesios, los cristianos de hoy tenemos el reto de ser personas luminosas con nuestras obras. La bondad es mucho más que ser buenas personas; consiste en hacer el bien incluso en condiciones adversas. Lo mismo sucede respecto a la santidad. Santificarse es hacer cosas santas, transparentes, donde Dios brille, no uno. La verdad debe llevarnos a ser coherentes y leales como lo es Dios. Estos son los frutos que producen vida y nos mueven

a abrazar esa luz que recibimos en el bautismo. Ese día fuimos convertidos en hijos de la luz. Esto es lo que nos convoca para ser Iglesia, pueblo de luz para el mundo.

EVANGELIO La historia del ciego de nacimiento es una obra de arte. Está descrita de una forma que el lector fácilmente es introducido en escena. Ve y oye a los personajes. Por otro lado, la rapidez de lo que pasa hace muy atractiva su lectura. Los personajes van y vienen, y uno se pone a su lado. Uno como lector ve y oye e inconscientemente va tomando partido,

que es lo que el autor quiere. El autor, al igual que Jesús, se esconde en los personajes. Aun cuando Jesús es el personaje principal del relato, aparece al final para recapitular y responder a la pregunta que se hace al principio de la narración.

En tiempo de Jesús era una enfermedad bastante extendida. El ciego del evangelio de hoy era conocido y a la vez ignorado. Siempre estaba pidiendo limosna a un lado de la puerta exterior del templo. Los discípulos se interesaron en el ciego por curiosidad. El caso les dio la oportunidad de exponer un problema que ha estado

Los padres del curado deben oírse como queriéndose lavar las manos en todo este proceso.

Cómo es que **ahora** ve o quién le haya dado la vista,
    no lo sabemos.
Pregúntenselo **a él;** ya tiene edad **suficiente**
    y responderá **por sí mismo**".
Los padres del que había sido ciego dijeron esto
        por miedo a los judíos,
    porque éstos ya habían convenido en **expulsar** de la sinagoga
        a quien **reconociera** a Jesús como **el Mesías**.
Por eso sus padres dijeron: 'Ya tiene edad; **pregúntenle** a él'.

Esta escena incluye varias intervenciones y concluye el proceso del curado. Haz que vaya creciendo el tono duro, pues hasta insultos se reportan.

Llamaron **de nuevo** al que había sido ciego y le dijeron:
    "Da **gloria** a Dios.
Nosotros **sabemos** que ese hombre es pecador".
Contestó él:
    "Si es pecador, **yo no lo sé;** sólo sé que yo **era** ciego
        y **ahora** veo".
Le preguntaron **otra** vez:
"¿**Qué** te hizo? ¿**Cómo** te abrió los ojos?".
Les contestó:
"Ya se lo dije a ustedes **y no** me han dado crédito.
¿Para qué quieren oírlo **otra vez**?
¿Acaso **también** ustedes quieren hacerse discípulos **suyos**?"
Entonces ellos lo llenaron **de insultos** y le dijeron:
    "Discípulo de ése **lo serás tú**.
Nosotros somos discípulos **de Moisés**.
Nosotros **sabemos** que a Moisés le **habló Dios**.
Pero ése, no sabemos **de dónde viene**".

A la dureza de las autoridades contrasta con la serena convicción del curado. Imprime firmeza a su voz.

Replicó aquel hombre:
    "Es curioso que **ustedes** no sepan de **dónde** viene
    y, sin embargo, me **ha abierto** los ojos.
Sabemos que Dios no escucha a **los pecadores,**
    pero al que lo teme y **hace su voluntad,** a ése sí lo escucha.
Jamás se había oído decir que alguien **abriera** los ojos
        a un ciego **de nacimiento**.
Si éste no viniera **de Dios,** no tendría **ningún** poder".

presente en todos los tiempos. ¿Quién tiene la culpa de una enfermedad? De nuevo, lo exterior provoca la pregunta al Maestro sobre la culpabilidad de esta ceguera. Mientras a los discípulos los motiva una simple curiosidad, Jesús mira al ciego con otros ojos y lo cura.

La curación de por sí ya es significativa para el público y, en concreto, para los que habían sido testigos de ella. Jesús había mandado al ciego a la piscina de Siloé a lavarse el lodo con el que le había cubierto los ojos. El autor traduce el nombre de Siloé para darle al lector una línea de interpreta-

ción. *Siloé* significa "enviado". A menudo, Jesús les decía tanto a sus discípulos como a la gente que él era el enviado del Padre.

Los vecinos y los que frecuentaban el templo fueron los primeros que se admiraron. Dado que la cura del ciego ocurre en sábado, esto aparentemente desvía la atención de los testigos sobre el significado primario de la curación. Se van por una vereda, en vez de tomar el camino ancho de la evidencia.

El ciego es llevado ante los fariseos para explicar lo ocurrido. Los fariseos oyen la descripción de la curación. Después de

oírla, estos fariseos concluyen que esta señal no proviene de Dios, porque ha sido hecha en sábado, día sagrado de descanso absoluto. La gente ve que lo importante es el mensaje de la curación. Los fariseos recurren a la salida de la confusión: es un embuste, pues no era ciego. De aquí buscarán la clarividencia con los padres, pero éstos confirman la ceguera congénita de su hijo. El ciego verá mejor que los que veían. Por etapas reconocerá la mesianidad reveladora de Jesús.

La curación de la ceguera de nacimiento es recordada por la Iglesia porque en la

Que tu tono de voz se eleve un tanto antes de notar la expulsión.

Le replicaron:

"Tú eres **puro** pecado **desde que naciste**,
¿cómo **pretendes** darnos lecciones?"
Y lo echaron **fuera**.

Prolonga la pausa antes de esta escena. Da un tono intimista al encuentro con Jesús.

Supo Jesús que lo habían echado fuera,
y cuando lo encontró, le dijo:
"**¿Crees tú** en el Hijo del hombre?"
Él contestó:
"¿Y **quién es**, Señor, para que yo crea **en él**?"
Jesús le dijo:
"**Ya** lo has visto; el que está hablando contigo, **ése es**".
Él dijo: "**Creo, Señor**". Y postrándose, **lo adoró**.

El tono es sentencioso, pero no autoritario. Sal de la lectura del relato no como si concluyera, sino como si quedara algo por relatar. Mira a la asamblea antes de la fórmula litúrgica.

Entonces le dijo Jesús:
"Yo he venido a este mundo para que **se definan** los campos:
para que los ciegos **vean**, y los que ven **queden ciegos**".
Al oír esto, algunos fariseos que estaban con él le preguntaron:
"¿Entonces, **también nosotros** estamos ciegos?"
Jesús les contestó:
"Si estuvieran ciegos, no tendrían pecado;
pero como **dicen** que ven, siguen en su pecado".

Abreviada: *Juan 9:1, 6–9, 13–17, 34–38*

próxima Pascua celebrará la vista nueva que da el bautismo. Con esto nos hará recordar el gran don de nuestro bautismo que nos da capacidad de ver con los ojos de la fe.

V DOMINGO DE CUARESMA, AÑO C

I LECTURA   Isaías 43:16–21

Lectura del libro del profeta Isaías

Esto dice el Señor, que **abrió** un camino en el mar
    y un **sendero** en las aguas **impetuosas**,
    el que hizo **salir a** la batalla
       a un **formidable** ejército de carros y caballos,
    que cayeron **y no se levantaron**,
    y se apagaron como una mecha que **se extingue**:

"**No** recuerden lo pasado **ni piensen** en lo antiguo;
    yo voy a realizar algo **nuevo**.
Ya **está** brotando. ¿No lo **notan**?
Voy a abrir **caminos** en el desierto
    y haré que **corran** los ríos en la tierra **árida**.
Me darán **gloria** las bestias salvajes,
    los chacales y las avestruces,
    porque haré correr **agua** en el desierto,
    y **ríos** en el yermo,
    para **apagar** la sed de mi pueblo escogido.
Entonces el pueblo que me he formado
    proclamará mis alabanzas".

Texto poético: tienes el reto de modelar tu voz entre el tono de lo épico y el de lo íntimo.

Comienza como aminorando la voz para luego irla ensanchando oración tras oración. Marca la interrogación y luego amplifica.

I LECTURA El gran profeta del exilio, cuyo nombre ignoramos, ha sido llamado por la ciencia bíblica Segundo Isaías. Recibió el encargo del Señor de anunciarle a su pueblo desterrado y desanimado el regreso a la patria antigua y la restauración maravillosa de ésta.

La llegada del persa Ciro II a lo que había sido el imperio babilónico, despertó en todo el Oriente esperanzas inmensas, particularmente en el pequeño grupo de hebreos desterrados. La nueva política de este rey consistió en permitir que los exiliados regresaran a sus lugares de origen si así lo deseaban. Además, dio estabilidad social y política a la región.

En estas circunstancias se oye la voz de este anónimo profeta que anuncia que Ciro es un instrumento de la voluntad de Dios y que este Dios de Israel es el que está detrás de ese permiso de Ciro de que los desterrados vuelvan a su tierra. Como referente de este anuncio gozoso, el profeta se sirve de la tradición del Éxodo. Así como el Dios de Israel hundió antes al ejército egipcio en el Mar de las Cañas, ahora llevará a Israel a la libertad de su propia tierra. Ya Dios venció a Egipto, ahora le pasará lo mismo al ejército babilónico. El tiempo del cautiverio babilónico terminó. El Señor Dios abrirá un camino nuevo, un camino que por el desierto conduzca a su pueblo a Jerusalén.

El pueblo debe olvidar la prisión babilónica. Ese tiempo ya fue. No volverá más. Ahora debe fijar la mirada en el futuro. Dios va a producir algo completamente nuevo. Esto "nuevo" es comparado con los sucesos liberadores del éxodo: Dios abrirá un camino no a través del mar sino del desierto y regará el páramo. Pasará el pueblo de la opresión a la libertad. Por este acto libertario, no

Para meditar

SALMO RESPONSORIAL   Salmo 126:1–2ab, 2cd–3, 4–5, 6

R. El Señor ha estado grande con nosotros, y estamos alegres.

Cuando el Señor cambió la suerte de Sión,
  nos parecía soñar:
  la boca se nos llenaba de risas,
  la lengua de cantares. **R.**

Hasta los gentiles decían:
  "El Señor ha estado grande con ellos".
El Señor ha estado grande con nosotros,
  y estamos alegres. **R.**

Que el Señor cambie nuestra suerte,
  como los torrentes de Negueb.
Los que sembraban con lágrimas
  cosechan entre cantares. **R.**

Al ir, iba llorando,
  llevando la semilla;
  al volver, vuelve cantando,
  trayendo sus gavillas. **R.**

II LECTURA   Filipenses 3:7–14

Lectura de la carta del apóstol san Pablo a los filipenses

Hermanos:
Todo lo que era **valioso** para mí,
  lo consideré **sin valor** a causa de Cristo.
Más aún pienso que **nada** vale la pena
    en comparación con el **bien** supremo,
  que consiste en **conocer** a Cristo Jesús, mi Señor,
  por cuyo amor he renunciado **a todo**,
  y todo lo considero como **basura**,
  con tal de **ganar** a Cristo y de estar **unido** a él,
  no porque haya obtenido la **justificación** que proviene de **la ley**,
  sino la que procede **de la fe** en Cristo Jesús,
  con la que Dios hace justos **a los que creen**.

Y todo esto, para **conocer** a Cristo,
  experimentar la fuerza de su resurrección,
  compartir sus sufrimientos y asemejarme **a él** en su muerte,
  con la esperanza de **resucitar** con él de entre los muertos.

Este testimonio apostólico de Pablo debe horadar la rutina de algunos del auditorio. Abarca con tu mirada a la asamblea después del primer punto. Luego prosigue con convicción.

A este párrafo denso dale profundidad. Frasea con cuidado apoyándote en las comas.

sólo los hombres salvos sino hasta los animales alabarán y glorificarán a Dios.

La liturgia dominical nos repite que el Señor libera a su pueblo del pecado y eso es mucho más que cualquier libertad humana. Sólo Dios nos libera del pecado.

II LECTURA Esta parte de la carta del encarcelado Pablo nos dice que el creer es una especie de discernimiento que lleva a valorar aquello que verdaderamente salva. En la carta, Pablo recién ha hecho un listado de los motivos ("según la carne", dice) de orgullo apostólico que, al

parecer, ostentan ciertos predicadores frente a los filipenses. Sus cartas de presentación ("según la carne") los tienen apabullados. Pablo nota que lo que buscan en realidad es imponer a los cristianos el yugo de los preceptos mosaicos (con sus dietas, calendarios y observancias) para hacerlos "verdaderos cristianos". Pablo reacciona urgiendo a los creyentes a que distingan el oro del oropel, tal como lo ha hecho él.

Pablo coloca en el centro de la vida el conocimiento de Cristo. No se trata de un saber acerca de Cristo, esto por supuesto que se presume, sino de hacer de la vida

una experiencia de unión con él de manera que lo único que importe es el estar con él. El conocer a Cristo es "el bien supremo" por el que vale la pena entregar todo, vaciarse de todo y asumirlo todo. Sólo así la vida del creyente se hace cristiana, porque es la vida de Cristo la que irradia en el creyente.

Esto no es algo aéreo o intangible; más real no puede ser. Pablo señala que la configuración con Cristo se da en su misterio pascual. El fiel amolda el cuerpo y la mente a Cristo muerto y resucitado. Pablo habla de "compartir sus sufrimientos y asemejarme a él en su muerte". Éste es un lenguaje que

No quiero decir que haya **logrado ya** ese ideal o que sea ya **perfecto**,
     pero me esfuerzo en **conquistarlo**,
     porque Cristo Jesús me ha conquistado.
No, hermanos, considero que **todavía** no lo he logrado.
Pero **eso sí**, olvido lo que he dejado atrás,
     y me **lanzo** hacia adelante,
     en **busca** de la meta y del trofeo al que Dios,
     por medio de **Cristo Jesús**, nos llama desde el cielo.

Marca el contraste de los "no" frente al "sí". Da un crescendo a tu voz en las frases finales que haga notar lo culminante.

EVANGELIO   Juan 8:1–11

Lectura del santo Evangelio según san Juan

En aquel tiempo,
     Jesús **se retiró** al monte de los Olivos
     y al amanecer se presentó **de nuevo** en el templo,
     donde **la multitud** se le acercaba;
     y él, sentado entre ellos, les **enseñaba**.

Entonces los escribas y fariseos
          le llevaron a una mujer sorprendida en adulterio,
     y poniéndola frente a él, le dijeron:
     "**Maestro**, esta mujer ha sido **sorprendida** en flagrante adulterio.
Moisés nos manda en la ley **apedrear** a estas mujeres.
¿**Tú** qué dices?"

Le preguntaban esto para **ponerle** una trampa y poder **acusarlo**.
Pero Jesús se **agachó** y se puso a escribir **en el suelo** con el dedo.
Pero como **insistían** en su pregunta, se **incorporó** y les dijo:
     "Aquel de ustedes que **no tenga pecado**,
     que le tire la **primera** piedra".
Se **volvió** a agachar y siguió escribiendo en el suelo.

El episodio es dramático, pero no hay que darle tonos sensacionalistas.

Marca bien la pausa antes de emprender este párrafo.

no admite subterfugios ni medias tintas, pero que no quiere usarse porque es exigente. Nos gustaría una pascua sin pasión ni muerte, pero ésta no es la vía del Cristo. Es aquí donde la fe se prueba y se aligera de todo utensilio y estorbo para "lanzarse hacia adelante", escuchando la voz de Cristo que nos llama desde el cielo.

EVANGELIO La escena de la mujer adúltera es una de las pequeñas escenas maestras de este evangelio. Probablemente no proviene de la pluma de Juan, sino que posteriormente este episodio fue introducido porque la Iglesia debía mostrar que, aun después del bautismo, la infinita misericordia de Dios perdonaba al pecador arrepentido.

Los enemigos de Jesús le llevan a una mujer que fue sorprendida en fragante adulterio. La Ley mandaba apedrear a estas mujeres. Los enemigos de Jesús saben que el Maestro es muy bueno y misericordioso. Pero está muy claro el mandamiento en el Pentateuco (Levítico 20:10; Deuteronomio 22:22 y 17:6–7) que ordena apedrear a los dos que han adulterado. En este caso, sin embargo, falta el otro participante en el adulterio; sólo está la mujer.

¿Cumplirá Jesús la Ley, que es divina? ¿O la romperá, que es lo que sus enemigos esperan? Según los acusadores, Jesús saldrá perdiendo de cualquier modo. Si perdona, será acusado de quebrantar la Ley. Si no perdona, aparecerá ante el pueblo como un maestro exigente, que deja de lado la misericordia. Jesús los ignora. El detalle de que se puso a escribir sobre la tierra muestra que no quería entrar en ese asunto. A fuerza de insistir, Jesús les da su solución: "El que esté sin pecado, arroje la primera piedra".

Al oír **aquellas** palabras,
   los acusadores comenzaron a escabullirse **uno tras otro**,
   empezando por **los más viejos**,
   hasta que dejaron **solos** a Jesús y a la mujer,
   que estaba de pie, junto a él.

Entonces Jesús **se enderezó** y le preguntó:
   "Mujer, ¿**dónde** están los que te acusaban?
¿**Nadie** te ha condenado?"
Ella le contestó:
   "**Nadie**, Señor".
Y Jesús le dijo:
   "**Tampoco yo** te condeno.
Vete y ya **no vuelvas** a pecar".

Inicia este párrafo lentamente. Al llegar a la pregunta de Jesús, recorre visualmente el recinto de la asamblea; luego retoma la normalidad.

No es que el Señor conozca sus pecados, como varios predicadores lo expresan. Más bien, Jesús está, en el fondo, contra la pena de muerte. No hay ningún hombre, fuera de Jesús, que no cargue con algún pecado. Lo repiten los salmos. Recordemos uno: "pecador me concibió mi madre" (Salmo 51:7).

Se retiraron los acusadores, empezando por los más viejos, afirma el autor. Se quedó solos Jesús y la mujer; la misericordia y el recado. La frase final, "Yo tampoco te condeno. Vete y no vuelvas a pecar", es a lo que nos invita la Iglesia a experimentar en esta Pascua.

V DOMINGO DE CUARESMA, AÑO A

Oráculo breve pero poderoso de esperanza: imprímele calidez, especialmente a la frase "pueblo mío".

I LECTURA Ezequiel 37:12–14

Lectura del libro del profeta Ezequiel

Esto dice el Señor Dios:
"Pueblo mío, **yo mismo** abriré sus sepulcros,
los haré **salir** de ellos
y **los conduciré** de nuevo a la tierra de Israel.

Cuando **abra** sus sepulcros y los saque **de ellos**,
pueblo mío, ustedes dirán que **yo soy** el Señor.

Entonces les **infundiré** a ustedes mi espíritu y **vivirán**,
los **estableceré** en su tierra
y ustedes **sabrán** que yo, el Señor, lo dije y **lo cumplí**".

Para meditar

SALMO RESPONSORIAL Salmo 130:1–2, 3–4ab, 4c–6, 7–8
R. Del Señor viene la misericordia, la redención copiosa.

Desde lo hondo a ti grito, Señor;
Señor, escucha mi voz;
estén tus oídos atentos
a la voz de mi súplica. **R.**

Si llevas cuenta de los delitos, Señor,
¿quién podrá resistir?
Pero de ti procede el perdón,
y así infundes respeto. **R.**

Mi alma espera en el Señor,
espera en su palabra;
mi alma aguarda al Señor,
más que el centinela la aurora.
Aguarde Israel al Señor,
como el centinela la aurora. **R.**

Porque del Señor viene la misericordia,
la redención copiosa;
y él redimirá a Israel
de todos sus delitos. **R.**

I LECTURA El profeta Ezequiel era de una importante familia sacerdotal y fue llevado como rehén al destierro en 597 a. C., junto con los personajes más importantes del reino, entre estos el rey y su familia. Durante el destierro recibió la palabra de Dios y se convirtió en profeta de los desterrados. Acostumbraban algunos visitarlo en su casa y muchas veces allí les trasmitía a los deportados el mensaje de Dios que explicaba su situación.

Evidentemente que para muchos el destierro significaba el abandono de Dios a su pueblo. Algunos desterrados, no sabe-

mos cuántos, se fueron tras otros dioses; otros, desilusionados, se quedaron sin tomar partido. No sabemos cuántos esperaban con el corazón compungido regresar de inmediato a Judá o esperaban una palaba aclaratoria de parte de Dios. De este tiempo es la frase con la que algunos desterrados rechazaban el castigo, porque no se sentían culpables; de entonces es el refrán que es citado por Jeremías y Ezequiel: "Los padres comieron agraces y a sus hijos les dio dentera". Esto lo negarán completamente Jeremías y Ezequiel, y afirmarán la responsabilidad individual ante Dios.

Ezequiel recibe precisamente la palabra de Dios para explicar a los deportados su culpabilidad e invitarlos al arrepentimiento y al regreso a Dios. Ezequiel anuncia el castigo definitivo, representado en la destrucción de Jerusalén y del templo. Pero sobre todo les anuncia esperanza. Volverán a su tierra. De aquí la lectura de la liturgia de hoy, donde por medio de una visión tremenda y espectacular de los huesos, anuncia el profeta que Dios reconstruirá a su pueblo. La breve lectura de hoy anuncia en estos tres versos que el Señor Dios sacará a su pueblo de los sepulcros y los reanimará,

II LECTURA   Romanos 8:8–11

Lectura de la carta del apóstol san Pablo a los romanos

Hermanos:
Los que viven en forma desordenada y egoísta
    no pueden agradar a Dios.
Pero ustedes **no llevan** esa clase de vida,
    sino una vida **conforme** al Espíritu,
    puesto que el Espíritu de Dios habita **verdaderamente**
      en ustedes.

Quien **no tiene** el Espíritu de Cristo, **no es** de Cristo.
En cambio, si Cristo vive **en ustedes**,
    aunque su cuerpo **siga sujeto** a la muerte a causa **del pecado**,
    su espíritu **vive** a causa de la actividad **salvadora** de Dios.

Si el Espíritu del Padre,
    que **resucitó** a Jesús de entre los muertos, **habita** en ustedes,
    entonces **el Padre,** que resucitó **a Jesús** de entre los muertos,
    también les dará vida a sus cuerpos mortales,
    por **obra** de su Espíritu que habita **en ustedes**.

Nota los "ustedes" y haz contacto visual con la asamblea cada vez que aparezcan.

Identifica el vocabulario de "vida" y alarga esas frases para que la asamblea las capture mejor.

EVANGELIO   Juan 11:1–45

Lectura del santo Evangelio según san Juan

En aquel tiempo,
    se encontraba enfermo **Lázaro,** en Betania,
    el pueblo de María y de su hermana Marta.
María era la que una vez **ungió** al Señor con perfume
    y le enjugó los pies **con su cabellera**.
El enfermo era su hermano **Lázaro**.
Por eso las dos hermanas le mandaron decir a Jesús:
    "Señor, el amigo a quien **tanto quieres** está enfermo".

Episodio prolongado: tu proclamación debe atender a variaciones de velocidad y tono. Marca cada diálogo para diferenciarlo de las locuciones simples.

les volverá a dar vida. Significa con esto que el pueblo deportado, sin tierra ni templo, recobrará la tierra y la presencia divina, como en la imagen de los sepulcros que devuelven a sus muertos a la vida.

    Esta lectura de Cuaresma nos invita a confiar en ese Dios que nos saca de lo más profundo, como es nuestro pecado. Es cierto que hemos hecho penitencia, pero no olvidemos que esta no es más que una preparación para celebrar la resurrección del Señor, que es una llamada a ofrecernos de nuevo su amistad.

II LECTURA Hacerse cristiano representa una vida nueva para el que decide hacerse seguidor de Cristo Jesús. Lo nuevo no cae de arriba sin más; brota de abajo, de la tierra, gracias a ese proceso de regeneración vital que la fe recibe desde el propio Cristo, muerto y resucitado. El seguidor de Jesús no sigue al maestro de sabiduría galileo, sino al Mesías de Dios procesado a muerte y ajusticiado en cruz, pero resucitado por Dios. La vida nueva del cristiano está necesariamente marcada por el Misterio pascual de Cristo.

    En esta parte de su carta a los Romanos, san Pablo afirma que los creyentes están capacitados para asumir la vida nueva que procede del espíritu de Cristo. Todo aquello que condujo a la muerte, el pecado cuyo poder proviene de la ley (ver 1 Corintios 15:56s.), debe quedar atrás. El Apóstol lo dice con ese lenguaje tan suyo que contrapone el modo de vida: o "según la carne" o "según el espíritu". En este fragmento, marca lo que significa vivir para agradar a Dios, es decir, vivir conforme al espíritu del Resucitado.

Esta declaración está impregnada de esperanza. Haz notar el contraste entre "muerte" y "gloria".

Al oír esto, Jesús dijo:
   "Esta enfermedad no acabará **en la muerte**,
   sino que servirá para **la gloria** de Dios,
   para que el Hijo de Dios **sea glorificado** por ella".

Jesús **amaba** a Marta, a su hermana y a Lázaro.
Sin embargo, cuando se enteró de que Lázaro **estaba enfermo**,
   se detuvo **dos días** más en el lugar en que se hallaba.
Después dijo a sus discípulos:
"**Vayamos** otra vez a Judea".
Los discípulos le dijeron:
   "**Maestro,** hace poco que los judíos querían apedrearte,
   ¿y tú vas a volver **allá**?"
Jesús les contestó:
   "¿Acaso no tiene **doce horas** el día?
El que camina **de día** no tropieza, porque **ve** la luz
      de este mundo;
   en cambio, el que camina de noche **tropieza**,
   porque le falta la luz".

Este diálogo porta el malentendido que declara el narrador. En este punto haz contacto visual con la asamblea.

Dijo esto y luego añadió:
   "Lázaro, **nuestro amigo,** se ha dormido;
   pero yo voy ahora **a despertarlo**".
Entonces le dijeron sus discípulos:
   "Señor, si duerme, es que **va a sanar**".
Jesús hablaba **de la muerte,** pero ellos **creyeron**
   que hablaba del sueño natural.
Entonces Jesús les dijo **abiertamente**:
   "Lázaro **ha muerto,** y me alegro por ustedes de no haber estado
      ahí, **para que crean**. Ahora, **vamos** allá".
Entonces Tomás, por sobrenombre **el Gemelo,**
   dijo a los demás discípulos:
   "Vayamos **también** nosotros, para **morir** con él".

Cuando llegó Jesús, Lázaro llevaba ya **cuatro días** en el sepulcro.
Betania quedaba **cerca** de Jerusalén,
   como a unos dos kilómetros y medio,

De las palabras paulinas, resulta evidente que la persona humana no tiene modo de vivir agradando a Dios, pues está lastrada por el pecado desde la misma caída de Adán. La única posibilidad de revertir esto es una creación nueva, y ésta ha ocurrido ya, como primicia, en la resurrección de Cristo. A él se adscribe el que acepta el Evangelio de Dios (ver Romanos 1:16s.). Pero esta realidad no es algo que suceda una vez muerta la persona, sino aquí y ahora, en la comunidad: "El que no posee el espíritu de Cristo no es de Cristo". La pertenencia a Cristo no es asunto de haber sido

bautizado, reunirse en comunidad y punto, sino de vivir conforme al espíritu del Resucitado. Es más, anota, el propio cuerpo del creyente está ya animado por el don del Espíritu de Dios que opera la recreación que el Padre ha inaugurado.

El parágrafo final de nuestra lectura asegura que la suerte final de los bautizados, quienes poseen el Espíritu de Dios: la resurrección final. La fragilidad y la vulnerabilidad del cuerpo humano no significa que tenga por destino disolverse en la nada. El Espíritu recibido en el bautismo es la garantía más sólida de la resurrección corporal,

carnal, de los creyentes; tal es la fuerza del don recibido.

Los cristianos vivimos tensionados entre los deseos egoístas y autosuficientes de nuestro mundo, y los impulsos del Espíritu de la vida nueva, los cuales nos mueven a ser personas abiertas, universales y puestas al servicio de los demás. Dominar las apetencias desordenadas no ocurre por puro voluntarismo ni ejercicio ascético, sino porque vemos la meta bondadosa que Dios nos tiene preparada. En esta Cuaresma, la palabra del Señor nos hace recordar que nos ha habilitado poderosamente para vivir

Conviene apresurar la lectura, pero sin atropellar las palabras del diálogo que es fuertemente teológico.

y **muchos** judíos habían ido a ver a Marta y a María
    para **consolarlas** por la muerte de su hermano.
Apenas oyó Marta que Jesús llegaba, salió **a su encuentro**;
    pero María **se quedó** en casa.
Le dijo Marta a Jesús:
    "Señor, si **hubieras estado** aquí, **no habría muerto** mi hermano.
Pero aún ahora **estoy segura** de que Dios
    te concederá **cuanto le pidas**".
Jesús le dijo: "Tu hermano **resucitará**".
Marta respondió:
    "**Ya sé** que resucitará en la resurrección del **último** día".
Jesús le dijo:
    "**Yo soy** la resurrección y la vida.
El que **cree en mí,** aunque haya muerto, **vivirá;**
    y **todo aquel** que está vivo y cree en mí,
        no morirá para siempre.
¿Crees **tú** esto?"
Ella le contestó: "**Sí, Señor.**
Creo **firmemente** que tú **eres** el Mesías, el Hijo de Dios,
    el que tenía **que venir** al mundo".

Después de decir estas palabras, fue a buscar a su hermana
    María y le dijo en voz baja:
    "Ya vino el Maestro y **te llama**".
Al oír esto, María se levantó en el acto
    y salió hacia donde estaba Jesús,
    porque él no había llegado **aún** al pueblo,
    sino que estaba en el lugar donde Marta lo había encontrado.
Los **judíos** que estaban con María en la casa, **consolándola,**
    viendo que ella se levantaba y salía de prisa,
    pensaron que iba al sepulcro para llorar ahí y la siguieron.

Cuando llegó María adonde **estaba** Jesús,
    al verlo, **se echó** a sus pies y le dijo:
    "**Señor,** si hubieras estado aquí, **no habría muerto** mi hermano".
    Jesús, al verla **llorar** y al ver llorar a los judíos
        que la acompañaban,

agradándole y conforme a nuestro destino de vida eterna.

| EVANGELIO | Es curioso que cuando el ser humano cree que ha dominado casi todas las leyes de nuestro mundo, siente inesperadamente la presencia del mal, envuelto en una serie de manifestaciones. Estamos ante la presencia del mal y de su amiga inseparable: la muerte.

También en estos momentos aparece con bastante nitidez lo que significa la vida. Es evidente de que hay de vidas a vidas. Pocos entienden y reflexionan lo que signi-

fica vivir. La mayoría toman la vida como viene. Como se decía una película francesa, *vivir por vivir.*

El evangelio de hoy nos presenta la escena de la resurrección de Lázaro. Desde luego que se trata de la reanimación de Lázaro; después, como todos los humanos, pasará por la muerte para encontrarse definitivamente con Jesús en la otra vida. Lázaro que había hospedado a Jesús en la tierra, será huésped definitivo de Jesús en la casa del Padre celestial.

Jesús tiene amigos, como todo ser social normal. Que también tenga amigos

entre los ricos, no contraviene nada de lo que el Señor predica y de lo que pretende ser: el enviado definitivo de Dios. Esta familia especial de los tres hermanos, originarios de Betania, son sus amigos íntimos, de forma que Jesús llega con plena confianza a visitarlos y allí se siente como en su casa. La confianza con la que habla con las dos hermanas muestra una amistad llana, sincera y agradable. La familia es importante, pues en la visita de cortesía por la muerte de Lázaro, tuvieron las hermanas visitas de gente de Jerusalén que, al parecer, eran de gente importante. Tan es así, que van a decidir las

se **conmovió** hasta lo más hondo y preguntó:
"¿**Dónde** lo han puesto?"
Le contestaron:
"**Ven,** Señor, y lo verás".
Jesús se puso **a llorar** y los judíos comentaban:
"De veras ¡cuánto lo amaba!"
Algunos decían:
"¿No podía éste, que abrió los ojos al ciego **de nacimiento**,
hacer que Lázaro **no muriera**?"

Jesús, **profundamente** conmovido todavía,
se detuvo ante el sepulcro, que era una cueva,
sellada con una losa.
Entonces dijo Jesús:
"**Quiten** la losa".
Pero Marta, la hermana del que había muerto, **le replicó**:
"Señor, **ya huele mal**, porque lleva cuatro días".
Le dijo Jesús:
"¿No te he dicho que **si crees,** verás la gloria de Dios?"
Entonces quitaron la piedra.

Jesús **levantó** los ojos a lo alto y dijo:
"**Padre,** te doy gracias porque me **has escuchado**.
Yo **ya sabía** que tú **siempre** me escuchas;
pero lo he dicho a causa de **esta muchedumbre** que me rodea,
para que **crean** que tú **me has enviado**".
Luego gritó con **voz potente**:
"¡Lázaro, **sal de allí!**"
Y **salió el muerto**, atados con vendas las manos y los pies,
y la cara envuelta en un sudario.
Jesús les dijo:
"**Desátenlo,** para que pueda andar".

Muchos de los judíos que habían ido a casa de Marta y María,
al ver lo que había hecho Jesús, **creyeron** en él.

Abreviada: *Juan 11:3–7, 17, 20–27, 33–45*

Se llega al clímax del relato. Que las palabras de Jesús muestren resolución total.

La oración debe sonar filial, como la de un hijo adulto a su padre que nunca le ha negado lo que necesita.

Baja la velocidad en estas dos líneas finales.

---

autoridades religiosas de Jerusalén, matar a Lázaro por la importancia del milagro sí, pero también porque el personaje era relevante ante la sociedad.

Ahora ante la amenaza que tenemos del coronavirus, los cristianos no debemos dejar de lado la frase que Jesús le dijo a Marta, una de las hermanas de Lázaro: "Yo soy la resurrección y la vida". Marta entiende la primera vez que Jesús habla de la resurrección final. Pero Jesús le da a entender que esa resurrección estaba ya presente entre los que han aceptado a Jesús como el dador de vida.

Para la mayoría de los humanos tal vez no llegue, con ocasión del coronavirus, el momento de presentarse ante el Señor. Pero puede ser que sí lo sea para muchos cristianos que hemos repetido esta frase de Jesús y que creemos en ella: él es la resurrección y la auténtica vida, a la que nos invita a participar aquí todavía o a vivirla con él definitivamente.

DOMINGO DE RAMOS DE LA PASIÓN DEL SEÑOR

EVANGELIO   Lucas 19:28–40

Lectura del santo Evangelio según san Lucas

Inyecta de entusiasmo reverente esta lectura.

En aquel tiempo, Jesús, **acompañado** de sus discípulos,
    iba camino **de Jerusalén**, y al acercarse a Betfagé y a Betania,
    junto al monte llamado **de los Olivos**,
    envió **a dos** de sus discípulos, diciéndoles:
    "**Vayan** al caserío que está frente a ustedes.
Al entrar, encontrarán atado un burrito que **nadie**
    ha montado todavía.
Desátenlo y tráiganlo aquí".
Si alguien les pregunta por qué lo desatan, **díganle**:
    'El Señor lo necesita' ".

Proyecta cierta admiración al leer estas líneas.

Fueron y encontraron **todo** como el Señor les había dicho.
Mientras desataban el burro, los dueños les preguntaron:
    "¿**Por qué** lo desamarran?"
    Ellos contestaron: "**El Señor** lo necesita".
Se llevaron, pues, el burro, le echaron **encima** los mantos
    e **hicieron** que Jesús montara en él.

Conforme iba **avanzando**,
    la gente **tapizaba** el camino con sus mantos,
    y cuando ya **estaba cerca** la bajada del monte de los Olivos,
    la multitud de discípulos, **entusiasmados**,
    se pusieron a alabar a Dios **a gritos**
        por **todos** los prodigios que habían visto, diciendo:

La celebración del Domingo de Ramos marca el comienzo de la Semana Santa. El nombre completo de este día es "Domingo de Ramos de la Pasión del Señor". La primera parte del nombre conmemora la entrada de Cristo en Jerusalén, mientras que la segunda lleva nuestra atención a su pasión. Este es el único día del año litúrgico en el cual se proclaman dos lecturas del Evangelio, una antes de comenzar la procesión de entrada, que rememora la entrada del Señor en Jerusalén, y la otra como parte de la Liturgia de la Palabra de la misa.

PROCESIÓN En este pasaje del Evangelio según san Lucas, el evangelista nos invita a acompañar a Jesús en los últimos momentos de su entrada en Jerusalén. Varios detalles de su relato nos muestran que su llegada a Jerusalén corresponde a la del rey que Dios había prometido a través de los profetas.

Durante el exilio babilónico, el reino y la dinastía de David parecieran haber desaparecido, pues parecía olvidada la promesa de Dios a David, por medio del profeta Natán, de que su casa, su reino y su dinastía permanecerían para siempre (2 Samuel 7:13–17). Pero Dios siempre cumple sus promesas. Como se tardó pero fue cumplida la promesa de la descendencia de Abrahán, también la promesa de un reino que perduraría para siempre se demoró pero fue y sigue siendo cumplida. Parte importante de ese cumplimiento ocurrió cuando el pueblo regresó de la deportación de Babilonia. En ese entonces, durante el tiempo del rey Ciro de Persia, el pueblo no regresó como una nación o un reino independiente; al contrario, regresó cual provincia de Judá y permaneció sujeto al Imperio persa (ver Isaías 44:28; 45:1; Esdras 1:1). En cuanto al gobier-

114

Proclama las palabras del Salmo con entusiasmo y alegría.

"¡Bendito el rey
    que viene en el nombre del Señor!
¡**Paz** en el cielo
    y **gloria** en las alturas!"

Algunos fariseos que iban entre la gente le dijeron:
    "Maestro, **reprende** a tus discípulos".
Él les replicó:
    "Les aseguro que si ellos se callan, **gritarán** las piedras".

I LECTURA   Isaías 50:4–7

Lectura del libro del profeta Isaías

Al decir "experta", haz una pausa brevísima para avivar la atención de la asamblea.

En aquel entonces, dijo Isaías:
    "El Señor me ha dado una lengua **experta**,
    para que pueda **confortar** al abatido
    con palabras **de aliento**.

Impregna de gratitud el discurso del Siervo.

Mañana tras mañana, el Señor **despierta** mi oído,
    para que **escuche** yo, como discípulo.
El Señor Dios me ha **hecho oír** sus palabras
    y yo **no he opuesto** resistencia
    ni me he echado **para atrás**.

Ofrecí la espalda a los que me golpeaban,
    la mejilla a los que me **tiraban** de la barba.
No aparté mi rostro de los insultos y salivazos.

Enfatiza las frases de confianza.

Pero el Señor **me ayuda**,
    por eso **no quedaré** confundido,
    por eso **endureció** mi rostro como roca
    y sé que **no quedaré** avergonzado.

---

no, durante el retorno del exilio ya no hubo un rey. En su lugar, el rey de Persia nombraba un *gobernador* para el pueblo. Dicho gobernador fue uno de la casa de David: Zorobabel, hijo de Salatiel, a su vez hijo de Jeconías (ver Ageo 2:20–23; Mateo 1:12). Es decir, Zorobabel era nieto del rey que fue llevado al exilio. De esta manera, a pesar de que Zorobabel fue gobernador y no rey, vemos parte del cumplimiento de la promesa a David.

El pueblo todavía esperaba el cumplimiento de la promesa del reino que permanecería para siempre. La palabra de los profetas continuaba vigente: vendría un rey que será el buen pastor que cuidará de sus ovejas (ver Ezequiel 34:11–31); el rey cuyo reino jamás será destruido (ver Daniel 7:13–14); el rey justo y victorioso que anunciará la paz (ver Zacarías 9:10–17). Posteriormente, después del exilio, los judíos tuvieron otros reyes, pero no fueron reyes de la dinastía de David, tal como el Señor había prometido. Siglos pasaron, durante los cuales el pueblo anhelaba el cumplimiento de la promesa del rey ungido, o el rey Mesías. El pueblo mantenía en su memoria esas promesas. A su debido tiempo, cuando Dios enviara al rey prometido, sabría reconocerlo.

Betfagé y Betania son pueblos que quedan al este del monte de los Olivos y por los cuales habría pasado Jesús. Curiosamente, el monte de los Olivos se menciona dos veces en esta lectura. Tanto en este detalle como en otros, Lucas nos muestra un modelo típico de cumplimiento de profecía en la persona de Jesús. Esta narrativa en particular nos describe la entrada de Jesús a Jerusalén cumpliendo así los anuncios de los profetas acerca de la entrada del "rey ungido" o del "rey Mesías".

Para meditar

SALMO RESPONSORIAL   Salmo 22:8–9, 17–18a, 19–20, 23–24

R. Dios mío, Dios mío, ¿por qué me has abandonado?

Al verme, se burlan de mí,
   hacen visajes, menean la cabeza:
"Acudió al Señor, que lo ponga a salvo;
   que lo libre, si tanto lo quiere". **R.**

Me acorrala una jauría de mastines,
   me cerca una banda de malhechores;
   me taladran las manos y los pies,
   puedo contar mis huesos. **R.**

Se reparten mi ropa,
   echan a suerte mi túnica.
Pero tú, Señor, no te quedes lejos;
   fuerza mía, ven corriendo a ayudarme. **R.**

Contaré tu fama a mis hermanos,
   en medio de la asamblea te alabaré.
Fieles del Señor, alábenlo,
   linaje de Jacob, glorifíquenlo,
   témanle, linaje de Israel. **R.**

II LECTURA   Filipenses 2:6–11

Lectura de la carta del apóstol san Pablo a los filipenses

Lee con paso detenido para resaltar la importancia de "no aferrarse". Enfatiza el contraste *"sino que, por el contrario"*.

Cristo, siendo **Dios**,
   no consideró que debía **aferrarse**
   a las **prerrogativas** de su condición **divina**,
   sino que, **por el contrario**, **se anonadó** a sí mismo,
   tomando la condición **de siervo**,
   y se hizo **semejante** a los hombres.
Así, hecho **uno de ellos**, se humilló **a sí mismo**
   y por **obediencia** aceptó incluso **la muerte**,
   y una muerte **de cruz**.

Pronuncia el nombre de Jesús con mucha reverencia.

Por eso Dios **lo exaltó** sobre todas las cosas
   y le otorgó el nombre que está **sobre todo nombre**,
   para que, al **nombre** de Jesús, todos **doblen** la rodilla
   en el **cielo**, en la tierra y en **los abismos**,
   y todos reconozcan **públicamente** que Jesucristo es **el Señor**,
   para **gloria** de Dios Padre.

De un lado, el relato lucano evoca que cuando Salomón iba a ser ungido rey (después de su padre David), él montó un burro (mula en algunas traducciones) y se dirigió hacia Guijón, cerca del monte de los Olivos (ver 1 Reyes 1:43–45). Por otro lado, el relato evoca las profecías correspondientes a la época posterior al exilio a Babilonia cuando el profeta Zacarías animaba a sus oyentes a que estuvieran gozosos pues su rey vendría *santo, victorioso, y humilde* montado en *un burro* (Zacarías 9:9). El mismo Zacarías también anunciaba que en los días de la venida del Señor, éste pondría su pie encima del monte de los Olivos (Zacarías 14:4) y que sería rey sobre toda la tierra (Zacarías 14:9).

En los evangelios, el relato de la entrada a Jerusalén (Mateo 21:1–9; Marcos 11:1–10; Lucas 19:29–40; Juan 12:12–19) hace referencia al Salmo 118 (117) al llamar *bendito* a quien viene en nombre del Señor (Salmo 118:26 [117:26]). Sin embargo, Lucas es el único evangelista que añade el título de rey: *"¡Bendito el rey que viene en el nombre del Señor!"*. De esta conexión, se ve claramente que Jesús es el rey mesías o ungido. A diferencia de las entradas suntuosas de los reyes, el rey ungido del Señor, tanto en 1 Reyes como en Zacarías, entra a su coronación de manera humilde, no en una gran cabalgadura, sino montado simplemente en un burro. Este rey humilde es el rey salvador, el Señor del universo.

I LECTURA El Libro del profeta Isaías es uno de más extensos libros de profecía en el Antiguo Testamento. Estructuralmente, se distinguen en él tres partes: capítulos 1—39; capítulos 40—55; capítulos 56—66. La primera lectura de la misa de hoy viene de la segunda parte del libro de Isaías y corresponde a profecías

Para familiarizarte con sus distintas partes, lee toda la pasión por lo menos un par de veces.

Proclama la institución con tono reverente.

La tristeza causada por la traición debe comunicarse claramente.

EVANGELIO   Lucas 22:14—23:56

Pasión de nuestro Señor Jesucristo según san Lucas

Llegada **la hora** de cenar,
se sentó Jesús con sus discípulos y les dijo:
"**Cuánto** he deseado celebrar esta Pascua con ustedes,
antes de padecer,
porque yo les aseguro que ya **no la volveré a celebrar**,
hasta que tenga **cabal cumplimiento** en el Reino de Dios".
Luego **tomó** en sus manos una copa de vino,
pronunció la **acción de gracias** y dijo:
"**Tomen** esto y **repártanlo** entre ustedes,
porque **les aseguro** que ya **no volveré** a beber del fruto
de la vid hasta **que venga** el Reino de Dios".

Tomando después un pan, pronunció la acción de gracias,
lo partió y se lo dio, diciendo:
"**Esto** es mi cuerpo, que se entrega **por ustedes**.
Hagan esto en memoria mía".
Después de cenar, hizo **lo mismo** con una copa de vino, diciendo:
"**Esta** copa es la **nueva alianza**,
sellada **con mi sangre**, que se derrama **por ustedes**".

"Pero **miren**: la mano del que me va a entregar está
conmigo **en la mesa**.
Porque el Hijo del hombre **va a morir**, según lo decretado;
pero ¡**ay** de aquel hombre por quien será entregado!"
Ellos empezaron a preguntarse unos a otros
quién de ellos podía ser el que lo iba **a traicionar**.

Después los discípulos se pusieron **a discutir**
sobre **cuál** de ellos debería ser considerado
como **el más importante**.
Jesús les dijo:
"Los reyes de los paganos **los dominan**,
y los que ejercen la autoridad se hacen llamar **bienhechores**.

relacionadas con el tiempo del exilio babilónico (entre los siglos VII y VI a. C.). En esta sección de Isaías se encuentran los cuatro poemas conocidos como los "Cánticos del Siervo" o "Cánticos del Servidor."

La conexión entre el Siervo de Dios y la salvación y liberación del pueblo exiliado en tierras de Babilonia reviste una gran importancia. La falta de fidelidad a Dios y el maltrato al prójimo representan injusticias en la vida del pueblo de Israel. El exilio es consecuencia de estas injusticias. En contraste, la liberación del exilio y el regreso de los desterrados ofrece la posibilidad de restablecer

relaciones justas con Dios y con el prójimo. En estos poemas, Isaías habla de un Siervo del Señor, que ha recibido el Espíritu del Señor y con éste, la misión de traer justicia a las naciones (42:1– primer poema), de ser una luz para las naciones (49:6 – segundo poema), de confortar al abatido (50:4 – tercer poema) y de sanar al mundo con sus llagas (53:5 – cuarto poema).

Desde la antigüedad ha existido una incertidumbre interpretativa sobre la identidad del Siervo. Muchos se han preguntado si el *Siervo* o el *Servidor* es el pueblo de Israel o una persona individual. Un estudio del

texto bíblico en su idioma original está abierto a ambas posibilidades. Los primeros cristianos afirmaron y la tradición de la Iglesia continúa afirmando que Jesucristo es el cumplimiento del Siervo en Isaías. La primera lectura es parte del tercer cántico, en el cual Isaías describe al Servidor o Siervo como un discípulo del Señor, atento a las palabras de Dios, dócil para ser un instrumento de consuelo para los abatidos.

Escuchar es un elemento esencial del discipulado, tanto de los tiempos bíblicos como de los actuales. No es una acción pasiva sino una acción intencional, tal como

Comunica estas palabras con genuina convicción.

Pero ustedes **no** hagan eso, sino todo **lo contrario**:
    que el **mayor** entre ustedes actúe como si fuera **el menor**,
    y el que gobierna, **como si fuera** un servidor.
Porque, ¿**quién** vale más, el que está a la mesa o **el que sirve**?
    ¿**Verdad** que es el que **está** a la mesa?
Pues yo estoy en medio de ustedes **como el que sirve**.
Ustedes han perseverado conmigo **en mis pruebas**,
    y yo les voy a **dar el Reino**, como mi Padre me lo dio **a mí**,
    para que **coman y beban** a mi mesa en el Reino,
    y se siente cada uno en un trono,
    para juzgar a las doce tribus de Israel".

Dale cierto tono de advertencia a estas palabras de Cristo.

Luego añadió:
    "**Simón**, Simón, mira que Satanás ha pedido permiso
        para **zarandearlos** como trigo;
    pero yo he orado por ti, para que tu fe **no desfallezca**;
    y tú, una vez convertido, **confirma** a tus hermanos".
Él le contestó:
    "**Señor**, estoy dispuesto a ir contigo **incluso** a la cárcel
    y a la muerte".
Jesús le replicó:
    "Te digo, Pedro, que hoy, **antes** de que cante el gallo,
    habrás negado **tres veces** que me conoces".

Después les dijo a **todos ellos**:
    "Cuando los envié sin provisiones, sin dinero ni sandalias,
    ¿**acaso** les faltó algo?"
Ellos contestaron:
    "**Nada**".
Él añadió:
"Ahora, en cambio, el que tenga dinero o provisiones,
    que los tome;
    y el que no tenga espada, que **venda** su manto y compre una.
Les aseguro que conviene que se cumpla
    esto que está escrito de mí:
Fue contado entre los malhechores,

Isaías nos indica al mencionar que el Siervo no ha resistido oír las palabras de Dios. Realmente, las acciones del Siervo son la respuesta a las acciones e invitaciones del Señor. El "Señor despierta el oído" del Siervo; "el Señor Dios ha hecho" que el Siervo pueda "oír sus palabras". Y entonces el Siervo responde sin resistencia. Cuando las personas entran al camino de la iniciación cristiana, uno de los ritos del proceso incluye la "signación" de los sentidos. Durante tal rito, el celebrante hace la señal de la cruz en los oídos, al tiempo que suplica que los oídos de quienes caminan hacia el camino discipular oigan la voz del Señor, así como el Siervo de Isaías lo hizo.

El Siervo es desde fuente de consuelo con palabras de aliento hasta sujeto de insultos y sufrimientos. Con todo, el Señor le da a su rostro la fuerza de una roca y le ayuda para que no sea avergonzado. El Siervo no es sujeto de insultos sin su consentimiento; él ofrece la espalda a los que lo golpean y la mejilla a quienes le tiran la barba. En otras palabras, el Siervo acepta los sufrimientos y se ofrece a enfrentar dificultades.

El Siervo del Señor es un discípulo enviado con una misión. Tras haber recibido la Palabra del Señor, es amparado para poder ser testigo y superar momentos difíciles. Jesucristo, en su vida y en su muerte, se identifica con el Siervo. Él mismo es la Palabra encarnada —el Verbo encarnado— que da aliento a los afligidos y sufre durante su misión. Y el Padre no lo abandona. Isaías nos muestra que hay una relación íntima entre el Siervo y el Señor.

En esta liturgia dominical, el Salmo 22 hace eco al mensaje del tercer Cántico del Siervo y nos ayuda a ver a Cristo sostenido

porque se **acerca** el cumplimiento
de **todo** lo que se refiere a mí".
Ellos le dijeron:
"Señor, **aquí** hay dos espadas".
Él les contestó:
"¡**Basta** ya!"

Salió Jesús, **como de costumbre**, al monte de los Olivos
y lo acompañaron los discípulos.
Al llegar a ese sitio, les dijo:
"**Oren**, para **no caer** en la tentación".

Comunica la angustia de Jesús en oración.

Luego se **alejó** de ellos a la distancia de un tiro de piedra
y se puso a orar de rodillas, diciendo:
"**Padre**, si quieres, **aparta de mí** esta amarga prueba;
pero que **no se haga** mi voluntad, sino **la tuya**".
Se le apareció entonces un ángel para **confortarlo**;
él, en su angustia **mortal**, oraba con **mayor** insistencia,
y comenzó a sudar **gruesas gotas de sangre**,
que caían hasta el suelo.
Por fin **terminó** su oración, se levantó,
fue hacia sus discípulos y los encontró **dormidos por la pena**.
Entonces les dijo:
"¿**Por qué** están dormidos?
Levántense y oren para no caer en la tentación".

Hay dolor en Jesús por la traición de su amigo. Es el acontecimiento que desencadenará la aprehensión. Lee con ritmo.

Todavía estaba hablando,
cuando llegó **una turba** encabezada por Judas,
uno de los Doce, quien se acercó a Jesús **para besarlo**.
Jesús le dijo:
"Judas, ¿con un beso **entregas** al Hijo del hombre?"

Dale tono resolutivo a esta parte.

Al **darse cuenta** de lo que iba a suceder,
los que estaban con él dijeron:
"¿Señor, **los atacamos** con la espada?"
Y uno de ellos **hirió** a un criado del sumo sacerdote
y le **cortó** la oreja derecha.

---

por la fuerza de Dios, su Padre. Este es un salmo característico de acción de gracias; es un tipo de salmo que comienza con un elemento de lamento y petición durante alguna crisis o algún sufrimiento, al que sigue una declaración de haber recibido resolución a dicha crisis, y finalmente un elemento de acción de gracias y promesa de dar alabanza, testimonio, y en ocasiones, también de ofrecer sacrificio. En las líneas que escuchamos del salmista, percibimos la voz de Cristo que ora desde la cruz (ver Mateo 27:46), seguro de la protección del Señor Dios. Su testimonio del amor de Dios es tal

que termina animando a la alabanza de todo el pueblo.

II LECTURA Al igual que la primera lectura y el salmo, la segunda lectura de hoy se proclama en los tres años litúrgicos. Se trata de un conocido himno cristológico que expresa la fe de las primeras comunidades cristianas, y que Pablo recoge en su carta a los Filipenses.

Para comprender mejor el mensaje de este canto, hay que revisar someramente lo que antecede en el escrito. En el capítulo previo al himno, Pablo describe su situación

de encarcelamiento como un instrumento mediante el cual el nombre de Cristo y sus obras han sido anunciadas y compartidas mediante la proclamación del Evangelio. La situación de Pablo da ánimo para que otros compartan la Buena Nueva. Sin embargo, Pablo advierte que algunos comparten el Evangelio por envidia y otros con espíritu de competencia, aunque también algunos con buenas intenciones (1:12–16).

Enseguida, Pablo pide a los filipenses que no actúen por rivalidad ni vanagloria, sino más con humildad (2:3–4). En este contexto, viene entonces el himno proclamado

Jesús intervino, diciendo:
"¡**Dejen**! ¡**Basta**!"
Le tocó la oreja y **lo curó**.

Después Jesús dijo a los sumos sacerdotes,
a los encargados del templo
y a los ancianos que habían venido **a arrestarlo**:
"Han venido a aprehenderme con espadas y palos,
como si fuera un bandido.
Todos los días he estado con ustedes en el templo
y no me echaron mano.
Pero **ésta** es su hora y la del **poder** de las tinieblas".

Ellos lo **arrestaron**, se lo llevaron y lo hicieron entrar en la casa
del **sumo sacerdote**.
Pedro lo seguía **desde lejos**.
Encendieron fuego en medio del patio, se sentaron alrededor
y Pedro se sentó **también** con ellos.
Al verlo **sentado** junto a la lumbre, una criada **se le quedó**
mirando y dijo:
"Éste **también** estaba con él".
Pero él **lo negó**, diciendo:
"**No lo conozco**, mujer".
Poco después lo vio otro y le dijo:
"**Tú también** eres uno de ellos".
Pedro replicó:
"¡Hombre, **no lo soy**!"
Y como después de una hora, otro **insistió**:
"Sin duda que éste también estaba con él, porque **es galileo**".
Pedro contestó:
"¡Hombre, **no sé** de qué hablas!"
Todavía estaba hablando, cuando **cantó** un gallo.

El Señor, volviéndose, **miró** a Pedro.
Pedro **se acordó** entonces de las palabras
que el Señor le había dicho:

En esta parte, baja la velocidad como deteniéndote en la figura de Pedro.

en la liturgia de hoy. Seguir el ejemplo de Cristo significa tener la humildad de Cristo, quien "no se aferró a las prerrogativas de su condición divina, sino que, por el contrario, se anonadó a sí mismo y tomó la condición de siervo", al hacerse semejante a los humanos. El término *anonadar* es la traducción del griego *kenoo* que significa vaciar o anular. Entonces, que Cristo se *anonadó a sí mismo*, quiere decir que él se vació al no aferrarse a su condición divina y tomar humildemente la forma humana. Este salir de sí mismo para entrar en solidaridad con la humanidad, nos muestra que ser el Siervo

del Señor demanda un vaciarse motivado por obediencia.

En esta lectura, Pablo nos presenta un ejemplo de lo que se conoce como tipología. En cuanto a las Sagradas Escritura, este concepto interpretativo se define como una persona, un lugar o un objeto que prefiguran o anticipan una persona, un lugar o un objeto futuros. Por ejemplo, la "figura tipológica" de la Eucaristía prefigura el maná enviado por el Señor mientras el pueblo caminaba en el desierto. Luego, usando el principio de tipología, el Espíritu Santo, a través de Pablo, nos revela que Adán fue la figura ti-

pológica de Cristo; o sea, Adán prefiguró a Cristo. Adán fue creado a imagen y semejanza de Dios, pero él mismo no es la perfección de la humanidad. Adán anticipó o prefiguró a Jesucristo, quien a su vez revela no solamente el amor del Padre sino también el plan completo para la humanidad. Cristo es el nuevo Adán.

Pablo nos presenta el contraste entre el primer Adán y el segundo Adán. En esta lectura, Pablo nos muestra a Cristo que se vacía de sí mismo y es hombre obediente, en contraste con Adán, quien se aferró a sí mismo y no obedeció. La humildad y obe-

'**Antes** de que cante el gallo, me **negarás** tres veces',
y saliendo de allí se soltó a llorar **amargamente**.

Los hombres que sujetaban a Jesús se **burlaban de él**,
le daban golpes,
le tapaban la cara y le preguntaban:
"¿**Adivina** quién te ha pegado?"
Y proferían contra él **muchos** insultos.

Al amanecer **se reunió** el consejo de los ancianos con los sumos
sacerdotes y los escribas.
Hicieron **comparecer** a Jesús ante el sanedrín y le dijeron:
"Si **tú eres** el Mesías, dínoslo".
Él les contestó:
"Si se lo digo, **no lo van a creer**, y si les pregunto,
no me van a responder.
Pero ya desde **ahora**,
el Hijo del hombre está sentado **a la derecha**
de Dios **todopoderoso**".
Dijeron **todos**:
"Entonces, ¿**tú eres** el Hijo de Dios?"
Él les contestó:
"Ustedes **mismos** lo han dicho: sí **lo soy**".
Entonces ellos dijeron:
"¿**Qué** necesidad tenemos **ya** de testigos?"
Nosotros mismos lo hemos oído **de su boca**".
El consejo de los ancianos,
con los sumos sacerdotes y los escribas,
se levantaron y llevaron a Jesús **ante Pilato**.

Entonces comenzaron **a acusarlo**, diciendo:
"Hemos **comprobado** que éste anda **amotinando**
a nuestra nación
y **oponiéndose** a que se pague tributo al César
y diciendo que él es el **Mesías rey**".

El interrogatorio es vivo. Acentúa debidamente las cuestiones, aunque no haya signos de interrogación.

diencia de Cristo se evidencian en su aceptar la muerte en la cruz. La humildad de Cristo ya fue presentada en el Evangelio de la Procesión, proclamado hoy, como cualidad esencial del rey mesías que entra a Jerusalén; la humildad es virtud que está encarnada en Jesucristo.

La obediencia es el punto de giro del himno de la segunda lectura. Vemos que en el himno se presenta un movimiento de la humillación hacia la exaltación. En la primera parte del movimiento en el himno, vemos que Jesús revela el amor infinito del Padre y que, al humillarse, se convierte

en modelo de obediencia y de vaciamiento de sí mismo. Luego, en el movimiento ascendente, contemplamos que Dios Padre exalta a su Cristo, hasta hacer que al nombre de Jesús todos se arrodillen y lo reconozcan Señor.

EVANGELIO A lo largo de su evangelio, Lucas presenta a Cristo como un profeta rechazado por el pueblo, por lo que, en cierta medida, refleja el rechazo sufrido por el Siervo de Isaías. En este evangelio, también destacan escenas de comidas o banquetes, entre ellas la Última

Cena, con la cual comienza el relato de la pasión. En el relato lucano hay elementos únicos que nos ayudan a comprender con mayor claridad el cumplimiento de las promesas de Dios anunciadas por los profetas. En este relato de Lucas, veremos muchas conexiones con el Siervo de Isaías, y también conexiones con otros profetas.

Dentro del relato de la institución de la Eucaristía, Lucas es el único evangelista que incluye la instrucción de Cristo a los discípulos: "Hagan esto en memoria mía". Esta instrucción de celebrar *recordando* refleja la instrucción que Dios dio para celebrar la

Pilato preguntó a Jesús:
  "¿**Eres tú** el rey de los judíos?"
Él le contestó:
  "**Tú** lo has dicho".
Pilato dijo a los sumos sacerdotes y a la turba:
  "No encuentro **ninguna** culpa en este hombre".
Ellos **insistían** con más fuerza, diciendo:
  "Solivianta al pueblo
  enseñando por **toda** la Judea, desde Galilea **hasta aquí**".
Al **oír esto**, Pilato preguntó si era galileo,
  y al enterarse de que era de **la jurisdicción** de Herodes,
    se lo remitió,
  ya que Herodes estaba en Jerusalén **precisamente**
    por aquellos días.

Herodes, al ver a Jesús, se puso **muy contento**,
  porque hacía **mucho tiempo** que quería verlo,
  pues había oído hablar **mucho** de él
  y esperaba presenciar **algún** milagro suyo.
Le hizo **muchas** preguntas, pero él no le contestó **ni una palabra**.
Estaban ahí los sumos sacerdotes y los escribas,
  acusándolo **sin cesar**.
Entonces Herodes, con su escolta,
  lo trató **con desprecio** y **se burló** de él,
  y le **mandó** poner una vestidura blanca.
Después se lo remitió a Pilato.
Aquel **mismo** día se hicieron amigos Herodes y Pilato,
  porque antes eran **enemigos**.

Pilato **convocó** a los sumos sacerdotes,
  a las autoridades y al pueblo, y les dijo:
  "Me han traído a este hombre, alegando que **alborota** al pueblo;
  pero yo lo he interrogado **delante** de ustedes
  y no he encontrado en él **ninguna** de las culpas
    de que lo acusan.

Haz una pausa breve luego de estas palabras de Pilato.

No avances con mucha rapidez en esta parte.

Pascua, al decir que, al reunirse, los padres les digan a sus hijos que celebran recordando, lo que hizo Dios al liberarlos de Egipto (ver Éxodo 13:14). El recordar no es simplemente un recordar con nostalgia, sino recordar una acción de Dios, en nuestra vida, en nuestro pasado, en nuestro presente, con esperanza hacia el futuro. Entonces, al dar las instrucciones, Jesús presenta una nueva Pascua de liberación, e invita a que celebren la cena recordando esta nueva liberación, por la cual reciben una nueva vida. La sangre que Cristo derrama sella la nueva

alianza. Y como la sangre da vida (ver Levítico 17:11), la sangre de esta alianza nueva da vida nueva.

Los acontecimientos que siguen a la cena continúan la narrativa de la pasión. A través de su relato, Lucas nos permite acompañar a Cristo durante las últimas horas previas a la crucifixión, y así entrar en el drama del misterio de la salvación. Vemos la competencia, que en ocasiones existía, entre los discípulos al indagar quién de ellos será considerado como el más importante y vemos también la enseñanza de Cristo al

decirles que lo más importante es servir el uno al otro. En el acto de servicio podemos ver la humildad y solidaridad de la que habla Pablo en la carta a los Filipenses. La grandeza es expresada en servicio y en anonadamiento. Jesús nos enseña a tener compasión de quien va a traicionarlo y paciencia con quien busca prestigio.

Luego de la cena, Jesús, acompañado de los discípulos, va hasta el monte de los Olivos, lo cual nos recuerda nuevamente las referencias ya mencionadas de 1 Reyes y Zacarías que mencionaban la entrada de un

Eleva un tanto el tono de voz en las palabras de los judíos.

Haz notar la frase "por tercera vez" y detente un poco luego de la pregunta.

En las palabras proféticas de Jesús, muestra clemencia ante la genuina reacción de las mujeres.

Tampoco Herodes, porque me lo ha enviado **de nuevo**.
Ya ven que **ningún** delito **digno** de muerte se ha probado.
Así pues, le aplicaré un escarmiento y **lo soltaré**".

Con ocasión de la fiesta, Pilato **tenía** que dejarles **libre** a un preso.
Ellos vociferaron **en masa**, diciendo:
    "¡**Quita** a ése! ¡**Suéltanos** a Barrabas!"
A éste lo habían metido en la cárcel
    por una **revuelta** acaecida en la ciudad y un homicidio.

Pilato **volvió** a dirigirles la palabra,
    con la **intención** de poner en libertad a Jesús;
    pero ellos **seguían** gritando:
"¡Crucifícalo, **crucifícalo**!"
Él les dijo por **tercera vez**:
    "¿Pues qué **ha hecho** de malo?
No he encontrado en él **ningún delito** que merezca la muerte;
    de modo que le aplicaré un escarmiento y **lo soltaré**".
Pero ellos **insistían**, pidiendo a gritos que lo crucificara.
Como iba **creciendo** el griterío,
    Pilato **decidió** que se cumpliera su petición;
    soltó al que le pedían, al que había sido encarcelado
        por revuelta y homicidio,
    y a Jesús se lo entregó **a su arbitrio**.

Mientras lo llevaban a crucificar,
    echaron mano a un cierto Simón de Cirene,
        que volvía del campo,
        y **lo obligaron** a cargar la cruz, detrás de Jesús.
Lo iba siguiendo una **gran multitud** de hombres y mujeres,
    que se golpeaban el pecho y **lloraban** por él.
Jesús **se volvió** hacia las mujeres y les dijo:
    "**Hijas** de Jerusalén, **no lloren** por mí;
    lloren por ustedes y **por sus hijos**,
    porque van a venir días en que se dirá:
    '¡**Dichosas** las estériles y los vientres que no han dado a luz
    y los pechos que no han criado!'

rey humilde. Pero en contraste con la entrada triunfante de un rey, esta entrada en el monte de Olivos es una entrada diferente; esta vez es una entrada a un vaciamiento y despojamiento de su tiempo en la tierra. Jesús enfrenta estos momentos en oración y en completa unión con el Padre. Lucas nos habla de la tensión expresada en su oración entre desear que la prueba pase y al mismo tiempo desear hacer la voluntad del Padre. La angustia es tan grande que Cristo incluso suda gotas de sangre. El relato de Lucas presenta a los discípulos quedándose dor-

midos por pena y, en contraste con los relatos mateano y marquiano, solamente se quedan dormidos una vez, no tres veces. Cristo rodea a sus discípulos con compasión, sea que se quedan dormidos, o sea que lo nieguen. La paciencia que tiene con ellos es la paciencia que nos sigue ofreciendo a nosotros.

En Lucas, un enfoque especial de la pasión de Cristo es la inocencia de Cristo y el perdón que él brinda a quienes lo ofenden. Pilato, Herodes, uno de los malhechores, y el capitán romano, todos ellos reconocen la

inocencia de Jesús. Tres veces Pilato declara que Jesús era inocente y que no merecía morir (23:4; 23:14, 22). Herodes tampoco encuentra culpa en Jesús y se lo devuelve a Pilato (23:15). Uno de los malhechores crucificados al lado de Jesús, reconoce la inocencia de Cristo al decir al otro malhechor, "Pero éste ningún mal ha hecho" (23:42). Incluso el oficial romano, al ver lo que sucedía en el momento en que Cristo muere, afirma la inocencia de Jesús, al decir, "Verdaderamente este hombre era justo" (23:47).

Procura alargar el topónimo: "la Calavera".

Entonces dirán a los montes: '**Desplómense** sobre nosotros',
    y a las colinas: '**Sepúltennos**,'
    porque si **así** tratan al árbol verde, ¿**qué pasará** con el seco?"

Conducían, **además**, a dos malhechores, para ajusticiarlos con él.
Cuando llegaron al lugar llamado "**la Calavera**",
    lo crucificaron **allí**, a él y a los malhechores,
    uno a su derecha y el otro a su izquierda.

Lee el perdón de Jesús con tono genuino de compasión.

Jesús decía desde la cruz:
    "Padre, **perdónalos**, porque **no** saben lo que hacen".
Los soldados se **repartieron** sus ropas, echando suertes.

El pueblo estaba mirando.
Las autoridades **le hacían muecas**, diciendo:
    "A **otros** ha salvado; que se **salve** a sí mismo,
    si él es el Mesías de Dios, **el elegido**".
También los soldados se **burlaban** de Jesús,
    y acercándose a él, le ofrecían vinagre y le decían:
"Si tú eres el rey de los judíos, **sálvate** a ti mismo".
Había, en efecto, sobre la cruz, un letrero en griego, latín
    y hebreo, que decía:
"**Éste** es **el rey** de los judíos".

Uno de los malhechores crucificados **insultaba**
    a Jesús, diciéndole:
    "Si tú eres el Mesías, **sálvate** a ti mismo **y a nosotros**".
Pero el otro le reclamaba, **indignado**:
    "¿**Ni siquiera** temes tú a Dios estando en el **mismo** suplicio?
Nosotros **justamente** recibimos el pago de lo que hicimos.
Pero éste **ningún** mal ha hecho".
Y le decía a Jesús:
    "**Señor**, cuando llegues a tu Reino, **acuérdate** de mí".

La promesa de Jesús debe tener tono compasivo.

Jesús le respondió:
    "Yo te **aseguro** que **hoy** estarás conmigo en el paraíso".

Era casi el mediodía,
    cuando las tinieblas invadieron **toda** la región
    y se **oscureció** el sol hasta las tres de la tarde.

El enfoque en el perdón y la misericordia de Dios ya es presentado antes de la pasión, en las parábolas del perdón, del capítulo 15, y en el contexto de la pasión, el tema del perdón emerge nuevamente. Tres de las siete últimas frases de Cristo desde la cruz pertenecen a la lectura del evangelio de hoy: "Padre, perdónalos, porque no saben lo que hacen" (23:34); "Yo te aseguro que hoy estarás conmigo en el paraíso" (23:43); y "*¡Padre, en tus manos encomiendo mi espíritu!*" (23:46). Dos de las últimas frases —"Padre, perdónalos, porque no saben lo que hacen" (23:34) y "Yo te aseguro

que hoy estarás conmigo en el paraíso" (23:43) — reflejan el tema de perdón. Los que ordenaron la crucifixión no reconocían a Cristo como el rey mesías enviado por el Padre, y por tanto no comprendían el alcance de sus acciones; Jesús demuestra su compasión al pedir al Padre que los perdone. El criminal, a pesar de haber pecado mucho, reconoce quién es Jesús, ponen su fe en Jesús y le pide perdón implícitamente al suplicarle que se acuerde de él al entrar al Reino. Jesús, lo perdona al responder, "Yo te aseguro que hoy estarás conmigo en el paraíso". Es decir, lo admite junto a sí.

La presencia del Espíritu es otro tema importante en el Evangelio según Lucas, especialmente la presencia del Espíritu *en* Cristo y *con* Cristo, desde el momento de la anunciación (1:35) hasta el momento de la muerte. El Espíritu cubre con su sombra a María (1:35); baja sobre Jesús cuando Juan lo bautiza (3:22); guía a Jesús al desierto y lo acompaña durante los cuarenta días de prueba (4:1–2); unge a Jesús al comenzar su ministerio público (4:18–19); es encomendado al Padre cuando Cristo expira en la cruz (23:46). El Espíritu que está presente *en* Cristo y *con* Cristo en Lucas, el mismo

A la última palabra de Jesús dale profundidad más que potencia.

El velo del templo **se rasgó** a la mitad.
    Jesús, clamando con voz potente, dijo:
    "¡Padre, en tus manos **encomiendo** mi espíritu!"
Y dicho esto, **expiró**.

[Aquí se arrodillan todos y se hace una breve pausa.]

Espera que toda la asamblea esté de pie después de la genuflexión para continuar con la lectura solemne.

El oficial romano, **al ver** lo que pasaba, dio gloria a Dios, diciendo:
    "**Verdaderamente** este hombre era justo".
Toda la muchedumbre que había acudido a este espectáculo,
    mirando lo que ocurría,
    se volvió a su casa **dándose** golpes de pecho.
Los conocidos de Jesús se mantenían **a distancia**,
    lo mismo que las mujeres que lo habían seguido desde Galilea,
    y permanecían mirando todo aquello.

Un hombre llamado José,
    consejero del sanedrín, hombre **bueno y justo**,
    que no había estado de acuerdo
      con la decisión de los judíos **ni con sus actos**,
    que era natural de Arimatea, ciudad de Judea,
    y que **aguardaba** el Reino de Dios,
    se presentó ante Pilato para **pedirle** el cuerpo de Jesús.
Lo **bajó** de la cruz, lo **envolvió** en una sábana
    y lo **colocó** en un sepulcro excavado en la roca,
    donde no habían puesto a nadie **todavía**.
Era el **día** de la Pascua y ya iba a empezar el sábado.

Hacia el final del relato, ve bajando la velocidad de tu lectura.

Las mujeres que habían seguido a Jesús desde Galilea
      acompañaron a José **para ver el sepulcro**
      y cómo colocaban el cuerpo.
Al regresar a su casa, prepararon **perfumes y ungüentos**,
    y el sábado **guardaron** reposo, conforme al mandamiento.

Lectura alternativa: *Lucas 23:1–49*

Espíritu puesto sobre el Siervo de Isaías (Isaías 42:1), conecta la primera lectura con el evangelio de la pasión de manera extraordinaria. El tema del Siervo de Isaías, ungido por el Espíritu, con la misión de llevar justicia al mundo, encuentra cumplimento pleno en la vida entera de Cristo.

JUEVES SANTO, MISA VESPERTINA DE LA CENA DEL SEÑOR

I LECTURA   Éxodo 12:1–8, 11–14

Lectura del libro del Éxodo

En aquellos días,
    el Señor les dijo a Moisés y a Aarón **en tierra de Egipto:**
      "Este mes será para ustedes **el primero** de todos los meses
        y **el principio** del año.
Díganle **a toda** la comunidad de Israel:
    'El día diez de este mes, tomará cada uno
      un cordero **por familia,** uno por casa.
Si la familia es **demasiado pequeña** para comérselo,
    que se junte **con los vecinos** y elija un cordero adecuado
      al número de personas
      y **la cantidad** que cada cual pueda comer.
Será un animal **sin defecto,** macho, de un año, cordero o cabrito.

Lo guardarán hasta el **día catorce** del mes,
    cuando **toda** la comunidad de los hijos de Israel
      lo inmolará al atardecer.
Tomarán la sangre y **rociarán** las dos jambas
    y el dintel de la puerta de la casa
      donde vayan a comer el cordero.
Esa noche **comerán la carne,** asada a fuego;
    comerán panes **sin levadura** y hierbas **amargas.**
Comerán **así:** con la cintura **ceñida,** las sandalias en los pies,
    un bastón en la mano **y a toda prisa,**
      porque **es la Pascua,** es decir, **el paso** del Señor.

Frasea bien para que las instrucciones resulten muy claras a la audiencia.

Al llegar a "la sangre", alarga la frase.

La celebración de la Cena del Señor del Jueves Santo marca el fin de la Cuaresma y el comienzo del Santo Triduo. Estos tres días santos son la cumbre del año litúrgico. Tanto los proclamadores como el resto de los fieles habrán de entender bien la importancia del significado de estos días. El Triduo no consiste en tres liturgias separadas, más bien *es una sola celebración* que tiene lugar en partes y a lo largo de tres días.

Triduo significa tres días. Muchas personas se confunden sobre cuáles son los tres días. Generalmente, las personas piensan que los tres días son Jueves Santo, Viernes Santo y Sábado Santo; sin embargo, esto no es correcto. Esta idea equivocada probablemente surge de una confusión en la manera de contar el intervalo de tiempo que medimos como un día. Recordemos que un día consta de veinticuatro horas. Aunque sabemos que el día comienza a la medianoche, comúnmente se dice que el día comienza cuando sale el sol. En todo caso, la idea de que el día comienza a la medianoche o la de que comienza cuando amanece son adecuadas para entender el concepto de día en el Triduo. Encontramos la pauta en el Génesis, donde vemos que los judíos inician el nuevo día con el atardecer: "Pasó una tarde, pasó una mañana: éste fue el segundo día" (Génesis 1:8). Este cómputo del día, heredado de nuestros antepasados en la fe, nos da la clave para entender los tres días del Triduo.

De modo que, en contrario a la idea de que los tres días del Triduo se corresponden con el Jueves Santo, el Viernes Santo y el Sábado Santo, respectivamente, los tres días del Triduo deben entenderse de la siguiente manera: primer día, del atardecer (o del ocaso) del jueves al atardecer del viernes; segundo día, del atardecer del

Endurece el tono en este párrafo justiciero; luego alarga las frases en el párrafo final.

Yo **pasaré** esa noche por la tierra de Egipto
    y **heriré a todos** los primogénitos del país de Egipto,
       desde los hombres hasta los ganados.
Castigaré a todos los dioses de Egipto, yo, **el Señor**.
La sangre les servirá **de señal** en las casas donde habitan ustedes.
Cuando yo vea la sangre, **pasaré de largo**
    y **no habrá** entre ustedes plaga exterminadora,
       cuando **hiera** yo la tierra de Egipto.

Ese día será para ustedes **un memorial**
    y lo celebrarán como **fiesta** en honor del Señor.
De generación **en generación** celebrarán esta festividad,
    como institución **perpetua'"**.

Para meditar

SALMO RESPONSORIAL   Salmo 116:12–13, 15–16bc, 17–18

R. El cáliz de la bendición es comunión con la sangre de Cristo.

¿Cómo pagaré al Señor
    todo el bien que me ha hecho?
Alzaré la copa de la salvación,
    invocando su nombre. **R.**

Mucho le cuesta al Señor
    la muerte de sus fieles.
Señor, yo soy tu siervo,
    siervo tuyo, hijo de tu esclava;
    rompiste mis cadenas. **R.**

Te ofreceré un sacrificio de alabanza,
    invocando tu nombre, Señor.
Cumpliré al Señor mis votos
    en presencia de todo el pueblo. **R.**

viernes al atardecer del sábado; y tercer día, del atardecer del sábado al atardecer del domingo.

Comenzamos entonces nuestra jornada del primer día del Triduo.

I LECTURA La celebración del Triduo Sacro comienza con la proclamación del libro de Éxodo sobre el relato de las instrucciones al pueblo de Israel para celebrar la Pascua. Hay que tomar en cuenta que Dios dio las instrucciones al pueblo, a través de Moisés, antes de que la liberación de Egipto ocurriera. Estas instruccio-

nes, bastante detalladas, señalan el mes y el día indicados para la celebración, la elección del animal a sacrificar, el modo de prepararlo y el resto de comestibles que deberán acompañar el consumo de la carne del animal. Además, hay una instrucción clave para los israelitas de aquel tiempo y para nosotros hoy en día. El Señor les indica marcar su vivienda con la sangre del cordero sacrificado, para que esa sangre les sirva de señal protectora y así no ser heridos al paso del Señor delante de sus casas.

Una vez rescatados de la esclavitud y conducidos por entre las aguas del mar

hasta la Tierra Prometida, los israelitas deberían reunirse cada año para celebrar este recordatorio de aquel día, cuando fueron protegidos por la sangre del cordero previo a su liberación de Egipto. Les dice Dios: "Ese día será para ustedes un memorial y lo celebrarán como fiesta en honor del Señor. De generación en generación celebrarán esta festividad, como institución perpetua" (Éxodo 12:14). La instrucción es para todas las generaciones. El propósito de reunirse no es simplemente de cumplir una ordenanza del Señor, sino que al cumplirla estarán cumpliendo el propósito detrás de

II LECTURA   1 Corintios 11:23–26

Lectura de la primera carta del apóstol san Pablo a los corintios

Hermanos:
Yo recibí **del Señor** lo mismo que les **he trasmitido**:
    que el Señor Jesús, la noche en que iba **a ser entregado**,
    tomó pan en sus manos, y pronunciando la **acción de gracias**,
    lo partió **y dijo**:
"Esto es **mi cuerpo,** que **se entrega** por ustedes.
Hagan esto **en memoria mía**".

Lo **mismo** hizo con el cáliz después de cenar, diciendo:
    "Este cáliz es **la nueva alianza** que se sella con mi sangre.
Hagan esto en memoria mía **siempre** que beban de él".

Por eso, **cada vez** que ustedes
    comen **de este pan** y beben **de este cáliz**,
    proclaman la muerte del Señor, **hasta que vuelva**.

EVANGELIO   Juan 13:1–15

Lectura del santo Evangelio según san Juan

Antes de la fiesta de la Pascua,
    sabiendo Jesús que había **llegado la hora**
        de pasar de este mundo al Padre
    y habiendo amado **a los suyos**, que estaban en el mundo,
    los amó **hasta el extremo**.

En el transcurso de la cena,
    cuando ya el diablo había puesto en el corazón de
        Judas Iscariote, hijo de Simón, la idea **de entregarlo**,
    Jesús, consciente de que el Padre había puesto en sus manos
        todas las cosas
    y sabiendo que **había salido** de Dios y a Dios **volvía**,

Este breve texto contiene la institución de la Eucaristía. Pronúncialo con toda reverencia.

Eleva la voz un tanto para realzar la última línea.

Avanza fraseando pausadamente por esta solemne introducción.

la ordenanza. Es decir, al reunirse a celebrar la liberación, Dios los invitaba a recordar que él intervino en sus vidas y los rescató de la esclavitud.

La celebración anual de esta conmemoración tiene como elemento fundamental hacer el memorial de la liberación.

El salmo 115 que se entona luego de la lectura del Éxodo también se canta durante la liturgia de la Pascua judía. Este salmo refleja la liberación recibida cuando el Señor rompió las cadenas de la esclavitud, y la gratitud del creyente ante lo que el Dios ha hecho en su vida. Dada la lectura previa del ritual de la Pascua, este salmo resalta el elemento sacrificial que forma parte del ritual de dicha celebración, lo cual expresamos al cantar que ofrecemos un sacrificio de alabanza y que levantamos la copa de salvación.

II LECTURA Esta carta de Pablo, uno de los escritos más antiguos del Nuevo Testamento, nos presenta el relato de la institución de la Eucaristía. Si bien Pablo no estuvo presente en la Última Cena, él recibió de los primeros testigos las enseñanzas que ahora nos comparte. Estas palabras de Pablo están enmarcadas dentro de sus enseñanzas acerca de la liturgia. Él recalca que celebrar la liturgia no es solamente un acto de ritual sino más bien una celebración de la conmemoración del sacrificio de Cristo, que une a la comunidad en acción de gracias y que compromete a todos sus miembros a vivir siguiendo el ejemplo del Señor. Los versículos que siguen a lo que hoy se proclama advierten a los fieles que, de participar en la celebración, mientras siguen ofendiendo de alguna forma a otros de la comunidad que es el

Dale su peso a cada frase de las acciones de Jesús. No te precipites.

se **levantó** de la mesa, se quitó el manto
y tomando una
   toalla, se la ciñó;
luego echó agua en una jofaina
y se puso **a lavarles los pies** a los discípulos
y a secárselos con la toalla que se había ceñido.

Cuando llegó a **Simón Pedro,** éste le dijo:
   "Señor, ¿me vas a lavar **tú a mí** los pies?"
Jesús le replicó: "Lo que estoy haciendo tú no lo entiendes **ahora,**
   pero lo comprenderás **más** tarde".
Pedro le dijo: "Tú no me lavarás los pies **jamás**".
   Jesús le contestó:
   "Si no te lavo, **no tendrás parte conmigo**".
Entonces le dijo Simón Pedro:
   "En ese caso, Señor, no sólo los pies,
   sino **también** las manos y la cabeza".
Jesús le dijo:
   "El que se ha bañado **no necesita** lavarse
   más que los pies, porque **todo él** está limpio.
Y ustedes están limpios, aunque **no todos**".
Como **sabía** quién lo iba a entregar, por eso dijo:
   '**No todos** están limpios'.

Esta línea debe decirse con tono lapidario al igual que la respuesta de Jesús.

Cuando **acabó** de lavarles los pies, se puso otra vez el manto,
   volvió a la mesa y les dijo:
   "¿**Comprenden** lo que acabo de hacer con ustedes?
Ustedes me llaman Maestro y Señor, y dicen bien, **porque lo soy**.
Pues si yo, **que soy el Maestro y el Señor,** les he lavado los pies,
   también ustedes deben lavarse los pies **los unos a los otros**.
Les he dado ejemplo,
   para que **lo que yo he hecho** con ustedes,
   también ustedes **lo hagan**".

Baja la velocidad poco a poco, para enfatizar lo último.

cuerpo de Cristo, les traerá condenación (1 Corintios 11:27–29)

Las acciones que Pablo describe como parte de la Cena durante la cual el Señor instituyó la Eucaristía reflejan las acciones de la cena de la Pascua judía. Pablo nos comunica que Jesús asumió aquellas acciones en sí mismo, de modo que, en vez de ser la sangre del cordero (marcada sobre las viviendas de los hebreos, que los salvó antes de su salida de Egipto) ahora es la sangre de Cristo mismo, el nuevo Cordero, la que los salvará.

EVANGELIO El evangelio que hoy se proclama en esta primera parte del primer día del Triduo, viene del Evangelio según san Juan. No nos relata las acciones de bendecir el pan y el vino durante la cena; más bien Juan se enfoca en el lavatorio de los pies, en el contexto de la cena. A través de Juan, Dios nos revela que el compartir del Cuerpo y Sangre de Cristo durante la cena compromete a quien participa a vivir una vida con Cristo como modelo; es decir, quien participa en la Cena del Señor acepta ser transformado.

La transformación de la persona en discípulo de Cristo es la base del discipulado. Es decir, el discípulo de Cristo, según el modelo del Maestro, vive para servir a los demás y, muestra el amor del Señor, siendo las manos de él las de Cristo en el mundo. El servicio a los demás es la expresión concreta del amor a Cristo.

VIERNES SANTO
DE LA PASIÓN DEL SEÑOR

I LECTURA Isaías 52:13—53:12

Lectura del libro del profeta Isaías

Cuida el cambio de tono de la prosperidad a la tortura del Siervo.

He aquí que mi siervo **prosperará**,
　　será **engrandecido** y exaltado,
　　será **puesto en alto**.
Muchos se horrorizaron al verlo,
　　porque estaba **desfigurado** su semblante,
　　que **no tenía ya** aspecto de hombre;
　　pero muchos pueblos se **llenaron** de asombro.
Ante él los reyes **cerrarán** la boca,
　　porque verán lo que **nunca** se les había contado
　　y **comprenderán** lo que nunca se habían imaginado.

Dales el tono propio a las preguntas.

¿**Quién** habrá de creer lo que **hemos anunciado**?
¿A quién se le **revelará** el poder del Señor?
Creció en su presencia como **planta débil**,
　　como una raíz **en el desierto**.
No tenía gracia **ni belleza**.
No vimos en él **ningún** aspecto atrayente;
　　despreciado y rechazado por los hombres,
　　varón de dolores, **habituado** al sufrimiento;
　　como uno del cual se aparta **la mirada**,
　　despreciado y **desestimado**.

Comienza el paralelismo entre los sufrimientos del siervo y la pasión de Jesús. Lee con sentimiento.

Según los relatos bíblicos, todos los siguientes acontecimientos ocurrieron en el transcurso de veinticuatro horas: la Última Cena, la oración del Huerto de Olivos, el arresto, el proceso ante las autoridades religiosas judías y las autoridades civiles romanas, la crucifixión, la muerte y la sepultura. Todo ello corresponde al *primer día del Triduo*. Durante las siguientes veinticuatro horas, el cuerpo de Jesucristo descansa en el sepulcro; esto corresponde al *segundo día del Triduo*. En las horas tempranas después del día de reposo (*Sabbath*), o sea al tercer día después de la Última Cena y de la muerte de Cristo, las mujeres encuentran el sepulcro vacío (Mateo 28, Marco 16, Lucas 26), lo cual significa que el Señor resucitó antes de que ellas llegaran; esto corresponde al *tercer día del Triduo*.

Habiendo ya comenzado el primer día del Triduo con la celebración de la Última Cena del Señor, continuamos con *la segunda parte del primer día del Triduo*. La segunda parte del primer día corresponde a la pasión y muerte de Cristo. Este primer día del Triduo concluirá al atardecer de hoy.

La celebración litúrgica del Viernes Santo no es una misa, sino una solemne liturgia que conmemora la pasión del Señor. La celebración que comenzó el Jueves Santo no terminó ese día, sino que continúa hoy con la liturgia de la Pasión y culminará mañana con la Vigilia Pascual. A la liturgia de la Palabra del día de hoy le sigue la Adoración de la Cruz y luego la Comunión con hostias previamente consagradas. La liturgia de la Palabra correspondiente a los tres años litúrgicos usa las mismas lecturas. La primera lectura viene del libro del profeta Isaías, seguida por el Salmo 31; la segunda, de la carta a los Hebreos; el evangelio proclama la pasión del Señor según san Juan.

Suaviza el tono de tu voz en la descripción de toda esta parte.

Él **soportó** nuestros sufrimientos
    y **aguantó** nuestros dolores;
    nosotros lo tuvimos por **leproso**,
    herido por Dios y humillado,
    traspasado por nuestras rebeliones,
    triturado por nuestros crímenes.
Él **soportó** el castigo que nos **trae** la paz.
Por sus llagas hemos sido **curados**.

Todos andábamos errantes **como ovejas**,
    cada uno siguiendo **su camino**,
    y el Señor **cargó** sobre él **todos** nuestros crímenes.
Cuando lo maltrataban, se humillaba y **no abría** la boca,
    como un cordero llevado a **degollar**;
    como **oveja** ante el esquilador,
    enmudecía y no abría la boca.

Inicuamente y **contra toda justicia** se lo llevaron.
¿**Quién** se preocupó de su suerte?
Lo **arrancaron** de la tierra de los vivos,
    lo **hirieron de muerte** por los pecados de mi pueblo,
    le dieron sepultura **con los malhechores** a la hora de su muerte,
    aunque **no había cometido** crímenes, ni hubo **engaño**
        en su boca.

El Señor quiso **triturarlo** con el sufrimiento.
Cuando **entregue** su vida como expiación,
    verá a sus descendientes, **prolongará** sus años
    y **por medio de él** prosperarán los designios del Señor.
Por las fatigas de su alma, **verá** la luz y se saciará;
    con sus sufrimientos **justificará** mi siervo a muchos,
    cargando con los crímenes de ellos.

Por eso le daré una parte **entre los grandes**,
    y con los fuertes **repartirá** despojos,
    ya que indefenso **se entregó** a la muerte

Nota las frases que son paralelas y frasea en consecuencia en este breve discurso divino.

I LECTURA Durante la misa del Domingo de Ramos de la Pasión del Señor, escuchamos la mayor parte del tercer cántico o poema del Siervo del profeta Isaías; hoy continuamos con el tema del Siervo de Isaías al escuchar la proclamación del cuarto cántico. El grupo de los cuatro poemas del Siervo se encuentran en la segunda parte del libro (Isaías 40—55) y se refieren al tiempo del exilio de Babilonia. Los poemas nos presentan la figura de un Siervo o un Servidor del Señor sobre quien el Espíritu de Dios ha sido puesto y que ha recibido la misión de llevar jus-

ticia a las naciones y de ser instrumento mediante el cual la salvación llegará a todo el mundo. El Siervo es ungido por el Espíritu para restaurar una comunidad quebrantada.

El cuarto poema es el más largo, y el más complejo de los cuatro cánticos. Este poema tiene puntos lingüísticos difíciles y también un mensaje teológico desafiante. La identidad precisa del Siervo continúa sin definirse, pues puede referirse al pueblo entero de Israel, o al grupo que se mantuvo fiel al Señor, o a un individuo particular. Amén de la identidad del Siervo en el tiempo del exilio y del posexilio, la tradición cris-

tiana ha visto en estos poemas a Jesucristo, en quien se han cumplido las profecías del Siervo de Dios.

Nos encontramos con un Siervo que ha sufrido *al punto de que su semblante ha quedado desfigurado* es difícil reconocer en él a *un hombre*, y quizá por eso muchos lo desprecian, lo rechazan, y ni siquiera quieren verlo. A pesar de esta apariencia, reyes prestan atención y llegan a comprender cosas que no habían imaginado.

Este poema del Siervo nos recuenta que él ha sufrido por el beneficio de su pueblo, Israel, y también por nosotros; él ha

y fue **contado** entre los malhechores,
cuando tomó sobre sí **las culpas de todos**
e **intercedió** por los pecadores.

Para meditar

SALMO RESPONSORIAL   Salmo 31:2 y 6, 12–13, 15–16, 17 y 25

R. Padre, en tus manos encomiendo mi espíritu.

A ti, Señor, me acojo:
  no quede yo nunca defraudado;
  tú, que eres justo, ponme a salvo.
A tus manos encomiendo mi espíritu:
  tú, el Dios leal, me librarás. **R.**

Soy la burla de todos mis enemigos,
  la irrisión de mis vecinos,
  el espanto de mis conocidos;
  me ven por la calle y escapan de mí.
Me han olvidado como a un muerto,
  me han desechado como a un
    cacharro inútil. **R.**

Pero yo confío en ti, Señor,
  te digo: "Tú eres mi Dios".
En tu mano están mis azares;
  líbrame de los enemigos que me
    persiguen. **R.**

Haz brillar tu rostro sobre tu siervo
  sálvame por tu misericordia.
Sean fuertes y valientes de corazón,
  los que esperan en el Señor. **R.**

II LECTURA   Hebreos 4:14–16; 5:7–9

Lectura de la carta a los hebreos

Llénate de alegría interior para anunciar que Jesús está en solidaridad con nosotros.

Hermanos:
Jesús, el **Hijo** de Dios,
  es nuestro **sumo sacerdote**, que ha entrado en el cielo.
Mantengamos **firme** la profesión de nuestra fe.
En efecto, **no tenemos** un sumo sacerdote
    que no sea capaz **de compadecerse** de nuestros sufrimientos,
  puesto que **él mismo**
    ha pasado por **las mismas pruebas** que nosotros,
  excepto el pecado.
Acerquémonos, por tanto,
  con **plena** confianza al trono de la gracia,
  para **recibir** misericordia,
  hallar la gracia y **obtener** ayuda en el momento oportuno.

---

sido humillado y, más aun, que él ha sido ofendido por nuestras desobediencias. Él ha soportado todo castigo por darnos paz y sus llagas han sido instrumento de nuestra curación. Es incluso llevado a la muerte por los pecados del pueblo y es enterrado entre criminales, a pesar de que él no cometió ningún crimen.

Prestemos ahora especial atención al movimiento dentro del poema. El sufrimiento está en el centro del poema y está enmarcado por un comienzo y un final cuyos tonos contrastan con el del centro. El marco presenta prosperidad: "He aquí que mi sier-

vo prosperará… y le daré una parte entre los grandes". Así pues, el final del poema expresa un cambio de suerte de lo ocurrido en el medio y un reflejo del comienzo. Hay algunos ejemplos en las Sagradas Escrituras que expresan también un cambio de suerte en los sujetos, tal es el caso del Cántico de María, conocido como *Magníficat* en Lucas 1:46–55. En cierta manera, el cuarto poema del Siervo tiene un movimiento similar al del Salmo 22, y al de los otros salmos de acción de gracias, los cuales presentan un movimiento que pasa de aflicción a la alabanza. Es decir, al comienzo, se describe algún su-

frimiento, seguido por súplica y posterior auxilio por parte del Señor, lo cual motiva agradecimiento y alabanza de parte de quien empezó con sufrimiento. De hecho, tal movimiento con todas las partes necesarias no es visible en el cuarto poema, pero el movimiento desde el sufrimiento a la prosperidad sí es claro.

Hay un elemento de expiación en este cántico. Ya el pueblo judío tenía la teología de expiación, especialmente relacionada con el Día de la Expiación (ver Levítico 16). En ese día, una vez cada año, dos cabros machos son ofrecidos en sacrificio; uno es

Precisamente por eso, Cristo, durante su vida mortal,
    ofreció oraciones y súplicas, con **fuertes** voces y lágrimas,
    a aquel que **podía** librarlo de la muerte,
       y **fue escuchado** por su piedad.
A pesar de que **era el Hijo**, **aprendió** a obedecer **padeciendo**,
    y llegado a su **perfección**,
    se **convirtió** en la causa de la salvación **eterna**
       para **todos** los que lo obedecen.

En estas líneas afirma más tu voz. Luego extiende el fraseo para ir terminando.

EVANGELIO   Juan 18:1—19:42

Pasión de nuestro Señor Jesucristo según san Juan

En **aquel** tiempo, Jesús fue con sus discípulos
    al **otro** lado del torrente Cedrón,
    donde había un huerto, y entraron **allí** él y sus discípulos.
Judas, el traidor, conocía **también** el sitio,
    porque Jesús se reunía a menudo allí con sus discípulos.

Considera todo el relato y distribuye el ritmo de lectura.

Entonces **Judas** tomó un batallón de soldados y guardias
    de los sumos sacerdotes y de los fariseos
    y **entró** en el huerto con linternas, antorchas y armas.

Haz notar que Judas interrumpe con violencia.

Jesús, sabiendo **todo** lo que iba a suceder, se **adelantó** y les dijo:
    "**¿A quién** buscan?"
Le contestaron:
    "A Jesús, **el nazareno**".
Les dijo Jesús:
    "**Yo soy**".

Impregna de serenidad la figura de Jesús; él controla todo.

Estaba también con ellos Judas, **el traidor**. Al decirles '**Yo soy**',
    retrocedieron y **cayeron** a tierra.
Jesús les **volvió** a preguntar:
    "**¿A quién** buscan?"

---

ofrecido por el sumo sacerdote como expiación de su pecado y el de su familia; el otro es el *cabro expiatorio*, el cual lleva el pecado del pueblo. Es interesante aclarar que el *cabro* o *chivo expiatorio* es presentado *vivo* ante el Señor y mandado vivo al desierto. En contraste, en el caso del cuarto cántico, el Siervo sobre quien se han cargado los pecados del pueblo, *sí es llevado a la muerte*. El Siervo no solamente llevó las culpas de los pecadores, sino que también intercede por ellos. El sufrimiento que el Siervo padece en silencio provee expiación y ofrece sanación y restauración a la comunidad.

Seguida la proclamación del cántico del Siervo que sufre, la congregación unida en canto eleva la voz para proclamar la oración del Salmo 31. El salmo refleja la resignación de alguien que sufre pacientemente y confía en Dios. Cantado después de la proclamación del cuarto cántico de Isaías, el salmo presenta una gran conexión y continuación del tema del cántico. El Siervo, de quien se burlan, es visto con espanto, es desechado y olvidado, y sin embargo, él confía en el Señor y encomienda su espíritu al Padre, porque confía en su justicia.

II LECTURA La carta a los Hebreos ofrece un estilo diferente al de las otras cartas del Nuevo Testamento. No comienza con el saludo usual al destinatario, ni tampoco tiene la despedida característica de ellas. Es estilo de la Carta a los Hebreos sugiere que fue escrita más como una homilía o sermón que como una carta. El lenguaje es bastante elegante y el mensaje teológico está dirigido a revelar una nueva alianza, un nuevo sacerdocio, diferente al levítico, y un nuevo sistema de sacrificios, es decir, un nuevo culto.

Ellos dijeron:
   "A Jesús, **el nazareno**".
Jesús contestó:
   "Les he dicho que **soy yo**.
Si me buscan **a mí**, dejen que éstos se vayan".
Así **se cumplió** lo que Jesús había dicho:
   'No he perdido **a ninguno** de los que me diste'.

Procura ser cortante en esta parte.

Entonces **Simón Pedro**, que llevaba una espada,
   la sacó e **hirió** a un criado del sumo sacerdote
   y **le cortó** la oreja derecha. Este criado se llamaba **Malco**.
Dijo entonces Jesús **a Pedro**:
   "**Mete** la espada en la vaina.
¿No voy **a beber** el cáliz que me **ha dado** mi Padre?"

El batallón, su comandante y los criados de los judíos
   apresaron a Jesús, lo ataron y lo llevaron primero **ante Anás**,
   porque era suegro de Caifás, **sumo sacerdote** aquel año.
Caifás era el que había dado a los judíos **este consejo**:
   'Conviene que muera **un solo hombre** por el pueblo'.

Luego de la pausa correspondiente, acelera hasta llegar al diálogo.

Simón Pedro y otro discípulo iban siguiendo a Jesús.
Este discípulo era **conocido** del sumo sacerdote
   y **entró** con Jesús en el palacio del sumo sacerdote,
   mientras Pedro se quedaba **fuera**, junto a la puerta.
Salió el otro discípulo, el conocido del sumo sacerdote,
   habló con la portera e **hizo entrar** a Pedro.
La portera dijo entonces a Pedro:
   "¿No eres **tú también** uno de los discípulos de **ese** hombre?"
Él dijo:
   "**No lo soy**".
Los criados y los guardias habían **encendido** un brasero,
   porque hacía **frío**, y se calentaban.
También Pedro estaba con ellos **de pie**, calentándose.

El sumo sacerdote **interrogó** a Jesús acerca de sus discípulos
   y de su doctrina.

El pasaje de Hebreos que hoy se proclama nos revela una progresión de la Antigua Alianza a la Nueva Alianza, con Cristo como el nuevo sumo sacerdote. Algunos temas del sacerdocio levítico y del sistema de sacrificio levítico ya han sido presentados en la primera lectura de hoy. Si bien es cierto que la presentación no fue hecha explícitamente, estos temas han sido insinuados con la figura del chivo expiatorio y el día de expiación que conectan con el tema del cuarto cántico de Isaías. De modo que el mensaje de la segunda lectura tiene un significado aun más profundo, cuando es proclamado en el trasfondo de la lectura del Siervo de Isaías.

En contraste con Aarón, el sumo sacerdote levítico, que entra al santuario del templo terrenal una vez por al año, Jesús es nuestro sumo sacerdote que, durante su Ascensión, ha entrado al santuario eterno del cielo de manera permanente. Aarón, por ser descendiente de la tribu de Leví, era el heredero del sumo sacerdocio. Sin embargo, Jesús, descendiente de la tribu de Judá, muestra que su sumo sacerdocio no tiene que ver con la herencia de tribu sino con el designio de Dios.

Además, Jesús es un sumo sacerdote diferente al levita Aarón por otras razones. El sacerdote de la tribu levita no tenía solidaridad con el resto del pueblo. Cristo, a diferencia de Aarón, pasó por las mismas pruebas que nosotros, excepto por el pecado, y por tanto él es capaz de compadecerse de nuestros sufrimientos, de modo que nosotros podemos recibir su misericordia y obtener su ayuda en el momento oportuno. Ya que sacerdote levítico Aarón no estaba en solidaridad con el pueblo, no era capaz de entender sus sufrimientos. Por tanto, solamente podía ofrecer el ritual externo, pero

Jesús está en control de la situación. Proclama con tono sereno y seguro sus intervenciones.

Jesús le contestó:
"Yo he hablado **abiertamente** al mundo
y he enseñado **continuamente** en la sinagoga y en el templo,
donde se reúnen **todos** los judíos,
y no he dicho **nada** a escondidas.
¿Por qué me interrogas **a mí**?
Interroga a los que **me han oído**, sobre lo que **les he hablado**.
Ellos **saben** lo que he dicho".

Apenas dijo esto, uno de los guardias
le dio una **bofetada** a Jesús, diciéndole:
"**¿Así** contestas al sumo sacerdote?"
Jesús le respondió:
"Si he **faltado** al hablar, demuestra **en qué** he faltado;
pero si he hablado **como se debe**, **¿por qué** me pegas?"
Entonces **Anás** lo envió atado a Caifás, el **sumo** sacerdote.

Simón Pedro estaba de pie, calentándose, y le dijeron:
"**¿No eres tú** también **uno** de sus discípulos?"
Él **lo negó** diciendo:
"**No lo soy**".
Uno de los criados del sumo sacerdote,
pariente de aquel a quien Pedro
le **había cortado** la oreja, le dijo:
"¿Qué no te vi yo **con él** en el huerto?"
Pedro **volvió** a negarlo y **en seguida** cantó un gallo.

Llevaron a Jesús de casa de Caifás **al pretorio**.
Era muy de mañana y ellos **no entraron** en el palacio
para **no incurrir** en impureza
y poder así **comer** la cena de Pascua.

Salió entonces Pilato a donde estaban ellos y les dijo:
"**¿De qué** acusan a ese hombre?"
Le contestaron:
"Si **éste** no fuera **un malhechor**, no te lo hubiéramos traído".
Pilato les dijo:
"Pues **llévenselo** y júzguenlo **según su ley**".

Inicia otro cuadro narrativo. Procura que los diálogos muestren intensidad. No se dicen cosas banales sino de importancia para los creyentes.

no brindar misericordia. En contraste, Cristo entra en solidaridad con la humanidad. Es el mediador perfecto que une a Dios con la humanidad. A la vez Dios y hombre, sale al encuentro del sufrimiento de la humanidad con el amor infinito de Dios.

El sacerdocio de Cristo consiste en el cumplimiento perfecto del propósito de un sacrificio, lo cual es el darse a sí mismo como regalo o una ofrenda a Dios y al prójimo. Los rituales de sacrificio consisten en ofrendas materiales que solamente tienen sentido cuando la oferta del corazón es congruente. Cristo perfeccionó el concepto de sacrificio al darse a sí mismo como regalo, motivado por amor.

Al final de esta lectura, hay una frase tal vez difícil de entender: *aprendió a obedecer padeciendo, y llegado a su perfección*. ¿Cómo es posible que Jesús, que es Dios, tenga que llegar a la perfección cuando él es perfecto? Para entenderlo de mejor forma, tenemos que ayudarnos en el contexto lingüístico del verbo griego *teleió*, que traducido como "perfeccionar" significa "llegar a alcanzar su potencial" o "llegar a la etapa final de un plan". Entonces, la perfección de Jesús debe entenderse no como la perfección en su naturaleza divina, sino como la perfección en su naturaleza humana. Recordemos que el Jesucristo Dios es perfecto, omnipotente, omnisapiente, y omnipresente. Pero el Jesucristo humano, por su solidaridad con la raza humana, nació pequeño, vulnerable, sin saber hablar ni caminar, por lo que tuvo que aprender dichas funciones. También en lo humano, tuvo que llegar a la etapa final del plan, aprendiendo a entregarse completamente, de una forma que ningún ser humano lo habían logrado antes, y a la vez convirtiéndose en modelo para la humanidad.

Cada intercambio habrá de leerse con intensidad.

Los judíos le respondieron:
    "No estamos autorizados para **dar muerte** a nadie".
Así **se cumplió** lo que había dicho Jesús,
    indicando **de qué muerte** iba a morir.

Entró **otra vez** Pilato en el pretorio, llamó a Jesús y le dijo:
    "¿**Eres tú** el rey de los judíos?"
Jesús le contestó:
    "¿Eso lo preguntas **por tu cuenta** o te lo han dicho **otros**?"
Pilato le respondió:
    "¿**Acaso** soy yo judío?
Tu pueblo y los sumos sacerdotes te han entregado **a mí**.
    ¿**Qué** es lo que has hecho?"
Jesús le contestó:
    "Mi Reino **no es de este mundo**.
Si **mi Reino** fuera de este mundo,
    mis servidores **habrían luchado** para que no cayera yo
        en manos de los judíos.
Pero mi Reino **no es de aquí**".
Pilato le dijo:
    "¿Conque tú eres rey?"

Proclama la respuesta de Jesús con firmeza y claridad.

Jesús le contestó:
    "**Tú** lo has dicho. **Soy rey**.
Yo nací y **vine** al mundo para ser **testigo de la verdad**.
Todo el que es de la verdad, **escucha** mi voz".
Pilato le dijo:
    "¿**Y qué es** la verdad?"

EVANGELIO El Viernes Santo es un día único en el año litúrgico. Por un lado, la congregación se reúne para celebrar la pasión, pero no es una celebración de la misa, sino un Oficio de lecturas bíblicas, plegarias y la Adoración de la Cruz. Por otro lado, el interior de la Iglesia está sin decoraciones, el ambiente es sobrio, sin flores ni lienzos, y como vacío, de modo que nuestra atención se centra en lo que está en el horizonte nuestro: la Palabra, sin que nada nos distraiga. En este día se proclaman dos capítulos del Evangelio según san Juan.

Cada una de las cuatro narraciones evangélicas tienen características propias, que pueden verse como complementarias entre ellas. Los relatos según Mateo, Marcos, y Lucas guardan muchas similitudes entre sí, pero Juan tiene detalles que solamente se nos revelan conforme avanzamos en su lectura. Por ejemplo, san Juan presenta su narración distribuida en tres diferentes Pascuas: la primera en Juan 2, la segunda en Juan 6 y la tercera en Juan 11:55—19:14. Juan comienza su evangelio como una nueva creación.

Cada evangelista presenta un enfoque diferente en la pasión del Señor. Mateo se enfoca bastante en el reino de Cristo y la oposición de los líderes políticos. Marcos se enfoca de manera especial en el sufrimiento de Jesús. Por su parte, Lucas orienta su relato en la inocencia de Jesús y sus acciones como profeta maltratado. Juan, a su vez, presenta su relato de la pasión con un enfoque único en la exaltación de Jesús, pues subraya detalles que muestran que en todo momento él, Cristo, está en control de lo que sucede.

Procura que la declaratoria de Pilato tenga cierto tono de impaciencia.

Dicho esto, salió **otra vez** a donde estaban los judíos y les dijo:
"No encuentro en él **ninguna** culpa.
Entre ustedes **es costumbre**
que por Pascua **ponga en libertad** a un preso.
¿Quieren que les suelte **al rey** de los judíos?"
Pero **todos ellos** gritaron:
"¡No, a **ése no**! ¡A **Barrabás**!"
(El tal Barrabás era **un bandido**).

Antes de iniciar el parágrafo, haz contacto visual con la asamblea.

Entonces Pilato tomó a Jesús y lo mandó **azotar**.
Los soldados **trenzaron** una corona **de espinas**,
se la pusieron en la cabeza,
le echaron encima un manto color **púrpura**,
y acercándose a él, le decían:
"¡**Viva** el rey de los judíos!", y le daban de bofetadas.

Resalta la presentación de Pilato como si fuera una frase aislada.

Pilato salió otra vez afuera y les dijo:
"Aquí lo traigo para que sepan que **no encuentro**
en él **ninguna** culpa".
Salió, pues, **Jesús** llevando la corona de espinas
y el manto color púrpura.
Pilato les dijo:
"**Aquí está** el hombre".
Cuando lo vieron los sumos sacerdotes
y sus servidores, **gritaron**:
"¡**Crucifícalo, crucifícalo**!"
Pilato les dijo:
"**Llévenselo** ustedes y **crucifíquenlo**,
porque yo **no encuentro** culpa en él".
Los judíos le contestaron:
"Nosotros tenemos **una ley** y según esa ley **tiene que morir**,
porque se ha declarado **Hijo de Dios**".

Además, el relato de la pasión de Cristo según san Juan, hay algunos puntos que conviene resaltar de manera especial:

• La Última cena no es parte del relato de Pasión, más bien ocurre un poco antes de la Pascua.

• No hay un relato de la institución de la Eucaristía al comienzo de la pasión, y a pesar de que capítulo 13 tiene escenas de la Última Cena, la enseñanza sobre la Eucaristía no ocurre en ese capítulo, más bien es dada antes en el capítulo 6, en el contexto del discurso sobre el Pan de Vida.

• Los Discursos de despedida que comienzan al final del capítulo 13 proveen el marco de fondo para entender mejor los dos capítulos que se proclaman hoy.

• El relato del arresto en el capítulo 18 comienza después de los Discursos de despedida y la oración de Jesús que los concluye. El relato solamente habla de que Jesús y sus discípulos entran a un *huerto*, pero no es nombrado específicamente como el Huerto de Getsemaní.

• No hay una escena de la agonía en el huerto y la oración de Jesús se relata antes.

• Juan es el único que incluye en el relato del arresto el nombre de Malco (el sirviente del sumo sacerdote) cuya oreja derecha Pedro corta.

• Juan incluye en su relato a cuatro mujeres y a un hombre como testigos

Imprime cierto nerviosismo a las intervenciones de Pilato; a las de Jesús, seguridad y aplomo.

Cuando Pilato oyó estas palabras, se asustó aún más,
    y entrando otra vez en el pretorio, dijo a Jesús:
        "**¿De dónde** eres tú?"
Pero Jesús **no le respondió**.
Pilato le dijo entonces:
    "**¿A mí** no me hablas?
¿No sabes que tengo **autoridad** para soltarte
    y autoridad para **crucificarte**?"
Jesús le contestó:
    "No tendrías **ninguna** autoridad sobre mí,
    si no te la hubieran dado **de lo alto**.
Por eso, el que me entregado a ti tiene un pecado **mayor**".

Desde ese momento, Pilato **trataba** de soltarlo,
    pero los judíos **gritaban**:
        "¡Si sueltas **a ése**, **no eres amigo** del César!; porque todo el que
            pretende ser rey, es enemigo del César".
Al oír **estas** palabras, Pilato sacó a Jesús y lo **sentó** en el
        tribunal, en el sitio que llaman "**el Enlosado**"
            (en hebreo Gábbata).
Era el día de **la preparación** de la Pascua, hacia el mediodía.
Y dijo Pilato a los judíos:
    "**Aquí tienen a su rey**".
Ellos gritaron:
    "¡Fuera, fuera! **¡Crucifícalo!**"
Pilato les dijo:
    "¿A **su rey** voy a crucificar?"
Contestaron los sumos sacerdotes:
    "**No** tenemos más rey que **el César**".
Entonces se lo entregó para que **lo crucificaran**.

En esta parte, procura acelerar la velocidad de la lectura para hacer sentir que es algo irrefrenable lo que está sucediendo.

---

de la crucifixión (19:25–26): María, la madre de Jesús; María, la hermana de la madre; María, la esposa de Cleofás; y María Magdalena; y junto a la madre, el discípulo que Jesús tanto quería.

- Juan cita tres frases particulares que Cristo dice desde la cruz: "Mujer, ahí está tu hijo" (19, 26–27); "Tengo sed" (19, 28); "Todo está cumplido" (19, 30).

Después de esta panorámica general sobre los matices únicos de Juan, podemos ahora destacar algunos puntos concretos

sobre la pasión en Juan. El arresto ocurre poco después de que Jesús y sus discípulos han terminado la cena (18:1–11). El arresto ocurre de noche. Es una escena un tanto violenta, en la cual Pedro corta la oreja de uno de los sirvientes del sumo sacerdote. Cuando el batallón de soldados y guardias de los sumos sacerdotes contestan a Jesús que buscan al Nazareno, Jesús les sorprende diciéndoles, "Yo soy". Era prácticamente imposible no reconocer el significado de *Yo soy*: tanto es así que, en el relato, incluso los enemigos de Cristo lo reconocieron y cayeron al suelo. Esta declaración, usada

como expresión del nombre divino (ver Juan 8:58), revela la divinidad de Cristo. A través de ella, Jesús demuestra que él está en control de la situación y que él se entrega voluntariamente.

El proceso ante las autoridades religiosas judías comienza cuando Jesús es llevado a la casa de Anás, suegro del sumo sacerdote Caifás, y previo sumo sacerdote (18:12–27). Jesús se somete al interrogatorio y contesta con claridad y firmeza. En el relato de este proceso ante las autoridades religiosas judías, también se desarrolla la triple negación de Pedro también narrada,

Hay un cambio de lugar y de todo en el relato. Avanza a ritmo constante, sin pausar hasta llegar al diálogo.

Tomaron a Jesús y él, **cargando** con la cruz,
   se dirigió hacia el sitio llamado **"la Calavera"**
      (que en hebreo se dice Gólgota),
   donde lo **crucificaron**, y con él a **otros dos**,
   uno de **cada lado**, y en medio **Jesús**.
Pilato **mandó** escribir un letrero
   y ponerlo **encima** de la cruz;
   en él estaba escrito: 'Jesús el nazareno, **el rey** de los judíos'.

Con tono solemne, proclama el título "Jesús el nazareno, el rey de los judíos".

Leyeron el letrero **muchos** judíos,
   porque **estaba cerca** el lugar donde crucificaron a Jesús
   y estaba escrito en **hebreo**, **latín y griego**.
Entonces los sumos sacerdotes de los judíos le dijeron a Pilato:
   "**No escribas**: 'El **rey** de los judíos',
   sino: '**Éste ha dicho: Soy rey** de los judíos'".
Pilato les contestó:
   "Lo escrito, **escrito está**".

Cuando crucificaron a Jesús, los soldados cogieron su ropa
   e hicieron **cuatro partes**,
   una para cada soldado, y **apartaron** la túnica.
Era una túnica **sin costura**,
   tejida **toda** de una pieza de arriba a abajo.
Por eso se dijeron:
   "No la rasguemos, sino **echemos suertes**
      para ver a quién le toca".
Así se **cumplió** lo que dice la Escritura:
   Se repartieron mi ropa y echaron a suerte mi túnica.
Y eso hicieron los soldados.

Junto a la cruz de Jesús estaba **su madre**,
   la hermana de su madre,
   María la de Cleofás, y **María Magdalena**.
Al **ver** a su madre y **junto a ella** al discípulo que **tanto** quería,
   Jesús dijo a su madre:
   "**Mujer**, ahí está **tu hijo**".

La lectura de este diálogo tierno evita precipitarla para que la asamblea contemple detenidamente la escena.

de modo que emerge así un vivo contraste entre la cobardía y temor de Pedro y la fortaleza y valor de Jesús. Cabe aquí recalcar que la descripción "los judíos" usada por Juan no significa *todos* los judíos, sino las autoridades judías que perseguían a Jesús. Este punto es muy importante de enfatizar, pues de caso contrario se pudiera presentar la idea errónea de que todos los judíos condenaron a Jesús.

El proceso con las autoridades romanas comienza cuando Jesús es llevado a la casa del sumo sacerdote Caifás y luego al pretorio romano (18:28–40). El proceso romano es más detallado en el relato de Juan que en el de los otros evangelistas. Juan describe este proceso en varios episodios que constituyen ciclos de interrogación con diferentes interlocutores. En unos de los episodios las autoridades judías que piden la muerte de Jesús intervienen, pero permaneciendo fuera del pretorio. En otros de los episodios Pilato interroga a Jesús. Cuando Pilato, el gobernador romano (Mateo 27:2), le pregunta a Jesús si es rey, éste responde, "Tú lo has dicho. Soy rey" (18:37). Nuevamente, la respuesta tranquila de Jesús demuestra que él está en control de la situación.

Siguiendo la costumbre judía de liberar a un prisionero durante la Fiesta de la Pascua, y al no encontrar culpabilidad en Cristo, Pilato pregunta a los principales judíos si querrían que Jesús, su rey, sea liberado. Ellos prefieren la libertad de un bandido (o ladrón) llamado Barrabás (18:40). Curiosamente, el nombre Barrabás es un nombre arameo que significa "hijo del padre". Este tipo de significado lleno de ironía es común en el Evangelio según san Juan.

Alarga la frase de la sed de Jesús.
Haz una pausa breve antes de proseguir
con la descripción.

Luego dijo al discípulo:
    "**Ahí está** tu madre".
Y **desde entonces** el discípulo se la llevó a vivir **con él**.

Después de esto,
    sabiendo Jesús que **todo** había llegado a **su término**,
    para que **se cumpliera** la Escritura, dijo:
    "*Tengo sed*".
Había allí un jarro **lleno** de vinagre.
Los soldados sujetaron una esponja **empapada** en vinagre
        a una caña de hisopo
    y se la acercaron a la boca.
Jesús probó el vinagre y dijo:
    "**Todo está cumplido**",
    e, inclinando la cabeza, **entregó** el espíritu.

    [Aquí se arrodillan todos y se hace una breve pausa.]

Entonces, los judíos,
    como era el día **de la preparación** de la Pascua,
    para que los cuerpos de los ajusticiados
        no se quedaran en la cruz **el sábado**,
    porque **aquel** sábado era un día **muy** solemne,
    pidieron a Pilato que les **quebraran** las piernas
    y los **quitaran** de la cruz.
Fueron los soldados, le quebraron las piernas **a uno**
    y luego **al otro** de los que habían sido crucificados **con él**.
Pero al llegar **a Jesús**,
    viendo que ya **había muerto**, no le quebraron las piernas,
    sino que uno de los soldados
        le traspasó el costado con una lanza
    e **inmediatamente** salió **sangre y agua**.

Alarga la última línea del párrafo y prolonga
la pausa previa al testimonial.

El que vio **da testimonio** de esto y su testimonio es **verdadero**
    y él **sabe** que dice la verdad, para que **también** ustedes **crean**.

A Cristo lo reconocen rey (19:1–16). El ciclo de episodios dentro y fuera del pretorio continúa, pero el trasfondo del relato va tornándose cada vez más hacia la realeza de Cristo. Pilato ordena que azoten a Jesús. Luego los soldados se burlan de éste al ponerle una corona de espinas y darle un manto morado, mientras le dicen, "¡Viva el rey de los judíos!". Sin embargo, Pilato declara que no lo encuentra culpable y al presentárselos anuncia "Aquí está el hombre".

La crucifixión es la siguiente parte del relato (19:17–30). En esta parte del evangelio, nos enfocamos en el tema del Hijo del Hombre que es levantado y exaltado. Pilato hace escribir un letrero que es colocado encima de la cruz, en el cual se lee: *Jesús el nazareno, el rey de los judíos*. Él es no solamente el *Rey de los judíos* sino también el Rey del universo.

La lectura del Evangelio de hoy concluye con el testimonio (19:31–42) de alguien que vio lo sucedido y compartió. El testigo vio que un soldado traspasó el costado de Jesús con una lanza y que de inmediato brotó sangre y agua del costado. El testigo da testimonio para que los que escuchen también crean. Concluye así el relato bíblico de la segunda parte del *primer día del Triduo*. Pasaremos las siguientes veinticuatro horas, el *segundo día*, en oración, en el silencio del sepulcro.

Esto sucedió para que **se cumpliera** lo que dice la Escritura:
No le quebrarán ningún hueso;
y en **otro** lugar la Escritura dice:
Mirarán al que traspasaron.

Después de esto, **José de Arimatea**, que era **discípulo** de Jesús,
pero **oculto** por miedo a los judíos,
pidió a Pilato que lo **dejara llevarse** el cuerpo de Jesús.
Y Pilato lo **autorizó**.
Él fue entonces y **se llevó** el cuerpo.

Llegó **también** Nicodemo, el que había ido a verlo **de noche**,
y trajo unas **cien** libras de una mezcla de mirra y áloe.

Tomaron el cuerpo de Jesús
y lo **envolvieron** en lienzos con esos aromas,
según **se acostumbra** enterrar entre los judíos.
Había **un huerto** en el sitio donde lo crucificaron,
y en el huerto, un sepulcro **nuevo**,
donde **nadie** había sido enterrado **todavía**.
Y como para los judíos era el **día de la preparación** de la Pascua
y el sepulcro **estaba cerca**, **allí** pusieron a Jesús.

Estas acciones son una obra de piedad. Retoma un ritmo uniforme, pero fraseando cuidadosamente, para que la audiencia acompañe todo el proceso.

VIGILIA PASCUAL
EN LA NOCHE SANTA

Proclama este hermoso relato con un cierto ritmo que comunique el acto creativo de Dios al hablar y crear, seguido por la descripción de lo creado, y luego indicando "fue la tarde y la mañana".

Cada vez que una sección comience con "Dijo Dios", léela con energía y entusiasmo.

Cada vez que se declare "y vio Dios que era bueno", proclama con gozo.

I LECTURA   Génesis 1:1—2:2

Lectura del libro del Génesis

En el principio **creó** Dios el cielo y la tierra.
La tierra era **soledad** y caos;
　y las tinieblas **cubrían** la faz del abismo.
El espíritu de Dios **se movía** sobre la superficie de las aguas.

Dijo Dios:
　"Que **exista** la luz", y la luz existió.
Vio Dios que la luz **era buena**, y **separó** la luz de las tinieblas.
Llamó a la luz "**día**" y a las tinieblas, "**noche**".
Fue la tarde y la mañana del **primer** día.

Dijo Dios:
　"Que haya una **bóveda** entre las aguas,
　que **separe** unas aguas de otras".
E hizo Dios una bóveda
　y **separó** con ella las aguas de arriba, de las aguas de abajo.
Y así fue. Llamó Dios a la bóveda "**cielo**".
Fue la tarde y la mañana del **segundo** día.

Dijo Dios:
　"Que se **junten** las aguas de debajo del cielo en un **solo** lugar
　y que aparezca el suelo seco".
Y así fue.
Llamó Dios "**tierra**" al suelo seco y "**mar**" a la masa de las aguas.
Y **vio** Dios que era **bueno**.

La Vigilia Pascual es la liturgia más importante de todo el año litúrgico para la Iglesia. Es la culminación del Santo Triduo que celebra de manera tan especialmente solemne el Misterio pascual. En esta noche, conocida como la noche más santa, la liturgia de la Palabra es más amplia y por lo tanto nos regala más escenas de la historia de la salvación de lo que normalmente escuchamos. En la Vigilia Pascual, se proclaman siete lecturas del Antiguo Testamento, en vez de una sola lectura del Antiguo Testamento, que es lo acostumbrado en todos los domingos del año litúrgico excepto los del tiempo de Pas-

cua, en los que la primera lectura se toma de los Hechos de los Apóstoles.

Después de las siete lecturas del Antiguo Testamento, la liturgia de la Palabra de la Vigilia Pascual continua con una lectura de la carta de san Pablo a los Romanos, seguida por el evangelio. Además de las nueve lecturas, siete pasajes adicionales, que vienen de salmos o de cánticos, son incluidos en esta liturgia de la Palabra. Este maravilloso recorrido por las Sagradas Escrituras, único de la Vigilia Pascual, nos invita a recordar la historia de fe de nuestros antepasados y a entrar en ella, como

hijos e hijas del Padre Celestial. En esta noche especial, se celebra la iniciación cristiana sacramental de adultos no bautizados, quienes reciben el bautismo, la confirmación, y son alimentados por la Eucaristía por primera vez.

I LECTURA La primera lectura nos invita a regresar al punto de origen de la historia de la relación entre Dios y la humanidad. Ésta es la historia de los orígenes del universo en la tradición judeocristiana. El relato utiliza un lenguaje similar al lenguaje de orígenes en pueblos de

Dijo Dios:
"**Verdee** la tierra con plantas que den **semilla**
y **árboles** que den fruto y semilla, según su especie,
sobre la tierra".
Y **así fue**.
Brotó de la tierra hierba **verde**, que producía semilla,
según su especie,
y **árboles** que daban fruto y **llevaban** semilla,
según su especie.
Y **vio** Dios que era bueno.
Fue la tarde y la mañana del **tercer** día.

Dijo Dios:
"Que haya **lumbreras** en la bóveda del cielo,
que **separen** el día de la noche, **señalen** las estaciones,
los días y los años,
y **luzcan** en la bóveda del cielo
para **iluminar** la tierra".
Y **así fue**.
Hizo Dios las **dos** grandes lumbreras:
la lumbrera **mayor** para regir el **día**
y la **menor**, para regir la **noche**;
y **también** hizo las estrellas.
Dios puso las lumbreras en la bóveda del cielo
para **iluminar** la tierra,
para **regir** el día y la noche, y **separar** la luz de las tinieblas.
Y vio Dios que **era bueno**.
Fue la tarde y la mañana del **cuarto** día.

Dijo Dios:
"**Agítense** las aguas con un **hervidero** de seres vivientes
y **revoloteen** sobre la tierra las aves, bajo la bóveda del cielo".
Creó Dios los **grandes** animales marinos
y los **vivientes** que en el agua se deslizan y la **pueblan**,
según su especie.
Creó **también** el mundo de las aves, según sus especies.

---

diferentes religiones y culturas. Sin embargo, el mensaje teológico comunicado en este relato se diferencia de otras culturas en que el Dios omnipotente de nuestra historia no crea por capricho, ni por necesidad; crea por amor y con el deseo de compartir su vida con la nuestra. Por esa razón, al crear a la humanidad, invita a entrar en una relación de comunión con él.

La historia de la creación es comunicada en dos relatos distintos en el libro del Génesis: el primero en Génesis 1:1—2:3 y el segundo en 2:4–25. Aunque los relatos son distintos, no por eso son contradicto-

rios, ni tampoco tienen que ser problemáticos. En realidad, estos dos relatos son complementarios: el primero es un relato desde una perspectiva más amplia; el segundo, desde una perspectiva más enfocada. El primer relato nos habla de siete días de creación; el segundo, de la creación de la humanidad.

La primera lectura de la Vigilia es el primer relato de la creación. Al comienzo, "La tierra era soledad y caos; y las tinieblas cubrían la faz del abismo". Y en medio de ese caos y soledad, "El espíritu de Dios se movía sobre la superficie de las aguas". El Espíritu

de Dios siempre estuvo presente, y en el relato vemos que poco a poco el Espíritu crea orden en donde había caos. Encontramos que la Palabra de Dios no solamente comunica algo, sino que también *crea*. La descripción de esta obra extraordinaria se desarrolla en una semana de siete días durante los cuales escuchamos diez veces "Dios dijo". Cada vez que "Dios dijo", algo se crea. Su Palabra crea y da vida. En cuanto al orden de eventos, durante los primeros tres días, Dios crea los "espacios" donde los seres habitarán: el día y la noche, el cielo y las aguas, el mar y la tierra con vegetación.

Vio Dios que **era bueno** y los **bendijo**, diciendo:
"Sean fecundos y **multiplíquense**; llenen las aguas del mar;
que las aves se multipliquen **en la tierra**".
Fue la tarde y la mañana del **quinto** día.

Dijo Dios:
"**Produzca** la tierra vivientes, según sus especies:
animales **domésticos**, reptiles y fieras, según sus especies".
Y así fue.
Hizo Dios las fieras, los animales domésticos y los reptiles,
cada uno según su especie.
Y vio Dios que **era bueno**.

Dijo Dios:
"**Hagamos** al hombre a nuestra imagen **y semejanza**;
que **domine** a los **peces** del mar, a las **aves** del cielo,
a los animales **domésticos** y a **todo** animal
que se arrastra sobre la tierra".

Y **creó** Dios al hombre a su imagen;
a **imagen suya** lo creó;
hombre y mujer los creó.

Y los **bendijo** Dios y les dijo:
"**Sean** fecundos y **multiplíquense**, llenen la tierra y **sométanla**;
dominen a los peces del mar, a las aves del cielo
y **a todo ser viviente** que se mueve sobre la tierra".

Y dijo Dios:
"**He aquí** que les entrego **todas** las plantas de semilla
que hay sobre la faz de la tierra,
y **todos** los árboles que producen frutos y semilla,
para que les sirvan **de alimento**.
Y a **todas** las fieras de la tierra, a **todas** las aves del cielo,
a **todos** los reptiles de la tierra, a **todos** los seres que respiran,
también les doy por alimento las verdes plantas".
Y **así fue**.
Vio Dios **todo** lo que había hecho y lo encontró **muy bueno**.

Proclama la creación del hombre con gran alegría, pues es una maravillosa buena nueva el haber sido creados a la imagen y semejanza de Dios.

En los siguientes tres días, Dios crea "aquello que habitará los espacios" ya creados: el sol, la luna, y las estrellas; aves y animales marinos; animales terrestres y el ser humano. Cuando Dios crea al ser humano, lo hace a su propia imagen y semejanza; es decir, con una dignidad única. Luego le da al ser humano custodia sobre la creación y lo bendice con la fecundidad.

Todo lo creado es bueno. La frase "Dios vio que era bueno" aparece seis veces a lo largo de los seis días, y al final del sexto día, ya habiendo creado al ser humano, refiriéndose a toda la creación, Dios considera *muy bueno* todo lo creado. En este relato de la creación vemos la bondad de Dios al crear sin necesidad, pero con amor, vemos su Espíritu presente desde el comienzo, admiramos su Palabra creadora, y aprendemos del ritmo de trabajo y descanso. También vemos la dignidad única de todos los seres humanos, al ser creados a imagen y semejanza de Dios: la dignidad es la misma para todos, sin diferencia de raza ni de religión, hombres, mujeres, con o sin educación académica, con o sin documentos de migración, con o sin discapacidad, con o sin enfermedad… todos tenemos la misma dignidad.

Es más, este relato de la creación nos invita a meditar sobre el regalo de la creación y el de cada una de nuestras vidas. Por eso el Salmo 104, o el Salmo 33, que es cantado luego de la proclamación de este relato, resalta al Dios creador; al cantarlo, pedimos que el Espíritu repueble la faz de la tierra. Si bien es cierto que el Señor es nuestro Salvador, él también es nuestro Creador, por lo que nuestra gratitud debe ser por su gran amor, tanto al crearnos como al salvarnos.

Fue la tarde y la mañana del **sexto** día.

Así **quedaron concluidos** el cielo y la tierra
   con todos sus ornamentos,
 y **terminada** su obra, descansó Dios el **séptimo** día
   de **todo** cuanto había hecho.

Abreviada: *Génesis 1:1, 26–31*

Comunica regocijo al proclamar la declaración de que lo creado era "muy bueno".

Para meditar

SALMO RESPONSORIAL   Salmo 104:1–2a, 5–6, 10 y 12, 13–14, 24 y 35c

R. Envía tu espíritu, Señor, y repuebla la faz de la tierra.

Bendice, alma mía, al Señor:
¡Dios mío, qué grande eres!
Te vistes de belleza y majestad,
   la luz te envuelve como un manto. **R.**

Asentaste la tierra sobre sus cimientos,
   y no vacilará jamás;
   la cubriste con el manto del océano,
   y las aguas se posaron sobre
      las montañas. **R.**

De los manantiales sacas los ríos,
   para que fluyan entre los montes;
   junto a ellos habitan las aves del cielo,
   y entre las frondas se oye su canto. **R.**

Desde tu morada riegas los montes,
   y la tierra se sacia de tu acción fecunda;
   haces brotar hierba para los ganados,
   y forraje para los que sirven al hombre. **R.**

Cuántas son tus obras, Señor,
   y todas las hiciste con sabiduría;
   la tierra está llena de tus criaturas.
¡Bendice, alma mía, al Señor! **R.**

O bien: *Salmo 33:4–5, 6–7, 12–13, 20 y 22*

II LECTURA   Génesis 22:1–18

Lectura del libro del Génesis

En aquel tiempo, Dios le puso **una prueba** a Abraham y le dijo:
   "¡**Abraham**, **Abraham**!"
Él respondió: "**Aquí** estoy".
Y Dios le dijo:
   "**Toma** a tu hijo único, **Isaac**, a quien **tanto** amas;
   vete a la región de Moria y **ofrécemelo** en sacrificio,
   en el monte que **yo te indicaré**".

Relato bastante dramático: para evitar complicaciones al leerlo, proclámalo despacio.

La historia de los patriarcas de Israel (Abrahán, Isaac, Jacob y José) se narra en la segunda parte del Génesis (caps. 12—50). Abrahán es el padre en la fe tanto para los judíos como para los cristianos y los musulmanes. Al comienzo de su llamada (Génesis 12), Dios le promete tres bendiciones: tener tierra, tener descendientes y ser una bendición para las naciones. Abrahán deja su tierra de nacimiento y emprende un camino de fe lleno de altibajos y dificultades. A pesar de las dudas, su fe y su relación con el Señor siguen profundizándose. Demora el cumplimiento de la promesa

de la tierra; él vivirá como extranjero en esa tierra. Cuando también la promesa de la descendencia demora, Abrahán duda que Dios la cumpla, por lo que, junto con su esposa Sara, busca heredero por medio de la esclava de la casa. El Señor, sin embargo, renueva la promesa de darle descendencia y posteriormente Sara y Abrahán, a pesar de su avanzada edad, engendran y tienen a Isaac.

En este contexto, la segunda lectura de la Vigilia Pascual nos presenta un drama extraordinario que presenta dificultad al proclamarlo y al escucharlo. El relato co-

mienza diciendo *Dios le puso una prueba a Abrahán*. ¿Una prueba de qué? ¿De amor? ¿De fe? ¿Y por qué la prueba? ¿Acaso no sabe Dios ya los pensamientos y el corazón de cada quien?

Pensemos en una prueba para que Abrahán mismo se dé cuenta de su amor a Dios, de su confianza en él, de su entrega a él. Cierto, Dios lo sabe todo, pero nosotros no. Nos toca llegar a descubrirnos y llegar a entender los propósitos de nuestras acciones y nuestro nivel de compromiso con Dios. Cuando Adán desobedeció el mandamiento de no comer del árbol prohibido,

Abraham **madrugó**, aparejó su burro,
   tomó consigo a dos de sus criados y a su hijo Isaac;
   cortó leña para el sacrificio
   y se **encaminó** al lugar que Dios le había **indicado**.
Al **tercer** día divisó a lo lejos el lugar.
Les dijo entonces a sus criados:
   "**Quédense** aquí con el burro;
   yo iré con el muchacho hasta allá, para **adorar** a Dios
   y después regresaremos".

Abraham tomó la leña para el sacrificio, se la cargó a su hijo Isaac
   y tomó en su mano el fuego y **el cuchillo**.
Los dos caminaban **juntos**.
Isaac dijo a su padre Abraham:
   "¡Padre!" Él respondió: "¿Qué quieres, **hijo**?"
El muchacho contestó: "**Ya tenemos** fuego y leña, pero,
   ¿**dónde** está el cordero para el sacrificio?"
Abraham le contestó:
   "Dios **nos dará el** cordero para el sacrificio, hijo mío".
Y siguieron caminando juntos.

Cuando llegaron al sitio que Dios le **había señalado**,
   Abraham **levantó** un altar y acomodó la leña.
Luego **ató** a su hijo Isaac, lo puso sobre el altar, **encima** de la leña,
   y tomó el cuchillo para degollarlo.

Pero el **ángel** del Señor lo llamó desde el cielo y le dijo:
   "**¡Abraham**, **Abraham**!"
Él contestó:
   "**Aquí estoy**".
El ángel le dijo:
   "**No** descargues la mano contra tu hijo, **ni le hagas daño**.
Ya veo que **temes** a Dios,
   porque **no** le has negado a tu hijo **único**".
Abraham **levantó** los ojos y vio un carnero,
   enredado por los cuernos en la maleza.
Atrapó el carnero y lo **ofreció** en sacrificio, **en lugar** de su hijo.

El diálogo anuncia el drama del sacrificio.
Que se sienta el dolor que se esconde en la
respuesta de Abrahán.

Nota el repetido "Aquí estoy" de Abraham.
Trata de hermanarlo con el anterior.

y Dios lo llamó y preguntó dónde estaba y qué había hecho, no era porque Dios no lo supiera sino para dar a Adán la oportunidad |de hacer conciencia de lo hecho y decírselo a Dios. Algo similar sucede con Abrahán. Dios ofrece a Abrahán la oportunidad de entenderse a sí mismo, de reafirmar su entrega al Señor, de reafirmar su confianza de que Dios siempre da y provee lo que se necesita.

Muchos biblistas han comentado que el trasfondo de este relato lo proporcionan los sacrificios de niños, tan comunes en ese tiempo en otras religiones cananeas, y que

el autor quiere contrastarlo con el Dios de Israel que no requiere de tales sacrificios. No obstante, al interpretar así el relato, se reduce su significado a un enfoque unidimensional. Al leer otros pasajes de la Biblia, encontramos que continúa invitándonos a un entendimiento más allá de lo superficial de lo que es un *sacrificio*.

Tanto los profetas como los Salmos (por ejemplo, Isaías, Oseas, Malaquías, Salmos 40 [39], 50 [49] y otros) retan al pueblo a entender los sacrificios más allá de los ritos y acciones externas, y entenderlos más como una expresión externa de un corazón

abierto al Señor. Rasgos de este tema ya aparecen en el relato de esta lectura del Génesis 22; vemos que Abrahán responde "Aquí estoy". Sus palabras y sus acciones con congruentes, al punto de entregar a su propio hijo, siempre confiando que Dios proveerá lo necesario.

Abrahán llega a entenderse a sí mismo y a entender el nivel de su compromiso con Dios. Dios mismo provee el animal para el sacrificio ritual, pero ese ritual es realmente sacrificio por la disposición de entrega total de Abrahán. El Salmo 16, que sigue a la proclamación de este relato, nos invita a medi-

Abraham puso por nombre a aquel sitio "el Señor **provee**",
  por lo que aun el **día de hoy** se dice:
  "el monte donde el Señor **provee**".

El ángel del Señor **volvió** a llamar a Abraham desde el cielo
    y le dijo:
  "**Juro** por mí mismo, dice el Señor, que por haber **hecho esto**
    y no haberme negado a tu hijo **único**,
yo te **bendeciré**
  y **multiplicaré** tu descendencia como las estrellas del cielo
    y las arenas del mar.
Tus descendientes **conquistarán** las ciudades enemigas.
En tu descendencia **serán bendecidos**
    todos los pueblos de la tierra,
  porque **obedeciste** a mis palabras."

Abreviada: *Génesis 22:1–2, 9–13, 15–18*

Imprime a tu voz un tono de alborozo en este discurso de Dios.

Para meditar

SALMO RESPONSORIAL   Salmo 16:5 y 8, 9–10, 11

R. Protégeme, Dios mío, porque me refugio en ti.

El Señor es el lote de mi heredad y mi copa;
  mi suerte está en tu mano:
  tengo siempre presente al Señor,
  con él a mi derecha no vacilaré. **R.**

Por eso se me alegra el corazón,
  se gozan mis entrañas,
  y mi carne descansa serena.
Porque no me entregarás a la muerte,
ni dejarás a tu fiel conocer la corrupción. **R.**

Me enseñarás el sendero de la vida,
  me saciarás de gozo en tu presencia,
  de alegría perpetua a tu derecha. **R.**

III LECTURA   Éxodo 14:15—15:1

Lectura del libro del Éxodo

En aquellos días, dijo el Señor a **Moisés**:
  "**¿Por qué** sigues clamando a mí?

Por ser esta lectura un poco larga, es importante no proclamarla con tono monótono sino con la emoción y entonación adecuadas.

tar en la protección total que recibimos de Dios. Al igual que Abrahán, estamos invitados a confiar en Dios plenamente.

En la tradición cristiana, este relato también anticipa la entrega total de otro Padre y de otro Hijo. Las similitudes con Cristo son palpables. Isaac y Cristo suben a una montaña para ofrecer un sacrificio, el uno cargando leña, el otro cargando el leño de la cruz; ambos caminan haciendo la voluntad de su padre. El sacrificio de ambos es bendición para todos los pueblos de la tierra.

III LECTURA La lectura del libro de Éxodo es una lectura indispensable para la celebración de la Vigilia Pascual. A pesar de que hay siete lecturas para la Vigilia, las normas litúrgicas del Misal Romano permiten omitir cuatro de las siete lecturas. De modo que deben proclamarse por lo menos tres de las lecturas del Antiguo Testamento, particularmente la lectura del Éxodo la cual *nunca* debe omitirse. Hay que escuchar y entender la historia de liberación de la primera pascua para comprender mejor la liberación de la nueva pascua. Escuchando el gemido de ayuda de

los oprimidos, Dios escoge a Moisés para que libere al pueblo hebreo de la esclavitud egipcia y lo lleve a la Tierra Prometida donde puedan honrar y vivir en comunión con Dios. El Señor, por medio de Moisés, parte las aguas del mar y los guía con una columna de nubes que *era tinieblas para unos y claridad para otros* y con una columna de fuego que les abre el paso para una nueva existencia.

Los hebreos, al cruzar el mar Rojo, comienzan una nueva etapa de su vida. Han recibido libertad para servir a Dios, para dedicarle su vida. Sin embargo, el que tienen

Diles a los israelitas que se pongan **en marcha**.
Y **tú**, alza tu bastón,
    extiende tu mano sobre el mar y **divídelo**,
    para que los israelitas entren en el mar **sin mojarse**.
Yo voy a **endurecer** el corazón de los egipcios
      para que los persigan,
    y me **cubriré** de gloria a expensas del faraón
    y de **todo** su ejército, de sus carros y jinetes.
Cuando me haya cubierto de gloria a **expensas** del faraón,
    de sus carros y jinetes,
    los egipcios **sabrán** que **yo soy** el Señor".

El **ángel** del Señor, que iba **al frente** de las huestes de Israel,
    se colocó **tras ellas**.
Y **la columna** de nubes que iba adelante,
    también se desplazó y se puso a sus espaldas,
    entre el campamento de los israelitas
    y el campamento de los egipcios.
La nube era **tinieblas** para unos y claridad para otros,
    y **así** los ejércitos no trabaron contacto durante **toda** la noche.

Moisés **extendió** la mano sobre el mar,
    y el Señor hizo soplar durante **toda** la noche
    un **fuerte** viento del este, que **secó** el mar, y **dividió** las aguas.
Los israelitas **entraron** en el mar y **no** se mojaban,
    mientras las aguas formaban **una muralla** a su derecha
      y a su izquierda.
Los egipcios **se lanzaron** en su persecución
    y **toda** la caballería del faraón,
    sus carros y jinetes, entraron **tras ellos** en el mar.

Hacia el **amanecer**,
    el Señor miró **desde** la columna de fuego y humo
      al ejército de los egipcios
    y **sembró** entre ellos el **pánico**.

Pausa un poco para destacar el paso de la noche.

Acelera un poco en esta parte para mostrar cierto frenesí.

Baja la velocidad de lectura para enfatizar que es el Señor quien lucha por salvar a los hebreos.

que recorrer no es un camino sin dificultades ni obstáculos. Los egipcios se lanzaron a perseguir a los hebreos, pero el Señor protege a éstos. A lo largo de su caminar enfrentaron persecución, hambre, sufrimiento y dudas, pero desde los primeros momentos de la salida de Egipto, Dios ha hecho sentir su presencia y no los abandona. Al igual que Abrahán, ellos también fueron aprendiendo a confiar más y más en Dios.

A través de milagros extraordinarios, Dios sacó al pueblo de la esclavitud en la que vivían, no permitió que los opresores les hicieran daño. Dios mostró su gloria de este modo, pero no como un espectáculo de grandiosidad para alimentar el orgullo, sino más bien porque quiso que a través de sus obras el pueblo lo llegara a conocer e incluso que los propios enemigos del pueblo lo reconocieran. Hoy en día, Dios continúa obrando milagros. A través de sus obras, Dios desea que lo conozcamos, pues nos invita continuamente a vivir en comunión con él.

Este éxodo de la esclavitud de Egipto anticipa otros éxodos y otras jornadas más en la historia de la humanidad (tal como la salida del desterramiento babilónico) y, más profundamente, la salida de una vida de esclavitud en pecado. El relato del éxodo de Egipto, indispensable en la Vigilia, da testimonio de la obra liberadora de Dios. Seguida la proclamación de esta lectura, la congregación canta parte del texto del libro del capítulo 15 del Éxodo, y con la letra de aquel cántico, alaba al Señor, proclama su victoria, y medita sobre el reinado infinito de Dios.

IV LECTURA Esta lectura viene de la segunda parte del libro de Isaías (caps. 40—55), que corresponde al

Trabó las ruedas de sus carros,
de suerte que no avanzaban sino **pesadamente**.
Dijeron entonces los egipcios:
"**Huyamos** de Israel,
porque el Señor lucha en su favor
contra Egipto".

Entonces el Señor le dijo a Moisés:
"**Extiende** tu mano **sobre** el mar,
para que **vuelvan** las aguas sobre los egipcios,
sus carros y sus jinetes".
Y **extendió** Moisés su mano sobre el mar,
y al amanecer, las aguas **volvieron** a su sitio,
de suerte que **al huir**, los egipcios se encontraron **con ellas**,
y el Señor **los derribó** en medio del mar.
Volvieron las aguas y **cubrieron** los carros, a los jinetes
y a **todo** el ejército del faraón,
que se había metido en el mar para **perseguir** a Israel.
Ni uno solo se salvó.

Proclama con confianza que el pueblo se ha dado cuenta de la obra del Señor.

Pero los **hijos** de Israel caminaban por lo seco en **medio** del mar.
Las aguas les hacían **muralla** a derecha e izquierda.
Aquel día **salvó** el Señor a Israel de las manos de Egipto.
Israel **vio** a los egipcios, **muertos** en la orilla del mar.
Israel vio la **mano fuerte** del Señor sobre los egipcios,
y el pueblo **temió** al Señor y **creyó** en el Señor
y en **Moisés**, su siervo.
Entonces Moisés y los hijos de Israel
cantaron **este cántico** al Señor:

[El lector no dice "Palabra de Dios" y el salmista de inmediato entona el Salmo Responsorial.]

tiempo del exilio de Babilonia y cuyos capítulos se proclaman en varias de las liturgias de la Semana Santa. Este pasaje de Isaías es un poema, mediante el cual se dirige al pueblo. La imagen que domina esta lectura es una imagen matrimonial, en la cual Dios es el esposo, y el pueblo está representado por la imagen femenina de la esposa. Sin embargo, la imagen matrimonial no es la única imagen que aparece. En este poema, Isaías dice, "El que te creo…" y luego "tu redentor". De manera que esta lectura también combina dos atributos principales de Dios: creador y redentor.

A pesar de la infidelidad del pueblo al distanciarse de Dios, el Señor con amor misericordioso y eterno, busca al pueblo nuevamente para perdonarlo y recibirlo con brazos abiertos, pues el amor es infinito. El pueblo ha sufrido mucho durante el exilio, y Dios, por medio del profeta Isaías, les asegura que, aunque los montes desaparezcan o las colinas se hundan, su amor por ellos no desaparecerá. Él los anima a que *destierren la angustia y olviden su miedo*, pues con él no tienen nada que temer. Al igual que los israelitas en el exilio, muchas veces nos encontramos también en alguna forma

de exilio, por diferentes razones. ¡Qué esperanza tan grande nos infunde escuchar que con Dios no tenemos nada que temer! Después de la proclamación de esta lectura, la congregación canta el Salmo 30 (29), alaba a Dios por haber sido liberada y declara dar gracias a Dios *por siempre*.

V LECTURA La quinta lectura de la Vigilia también viene de la segunda parte del libro de Isaías. En este pasaje vemos que el profeta anuncia buenas nuevas a quienes han sido despojados y están pobres, sedientos y hambrientos.

Para meditar

SALMO RESPONSORIAL   Éxodo 15:1–2, 3–4, 5–6, 17–18

R. Cantaré al Señor, sublime es su victoria.

Cantaré al Señor, sublime es su victoria:
  caballos y jinetes arrojó en el mar.
Mi fortaleza y mi canto es el Señor,
  él es mi salvación.
  él es mi Dios, y yo lo alabaré,
  es el Dios de mis padres,
  y yo lo ensalzaré. **R.**

El Señor es un guerrero, su nombre es
  el Señor.
Los carros del faraón los lanzó al mar
 y a sus guerreros;
 ahogó en el mar Rojo a sus mejores
  capitanes. **R.**

Las olas los cubrieron,
  bajaron hasta el fondo como piedras.
Tu diestra, Señor, es fuerte y terrible,
  tu diestra, Señor, tritura al enemigo. **R.**

Los introduces y los plantas en el monte
  de tu heredad,
  lugar del que hiciste tu trono, Señor;
  santuario, Señor, que fundaron tus manos.
El Señor reina por siempre jamás. **R.**

IV LECTURA   Isaías 54:5–14

Lectura del libro del profeta Isaías

Enfatiza las imágenes de creador y esposo porque son centrales en esta lectura.

"El que **te creó**, te tomará **por esposa**;
  su nombre es '**Señor** de los ejércitos'.
Tu redentor es el **Santo** de Israel;
  será llamado 'Dios de **toda** la tierra'.
Como a una mujer abandonada y **abatida**
    te **vuelve** a llamar el Señor.
¿**Acaso** repudia uno a la esposa de la juventud?,
  dice tu Dios.

Que se note el contraste entre el instante de abandono y la misericordia duradera.

Por un instante te **abandoné**,
  pero con **inmensa** misericordia te **volveré** a tomar.
En un arrebato **de ira**
    te **oculté** un instante mi rostro,
  pero con amor **eterno** me he apiadado **de ti**,
  dice el Señor, tu redentor.

Me pasa **ahora** como en los días de Noé:
  entonces **juré** que las aguas del diluvio
    no volverían a cubrir la tierra;

El mensaje del Señor, a través del profeta, no es solamente que hay comida y bebida disponible, ¡sino que es gratis! Además de invitarlos a comer y a beber gratis, el Señor también los invita a escucharlo. Su Palabra les ofrece vida. La invitación destinada a aquellos desterrados hace miles de años, es la misma para nosotros en este día; el Señor nos ofrecer ser alimentados con la comida y la bebida en la Eucaristía y tener vida con su Palabra.

El pueblo en el exilio deberá acordarse de la extraordinaria liberación de Egipto, de aquel éxodo del pasado cuando Dios los res-

cató y protegió en el camino, de la alianza que Dios selló con ellos en el monte Sinaí y de la alianza sellada por Dios con David. Dentro del destierro, y anticipando un nuevo éxodo, ellos hubiesen entendido la promesa de una nueva alianza. Y a pesar de que no ven claramente el camino que hay que recorrer, Dios les hace recordar que sus *pensamientos no son los pensamientos* de ellos, y que los caminos de ellos no son los caminos de Dios. Con frecuencia es difícil entender los planes del Señor. Sabemos que su plan es que vivamos en comunión con él, pero los detalles del plan nos desafían mu-

chas veces. Ese fue el caso con aquellos en exilio. Dios les anunciaba salida del exilio, un nuevo exilio, pero lo curioso fue que iban a ser liberados por un extraño, Ciro, el rey de Persia. ¿Quién se hubiera imaginado que un extranjero, alguien que no era del pueblo de Israel, sería el instrumento de liberación?

Cumpliendo las promesas de la alianza con David (ver 2 Samuel 7:13–16), el Señor promete sellar una *alianza perpetua* con sus fieles. Este mensaje reafirma lo que Dios comunica en la lectura anterior (Isaías 54:5–14), donde el Señor afirma que *su amor por el pueblo no desaparecerá*, y que su *alianza*

Resalta la promesa eterna de una alianza de paz. Afirma tu voz.

ahora **juro** no enojarme ya **contra ti**
  ni volver a amenazarte.
Podrán **desaparecer** los montes
  y **hundirse** las colinas,
  pero mi amor por ti **no desaparecerá**
  y mi alianza de paz quedará firme **para siempre**.
Lo dice el Señor, el que se **apiada** de ti.

Pronuncia estas imágenes como solazándote en ellas.

Tú, la **afligida**, la zarandeada por la tempestad,
  la **no** consolada:
He aquí que **yo mismo** coloco tus piedras sobre piedras **finas**,
  tus cimientos sobre **zafiros**;
  te pondré almenas **de rubí**
  y puertas de **esmeralda**
  y murallas de **piedras preciosas**.

Comunica la firme convicción de rechazar la angustia y el miedo, y de, en su lugar, aferrarse al amor eterno del Señor.

Todos tus hijos serán discípulos dcl Señor,
  y **será grande** su prosperidad.
Serás consolidada **en la justicia**.
Destierra la angustia,
  pues ya **nada** tienes que temer;
  olvida tu miedo,
  porque ya no se acercará **a ti**".

Para meditar

SALMO RESPONSORIAL   Salmo 30:2 y 4, 5–6, 11 y 12a y 13b

R. Te ensalzaré, Señor, porque me has librado.

Te ensalzaré, Señor, porque me has librado
  y no has dejado que mis enemigos
    se rían de mí.
Señor, sacaste mi vida del abismo,
  me hiciste revivir cuando bajaba
    a la fosa. **R.**

Tañan para el Señor, fieles suyos,
  den gracias a su nombre santo;
  su cólera dura un instante;
  su bondad de por vida;
  al atardecer nos visita el llanto;
  por la mañana, el júbilo. **R.**

"Escucha, Señor, y ten piedad de mí;
Señor, socórreme".
Cambiaste mi luto en danzas,
  Señor, Dios mío,
    te daré gracias por siempre. **R.**

de paz quedará firme para siempre. Especialmente dadas las circunstancias del exilio, resultaba muy importante escuchar esta promesa para los israelitas. El haber sido desterrados le significó al pueblo perder su tierra, el Templo y el reino; o sea, perder todo lo que estaba asociado con la alianza de David.

Recordemos que la promesa de la alianza perpetua no es algo que el pueblo ganará ni alcanzará por sus méritos; es simple y totalmente un regalo de Dios. Tal como la creación, la alianza que el Señor ofrece es un regalo y una invitación para entrar en una relación de amor y amistad con él. La respuesta a esta invitación depende de cada persona. Por lo tanto, Isaías anima a las personas del pueblo: "Busquen al Señor mientras lo pueden encontrar, invóquenlo mientras está cerca…".

La invitación también es para nosotros hoy en día. La alianza perpetua es también para nosotros un regalo. Tras proclamar esta lectura, la asamblea canta parte del capítulo 12 de Isaías como responsorial, y el canto hace un eco del mensaje de la lectura, al declarar que el Señor es Salvador y al animar a la congregación a invocar a Dios.

VI LECTURA Baruc fue el secretario y escriba del profeta Jeremías, de modo que trabajaron juntos en los tiempos inmediatamente previos al exilio. Cuando a Jeremías le prohibieron profetizar en el templo, llamó a Baruc para dar el mensaje del Señor en su lugar (Jeremías 36:4–10). El libro de Baruc ofrece una perspectiva de la vida durante el exilio. Contiene una oración de los desterrados que piden perdón a Dios por las infidelidades, un poema de alabanza a la sabiduría, una carta de Jeremías a los que están en el exilio y un anuncio de consuelo y esperanza.

V LECTURA   Isaías 55:1–11

Lectura del libro del profeta Isaías

Esto dice el Señor:
"**Todos** ustedes, los que tienen sed, **vengan** por agua;
y los que no tienen dinero,
vengan, tomen trigo y coman;
tomen vino y leche **sin pagar**.
¿**Por qué** gastar el dinero en lo que **no es pan**
y el salario, en lo que **no alimenta**?
Escúchenme atentos y comerán **bien**,
saborearán platillos **sustanciosos**.
Préstenme atención, **vengan** a mí,
escúchenme y **vivirán**.

Sellaré con ustedes una alianza **perpetua**,
cumpliré las promesas que hice a David.
Como **a él** lo puse por testigo **ante** los pueblos,
como **príncipe** y soberano de las naciones,
así tú reunirás a un pueblo **desconocido**,
y las naciones que no te conocían **acudirán a ti**,
por amor del Señor, **tu Dios**,
por el **Santo** de Israel, que te **ha honrado**.

Busquen al Señor mientras lo pueden encontrar,
invóquenlo mientras está cerca;
que el malvado **abandone** su camino,
y el criminal, sus planes;
que **regrese** al Señor, y **él** tendrá piedad;
a nuestro Dios, que es **rico** en perdón.

Mis pensamientos **no son** los pensamientos de ustedes,
sus caminos no son mis caminos.
Porque así como **aventajan** los cielos a la tierra,
así aventajan mis caminos a **los de ustedes**
y **mis** pensamientos a **sus** pensamientos.

Esta lectura requiere de un tono de esperanza y entusiasmo.

La alianza perpetua es una promesa que debe proclamarse con toda certeza. Alarga las frases para enfatizar esta buena nueva.

Imprime un tono de maestro a estas palabras del Señor.

La sexta lectura de la Vigilia viene del poema sobre la sabiduría. En el poema, Israel es interrogado sobre las razones que lo llevó al destierro. Baruc sugiere que fue el abandonar la fuente de la sabiduría, Dios, lo que les condujo al exilio. Alienta a los israelitas a buscar la Sabiduría, para así poder vivir largos días y en paz. Partes del mensaje de este poema tienen mucho en común con pasajes de libros sapienciales, especialmente Job y Sabiduría. Ciertamente, el estilo se asemeja al capítulo 28 del libro de Job, que habla de encontrar la Sabiduría de Dios. Baruc declara que encontrar la Sabiduría conduce a la vida, pero abandonarla lleva a la muerte.

El poema nos dice que la Sabiduría *apareció en el mundo y convivió con los hombres*. Los cristianos derivamos esto en Jesucristo, Dios y hombre, quien vino al mundo a vivir entre la humanidad y a enseñarnos a vivir con una entrega total a Dios. Él es la encarnación de la Palabra y de la Sabiduría. Después de su muerte, resucitó al tercer día y nos dejó su Espíritu para que conviva entre nosotros y nos guíe con el don de Sabiduría.

Baruc también nos dice que "La sabiduría es el libro de los mandatos de Dios", y nos instruye que regresemos a ella para tener vida. Precisamente, esto es lo que nos dice el Salmo 19 (18) que la congregación canta después de proclamar la lectura de Baruc. Elevaremos nuestras voces al cantar que el Señor *tiene palabras de vida eterna* y que *los mandamientos del Señor son más preciosos que el oro fino*. En los mandatos del Señor encontraremos tesoro y vida eterna.

Proclama con tono detenido como si no hubiera prisa por llegar al final.

Como **bajan** del cielo la lluvia y la nieve
y no **vuelven allá**, sino **después** de **empapar** la tierra,
de **fecundarla** y hacerla germinar,
a fin dc que dé semilla **para sembrar** y pan **para comer**,
así será la palabra que **sale** de mi boca:
no volverá a mí sin resultado,
sino que **hará** mi voluntad
y **cumplirá** su misión".

Para meditar

SALMO RESPONSORIAL   Isaías 12:2–3, 4bcd, 5–6

R. Sacarán aguas con gozo de las fuentes de la salvación.

El Señor es mi Dios y Salvador:
confiaré y no temeré,
porque mi fuerza y mi poder es el Señor,
él fue mi salvación.
Y sacarán aguas con gozo
de las fuentes de la salvación. **R.**

Den gracias al Señor
invoquen su nombre,
cuenten a los pueblos sus hazañas,
proclamen que su nombre es excelso. **R.**

Tañan para el Señor, que hizo proezas,
anúncienlas a toda la tierra;
griten jubilosos, habitantes de Sión:
"Qué grande es en medio de ti
el Santo de Israel". **R.**

VI LECTURA   Baruc 3:9–15, 32—4:4

Lectura del libro del profeta Baruc

Escucha, Israel, los mandatos de vida,
presta oído para que adquieras prudencia.
¿**A qué** se debe, Israel, que estés aún en país enemigo,
que **envejezcas** en tierra extranjera,
que te hayas **contaminado** por el trato con los muertos,
que te veas contado entre los que **descienden** al abismo?

Es que **abandonaste** la fuente de la sabiduría.
Si hubieras **seguido** los senderos de Dios,
habitarías **en paz** eternamente.

Invitación llena de amor, que invita a regresar al camino de Dios: proclámala con ese tono.

VII LECTURA Las lecturas del Antiguo Testamento concluyen con la lectura del profeta Ezequiel y el Salmo que sigue. Ezequiel, al igual que Jeremías, es mensajero de Dios durante el exilio. Sin embargo, Ezequiel, estuvo entre aquellos que fueron llevados a Babilonia en las primeras olas de exilio. Él recibe el llamado a ser profeta estando ya desterrado. De familia de sacerdotes levíticos, Ezequiel tiene bastante enfoque en el templo.

Mucho de su mensaje se concentra en retar al pueblo a entender sus pecados y animarlos a cambiar de vida. El pasaje de la lectura para la Vigilia viene de un capítulo dedicado a dar esperanza para el futuro. Sin embargo, la primera parte del mensaje consiste en reprochar al pueblo su conducta, incluyendo el "haber derramado sangre en el país y haber profanado la tierra con idolatrías". Quedando claro que fue esta conducta lo que causó su destierro, el tono del mensaje cambia, y el Señor anuncia que ha tenido compasión de su pueblo y que lo sacará del destierro.

Si bien los temas de perdón y renovación de la alianza ya estuvieron presentes en las lecturas anteriores, esta séptima y última lectura del Antiguo Testamento recalca puntos clave y enriquece el mensaje con puntos nuevos y concretos concernientes a la renovación. Anteriormente, en la cuarta lectura (Isaías 54:5–14) escuchamos que, a pesar de la infidelidad del pueblo al distanciarse de Dios, el Señor con amor misericordioso y eterno, los perdonará y que su *alianza de paz quedará firme para siempre*. Luego, en la quinta lectura (Isaías 55:1–11) escuchamos que el Señor promete sellar con ellos *una alianza perpetua*. Ahora, por boca del profeta Ezequiel, el Señor

Haz contacto visual con la asamblea al anunciar la invitación a aprender.

Aprende **dónde** están la prudencia,
    la inteligencia y la energía,
    así aprenderás **dónde** se encuentra el **secreto** de vivir larga vida,
    y **dónde** la luz de los ojos y **la paz**.
¿**Quién** es el que **halló** el lugar de la sabiduría
    y tuvo acceso **a sus tesoros**?
El que **todo** lo sabe, la conoce;
    con su inteligencia la ha **escudriñado**.
El que **cimentó** la tierra para **todos** los tiempos,
    y la **pobló** de animales cuadrúpedos;
    el que **envía** la luz, **y ella va**,
    la llama, y **temblorosa** le obedece;
    llama a los astros, que **brillan** jubilosos
    en sus puestos de guardia,
    y ellos le responden: "**Aquí** estamos",
    y refulgen **gozosos** para **aquel** que los hizo.
Él es **nuestro** Dios
    y no hay **otro** como él;
    él ha **escudriñado** los caminos de la sabiduría,
    y se la dio a su hijo **Jacob**,
    a Israel, **su predilecto**.
Después de esto, ella apareció en el mundo
    y **convivió** con los hombres.

La **sabiduría** es el libro de los **mandatos** de Dios,
    la ley de validez **eterna**;
    los que la guardan, **vivirán**,
    los que la abandonan, **morirán**.

Comunica con ternura la importancia de seguir el camino de Dios.

Vuélvete a ella, Jacob, y **abrázala**;
    camina hacia la claridad de su luz;
    no entregues a otros tu gloria,
    ni tu dignidad a un pueblo **extranjero**.
Bienaventurados nosotros, Israel,
    porque lo que agrada al Señor
        nos ha sido **revelado**.

comunica aspectos únicos de la renovación de la alianza.

En el libro de Ezequiel, dado su linaje de sacerdote levítico, vemos un énfasis especial en el tema de purificación. En el pensamiento antiguo, las impurezas en el templo eran incompatibles con la presencia divina en el lugar. De modo que, en sí, la conducta reprochable del pueblo tanto profanó tanto el templo y la tierra entera de Jerusalén, que Dios no podía habitar más allí. Además, con su comportamiento, el pueblo no dio a conocer a Dios a las otras naciones, sino más bien desacreditó el Nombre Santo de Dios.

El Señor quiere reparar el daño causado por las impurezas, y la ofensa en contra de su Nombre Santo. También quiere invitarlos a que cumplan el llamado recibido en Sinaí de ser reino de sacerdotes y pueblo santo (ver Éxodo 19:6). Con este fin, el Señor los *rociará con agua pura* para purificarlos, y para que puedan comenzar de nuevo, les dará *un corazón nuevo* y les infundirá *un espíritu nuevo*.

En esta noche bendita, aquellos que recibirán el bautismo, serán rociados con agua pura para ser purificados y recibir un corazón y espíritu nuevos. Y nosotros, los ya bautizados, renovaremos nuestras promesas bautismales. Al concluir esta lectura, la congregación medita al cantar del Salmo 42 (41), y cada persona de la congregación declara que su alma busca al Señor. El corazón y el espíritu nuevos que el Señor da permite que la persona renueve la búsqueda del Señor. Al cantar este Salmo, la congregación también pide que Dios envié su luz y su verdad para ser guiados al Monte Santo, es decir al Monte de la Alianza.

Para meditar

SALMO RESPONSORIAL   Salmo 19:8, 9, 10, 11

R. Señor, tú tienes palabras de vida eterna.

La ley del Señor es perfecta
y es descanso del alma;
el precepto del Señor es fiel
e instruye el ignorante. **R.**

Los mandatos del Señor son rectos
y alegran el corazón;
la norma del Señor es límpida
y da luz a los ojos. **R.**

La voluntad del Señor es pura
y eternamente estable;
los mandamientos del Señor
son verdaderos
y enteramente justos. **R.**

Más preciosos que el oro,
más que el oro fino;
más dulces que la miel
de un panal que destila. **R.**

VII LECTURA   Ezequiel 36:16–28

Lectura del libro del profeta Ezequiel

El tono es de cierta severidad, casi represivo, en toda la primera parte; comunícala así.

En **aquel** tiempo,
me fue dirigida la palabra del Señor **en estos términos**:
"**Hijo** de hombre,
cuando los de la casa de Israel habitaban **en su tierra**,
la **mancharon** con su conducta y **con sus obras**;
como **inmundicia** fue su proceder **ante** mis ojos.
Entonces **descargué** mi furor contra ellos,
por la **sangre** que habían **derramado** en el país
y por haberlo **profanado** con sus idolatrías.
Los **dispersé** entre las naciones
y anduvieron **errantes** por todas las tierras.
Los juzgué **según** su conducta, **según** sus acciones los **sentencié**.
Y en las naciones a las que se fueron,
desacreditaron mi santo nombre,
haciendo que de ellos se dijera:
'**Este** es el pueblo del Señor,
y ha tenido que salir **de su tierra**'.

EPÍSTOLA Después de concluir las lecturas del Antiguo Testamento, la congregación expresa su gozo al cantar el *Gloria* y luego escucha la proclamación de la lectura de la carta de Pablo a los Romanos. En esta lectura, Pablo nos reta a no olvidar que ser bautizados implica participar en la muerte de Cristo. Nos asegura que no es posible recibir la vida nueva de la resurrección a menos que primero hayamos sido sepultados con Cristo, pues solamente así podremos incorporarnos a su vida.

El morir con Cristo significa que intencionalmente escogemos rechazar el pecado.

Este punto se hace muy claro en los dos primeros versículos del capítulo seis de la carta a los Romanos, cuando Pablo enfáticamente rechaza cualquier idea de que podemos seguir pecando porque la gracia de Dios abunda. A pesar de que estos versículos no son proclamados durante la Vigilia nos dan el contexto para lo que Pablo nos dice en el pasaje que es proclamado esta noche.

Esta lectura nos presenta puntos clave para la reflexión en el contexto del bautismo. Incluso en aquellos casos en los que no se celebran bautismos durante la Vigilia, los

ya bautizados renovamos nuestras promesas de bautismo. El caminar hacia el bautismo significa un caminar hacia la iniciación cristiana, que comienza con una búsqueda no tanto de algo, sino más bien de alguien, y de una vida diferente. Luego de comenzar esta búsqueda, la persona camina por algún tiempo indeterminado, que solamente Dios conoce, dentro de la comunidad cristiana. Este proceso es conocido como una *iniciación cristiana*, que se ve reflejado en el *Rito de la iniciación cristiana de adultos* (RICA), el cual han delineado nuestros obispos. De aquí proceden los puntos que a continua-

Cambia el tono. La compasión relumbra; subraya los verbos de la actuación de Dios.

Pero, por mi **santo** nombre,
    que la casa de Israel **profanó** entre las naciones a donde llegó,
    me **he compadecido**.
Por eso, **dile** a la casa de Israel:
    'Esto dice el Señor: no lo hago **por ustedes**, casa de Israel.
Yo mismo mostraré la santidad de mi nombre excelso,
    que ustedes **profanaron** entre las naciones.
Entonces ellas **reconocerán** que **yo soy** el Señor,
    cuando, por medio de ustedes les **haga ver** mi santidad.

Los **sacaré** a ustedes de entre las naciones,
    los **reuniré** de **todos** los países y los **llevaré** a su tierra.
Los **rociaré** con agua **pura** y quedarán purificados;
    los purificaré de **todas** sus inmundicias e idolatrías.

Mira a la asamblea al concluir con las palabras "ustedes serán mi pueblo…".

Les daré un corazón **nuevo** y les **infundiré** un espíritu nuevo;
    arrancaré de ustedes el corazón **de piedra**
    y les daré un corazón **de carne**.
Les infundiré **mi espíritu**
    y los **haré vivir** según mis preceptos
    y guardar y cumplir **mis mandamientos**.
Habitarán en la tierra que di a sus padres;
    ustedes serán **mi pueblo** y **yo** seré su Dios'".

Para meditar

SALMO RESPONSORIAL   Salmo 42:3, 5bcd, 43:3, 4

R. Como busca la cierva corrientes de agua, así mi alma te busca a ti, Dios mío.

Tiene sed de Dios, del Dios vivo:
    ¿cuándo entraré a ver
        el rostro de Dios? **R.**

Cómo marchaba a la cabeza del grupo,
    hacia la casa de Dios,
    entre cantos de júbilo y alabanza,
    en el bullicio de la fiesta. **R.**

Envía tu luz y tu verdad:
    que ellas me guíen
    y me conduzcan hasta tu monte santo,
    hasta tu morada. **R.**

Que yo me acerque al altar de Dios,
    al Dios de mi alegría;
    que te dé gracias al son de la cítara,
    Dios, Dios mío. **R.**

---

ción se presentan. La comunidad entera, no solamente unos pocos catequistas son responsables de este proceso. De la comunidad, la persona escucha el primer anuncio de la Buena Nueva y su conexión con las enseñanzas de Cristo; aprende a orar y a vivir el compromiso del Evangelio; aprende a celebrar los distintos ritos litúrgicos que expresan nuestra relación con Dios; aprende a servir al prójimo y a dar testimonio de la vida cristiana. Es decir, la comunidad acompaña a la persona interesada en el caminar que va convirtiéndola en discípula misionera. Este caminar tiene un punto álgido

en la iniciación sacramental de recibir y celebrar el bautismo, la confirmación y participar por primera vez en el banquete de la Eucaristía. Sin embargo, la meta de la iniciación cristiana *no es* el bautismo; el bautismo es un paso fundamental para un largo caminar; la meta es una vida discipular cristiana. De ahí pues, la importancia de meditar en esta lectura. Nuestro morir al pecado no simplemente ocurre una vez, al contrario, es una decisión continua de querer estar vivos con Cristo y para Cristo.

EVANGELIO Antes de la lectura del evangelio, la congregación se pone de pie para elevar un canto de alabanza y repite *aleluya,* que en hebreo significa "alaben a Dios". Este canto de alabanza viene de versículos del Salmo 118 (117), conocido como la "Gran alabanza" (gran *Hallel*) en la tradición judía, y que se canta en el contexto de la conmemoración de la Pascua que festeja la liberación de Egipto. Este canto nos prepara para escuchar el Evangelio.

Con el evangelio, llegamos al punto culminante de la proclamación de la historia de

O bien:

Para meditar

SALMO RESPONSORIAL   Isaías 12:2–3, 4bcd, 5–6

R. Sacarán aguas con gozo de las fuentes de la salvación.

El Señor es mi Dios y Salvador:
  confiaré y no temeré,
  porque mi fuerza y mi poder es el Señor,
  él fue mi salvación.
Y sacarán aguas con gozo
  de las fuentes de la salvación. **R.**

Den gracias al Señor
  invoquen su nombre,
  cuenten a los pueblos sus hazañas,
  proclamen que su nombre es excelso. **R.**

Tañan para el Señor, que hizo proezas,
  anúncienlas a toda la tierra;
  griten jubilosos, habitantes de Sión:
  "Qué grande es en medio de ti
  el Santo de Israel". **R.**

O bien: *Salmo 51:12–13, 14–15, 18–19*

EPÍSTOLA   Romanos 6:3–11

Lectura de la carta del apóstol san Pablo a los romanos

Hermanos:

Trozo argumentativo: nota que las preguntas son retóricas. Apóyate en la puntuación para no perder el hilo de la secuencia.

Todos los que hemos sido **incorporados** a Cristo Jesús por medio
  del bautismo, hemos sido incorporados **a él en su muerte**.
En efecto, por el bautismo fuimos **sepultados** con él en su muerte,
  para que, así como Cristo **resucitó** de entre los muertos
    por la **gloria** del Padre,
  así también **nosotros** llevemos una vida **nueva**.

Porque, si hemos estado **íntimamente** unidos a él
  por una muerte **semejante** a la suya,
  también lo estaremos en su **resurrección**.

Con tono pausado, habrá que proclamar que pasaremos por el mismo camino de Cristo, de la muerte a la resurrección.

Sabemos que nuestro viejo yo fue crucificado **con Cristo**,
  para que el cuerpo del pecado quedara **destruido**,
  a fin de que ya **no sirvamos** al pecado,
  pues el que ha muerto **queda libre** del pecado.

---

la salvación. Habiendo comenzado con la historia de la creación, seguido del relato de una entrega total, el cruce del mar Rojo, la promesa del perdón, la invitación a comida, bebida y vida nueva, el llamado a buscar la Sabiduría, la promesa de un corazón y un espíritu nuevos, y el recordatorio de la realidad del bautismo, escuchamos ahora el relato de la resurrección.

Lucas nos recuenta los eventos de aquel sábado, cuando las mujeres salieron temprano y se dirigieron al sepulcro, llevando perfumes, con la intención de finalizar con la preparación del cuerpo, que fue inte-

rrumpida por el entierro apresurado del viernes. Al llegar al sepulcro, se encuentran con la inesperada realidad de ver la piedra removida y de encontrar el lugar vacío, sin el cuerpo de Jesucristo. En medio de la sorpresa y confusión escuchan de dos *varones resplandecientes* el anuncio de que *el Señor ha resucitado*. En el relato de Lucas, son dos hombres que dan el anuncio, lo cual contrasta con el relato de Mateo, que presenta a un ángel, y con el de Marcos, donde son dos jóvenes los que comunican la noticia. Estos dos hombres resplandecientes les invitan a las mujeres a recordar las palabras

del Señor, quien les había dicho que era necesario que él fuera crucificado y que al tercer día resucitaría. De inmediato, las mujeres recuerdan y entienden. Es la memoria de la Palabra de Jesús la clave que les ayuda a entender los eventos. Entonces, se convierten ellas en las primeras portadoras del *anuncio*, al dar las noticias a los discípulos. Desafortunadamente, su testimonio no se considera creíble; más bien los discípulos pensaron que es producto de la fantasía de ellas. No obstante, Pedro sale a corriendo al sepulcro; al llegar ahí, confirma lo escuchado y queda asombrado.

Por lo tanto, si hemos muerto **con Cristo**,
 estamos seguros de que también **viviremos** con él;
 pues **sabemos** que Cristo,
 una vez **resucitado** de entre los muertos, ya nunca morirá.
La muerte ya **no tiene** dominio sobre él,
 porque al morir,
 murió al pecado de una vez **para siempre**;
 y al resucitar,
 vive ahora para Dios.
Lo mismo ustedes,
 considérense **muertos** al pecado
 y **vivos** para Dios en Cristo Jesús,
 Señor nuestro.

Para meditar

SALMO RESPONSORIAL   Salmo 118:1–2, 16ab–17, 22–23

R. Aleluya, aleluya, aleluya.

Den gracias al Señor porque es bueno,
 porque es eterna su misericordia.
Diga la casa de Israel:
 eterna es su misericordia. **R.**

La diestra del Señor es poderosa,
 la diestra del Señor es excelsa.
No he de morir, viviré
 para contar las hazañas del Señor. **R.**

La piedra que desecharon los arquitectos
 es ahora la piedra angular.
Es el Señor quien lo hecho,
 ha sido un milagro patente. **R.**

EVANGELIO   Lucas 24:1–12

Lectura del santo Evangelio según san Lucas

La lectura inicia con un tono sombrío, para irse transformando en uno de asombro como el que habrán sentido las mujeres.

El **primer** día después del sábado, **muy** de mañana,
 llegaron las mujeres al sepulcro,
 llevando los perfumes que **habían preparado**.
Encontraron que la piedra ya **había sido** retirada del sepulcro
 y **entraron**,
 pero **no hallaron** el cuerpo del Señor Jesús.

Este relato nos demuestra la importancia de conocer la Palabra de Dios, para reconocer por ella las promesas de la salvación que van cumpliéndose. También nos comunica que nuestra labor no es hacer que las personas crean nuestro testimonio: nuestro llamado es el de comunicar el anuncio; Dios se encargará del resto.

El anuncio 'ha resucitado' es central a la celebración de la Vigilia y también a la vida del cristiano. Proclámalo con genuina alegría y entusiasmo.

Alarga un poco esta pausa, como si ya no quedara más. Luego prosigue con un tono que rescate el asombro de Pedro.

Estando ellas todas **desconcertadas** por esto,
    se les presentaron **dos varones** con vestidos **resplandecientes**.
Como ellas se llenaron **de miedo** e inclinaron el rostro a tierra,
    los varones les dijeron:
    "**¿Por qué** buscan entre los muertos **al que está vivo?**
No está aquí; **ha resucitado.**
Recuerden que cuando estaba todavía en Galilea les dijo:
    'Es **necesario**
        que el Hijo del hombre **sea entregado** en manos
        de los pecadores y **sea** crucificado y al tercer día **resucite**'".
Y ellas **recordaron** sus palabras.

Cuando regresaron del sepulcro,
    las mujeres anunciaron **todas estas cosas** a los Once
        y a **todos** los demás.
Las que decían estas cosas a los apóstoles
        eran **María Magdalena,**
    Juana, María (**la madre de Santiago**)
    y las demás que estaban con ellas.
Pero **todas** estas palabras les parecían **desvaríos** y **no** les creían.

Pedro se levantó y **corrió** al sepulcro.
Se asomó, pero **sólo** vio los lienzos y se regresó a su casa,
        asombrado por lo sucedido.

DOMINGO DE PASCUA DE LA RESURRECCIÓN DEL SEÑOR

I LECTURA   Hechos 10:34a, 37–43

Lectura del libro de los Hechos de los Apóstoles

Este breve discurso es un verdadero anuncio del Evangelio. Haz que tu voz vibre, no por la potencia sino por la alegre convicción de lo que proclama.

En aquellos días, Pedro tomó la palabra y dijo:
"Ya saben ustedes lo sucedido en **toda** Judea,
   que tuvo principio **en Galilea**,
   después del Bautismo predicado por Juan:
   cómo Dios **ungió** con el **poder** del Espíritu Santo
     a **Jesús** de Nazaret y cómo **éste** pasó haciendo **el bien**,
   sanando **a todos** los oprimidos por el diablo,
   porque Dios estaba **con él**.

Nosotros somos **testigos**
   de cuanto él **hizo** en Judea y en Jerusalén.
Lo mataron **colgándolo** de la cruz,
   pero Dios **lo resucitó** al tercer día
   y **concedió** verlo, no a todo el pueblo,
   sino **únicamente** a los testigos **que él**,
   de antemano, había escogido:
   a **nosotros**, que hemos **comido y bebido** con él
     después de que **resucitó** de entre los muertos.

Pausa luego de las dos primeras líneas y contémplate en medio de la asamblea. Luego prosigue pausadamente.

Él nos mandó **predicar** al pueblo
   y **dar testimonio** de que Dios
     lo ha constituido **juez** de vivos y muertos.
El testimonio de los profetas es **unánime**:
   que cuantos **creen en él** reciben, por su medio,
   el perdón de los pecados".

I LECTURA El día de hoy la liturgia toma un trozo del discurso de Pedro en Cesarea, en la casa del centurión Cornelio. A Cornelio un ángel le dice que sus oraciones han sido escuchadas y que envíe por Pedro.

A Pedro no le resulta fácil atender este llamado. Primero, no se sabía la forma de agregar a los paganos al grupo de Jesús. Segundo, compartía la convicción que tenía todo judío sobre la impureza de los paganos que los hacía indignos de acceder a las promesas dadas sólo al pueblo elegido. Con estos prejuicios en la cabeza, toma Pedro el camino de Cesarea con los emisarios de Cornelio hasta llegar a la casa.

Pedro habla ante el pequeño grupo que formaba la casa de Cornelio. Da Pedro un discurso breve, que es ejemplo de los puntos focales que tocaba todo cristiano en el incipiente apostolado entre los paganos.

Empieza Pedro mostrando su admiración porque el Señor no tiene preferencias, sino que se da a todo aquel que le teme. Narra lo referente a Jesús de Nazaret, anunciando el *kerygma*, es decir, la salvación que se ha dado a través de la muerte y resurrección de Cristo. El tenor de la prédica de Pedro es de tinte universalista, ya que su auditorio es totalmente pagano. Jesús ha venido a sanar "a todos los oprimidos por el diablo… Lo mataron colgándolo de la cruz, pero Dios lo resucitó el tercer día… que cuantos creen en él reciben, por su medio, el perdón de los pecados". Enseguida, Pedro entendió el porqué de su presencia allí: es testigo de la renovación de Pentecostés de un grupo de incircuncisos. Esta parte ya no se escucha en nuestra lectura. El Espíritu desciende sobre ellos, no quedándole a Pedro más que bautizarlos y agregarlos así a la incipiente Iglesia.

Para meditar

SALMO RESPONSORIAL   Salmo 118:1–2, 16ab–17, 22–23

R. Éste es el día en que actuó el Señor: sea nuestra alegría y nuestro gozo.

O bien: **R. Aleluya.**

Den gracias al Señor porque es bueno,
 porque es eterna su misericordia.
Diga la casa de Israel:
 eterna es su misericordia. **R.**

La diestra del Señor es poderosa,
 la diestra del Señor es excelsa,
No he de morir, viviré
 para contar las hazañas del Señor. **R.**

La piedra que desecharon los arquitectos
 es ahora la piedra angular.
Es el Señor quien lo hecho,
 ha sido un milagro patente. **R.**

II LECTURA   Colosenses 3:1–4

Lectura de la carta del apóstol san Pablo a los colosenses

Hermanos:
Puesto que ustedes **han resucitado** con Cristo,
 busquen los bienes **de arriba**,
 donde **está** Cristo, sentado **a la derecha** de Dios.
Pongan **todo** el corazón en los bienes **del cielo**,
 no en los de la tierra,
 porque **han muerto**
 y su vida **está escondida** con Cristo en Dios.
Cuando **se manifieste** Cristo, **vida** de ustedes,
 entonces **también** ustedes se manifestarán **gloriosos**,
 juntamente con él.

O bien:

El exhorto debe afianzar la esperanza de la asamblea. Fíjate cómo cambia la perspectiva en cada uno de los tres párrafos que componen la lectura.

De ahí en adelante, los discípulos de Jesús tomarán el núcleo de esta predicación: la resurrección como el centro de la fe. Así se entiende que en la visión de Lucas los discípulos de Jesús sean los testigos oculares. Esto será fundamental para todo cristiano: ser testigo de la muerte y resurrección del Señor.

II LECTURA El autor de la carta nota las dificultades por la que atraviesan los creyentes de Colosas y los exhorta a reconsiderar su condición bautismal; para ello, recurren al lenguaje tradicional que encontramos en los escritos de san Pablo. Aunque entre los tiempos paulinos y los nuestros hay una veintena de siglos, la exhortación guarda toda su vigencia para nosotros, porque la condición cristiana trae consigo un germen que rebasa la circunstancia histórica y contextual sin la cual no se realiza. El cristiano es alguien que vive anclado en su contexto histórico, pero no limitado por él; su vocación bautismal lo impulsa a transformar su entorno total con el germen de vida eterna que mira realizado en Cristo Jesús. De aquí que tener puestos los ojos en Cristo, la visión cristiana, sea algo tan indispensable para preñar de eternidad la realidad cambiante, como la necesidad de manifestar la gloria definitiva en el día a día contingente. Este es el nervio de la fe y la pascua cristianas.

El Misterio pascual, la muerte y resurrección de Jesús, tiene su cúspide en la entronización mesiánica, "a la derecha de Dios". Él es la garantía de los creyentes. Los seguidores de este Mesías no tienen otra opción más que unírsele, procurando las realidades superiores, las de arriba, contrarias a las terrenales o de abajo. En esta visión dicotómica, polarizada, hinca su pie la

II LECTURA   1 Corintios 5:6–8

Lectura de la primera carta del apóstol san Pablo a los corintios

Hermanos:
  ¿No saben ustedes que **un poco** de levadura
      hace fermentar **toda** la masa?
Tiren la antigua levadura,
    para que sean ustedes una masa **nueva**,
    ya que son pan **sin levadura**,
    pues **Cristo**, nuestro cordero pascual, ha sido **inmolado**.

Celebremos, pues, la fiesta de la Pascua,
    no con la **antigua** levadura, que es de vicio **y maldad**,
    sino con el pan **sin** levadura,
    que es de **sinceridad y verdad**.

EVANGELIO   Juan 20:1–9

Lectura del santo Evangelio según san Juan

El **primer** día después del sábado, estando **todavía** oscuro,
    fue María Magdalena al sepulcro
    y vio **removida** la piedra que lo cerraba.
Echó **a correr**,
    llegó a la casa donde estaban **Simón Pedro** y el otro discípulo,
        a quien Jesús **amaba**, y les dijo:
    "**Se han llevado** del sepulcro al Señor
    y **no sabemos** dónde lo habrán puesto".

Salieron Pedro y el otro discípulo camino del sepulcro.
Los dos iban corriendo **juntos**,
    pero el otro discípulo corrió **más aprisa** que Pedro
    y llegó **primero** al sepulcro,
    e **inclinándose**,

historia de Jesús, porque las condiciones históricas lo sepultaron como a un criminal porque no ajustó su mente a lo terrenal, sino que mantuvo su corazón anclado en las realidades celestes, las del Reino de Dios. El Reino de Dios es la realización de las cosas celestes en las terrestres.

La vida cristiana no consiste en huir del mundo, sea cual fuere la forma de fugarse, sino en irlo transformando con la vida nueva que Cristo garantiza al creyente. De allí procede el vigor y el entusiasmo de la fe cristiana. Vivir con los criterios celestes es hacer germinar el reino hasta su manifestación definitiva. A los ojos de los extraños parecería una derrota o una sepultura cuando en realidad se trata de sembrar y esconder la vida, a fin de que la gloria de Dios vaya fulgurando alrededor. Un día, tal como rezamos en el Credo, la manifestación definitiva rebosará nuestra esperanza, y la gloria celeste nos unirá a nuestro Redentor.

EVANGELIO San Juan dedica dos capítulos a la resurrección; el doble que los demás evangelistas. Considera la resurrección un momento importantísimo de la revelación de Dios entre nosotros. Compone dos relatos, distintos entre sí pero unidos en una conclusión. Su objetivo, al narrar la resurrección del Señor, no es solo el de contarnos un hecho, sino ayudarnos a descubrir a Jesús presente y vivo en la Iglesia de todos los tiempos. Compone distintos actos de admiración, temor, incomprensión, duda, aceptación o descubrimiento paulatino de la resurrección.

En el Antiguo Testamento, empezamos con el episodio de la muerte de Sara. Abrahán busca un lugar, una tumba para sepultar a su mujer. La gente de entonces sentía un

miró los lienzos puestos en el suelo,
  pero **no entró**.

En eso llegó también **Simón Pedro**, que lo venía siguiendo,
  y **entró** en el sepulcro.
Contempló los lienzos puestos en el suelo
  y el sudario, que había estado **sobre** la cabeza de Jesús,
  puesto **no con los lienzos** en el suelo,
  sino **doblado** en sitio aparte.
Entonces entró también el **otro** discípulo,
  el que había llegado **primero** al sepulcro,
  y vio y **creyó**,
  porque hasta entonces **no habían entendido** las Escrituras,
  según las cuales Jesús **debía** resucitar de entre los muertos.

O bien: *Lucas 24:1–12.* **En la misa vespertina:** *Lucas 24:13–35*

Baja ahora la velocidad de lectura y alarga la frase de "vio y creyó".

gran honor reunirse con sus padres, con las personas más queridas durante su vida. José de Arimatea, al ofrecer su sepulcro nuevo, que lo había mandado hacer para sí, se siente honrado de poder unirse a su Maestro después.

La historia de la resurrección de Jesús empieza con la desaparición del cuerpo del Señor. Sobreviene una búsqueda. Hay un supuesto. Han tomado el cuerpo del Señor. María es la primera que se da cuenta de la desaparición de Jesús y va a anunciar lo que es una mala noticia: "Se han llevado al Señor". Dos discípulos van a comprobar. El más importante, Pedro, da la razón a la afirmación de María de Magdala. El otro discípulo sabe ver a través de lo que cubría el cuerpo de Jesús. El lienzo estaba intacto y ordenado. Si se hubieran llevado a Jesús, se lo habrían llevado con los lienzos y el sudario. A los discípulos les toca interpretar. No hay mensajeros divinos aquí. Juan llega por la fe a cerciorarse de que Jesús ha resucitado, de que ha dado ese paso del que les habló en la Última Cena. Cierto, la piedra ha sido quitada; es un símbolo. La muerte no es una piedra que encierre la vida, sino una puerta abierta a otra vida, a la verdadera, que será la que anunciarán los discípulos de Señor.

II DOMINGO DE PASCUA (DOMINGO DE LA DIVINA MISERICORDIA)

Esta lectura pide una velocidad un poco mayor de lo normal. Su contenido muestra una dfusión incontenible del Evangelio. Muestra esto desde tu actitud interior.

I LECTURA Hechos 5:12–16

Lectura del libro de los Hechos de los Apóstoles

En aquellos días,
    los apóstoles realizaban **muchas** señales milagrosas
        y prodigios en medio del pueblo.
Todos los creyentes solían reunirse,
    por común acuerdo, en el pórtico de Salomón.
Los demás **no se atrevían** a juntárseles,
    aunque la gente los tenía en **gran** estima.

El **número** de hombres y mujeres que creían en el Señor
    iba creciendo de día en día,
hasta el punto de que
    tenían que sacar en **literas y camillas** a los enfermos
y ponerlos en las plazas,
para que, cuando Pedro **pasara**,
al menos su sombra cayera sobre alguno de ellos.

Mucha gente de los alrededores **acudía** a Jerusalén
    y llevaba a **los enfermos**
    y a los **atormentados** por espíritus malignos,
    y **todos** quedaban curados.

Cierra la lectura paseando tu mirada por la fila de en medio de la asamblea, de izquierda a derecha.

I LECTURA San Lucas, como buen historiador, ofrece por medio de tres sumarios una vista de conjunto de los primeros pasos de la Iglesia en Jerusalén. La primera lectura de hoy retoma el último de estos tres sumarios. Describe de manera genérica el desarrollo del grupo de cristianos. La Iglesis se caracterizaba por la autoridad curativa de los apóstoles, la unidad de la comunidad, la estima que les profesaba la gente y el crecimiento paulatino de la comunidad.

Había un temor extendido entre el pueblo de acercarse a los apóstoles y crecía la fama de Pedro. No se les acercaba la gente, pero sí les llevaban a los enfermos para que los curaran. En esto presentaba rasgos semejantes a la comunidad que había existido con Jesús a la cabeza. Dios acompañaba con los milagros a la pequeña comunidad. La gente llevaba a los enfermos para que al menos la sombra de Pedro los cubriera. Cubrir a alguien con esa sombra significaba para la mentalidad de entonces penetrarlo con el poder, como la nube en el Éxodo que, cuando cubría la Tienda del encuentro, la llenaba al punto que Moisés no podía entrar (ver Éxodo 40:35–36). Ante lo extraordinario,

el pueblo a toma su distancia y de la gente se apodera un temor religioso.

No obstante el distanciamiento, la comunidad crecía poco a poco por medio de la predicación apostólica y la acción curativa de los apóstoles. Había seguido el mismo modelo del grupo apostólico conducido por el Señor Jesús. Esta visión presentada en este sumario será completada pronto por la narración de la persecución que se desatará contra la comunidad. Ya Jesús lo había predicho.

Si observamos que nuestra comunidad cristiana no se preocupa de los débiles y en-

Para meditar

SALMO RESPONSORIAL   Salmo 118:2–4, 22–24, 25–27a

R. Den Gracias al Señor porque es bueno, porque es eterna su misericordia.

O bien: **R. Aleluya.**

Diga la casa de Israel:
   eterna es su misericordia.
Diga la casa de Aarón:
   eterna es su misericordia.
Digan los fieles del Señor:
   eterna es su misericordia. **R.**

La piedra que desecharon los arquitectos
   es ahora la piedra angular.
Es el Señor quien lo hecho,
   ha sido un milagro patente.
Éste es el día en que actuó el Señor:
   sea nuestra alegría y nuestro gozo. **R.**

Señor, danos la salvación;
   Señor, danos prosperidad.
Bendito el que viene en nombre del Señor,
   le bendecimos desde la casa del Señor;
   el Señor es Dios, él nos ilumina. **R.**

II LECTURA   Apocalipsis 1:9–11, 12–13, 17–19

Lectura del libro del Apocalipsis del apóstol san Juan

Al darle voz al profeta Juan, evita todo asomo de presunción. Llena tu corazón de humilde veracidad.

Yo, **Juan**,
   hermano y compañero de ustedes en la tribulación,
   en el Reino y en la **perseverancia** en Jesús,
   estaba **desterrado** en la isla de Patmos,
   por haber **predicado** la palabra de Dios
   y haber dado **testimonio** de Jesús.

Mantén el tono de voz hasta llegar a las comillas. No prolongues la pausa. Prosigue con la reacción del vidente.

Un domingo caí en **éxtasis**
   y oí a mis espaldas una voz **potente**,
   como de **trompeta**, que decía:
   "**Escribe** en un libro **lo que veas**
   y **envíalo** a las **siete** comunidades cristianas de Asia".
Me volví para ver **quién** me hablaba,
   y al volverme, vi **siete** lámparas de oro,
   y en medio de ellas, **un hombre** vestido de larga túnica,
   ceñida a la **altura** del pecho, con una franja de **oro**.

---

fermos, que se desentiende de la gente en voz de ayudarla y confortarla, y que confía más en los poderes o potencias humanas que en la fuerza del Señor, entonces nos damos cuenta de que hemos convertido a la Iglesia en una sociedad filantrópica. San Lucas nos pide retomar el Evangelio.

II LECTURA Estamos en la visión inaugural del libro del Apocalipsis de san Juan, apenas tras su apertura donde se presentó la obra en los términos de una carta dirigida a las siete iglesias allí mencionadas. Los libros apocalípticos interpretan los eventos históricos desde una perspectiva más elevada o profunda para desentrañar su verdadero sentido. Parten de que lo que ocurre en la tierra no es sino reflejo de lo acontecido ya en el ámbito celeste o supraterrenal, desde el que hay que comprender la realidad. A esa realidad se accede sólo mediante una revelación, que es lo que quiere decir la palabra griega *apocalipsis*. La revelación se entrega mediante un intermediario que con frecuencia es un vidente, pues es en forma de visión que se ofrece el sentido verdadero de la realidad oculta. Los oyentes tienen que aprovecharse de ese conocimiento para entender y orientar su vida en consecuencia.

El vidente es un profeta cristiano desterrado por ejercer su vocación. No es fácil precisar el motivo del destierro, pero seguramente su voz provocó disensiones o disturbios que terminaron incomodando a las autoridades municipales o imperiales al grado que decidieron callarlo así. En Asia Menor, en las décadas finales del siglo I, el culto imperial adquirió un auge inusitado al grado que la administración exigió la pleitesía absoluta de sus súbditos. Los cristianos reaccionaron y esto les costó persecución y

Al contemplarlo, **caí** a sus pies como muerto;
 pero **él**, poniendo sobre mí la mano derecha, me dijo:
 "**No temas**. **Yo soy** el primero y el último;
 yo soy **el que vive**.
Estuve **muerto** y ahora, como ves,
 estoy vivo por los siglos de los siglos.
Yo tengo las llaves de la muerte y del **más allá**.
Escribe lo que **has visto**,
 tanto sobre las cosas **que están sucediendo**,
 como sobre las que sucederán **después**".

EVANGELIO   Juan 20:19–31

Lectura del santo Evangelio según san Juan

Al **anochecer** del día de la resurrección,
 estando **cerradas** las puertas de la casa
  donde se hallaban los discípulos, por **miedo** a los judíos,
 se presentó **Jesús** en medio de ellos y les dijo:
 "**La paz** esté con ustedes".
Dicho esto, **les mostró** las manos y el costado.
Cuando los discípulos **vieron** al Señor,
 se **llenaron** de alegría.

De nuevo les dijo Jesús: "**La paz** esté con ustedes.
 Como **el Padre** me ha enviado, **así también** los envío yo".
Después de decir esto, **sopló** sobre ellos y les dijo:
 "**Reciban** al Espíritu Santo.
A los que **les perdonen** los pecados,
 les quedarán **perdonados**;
 y a los que no se los perdonen,
 les quedarán **sin perdonar**".

Afirma tu voz con cierta autoridad de testigo. Es Cristo el que da testimonio de su obra redentora.

Da cohesión a cada párrafo. Nota dónde tomarás aire para mantener el ritmo de lectura que señala la puntuación.

Prepara bien el saludo pascual de Jesús. Dale profundidad y calidez. Saca desde el diafragma esas palabras.

---

muerte. El vidente es un hermano solidario en el sufrimiento. Ésta es una marca del genuino profetismo cristiano, porque el testimonio de la palabra de Dios pasa siempre por la propia piel; de otra manera, la palabra se vuelve periférica y queda en demagogia grandilocuente. El vidente es impotente ante la revelación que se le impone en "el día del Señor" y pasa a describir sus visiones del mundo celeste.

La primera visión es la de Cristo resucitado que se presenta al profeta. "No temas" es el saludo normal a los favorecidos con una aparición sobrenatural. El Enal-tecido tiene rasgos sacerdotales y posee las llaves que lo hacen Señor de vida y muerte. Sus fieles no tienen nada que temer: él les asegura la vida. Esta convicción es la que afirman los cristianos cada vez que se reúnen para glorificar al Señor y unen la voz a los coros celestiales.

EVANGELIO Al atardecer del mismo día en que ha hablado con María, Jesús se aparece a sus discípulos reunidos en el cenáculo a puertas cerradas. Ya hay aquí elementos que nos dejan dudas por falta de precisión. María les ha de haber dado el recado de Jesús, ¿pero le habrán creído? No lo sabemos. Quizás sí. Dos discípulos van a regresarse al día siguiente, diciendo que esto es cuentos de mujeres. Lo cierto es que algo falta, pues el miedo todavía los tenía encerrados.

Jesús llega y se pone en medio de ellos. Los saluda como siempre: "La paz esté con ustedes" (*Shalom alehem*). Acto seguido, les muestra las manos y el costado. ¿Cuál es la razón de esta acción? Un signo de identidad. Es el mismo Jesús. No es un fantasma. Los discípulos se convencen y se alegran. La alegría sustituye al miedo.

Apresura la velocidad en esta parte de la lectura hasta el saludo de Jesús.

Tomás, uno de los Doce, a quien llamaban **el Gemelo**,
  no estaba con ellos cuando vino Jesús,
  y los otros discípulos le decían:
  "Hemos visto al Señor".
Pero él les **contestó**:
  "Si no veo **en sus manos** la señal de los clavos
  y si **no meto mi dedo** en los agujeros de los clavos
  y no meto **mi mano** en su costado, **no creeré**".

Ocho días después,
  estaban reunidos los discípulos **a puerta cerrada**
  y **Tomás** estaba con ellos.
Jesús se presentó de nuevo en medio de ellos y les dijo:
  "**La paz** esté con ustedes".
Luego le dijo a Tomás:
  "**Aquí** están mis manos; **acerca** tu dedo.
  Trae acá tu mano, **métela** en mi costado
  y **no sigas** dudando, sino **cree**".
Tomás le respondió: "¡**Señor mío y Dios mío!**"
Jesús **añadió**: "Tú crees porque me has visto;
  dichosos los que creen **sin haber visto**".

Otras **muchas** señales milagrosas hizo Jesús
  en **presencia** de sus discípulos,
  pero **no están escritas** en este libro.
Se escribieron **éstas**
    para que ustedes **crean** que Jesús es **el Mesías**,
  el **Hijo** de Dios, y para que, **creyendo**,
  tengan **vida** en su nombre.

La llamada a Tomás hazla con serenidad; nada de elevar el tono.

Ahora podrán abrir la puerta del cenáculo, sin miedo a los judíos. La resurrección trae la alegría y la seguridad. Por su muerte y resurrección, Jesús nos convierte en hijos de Dios. Sólo entonces, cuando ya están seguros de la resurrección, les comunica la misma misión a través del bautismo y del perdón de los pecados. En consecuencia, sopla sobre ellos, indicando con esto que el Espíritu Santo está entrando en ellos y, por lo tanto, están aptos para lo que el Maestro les dará: el poder de perdonar y retener los pecados. El presentador oficial, Juan el Bautista, había descrito al Mesías como el Cordero de Dios que quita el pecado del mundo.

Como acostumbra Juan, coloca una segunda narración que cierra la primera: la aparición de Jesús estando Tomás presente. Ahora lo invita al rito de la identificación, pues Tomás no creía que Jesús hubiera resucitado. Hay algo nuevo en esta escena. Son las palabras de Jesús: Bendito el que sin haber visto ha creído. Van dirigidas a Tomás, claro, pero también a todos aquellos que al correr de los tiempos no tienen de base más que el testimonio del evangelio, que nos es suficiente para seguir repitiendo, apoyados por la fe, en cada Eucaristía: "Proclamamos tu resurrección".

III DOMINGO DE PASCUA

El relato tiene discurso y narración. Da cierta inflexión autoritaria a la voz de la autoridad sacerdotal.

I LECTURA   Hechos 5:27–32, 40–41

Lectura del libro de los Hechos de los Apóstoles

En aquellos días,
    el sumo sacerdote **reprendió** a los apóstoles y les dijo:
"Les hemos prohibido **enseñar** en nombre de ese Jesús;
    sin embargo,
    ustedes **han llenado** a Jerusalén con sus enseñanzas
    y quieren hacernos **responsables**
        de la sangre de **ese hombre**".

Sin apresurar, haz que las palabras de Pedro suenen convincentes, verdaderas y auténticas. Alarga los "ustedes" en labios del apóstol.

Pedro y los otros apóstoles **replicaron**:
    "**Primero** hay que obedecer **a Dios**
    y **luego** a los hombres.
El Dios de nuestros padres **resucitó** a Jesús,
    a quien **ustedes** dieron muerte **colgándolo** de la cruz.
La mano de Dios **lo exaltó** y lo ha hecho **jefe y Salvador**,
    para dar a Israel la gracia **de la conversión**
    y **el perdón** de los pecados.
Nosotros **somos testigos** de todo esto
    y **también** lo es el **Espíritu Santo**,
    que Dios ha dado a los que **lo obedecen**".

Prepara la salida de la lectura conotando cierta sorpresa en tu propia voz, como admirado por lo que se cuenta.

Los miembros del sanedrín mandaron **azotar** a los apóstoles,
    les prohibieron hablar en nombre **de Jesús** y los soltaron.
Ellos se retiraron del sanedrín,
    felices de haber padecido aquellos ultrajes
        por **el nombre** de Jesús.

I LECTURA En los inicios de la Iglesia hubo muchos conflictos entre las autoridades judías y los que creían en Jesús, pues éstos seguían perteneciendo a la comunidad judía. Lucas narra uno de los primeros conflictos. Son puestos en la cárcel los doce apóstoles. Lo que indica el lugar importante que tenían los Doce desde el principio en la comunidad dejada por Jesús.

Lucas transmite la defensa que hacen los apóstoles ante el Sanedrín. Se les prohibió que predicaran la Buena Noticia de Jesús y que culparan a las autoridades judías de la muerte de Jesús. No nombran a Jesús; simplemente hablan de "Ese hombre". Pedro no los contradice directamente, sino que repite lo que está debajo del proceder de los apóstoles: que hay que obedecer más a Dios que a los hombres. Es una manera de resumir el núcleo socrático de obedecer primero lo que es recto ante Dios. Ello indica que los apóstoles seguirán predicando la voluntad de Dios y sus acciones salvíficas. Su mensaje es de perdón de Dios y no de venganza. La obediencia a Dios y sus mandatos es desobediencia al mandato del tribunal supremo judío.

Acto seguido, Pedro reitera la fe en la resurrección de Jesús y de la salvación de Israel. Pedro afirma que ellos son testigos oculares y que poseen el Espíritu Santo. Desde luego que el Supremo Tribunal se siente injuriado de que gente sencilla le esté enseñando lo fundamental de la fe judía. Indirectamente, los apóstoles les están diciendo que ellos, los integrantes del Supremo Tribunal, se oponen al Espíritu Santo. Es una ofensa, pues éstos son considerados la gente más informada y formada en la fe de Israel.

Para meditar

SALMO RESPONSORIAL   Salmo 30:2 y 4, 5 y 6, 11 y 12a y 13b

R. Te ensalzaré, Señor, porque me has librado.

O bien: **R. Aleluya.**

Te ensalzaré, Señor, porque me has librado
  y no has dejado que mis enemigos
    se rían de mi.
Señor, sacaste mi vida del abismo,
  me hiciste revivir cuando
    bajaba a la fosa. **R.**

Tañan para el Señor, fieles suyos,
  den gracias a su nombre santo;
  su cólera dura un instante,
  su bondad, de por vida;
  al atardecer nos visita el llanto,
  por la mañana, el jubilo. **R.**

Escucha, Señor, y ten piedad de mí;
  Señor, socórreme.
Cambiaste mi luto en danzas.
Señor, Dios mío, te daré gracias
  por siempre. **R.**

II LECTURA   Apocalipsis 5:11–14

Lectura del libro del Apocalipsis del apóstol san Juan

Aprópiate del asombro de esta visión portentosa. Proclama fraseando y distintuiendo cantos de proclamaciones.

Yo, Juan, tuve **una visión**, en la cual
  oí alrededor del trono de los vivientes y los ancianos,
la voz de **millones y millones** de ángeles,
que cantaban con voz **potente**:

  "**Digno** es el Cordero, que fue **inmolado**,
  de **recibir** el poder y la riqueza,
  la sabiduría y la fuerza,
  el honor, la gloria y **la alabanza**".

Ve subiendo el tono de tu voz, no el volumen.

Oí **a todas** las creaturas que hay en el cielo, en la tierra,
  debajo de la tierra y en el mar—**todo** cuanto existe—,
que decían:

Pronuncia con soleminidad el tributo que se rinde al Cordero.

  "Al que **está sentado** en el trono y **al Cordero**,
  la alabanza, **el honor**, la gloria y **el poder**,
  por los **siglos** de los siglos".

Y los cuatro vivientes respondían: "**Amén**".
Los **veinticuatro** ancianos se **postraron** en tierra
  y adoraron **al que vive** por los siglos de los siglos.

Esta forma de vivir la fe, encontrando la oposición de varios grupos, instituciones o gobiernos, ha sido uno de los distintivos de la comunidad fundada por Jesús. La fidelidad a la fe proclamada por Pedro ante el Sanedrín es la misma que tantos cristianos han tenido y tendrán hasta el final de la historia. Es la presencia de la cruz que conduce a la resurrección.

II LECTURA Este nuevo cuadro del extraordinario lienzo celeste plasmado por Juan, el profeta cristiano desterrado en Patmos, forma parte de la gran visión del trono celeste, en la que va describiéndose la liturgia incesante que se lleva a cabo en el cielo. Los versos entresacados en el fragmento que escuchamos hoy consisten en la majestuosa aclamación que los millares de ángeles tributan al Cordero, a la que se suma la voz de cada una de las creaturas de cielos, tierra, subterráneas (infiernos) y mar, y que viene a culminar en el "Amén" de los cuatro vivientes. A la aclamación, el consejo celeste de ancianos responde postrándose ante el Cordero. El Cordero es el único capaz de abrir el libro de la historia total para descubrir la realidad profunda que será juzgada por Dios, sentado en su trono. El Cordero es una figura central del Apocalipsis, que bien puede entenderse como una amplia liturgia de su entronización junto a Dios. Su audiencia conocía bien la figura del Cordero conquistador (*arníon*) y las ceremonias de aclamación y ascensión imperiales, que parecen proporcionar el trasfondo de las visiones del libro.

Resalta en la aclamación de las voces angélicas su sello mesiánico o cristológico. El Cordero es Cristo resucitado, de quien se vocea su mérito: degollado. El degüello del

EVANGELIO Juan 21:1–19

Lectura del santo Evangelio según san Juan

En aquel tiempo, Jesús se les apareció **otra vez** a los discípulos
    junto al lago de Tiberíades.
Se les apareció **de esta manera**:

Estaban juntos **Simón Pedro**, **Tomás** (llamado el Gemelo),
    Natanael (el de Caná de Galilea),
    los hijos de Zebedeo y otros dos discípulos.
Simón Pedro les dijo: "**Voy a pescar**".
Ellos le respondieron:
"**También** nosotros vamos contigo".
Salieron y se embarcaron, pero aquella noche **no pescaron nada**.

Estaba amaneciendo, cuando **Jesús** se apareció en la orilla,
    pero los discípulos **no lo reconocieron**.
Jesús les dijo:
"**Muchachos**, ¿han pescado algo?"
Ellos contestaron: "**No**".
Entonces él les dijo:
    "**Echen** la red a la **derecha** de la barca y encontrarán **peces**".
Así lo hicieron,
    y luego ya **no podían** jalar la red por **tantos** pescados.

Entonces el discípulo a quien amaba Jesús le dijo a Pedro:
    "**Es el Señor**".
Tan pronto como Simón Pedro oyó decir que **era el Señor**,
    se anudó a la cintura la túnica,
    pues se la había quitado, y **se tiró** al agua.
Los otros discípulos llegaron en la barca,
    arrastrando la red con los pescados,
    pues no distaban de tierra más de **cien** metros.

Aminora la velocidad en esta parte. Cuida vocalizar adecuadamente cada palabra.

Tan pronto como **saltaron** a tierra,
    vieron unas brasas y sobre ellas un pescado y pan.
Jesús les dijo:
    "**Traigan** algunos pescados de los que acaban de pescar".
Entonces Simón Pedro **subió** a la barca
    y arrastró **hasta la orilla** la red,
    repleta de pescados grandes.
Eran **ciento cincuenta y tres**,
    y a pesar de que eran **tantos**, **no se rompió** la red.
Luego les dijo Jesús:
    "**Vengan** a almorzar".
Y ninguno de los discípulos se atrevía a preguntarle:
    "**¿Quién eres?**",
    porque **ya sabían** que era **el Señor**.
Jesús **se acercó**, tomó el pan y se lo dio **y también** el pescado.
Ésta fue la **tercera** vez que Jesús se **apareció** a sus discípulos
    después de **resucitar** de entre los muertos.

El intercambio pide dos tonos: uno más sereno y otro con cierta inquietud o inseguridad. No lo dramatices adrede.

Después de almorzar le preguntó Jesús **a Simón Pedro**:
    "**Simón**, hijo de Juan, ¿me amas **más** que éstos?"
Él le contestó:
    "**Sí**, Señor, **tú sabes** que te quiero".
Jesús le dijo:
    "**Apacienta** mis corderos".
Por **segunda** vez le preguntó:
    "**Simón**, hijo de Juan, **¿me amas?**"
Él le respondió:
    "**Sí**, Señor, **tú sabes** que te quiero".
Jesús le dijo:
    "**Pastorea** mis ovejas".
Por **tercera** vez le preguntó:
    "**Simón**, hijo de Juan, **¿me quieres?**"
Pedro **se entristeció** de que Jesús le hubiera preguntado por
    tercera vez si lo quería y le contestó:
    "**Señor**, tú **lo sabes todo**; tú bien sabes **que te quiero**".

EVANGELIO Los discípulos volvieron a Galilea, a su ocupación de pescadores. De nuevo, como al principio del evangelio, aparecen siete discípulos. Pedro es el que está en primer plano. Es el de la iniciativa de ir a pescar. Desde luego, la intención no es hacer ocio ni tampoco ir a pescar para comer, sino continuar con el negocio para mantenerse. Posiblemente el grupo pensaba vivir del trabajo al que estaban acostumbrados.

Toda la noche trabajan y no pescan nada. Llama la atención al autor, por esto lo pone. Tal vez piensa en las palabras del Señor que invitaba a que su prédica fuera siempre a la luz del día, ya que en la "noche nadie puede trabajar" (ver Juan 9:4). Por la mañana, ven en la orilla del lago a un hombre que les invita a un pequeño diálogo. Cuando le confiesan que no han pescado nada, les recomienda que arrojen la red a la derecha. Al hacerlo, atrapan una gran cantidad de peces: 153. El número se les queda grabado. En primer lugar, para ellos que son expertos, se trata de una cantidad imposible de alcanzar en una echada de red con los medios naturales. El discípulo amado tiene una perspicacia espiritual natural y

reconoce en esto al Señor. Como todos los de la barca, oyó al Señor y vio una figura borrosa, pero por el resultado reconoce al Resucitado.

Permanece íntegra la red cuando Pedro la arrastra, como la túnica de Jesús después de su muerte en la cruz. El vestido es la prolongación del cuerpo de una persona, de alguna manera es la expresión de la persona. La red, pensaron los cristianos, es la unidad en el cuerpo de Cristo. Según Juan, el Padre atrae a sus ovejas. Y así como el Padre y el Hijos son uno, así Jesús y los suyos son uno. Es una llamada

Mira a la asamblea luego de la primera frase pronunciada por Jesús. Luego concéntrate en lo que sigue.

Jesús le dijo:

"**Apacienta** mis ovejas.

Yo te **aseguro**: cuando eras joven,

   tú mismo te ceñías la ropa e ibas **a donde querías**;

   pero cuando **seas viejo**,

   extenderás los brazos y **otro** te ceñirá

   y te **llevará** a donde **no quieras**".

Esto se lo dijo

   para indicarle con qué género de **muerte**

   habría de **glorificar** a Dios.

Después le dijo: "**Sígueme**".

Abreviado: *Juan 21:1–14*

a la comunidad cristiana de todos los tiempos a conservar la unidad.

La pregunta de Jesús sobre si tenían algo que comer es irónica. Se espera la respuesta negativa. De aquí que Jesús les tenga ya algo preparado: un pescado asado. La pesca de los discípulos no es inútil, porque la comida preparada por Jesús requiere la participación de ellos: "Traigan algunos de los peces que acaban de pescar". Esta sinergia evoca la que existe en toda celebración eucarística. Desde el tiempo de su resurrección hasta la parusía, el Resucitado continúa estando en medio de nosotros. La Eucaristía es el lugar en que el Resucitado atrae hasta sí a los cristianos. De ahí nuestra proclamación de "proclamamos tu resurrección" y la esperanza de su venida ahora, al final de nuestra vida y al final de la historia.

IV DOMINGO DE PASCUA

I LECTURA Hechos 13:14, 43–52

Lectura del libro de los Hechos de los Apóstoles

Imprégnate del espíritu pascual que es testimonial. Que en tu tono y en la preparación de esta lectura se note tu entusiasmo por la Palabra.

En aquellos días,
   Pablo y Bernabé prosiguieron su camino
      desde Perge hasta **Antioquía** de Pisidia,
   y el **sábado** entraron en la sinagoga y tomaron asiento.
Cuando se **disolvió** la asamblea,
   muchos judíos y prosélitos piadosos
      acompañaron a Pablo y a Bernabé,
      quienes **siguieron** exhortándolos
      a **permanecer** fieles a la gracia de Dios.

El sábado **siguiente**
      casi **toda** la ciudad de Antioquía
      acudió **a oír** la palabra de Dios.

La asamblea debe reconocer lo que ocasiona la reacción de los apóstoles. A las palabras de las Escrituras alarga la vocalización y eleva un tanto el volumen de voz.

Cuando los judíos vieron una concurrencia **tan grande**,
      se **llenaron** de envidia
   y comenzaron a **contradecir** a Pablo con palabras **injuriosas**.
Entonces Pablo y Bernabé dijeron **con valentía**:
   "La palabra de Dios **debía** ser predicada **primero** a ustedes;
      pero como **la rechazan**
   y no se juzgan **dignos** de la vida eterna,
   nos dirigiremos **a los paganos**.
Así nos lo **ha ordenado** el Señor, cuando dijo:
*Yo te he puesto como **luz** de los **paganos**,
      para que **lleves** la **salvación**
         hasta los **últimos rincones** de la **tierra**".

I LECTURA El programa de primero predicar a los judíos el Evangelio y después a los paganos se entiende con la voluntad divina que quiso revelarse al hombre paulatinamente. No olvidemos que se reveló al principio a un pagano, a Abrahán, que no era judío sino arameo, y a quien se le ya su finalidad: en él serían benditas todas las naciones. El objetivo divino era el ser humano, dentro de una historia sucesiva de revelaciones, como atinadamente lo dice desde el comienzo la carta a los Hebreos (1:1ss.). Se tomó en cuenta el aprendizaje humano que va de menos a más.

Así pues, el Señor Jesús se dirigió al pueblo judío, escogido por Dios en su pedagogía de llevar a todos los paganos la Buena Noticia de Jesús. En varias parábolas habló el Señor de que el rechazo de la fe en él, de parte del pueblo elegido, llevaría a que se predicara la Buena Nueva a los paganos.

Pabló y Bernabé fueron elegidos por la comunidad de Antioquía, formada por judíos y paganos. La encomienda fue de predicar la Buena Noticia a los judíos y luego a los paganos. La lectura de hoy habla de la buena acogida entre judíos y paganos, éstos probablemente prosélitos que habían aceptado la fe judía.

Los predicadores prosiguieron su tarea el sábado siguiente. Esto provocó envidia en los judíos, quienes aprovecharon la celebración sinagogal para empezar un movimiento que cuajó en la expulsión de estos apóstoles. El Evangelio provoca reacciones diversas porque exige modificar los modos de pensar y de actuar. En su pedagogía, Dios nos lleva a abrirnos a su revelación y a transformarnos para darle siempre gloria.

173

Al **enterarse** de esto,
los paganos se regocijaban y **glorificaban** la palabra de Dios,
y **abrazaron** la fe
todos aquellos que estaban **destinados** a la vida eterna.

La **palabra** de Dios se iba propagando por toda la región.
Pero los judíos
azuzaron a las mujeres devotas de la **alta** sociedad
y a los ciudadanos principales,
y **provocaron** una persecución contra Pablo y Bernabé,
hasta **expulsarlos** de su territorio.

Pablo y Bernabé se **sacudieron** el polvo de los pies,
como **señal** de protesta, y **se marcharon** a Iconio,
mientras los discípulos se quedaron **llenos** de alegría
y del **Espíritu Santo.**

Nota el contraste entre la difusión incontenible de la Palabra y la oposición que enfrenta. Aminora tu velocidad en esta sucesión de rechazo que experimentan los apóstoles.

Para meditar

SALMO RESPONSORIAL   Salmo 100:2, 3, 5

R. Somos su pueblo y ovejas de su rebaño.

O bien **R. Aleluya.**

Aclama al Señor, tierra entera,
sirvan al Señor con alegría,
entren en su presencia con
aclamaciones. **R.**

Sepan que el Señor es Dios:
que él nos hizo y somos suyos,
su pueblo y ovejas de su rebaño. **R.**

"El Señor es bueno,
su misericordia es eterna,
su fidelidad por todas las edades". **R.**

II LECTURA   Apocalipsis 7:9, 14–17

Lectura del libro del Apocalipsis del apóstol san Juan

Yo, Juan, **vi** una muchedumbre **tan grande**,
que **nadie** podía contarla.
Eran individuos de **todas** las naciones y **razas**,
de **todos** los pueblos y lenguas.

II LECTURA El Apocalipsis va descubriendo los contenidos de la historia completa del mundo, lo sucedido, el presente y el porvenir. La parte de la visión que escuchamos pertenece al sexto sello de los siete que lacran un librito y que el Cordero degollado va rompiendo uno a uno, ante el trono de Dios y su corte celeste. Se habla de dos momentos: uno describe la ira de Dios y del Cordero; el otro, la salvación de sus fieles, que es lo que la Iglesia proclama hoy.

La incontable muchedumbre son los fieles victoriosos en la persecución desatada por los poderes imperiales. Por mantener la fe en Cristo, han recibido la palma de la victoria y una vestidura blanca, que son el galardón pascual. Son el pueblo sacerdotal de los bautizados en servicio continuo y exclusivo a Dios, que los libra de todo mal y pesar, que los pastorea mediante el Cordero.

La salvación de Dios, sin embargo, solamente pueden experimentarla los vulnerables, atribulados y acosados, que son los creyentes que llevan en su carne los signos del hambre y la sed, del peso del trabajo y del sufrimiento. Éste es el costo de la fe.

La visión de los bienaventurados refleja la identidad de la Iglesia, el rebaño del Cordero: universal y, por ende, multicultural, multiétnica y multilingüe, en donde no cabe discriminación alguna ni privilegios que distingan a sus miembros. Lo característico de este Pueblo universal es la victoria de su fe que vence toda adversidad y las señales de su sacerdocio bautismal, que la resurrección de Cristo nos invita a celebrar y a poner en acción cada día de nuestra vida.

Todos estaban de pie, **delante** del trono y del Cordero;
　　iban vestidos con una **túnica blanca**
　　y llevaban **palmas** en las manos.

Uno de los ancianos que estaban **junto** al trono, me dijo:
　　"**Estos** son los que han pasado por la **gran persecución**
　　y han lavado y **blanqueado** su túnica
　　　　con la **sangre** del Cordero.
Por eso están **ante el trono** de Dios
　　y le sirven **día y noche** en su templo,
　　y el que **está sentado** en el trono
　　　　los protegerá **continuamente**.

Ya no sufrirán hambre **ni sed**,
　　no los quemará el sol ni los **agobiará** el calor.
Porque **el Cordero**, que está en el trono, **será** su pastor
　　y **los conducirá** a las fuentes del agua de **la vida**
　　y Dios **enjugará** de sus ojos toda lágrima".

La voz del anciano es testimonial. Procura que tu tono vaya creciendo en entusiasmo conforme se acerca el final.

Aumenta el volumen de voz y alarga el fraseo. Termina como si algo más está por ser dicho.

EVANGELIO   Juan 10:27–30

Lectura del santo Evangelio según san Juan

En aquel tiempo, Jesús dijo a los judíos:
　　"Mis ovejas **escuchan** mi voz;
　　yo **las conozco** y ellas **me siguen**.
Yo les **doy** la vida eterna y no perecerán **jamás**;
　　nadie las arrebatará de mi mano.
Me las ha dado **mi Padre**, y él es **superior** a todos.
El Padre y yo **somos uno**".

Este evangelio tiene una fuerza increíble que debes impregnar de calidez y cercanía. Ensaya la palabra "Padre" para que suene íntima y personal.

Déjate llenar de esta grandiosa visión de la salvación. Inyecta en tu voz un dejo de asombro y seducción.

EVANGELIO El episodio evangélico de hoy está situado en la fiesta de la Dedicación del Templo. Esta fiesta era y es una fiesta que tiene como motivo celebrar la libertad.

Jesús se encontraba en la explanada del templo, donde se enseñaba y discutían temas religiosos. Sus adversarios lo presionan para que se identifique como el Mesías y así poderlo acusar. Es el último encuentro de Jesús con sus adversarios. Las respuestas de Jesús hacen eco a la alegoría del Buen Pastor, que ha acabado de pronunciar. Se identifica como el Pastor preanunciado por Ezequiel y Jeremías. Dios se ha vuelto a ocupar de sus ovejas. No las ha abandonado en el exilio. El Señor ha vuelto a ocuparse de sus ovejas ahora, suscitando un pastor según su corazón. Los interlocutores de Jesús no lo aceptan, porque no pertenecen a las ovejas de Jesús. Alude Jesús a su alegoría del Buen Pastor. Sólo lo aceptan las ovejas que son suyas y lo conocen. Sus adversarios no son de sus ovejas, no se las ha dado su Padre.

Tal vez estas palabras están dirigidas a los judíos que, por aceptar a Jesús el Mesías, han sido expulsados de la sinagoga.

Jesús les recuerda que pertenecen a sus ovejas y que nadie puede arrancarlas de su mano. Esa mano, como las del Padre, es amorosa y tiene la fuerza suficiente para que nadie le arranque al rebaño. Tienen la libertad como la adquirida por el ciego de nacimiento que antes era mendigo y que ahora se ha convertido en un hombre libre de todo lazo con el pecado.

V DOMINGO DE PASCUA

I LECTURA   Hechos 14:21–27

Lectura del libro de los Hechos de los Apóstoles

Relato crucial para la fe cristiana: alarga las frases de las acciones apostólicas, marca los focos distintos de cada párrafo y adapta tu ritmo de lectura.

En aquellos días,
   volvieron **Pablo y Bernabé** a Listra, Iconio y Antioquía,
   y ahí **animaban** a los discípulos
   y los exhortaban a **perseverar** en la fe,
   diciéndoles que hay que pasar por **muchas tribulaciones**
      para **entrar** en el Reino de Dios.
En **cada** comunidad designaban **presbíteros**,
   y con oraciones y ayunos
      los **encomendaban** al Señor, en quien habían **creído**.

Acentúa apropiadamente. No te precipites en esta parte.

Atravesaron luego Pisidia y llegaron a Panfilia;
   predicaron en Perge y llegaron a Atalía.
De ahí se embarcaron para Antioquía,
   de donde **habían salido**, con la gracia de Dios,
   para **la misión** que acababan de cumplir.

Para realzar la última frase, llena tu voz de un tono sereno y jubiloso, sin exaltaciones.

Al llegar, **reunieron** a la comunidad y les contaron
   lo que **había hecho** Dios por **medio** de ellos
   y **cómo** les había abierto a **los paganos**
      las puertas de la fe.

I LECTURA   En este pasaje, san Lucas escribe una especie de sumario, donde más que describir las acciones que llevaron a cabo los dos enviados de la comunidad de Antioquía, enumera algunos lugares en los que se fundaron grupos cristianos. Esto hace el autor para no repetirlo todo, dado que el lector ya sabía cómo se procedía.

En lugar de regresar atravesando las puertas cilicios y de aquí caminar hacia el oriente, tomaron los dos comisionados el camino del occidente para visitar a las comunidades cristianas ya fundadas. Sabían que éstas necesitaban todavía que Pablo y Bernabé les dieran ánimo y confianza, cuando no un complemento a lo que les habían enseñado. Les recordaron la teología del martirio. Que sólo a través de muchas pruebas se alcanza el Reino. Además, había necesidad de ofrecerles una pequeña estructura, aunque fuera algo primitivo, pues se trataba de grupos pequeños. Los enviados pusieron "ancianos" al frente de las comunidades, como estaba estructurada la iglesia madre de Jerusalén.

Dieron cuenta a la comunidad emisora, a la de Antioquía, cómo se había abierto la puerta de la fe a los paganos. Nosotros somos deudores en gran manera de estos primeros inicios de evangelización. También fuimos evangelizados y nada más nos falta recordar y reformular nuestra fe actualizándola según la época y el lugar en que nos ha tocado recibir la fe. Esto abarca la unidad y la diversidad en nuestra Iglesia. Si bien es difícil mantener ambas cosas, como nos enseña la historia, ésta es una tarea incesante que el Espíritu de Dios impulsa en todos los bautizados: la unidad en la diversidad.

Para meditar

SALMO RESPONSORIAL   Salmo 145:8–9, 10–11, 12–13ab

R. Bendeciré tu nombre por siempre jamás, Dios mío, mi rey.

O bien: **R. Aleluya.**

El Señor es clemente y misericordioso,
   lento a la cólera y rico en piedad;
   el Señor es bueno con todos,
   es cariñoso con todas sus creaturas. **R.**

Que todas tus creaturas te den
   gracias, Señor,
   que te bendigan tus fieles;
   que proclamen la gloria de tu reinado,
   que hablen de tus hazañas. **R.**

Explicando tus proezas a los hombres
   la gloria y majestad de tu reinado.
Tu reinado es un reinado perpetuo,
   tu gobierno va de edad en edad. **R.**

II LECTURA   Apocalipsis 21:1–5

Lectura del libro del Apocalipsis del apóstol san Juan

Lectura densa y de visión majestuosa: alarga los verbos de visión y de audición.

Yo, Juan, vi un cielo **nuevo** y una tierra **nueva**,
   porque el **primer** cielo y la **primera** tierra
     habían **desaparecido** y el mar ya **no existía**.

También vi que **descendía** del cielo, desde donde **está Dios**,
   la ciudad **santa**, la **nueva** Jerusalén,
   engalanada como una novia,
   que va a **desposarse** con su prometido.
Oí una **gran** voz, que **venía** del cielo, que decía:

Aumenta el volumen de voz en todo este discurso.

"**Esta es** la morada de Dios con los hombres;
   vivirá con ellos como su Dios
   y **ellos** serán su pueblo.
Dios les enjugará **todas** sus lágrimas
   y ya **no habrá** muerte ni duelo,
   ni penas ni llantos,
   porque **ya** todo lo antiguo **terminó**".

Haz contacto visual con la asamblea al pronunciar la fórmula litúrgica conclusiva.

Entonces el que estaba **sentado** en el trono, dijo:
   "**Ahora** yo voy a hacer **nuevas todas** las cosas".

II LECTURA   Pasamos a las escenas del final del libro del Apocalipsis que durante el tiempo pascual la liturgia nos brinda. En dicho pasaje, se contempla la salvación de Dios que todo lo transforma. Los Apocalipsis son escritos que reaccionan a una corrupción irreversible y creciente que asfixia y mata a los fieles de Dios desde posiciones de autoridad y poder. Algo nuevo tiene que surgir. Los fieles no se rinden. Su resistencia contempla una intervención tan poderosa como novedosa de parte de Dios, que traerá a verificar su designio originario plasmado en la alianza con su pueblo. Esto es lo que tenemos en el cuadro de la lectura.

La novedad es total: una creación nueva en la que no existe el mar. En el universo apocalíptico, acuñado con tradiciones de pastores, no de navegantes, el mar representa el origen de las potencias adversas a Dios y la muerte de su pueblo. En el marco de la novedad resplandece la Novia del Cordero, que baja del cielo para desposar en alianza a todos los hombres. El sueño perpetuo del hombre bíblico se ve realizado aquí a plenitud. Lo antiguo, es decir todo aquello que aflige a los fieles, ha dejado de existir; la felicidad es plena y permanente.

La liturgia de la Iglesia se alimenta de la poderosa visión de lo último o escatológico. La asamblea del Pueblo de Dios es el espacio que mantiene vigente el sueño de la comunión de Dios con los hombres de manera inquebrantable. A la celebración litúrgica acude cada fiel con sus angustias y sufrimientos para elevar su súplica ante el trono del Omnipotente por medio del Cordero degollado. Él es la novedad más grande y el garante de lo que Dios reserva a los suyos. Por eso, a él servimos noche y día,

Adopta una actitud de cálida intimidad, pero inyecta cierta solemnidad a la proclamación.

EVANGELIO   Juan 13:31–33, 34–35

Lectura del santo Evangelio según san Juan

Cuando Judas **salió** del cenáculo, Jesús dijo:
　"**Ahora** ha sido **glorificado** el Hijo del hombre
　y Dios ha sido glorificado en él.
Si Dios ha sido glorificado **en él**,
　también Dios lo glorificará **en sí mismo**
　y **pronto** lo glorificará.

Como encareciendo o pidiendo un favor indispensable, da un tono solícito a esta parte.

Hijitos, **todavía** estaré un poco con ustedes.
Les doy un mandamiento **nuevo**:
　que **se amen** los unos a los otros, **como yo** los he amado;
　y por **este** amor reconocerán **todos**
　　que **ustedes** son mis discípulos".

con toda la creación, para desterrar todo signo de dolor y muerte.

EVANGELIO En este capítulo, Jesús comienza a despedirse de sus discípulos. Jesús intenta resumir su mensaje. ¿Cómo se preservará en estos momentos de abandono la unión de los discípulos con el maestro? Respuesta: "Les doy un mandamiento nuevo, que se amen unos a otros como yo los he amado". La preocupación por el yo se cambia en la preocupación por los demás.

Este mandamiento es nuevo. Es un constitutivo del nuevo mundo que Jesús nos trajo. La unidad con Jesús se realiza no en la posesión de conocimientos o dogmas, sino en la obediencia al mandamiento del amor. El mandamiento es también un don: es obediencia y libertad a la vez.

Hay el amor entre los que integran la comunidad, no el amor directo a Dios. El amor a Jesús no es un afecto personal, sino un servicio que se hace libremente. Se trata de algo real, concreto, que puede verse. Este mandamiento es nuevo; es la ley de la comunidad escatológica, para la que el

amor es algo constitutivo de su ser. Este amor es un fenómeno del nuevo mundo que Jesús nos trajo. Como se ha dicho, el mandamiento del amor es también un don que es obediencia y libertad. Sólo en la libertad se ama genuinamente.

Esta vivencia del amor debe ser una característica y distintivo de la Iglesia de todos los tiempos hasta que el Señor regrese. Desgraciadamente, a menudo se deja de lado esta señal externa y se engaña al exhibir causas externas al corazón. El Tiempo Pascual nos llama a volver a lo genuino del Evangelio del Señor Jesús.

VI DOMINGO DE PASCUA

I LECTURA   Hechos 15:1–2, 22–29

Lectura del libro de los Hechos de los Apóstoles

Se describe una situación seria. Cuida el fraseo y lee a baja velocidad este párrafo.

En **aquellos** días,
     vinieron de Judea a Antioquía algunos discípulos
     y se pusieron a **enseñar** a los hermanos que,
     si **no se circuncidaban** de acuerdo con **la ley** de Moisés,
     no **podrían** salvarse.
Esto **provocó** un altercado
     y una **violenta** discusión con Pablo y Bernabé;
     al fin se decidió que Pablo, Bernabé y algunos más
          fueran **a Jerusalén** para tratar el asunto
          con los **apóstoles** y los presbíteros.

Los apóstoles y los presbíteros,
     de acuerdo con toda la comunidad cristiana,
     juzgaron **oportuno** elegir a algunos de entre ellos
     y enviarlos a Antioquía con Pablo y Bernabé.
Los elegidos fueron **Judas** (llamado Barsabás) y **Silas**,
     varones **prominentes** en la comunidad.
A **ellos** les entregaron una carta que decía:

La carta comienza con un saludo, sigue con un resumen de la situación y termina con lo resuelto. Varía el tono en cada momento.

"**Nosotros**, los apóstoles y los presbíteros,
     hermanos suyos, **saludamos** a los hermanos de Antioquía,
     Siria y Cilicia, convertidos del paganismo.

I LECTURA El primer gran problema que enfrentó la Iglesia naciente fue el tipo de relación que debería existir entre la comunidad judía y la comunidad de origen pagano que había aceptado la Buena Noticia de Jesucristo. ¿Hasta qué punto el cristiano de origen pagano debía aceptar la identidad judía, especificada en la circuncisión? Esto representaba un problema nuclear. ¿Había continuidad con el Israel de Dios o se tenía una novedad absoluta?

Antes de su conversión, Pablo vio venir el problema y actuó persiguiendo a los cristianos. Apareció el problema cuando los enviados a evangelizar por la comunidad de Antioquía vieron que los paganos sí aceptaban el evangelio sin habérseles exigido asumir las costumbres judías. Era un problema nuclear.

Unos miembros judíos de la comunidad de Antioquía expusieron la necesidad de que los paganos que habían aceptado el Evangelio se circuncidaran para poder tener la identidad judía.

Este problema nodal debía ser resuelto por la comunidad fundante, cuyo núcleo eran los Doce. La comunidad de Antioquía envió a expresar el problema y recibir una solución a sus mensajeros más aptos, que habían tenido la experiencia de la conversión de los paganos. Se reunió la comunidad en Jerusalén, se ejerció plenamente la sinodalidad. Fueron tres los oradores, quienes expusieron sus puntos de vista. Finalmente, convergieron en una decisión. Se puso esa decisión por escrito, escrito que, junto con unos enviados de la comunidad de Jerusalén, iría a las comunidades donde se daría a conocer por escrito y oralmente la decisión.

No debe molestarse a los paganos que aceptan el evangelio añadiéndoles costum-

Se describe la situación. Avanza en tono neutral, sin énfasis particulares.

Enterados de que **algunos** de entre nosotros,
sin mandato **nuestro**,
los han **alarmado e inquietado** a ustedes con sus palabras,
hemos decidido de **común** acuerdo
elegir a dos varones y enviárselos,
en compañía de nuestros **amados hermanos** Pablo y Bernabé,
que han **consagrado** su vida
a la causa de **nuestro Señor Jesucristo**.

Nueva sección: cambia el tono. Alarga la mención del Espíritu Santo y también al pronunciar las estipulaciones requeridas.

Les enviamos, pues, a Judas y a Silas,
quienes les trasmitirán, **de viva voz**, lo siguiente:
'**El Espíritu Santo** y nosotros
hemos **decidido** no imponerles más cargas
que las **estrictamente** necesarias.
A saber: que se **abstengan** de la fornicación
y de **comer** lo inmolado a los ídolos,
la sangre y los animales **estrangulados**.
Si se apartan de esas cosas, **harán bien**'.
Los saludamos".

Para meditar

SALMO RESPONSORIAL   Salmo 67:2–3, 5, 6 y 8

R. Oh Dios, que te alaben los pueblos, que todos los pueblos te alaben.

O bien: **R. Aleluya.**

El Señor tenga piedad y nos bendiga,
ilumine su rostro sobre nosotros;
conozca la tierra tus caminos,
todos los pueblos tu salvación. **R.**

Que canten de alegría las naciones,
porque riges el mundo con justicia,
riges los pueblos con rectitud
y gobiernas las naciones de la tierra. **R.**

Oh Dios, que te alaben los pueblos,
que todos los pueblos te alaben.
Que Dios nos bendiga; que le teman
hasta los confines del orbe. **R.**

bres identitarias judías; simplemente se les pide a los de origen pagano que en sus reuniones tengan cuidado de contar con la susceptibilidad judía en cuatro casos. Esto último es circunstancial. Lo principal es que la fe en el Señor es la que convierte a un ser humano en cristiano y lo adhiere al resucitado.

II LECTURA La apocalíptica va forjándose con los recursos de la profecía. En ese sentido, sus escritores prolongan la corriente profética y le dan nuevos impulsos. Recurrentes son no sólo las visio-nes y las audiciones, sino también los arrebatos y los viajes a esferas del universo que son inaccesibles a los mortales, envueltos en los vaivenes contingentes de la historia, pero que les afectan profundamente. Era preciso encontrar un sentido a los acontecimientos. Para esto, vale la pena recordar que en la cosmovisión de aquella época se imaginaba la realidad en dos esferas o planos: uno superior y celeste donde lo que ocurre tiene su sentido; otro inferior o terrestre donde se refleja o "representa" lo acontecido en la esfera superior. Sólo desde arriba se descubre y se capta el sentido ge-nuino de la realidad. El viaje "en espíritu" que Juan, el profeta de Patmos, experimenta es para revelar detalles de la ciudad de Dios que desciende para realizar la comunión de toda la humanidad con el único Dios verdadero.

La ciudad representa la comunión de los fieles con Dios en su gloria; aquí culmina el caminar en la fe. La muralla es algo propio de una ciudad que se precia de ser tal; debe tener accesos controlados por los guardianes, el pueblo de la alianza con Dios. Los cimientos, por otra parte, son el mensaje

II LECTURA   Apocalipsis 21:10–14, 22–23

Lectura del libro del Apocalipsis

Un ángel me transportó **en espíritu** a una montaña elevada,
  y **me mostró** a Jerusalén, la ciudad santa,
  que **descendía** del cielo,
  resplandeciente con la **gloria** de Dios.
Su **fulgor** era semejante al de una piedra **preciosa**,
  como el de un diamante **cristalino**.

Tenía una muralla **ancha y elevada**,
  con doce puertas **monumentales**,
  y sobre ellas, **doce** ángeles y **doce** nombres escritos,
  los nombres de las **doce** tribus de Israel.
Tres de estas puertas daban al oriente,
  tres al norte, **tres** al sur y **tres** al poniente.
La muralla descansaba sobre **doce** cimientos,
  en los que estaban escritos
    los **doce** nombres de los **apóstoles** del Cordero.

No vi **ningún** templo en la ciudad,
  porque el **Señor** Dios todopoderoso
  y el **Cordero**
  son el templo.
No necesita la luz del sol o de la luna,
  porque la **gloria** de Dios la ilumina
  y el **Cordero** es su lumbrera.

Visión culmen de la revelación de Dios: infúndele cierta vehemencia, como admirando lo descrito.

Las frases negativas deben oírse claras y distintas para resaltar su lado positivo, jubiloso y culminante.

---

del Evangelio del Cordero degollado. Puertas y murallas son la gloria de Dios.

Es relevante señalar que en la ciudad no hay templo alguno y que el tiempo ha perdido su relevancia, porque el culto no está sujeto a calendario alguno (ni sol ni luna). La ausencia del templo corresponde a la visión cristiana que ve en Cristo resucitado su lugar de reunión, su sacralidad absoluta. Las cosas últimas son una realidad ya efectiva en la vida del Pueblo de Dios.

EVANGELIO Jesús pronunció un largo discurso de adiós a sus discípulos en la Última Cena (Juan 13–17). Como es natural, cuando uno se despide se recuerdan los asuntos más importantes como en un comprimido. Algo semejante hizo Jesús. Jesús regresa a su Padre, de donde había venido, pero les garantiza su presencia. No los abandonará, como ya les había prometido varias veces. La forma de su presencia, sin embargo, nos será visible pero sí real.

La nueva presencia de Jesús tendrá la compañía del Padre celestial. La única exigencia es la guarda de la palabra de Jesús. La presencia de Dios con su pueblo en el desierto exigía la guarda de la Ley. Después de la entrada a la Tierra Prometida, esa exigencia fue la misma. Así ahora, en una presencia más íntima, la presencia del Padre y del Hijo en la comunidad cristiana, exige también la guarda de la palabra de Jesús. Esta palabra abarca la antigua Ley y la interpretación de Jesús. Por esto el Señor no habita en casas hechas por mano humana, sino que, como le había dicho Jesús a la samaritana, sólo requiere del Espíritu.

Precisamente la labor del Espíritu consistirá en hacer recordar a los cristianos la palabra de Jesús, para que la cumplan.

Mírate beneficiado por el amor de Dios. Transmite con calidez este mensaje pascual a la asamblea.

Para el anuncio del Espíritu Santo paúsate en la frase previa. Luego alarga las líneas que hablan de él.

Retoma con entusiasmo esta seccioncita sobre la paz y mira a la asamblea antes de la oración final.

EVANGELIO   Juan 14:23–29

Lectura del santo Evangelio según san Juan

En aquel tiempo, Jesús dijo a sus discípulos:
    "El que me ama, **cumplirá** mi palabra
    y **mi Padre** lo amará
    y haremos **en él** nuestra morada.
El que no me ama **no cumplirá** mis palabras.
La palabra que están oyendo no es **mía**,
    sino del **Padre**, que me envió.
Les he hablado de esto **ahora** que estoy con ustedes;
    pero el **Consolador**,
    el **Espíritu Santo** que mi Padre les enviará **en mi nombre**,
    les enseñará **todas** las cosas
    y les recordará **todo** cuanto yo les he dicho.

La **paz** les dejo, **mi paz** les doy.
No se la doy como la da **el mundo**.
No **pierdan** la paz ni se acobarden.
Me han oído decir: 'Me voy, pero **volveré** a su lado'.
Si me amaran, se **alegrarían** de que me **vaya** al Padre,
    porque el Padre es **más** que yo.
Se los he dicho **ahora**, **antes** de que suceda,
    para que cuando suceda, **crean**".

El Espíritu tendrá como misión recordar a los cristianos de todos los tiempos lo que dijo Jesús en su vida terrena al habitar entre nosotros, para que la comunidad lleve a la práctica estas palabras.

A través de los siglos, y esto es una realidad en nuestra época, hay cristianos que hablan de revelaciones especiales del Espíritu Santo, revelaciones claramente contrarias al Evangelio de Jesús. Por eso, la iglesia niega esas pretensiones y alude siempre a lo mismo, a su tradición apostólica.

La Iglesia no está sola; tiene la compañía de las tres divinas personas. Por eso nunca duda en la presencia divina y sabe que su enseñanza, escuchando al Espíritu Santo, es una vía segura para conducir a los cristianos hasta la Casa paterna. Su única tarea en todos los tiempos es repetir a los cristianos que guardemos la palabra del Señor.

ASCENSIÓN DEL SEÑOR

Hay dos momentos distintos en esta lectura. Atiende a los párrafos. El resumen tiene tono informativo, pero no está exento de novedad.

I LECTURA   Hechos 1:1–11

Lectura del libro de los Hechos de los Apóstoles

En mi **primer** libro, querido Teófilo,
    escribí acerca de **todo** lo que Jesús hizo y **enseñó**,
    hasta el día en que **ascendió** al cielo,
    después de dar sus instrucciones,
    por medio del **Espíritu Santo**,
    a los apóstoles que había **elegido**.
A ellos se les **apareció** después de la pasión,
    les dio **numerosas** pruebas de que estaba **vivo**
    y durante **cuarenta** días se dejó ver por ellos
    y les habló del **Reino** de Dios.

Esta instrucción de Jesús debe ser muy clara. Frasea deliberadamente.

Un día, estando con ellos a la mesa, **les mandó**:
    "**No** se alejen de Jerusalén.
Aguarden aquí a que se **cumpla**
    la promesa de **mi** Padre, de la que **ya** les he hablado:
Juan bautizó **con agua**;
    dentro de **pocos** días
    ustedes serán
    bautizados con el Espíritu Santo".

I LECTURA La ascensión del Señor es un hecho fundamental que forma parte de la fe cristiana. San Lucas lo narra ampliamente. Es un hecho visible para este evangelista. Es la exaltación y glorificación de Jesús. Por un lado, es un misterio sensible; por otro, trascendente.

Jesús subió al cielo porque, según la concepción antigua, el cielo era la morada de la divinidad. Luego, la ascensión es un regreso al Padre. La pequeña nube tiene un significado especial: separa al Señor de los ojos de los discípulos. Es una señal de la trascendencia del Señor y de la presencia divina, como en la Transfiguración. Además, señala la segunda venida del Señor, la Parusía.

El regreso de Jesús al Padre era necesario para que viniera el Espíritu Santo, condición para que empezara a crecer la Iglesia.

Aunque por su ascensión a los cielos Jesús está ausente físicamente del mundo, sigue presente por los medios que dotó a sus discípulos; o sea la comunidad de fe que ya institucionalizada conocemos como Iglesia. Hay una conexión estrecha entre la resurrección y la ascensión. La ascensión es un modo gráfico de expresar el significado de la resurrección.

El final de la escena es muy significativo. Los discípulos se quedan mirando al resucitado que se va. Un ángel se encarga de llamarles la atención, recordándoles que ahora es el tiempo de la Iglesia, la época de concretar la Buena Noticia traída por Jesús. Este tiempo es largo. El Señor vendrá al final, mientras tanto nosotros, como los primeros cristianos, debemos seguir trabajando para que el Reino de Dios se manifieste aquí en la tierra. Para ayudarnos en esta tarea contamos con el Espíritu Santo, que

Que esta pregunta suene auténtica.

Da profundidad a tu voz al llegar a la parte del testimonio. Adóptalo como una convicción de corazón.

Los ahí reunidos le preguntaban:

"**Señor**, ¿ahora sí vas a **restablecer** la soberanía de Israel?"

Jesús les contestó:

"A ustedes **no** les toca **conocer** el tiempo y la hora
que el Padre **ha determinado** con su autoridad;
pero cuando el Espíritu Santo **descienda** sobre ustedes,
los **llenará** de fortaleza y serán **mis testigos** en Jerusalén,
en **toda** Judea, en Samaria
y hasta los **últimos** rincones de la tierra".

Dicho esto, se fue **elevando** a la vista de ellos,
hasta que una nube lo **ocultó** a sus ojos.
Mientras miraban **fijamente** al cielo, **viéndolo** alejarse,
se les presentaron **dos hombres** vestidos de blanco,
que les dijeron:

"**Galileos**, ¿qué hacen **allí** parados, **mirando** al cielo?
Ese **mismo** Jesús que los ha dejado para **subir** al cielo,
volverá como lo han visto alejarse".

Para meditar

SALMO RESPONSORIAL   Salmo 47:2–3, 6–7, 8–9

R. Dios asciende entre aclamaciones; el Señor, al son de trompetas.

O bien: **R. Aleluya.**

Pueblos todos, batan palmas,
aclamen a Dios con gritos de júbilo;
porque el Señor es sublime y terrible,
emperador de toda la tierra. **R.**

Dios asciende entre aclamaciones;
el Señor, al son de trompetas:
toquen para Dios, toquen,
toquen para nuestro Rey, toquen. **R.**

Porque Dios es el rey del mundo:
toquen con maestría.
Dios reina sobre las naciones,
Dios se sienta en su trono sagrado. **R.**

---

es la misma Fuerza de Dios. Tendrá la Iglesia alegrías y tristezas, tomará la cruz del Señor, que a veces le parecerá demasiado pesada, pero la fuerza del Espíritu siempre la ayudará y le dará fuerzas para seguir dando testimonio y caminar en el mundo hasta la venida del Señor.

II LECTURA La carta o epístola a los Hebreos es un discurso bien trabado de la retórica cristiana, en el que se desarrollan argumentos puntuales que demuestran que Cristo Jesús ha instaurado un orden de salvación superior al anti-guo y del que los creyentes ya se benefician. El telón de fondo para la argumentación cristiana es el régimen sacrificial, instituido con la ley de Moisés y derogado con la muerte y resurrección de Jesús.

Hay una idea vertebral de fondo en todo el desarrollo, y es ésta. Las realidades terrenales no son sino imagen opaca e imperfecta de las verdaderas, las realidades celestiales. En efecto, ya cuando Dios le encarga a Moisés edificar un santuario, le hace ver la imagen o molde celeste que deberá replicar para los hebreos; Moisés reproduce el santuario celestial. Luego, en la dinámica teológica del templo de Jerusalén, tanto las plegarias como las acciones sacerdotales se entendían como réplicas del culto celeste. El autor de Hebreos edifica sobre esto, para hace ver que el culto cristiano, sin altar ni régimen sacrificial instituido, es infinitamente superior al judío, porque es un culto perfecto y pleno, dado que Jesús resucitado ha penetrado el santuario hecho "sin manos humanas".

La razón de ser del templo judío era el altar consistente en una piedra para ofrecer sacrificios. Sólo una mano sagrada puede hacer esto en forma ritual, una mano sacer-

II LECTURA   Efesios 1:17–23

Lectura de la carta del apóstol san Pablo a los efesios

Hermanos:
Pido al Dios de **nuestro Señor** Jesucristo,
    el **Padre** de la gloria,
      que les conceda espíritu de **sabiduría**
      y de **reflexión** para conocerlo.

Le pido que les **ilumine** la mente para que **comprendan** cuál
      es la esperanza que les da su **llamamiento**,
    cuán **gloriosa** y rica es la **herencia** que
      Dios da a los que **son suyos** y cuál la extraordinaria
      grandeza de su poder para **con nosotros**,
    los que **confiamos** en él,
    por **la eficacia** de su fuerza poderosa.

Con esta fuerza **resucitó** a Cristo
    de entre los muertos y lo hizo **sentar** a su derecha en **el cielo**,
      por **encima** de todos los **ángeles**, principados, **potestades**,
      virtudes y **dominaciones**,
    y por encima de **cualquier persona**,
    no sólo del **mundo actual** sino también del **futuro**.

Todo lo puso bajo sus pies y a **él mismo**
    lo constituyó **cabeza suprema** de la Iglesia,
    que es su cuerpo, y la plenitud del que lo
      consuma **todo en todo**.

Abreviada: *Hebreos 9:24–28, 10:19–23*

Diferencía las frases del "yo" de Pablo de las de "ustedes" para ganar en claridad en esta oración del Apóstol.

Párrafo denso: nota que lo central es la fuerza de Dios. Prepara esas frases y dales mayor volumen en tu proclamación.

Extiende tu mirada por el auditorio conforme avanzas por este párrafo.

Alarga los "todo" desde el inicial. Termina alto, como si algo quedara por pronunciar.

---

dotal. Y el mayor y el mejor de los sacrificios judíos tenía lugar el Día de la Expiación, celebración anual en la que el sumo sacerdote podía entrar hasta lo más íntimo del santuario para ofrecer la sangre derramada. La ofrenda de sangre era el modo de suplicar el perdón divino por los pecados del pueblo o sus transgresiones de la ley. Todo el régimen sacrificial tenía ese único objeto: el perdón de los pecados. Con la muerte y resurrección de Cristo, las cosas han cambiado, pues además, Cristo ha sido instituido administrador de la "casa de Dios".

En esta fiesta del Señor, la Iglesia nos invita a poner los ojos en las realidades celestes donde Cristo intercede por nosotros. El creyente ha sido lavado con "agua purificadora" y debe vivir con confianza total en Cristo.

| EVANGELIO | Lucas narra dos veces el episodio de la ascensión del Señor. Una razón literaria es para mostrar la unidad de sus dos obras: el evangelio y los Hechos de los Apóstoles. Además, esta especie de repetición del mismo suceso quiere llamar la atención, porque

representa un parteaguas en la historia de la salvación. Terminó la tarea encomendada por el Padre a Jesús, ahora les toca a los discípulos llevar a cabo la obra encomendada por el Maestro: anunciar la Buena Nueva a todas las naciones. Si el autor pone de inicio que la nueva tarea empieza donde terminó la de Jesús, en Jerusalén, quiere recalcar la legítima continuación entre lo que el Señor predicó y lo que ellos predicarán. Hay una continuación y una secuencia. La Iglesia tiene como objetivo llevar el Evangelio a todo el mundo (Hechos 1:8).

EVANGELIO   Lucas 24:46–53

Lectura del santo Evangelio según san Lucas

En aquel tiempo,
    Jesús se **apareció** a sus discípulos y les dijo:
    "**Está escrito** que el Mesías **tenía** que padecer
    y había de **resucitar** de entre los muertos al **tercer** día,
    y que en **su nombre** se había de predicar a **todas** las naciones,
    comenzando por Jerusalén,
    la **necesidad** de volverse a Dios y el **perdón** de los pecados.
Ustedes son **testigos** de esto.
Ahora yo les voy a enviar al que mi Padre **les prometió**.
Permanezcan, pues, **en la ciudad**,
    hasta que **reciban** la fuerza de lo alto".

Después salió con ellos **fuera** de la ciudad,
    hacia un lugar cercano a Betania;
    levantando las manos, **los bendijo**,
    y **mientras** los bendecía,
    se fue apartando de ellos y **elevándose** al cielo.
Ellos, después de adorarlo,
    regresaron a Jerusalén, **llenos** de gozo,
    y permanecían **constantemente** en el templo,
    alabando a Dios.

Jesús entra triunfante en el cielo, indicando así su dominio universal. El Padre se lo llevó. La misión de la Iglesia empieza ahora con la aparición de los dos hombres vestidos de blanco, que hacen recordar a los dos hombres que anunciaron a las mujeres la resurrección de Jesús y a los dos hombres, Moisés y Elías, que platicaron con Jesús sobre su salida de este mundo.

Los dos hombres que aparecen al partir Jesús explican a los discípulos el significado de lo que vieron. Sus palabras sacuden a los discípulos para que se apresten al regreso de Jesús. Sí volverá. Pero primero hay un largo tiempo que es el que ellos van a inaugurar, el tiempo de la Iglesia discipular y misionera. Para este trabajo colosal necesitan una fuerza especial. Vendrá esa fuerza con el Espíritu al que deberán esperar en Jerusalén. Jesús llevó a cabo el proyecto de Dios. Ahora los discípulos del Señor, nosotros, tenemos la tarea de llevar el mensaje de Jesús a todo el mundo, particularmente a este nuestro pequeño mundo donde se desarrolla nuestra vida diaria.

Llega pues el tiempo del Espíritu que hará correr la palabra por todo el mundo a partir de Jerusalén. Los discípulos no se sienten abandonados, por eso regresan a Jerusalén "con grande alegría". Así nos estimula a ser genuinos discípulos del Señor.

VII DOMINGO DE PASCUA

I LECTURA   Hechos 7:55–60

Lectura del libro de los Hechos de los Apóstoles

Subraya con entusiasmo la firmeza de la fe de Esteban y su generosidad para perdonar.

En aquellos días,
   Esteban, **lleno** del Espíritu Santo, miró al cielo,
   vio la **gloria** de Dios y a Jesús,
   que estaba de pie a **la derecha** de Dios, y dijo:
   "Estoy viendo los cielos **abiertos**
   y al **Hijo** del hombre **de pie** a la derecha de Dios".

Retrata la violencia del linchamiento; haz que las frases que lo describen se noten unidas, como de golpe.

Entonces los miembros del sanedrín **gritaron** con fuerza,
   se **taparon** los oídos
   y **todos a una** se precipitaron sobre él.
Lo sacaron **fuera** de la ciudad y empezaron a **apedrearlo**.
Los **falsos** testigos depositaron sus mantos
      a los pies de un joven, llamado **Saulo**.

Ahora reproduce las palabras del mártir con mucha mansedumbre y vigor.

Mientras lo apedreaban, Esteban **repetía** esta oración:
   "Señor Jesús, **recibe** mi espíritu".
Después se puso de rodillas y dijo con **fuerte** voz:
   "**Señor**, no les tomes en cuenta este pecado".
Y diciendo esto, **se durmió** en el Señor.

I LECTURA   A la acusación que le hacen sus adversarios, Esteban contesta de frente. Habla dignamente del templo y de la Ley de Moisés. Todo esto lo ve bajo una nueva luz, la de Cristo.

Las cuestiones que discute Esteban son las mismas que discutió Jesús. Estas cuestiones llevaron a la muerte a Jesús y ahora llevarán a la de Esteban.

Después de la resurrección de Jesús la cuestión era qué debería conservar la nueva fe cristiana de su matriz, el judaísmo. Si el movimiento cristiano tiene el derecho de existir, ¿por qué existe el pueblo judío? ¿Se necesitaba aceptar la Ley de Moisés y los usos y costumbres judías para ser parte de la comunidad de Jesús? En concreto, se trataba del sentido total del Antiguo Testamento. Ya en el mismo resumen histórico, Esteban va escogiendo los puntos que él quiere resaltar y que crean dificultad entre los judíos: la elección, el valor de la Ley y, por lo tanto, el valor del templo.

Se nota un paralelismo entre la muerte de Jesús y la de Esteban. Al igual que Jesús en la cruz, Esteban pidió perdón por sus verdugos. La muerte de los testigos del Señor es un paso más en la historia de la salvación. De la muerte de Esteban se sigue una adaptación de la Iglesia a todas las gentes y el esfuerzo de liberarse de lo que entonces era ser miembro de la comunidad judía.

Aclarar un problema es muy importante antes de tomar postura en pro o en contra de él. Este discurso, puesto aquí por san Lucas, ayuda a que el lector vaya entendiendo que el mensaje de Jesús interpreta de forma auténtica la revelación que Dios hizo al pueblo judío.

II LECTURA   Al final del Tiempo Pascual, la liturgia de la Iglesia dirige

SALMO RESPONSORIAL   Salmo 97:1 y 2b, 6 y 7c, 9

R. El Señor reina, altísimo sobre toda la tierra.

O bien **R. Aleluya.**

El Señor reina, la tierra goza,
 se alegran las islas innumerables.
Justicia y derecho sostienen su trono. **R.**

Los cielos pregonan su justicia,
 y todos los pueblos contemplan su gloria.
Ante él se postran todos los dioses. **R.**

Porque Tú eres, Señor,
 altísimo sobre toda la tierra,
 encumbrado sobre todos los dioses. **R.**

II LECTURA   Apocalipsis 22:12–14, 16–17, 20

Lectura del libro del Apocalipsis del apóstol san Juan

Yo, Juan, **escuché** una voz que me decía:
 "Mira, **volveré** pronto y **traeré** conmigo la recompensa
 que voy a dar a cada uno **según** sus obras.
Yo soy el Alfa y la Omega,
 yo soy el primero y el último, el principio y el fin.
Dichosos los que lavan su ropa en la **sangre** del Cordero,
 pues ellos tendrán derecho
 a **alimentarse** del árbol de la vida
 y a **entrar** por la puerta de la ciudad.

Yo, **Jesús**, he enviado a mi ángel
 para que **dé testimonio** ante ustedes
 de **todas** estas cosas en sus asambleas.
Yo soy el retoño de la estirpe de David,
 el **brillante lucero** de la mañana".

El Espíritu y la Esposa dicen: "¡**Ven**!"
El que oiga, diga: "¡**Ven**!".
El que tenga sed, **que venga**,
 y el **que quiera**, que venga a beber **gratis**
 del agua de la vida.

---

sus ojos a la figura que es garante de toda la revelación. Se tiene cuidado en distinguir al vidente del revelador: el primero es mero vehículo: el segundo, la fuente. En la escena acudimos a una secuencia de voces que culminan expresando el deseo de la presencia mesiánica definitiva con ecos de la unión nupcial del Cantar de los Cantares.

El revelador es juez que imparte justicia a los humanos conforme a su hacer. Él, el Cristo, es la clave para interpretar el todo de la realidad terrena y celeste; de ahí el triplete de pares de sus atributos que garantizan la buenaventura para sus fieles. La imagen del lavado de la ropa (*estola*) en la sangre del Cordero se refiere al bautismo, primeramente, aunque no excluye a los mártires, a quienes se garantiza la vida duradera y la comunión con Dios. El Mesías se ha hecho presente ante cada congregación o iglesia por medio de su enviado; es decir, el profeta que da testimonio de lo descrito en el libro.

El diálogo unísono del Espíritu y la Esposa —es decir, de la comunidad de los fieles— habla del ansia suplicante por la llegada pronta del Mesías, abogado de los suyos, a los que se invita a acudir a beber del agua de vida, o sea del Espíritu mismo que mana en la interpretación cristológica de las Escrituras. Este clamor lo eleva el Pueblo de Dios en cada asamblea litúrgica, porque abriga la esperanza de la unión nupcial entre Dios y la humanidad, de una vez por todas.

EVANGELIO El discurso de la Cena toma ahora la forma de oración. Esta oración está antes de la narración de la pasión y resurrección del Señor, con la cual guarda necesariamente una relación.

Quien **da** fe de todo esto **asegura**:
   "**Volveré** pronto". **Amén**.
¡**Ven**, Señor Jesús!

EVANGELIO   Juan 17:20–26

Lectura del santo Evangelio según san Juan

Con profunda reverencia, proclama estos cuatro párrafos de la oración de Jesús.

En aquel tiempo,
   Jesús **levantó** los ojos al cielo y dijo:
   "**Padre**, no **sólo** te pido por mis discípulos, sino **también**
      por los que **van a creer** en mí por la **palabra** de ellos,
   para que todos **sean uno**,
   como tú, **Padre**, en mí y yo en ti somos uno,
   a fin de que **sean uno** en nosotros
   y el mundo **crea** que **tú** me has enviado.

Baja la voz y contempla a la asamblea en esta parte.

Yo les he dado la **gloria** que tú me diste,
   para que **sean uno**, como **nosotros** somos uno.
Yo **en ellos** y tú **en mí**, para que su unidad sea **perfecta**
   y así el mundo **conozca** que **tú** me has enviado
   y que los **amas**, como me amas **a mí**.

Con cierta vehemencia, prolonga las frases de la unión con Cristo.

Padre, quiero que donde **yo esté**,
   estén también **conmigo** los que me has dado,
   para que **contemplen** mi gloria, la que me diste,
   porque me has amado desde **antes** de la creación del mundo.

Con un nuevo impulso adelanta las frases del "conocer". Luego baja la velocidad y ralentiza la última oración.

Padre **justo**, el mundo **no** te ha conocido;
   pero **yo sí** te conozco
   y **éstos** han conocido que **tú** me enviaste.
Yo les he dado a conocer **tu nombre**
   y se lo **seguiré** dando a conocer,
   para que el amor con que me amas **esté** en ellos
   y yo **también** en ellos".

Jesús insiste en la unidad, que tiene como modelo la unidad que hay entre él y su Padre. El discípulo desarrolla lo que ve en el Maestro y el tipo de relaciones que entabla con su Maestro es el mismo que se da entre Jesús y su Padre. Por la unidad, dice Jesús, llegaremos a la perfección.

Dejando a un lado del camino "nuestro punto de vista", podremos construir la unidad. Sin la unidad, habrá nada más confusión y de ahí no saldrá nada valedero. Saberse acoplar, acomodar, conjuntar: he ahí el camino de la unidad y, a través de ésta, de la perfección. La perfección del sonido será la sinfonía, el acoplamiento de las voces y de los instrumentos: todos con un punto central que hace resaltar las diferencias como valores.

Esto tendrá lugar por el Señor: "yo en ellos y tú en mí." Aquí está el camino que nos hace vasos comunicantes y donde nosotros somos los beneficiados. Ésta será nuestra gloria. Será algo sólido, pesado, que entrará en nosotros como un don precioso de Dios: nuestra participación en los verdaderos valores, en la naturaleza divina.

Entonces el mundo empezará a creer al ver esta unidad hecha amor. Ese será el argumento definitivo ante el mundo. Al ver una comunidad cristiana, se le antojará al hombre no cristiano ser como los cristianos, participar del mismo espíritu de éstos. Éste es el significado de ser discípulo del Señor, de ser parte de la Iglesia, al mismo tiempo que la van configurando a los ojos del mundo.

PENTECOSTÉS, MISA DE LA VIGILIA

Descripción llana: marca cuando no hay diálogo, pero baja la velocidad en el discurso directo (va entre comillas).

I LECTURA   Génesis 11:1–9

Lectura del libro del Génesis

En aquel tiempo,
toda la tierra tenía una **sola lengua** y unas **mismas** palabras.
Al emigrar los hombres desde el **oriente**,
encontraron una llanura en la región de **Sinaar**
y ahí se **establecieron**.

Entonces se dijeron unos a otros:
"**Vamos** a fabricar ladrillos y a **cocerlos**".
Utilizaron, pues, **ladrillos** en vez de piedra,
y **asfalto** en vez de mezcla.
Luego dijeron:
"**Construyamos** una ciudad y una torre
que llegue hasta el cielo para hacernos **famosos**,
antes de **dispersarnos** por la tierra".

Baja la velocidad de lectura como haciendo una inspección minuciosa y bien pensada.

El Señor **bajó** a ver la ciudad y la torre
que los hombres estaban **construyendo** y se dijo:
"Son un solo pueblo y hablan una **sola** lengua.
Si ya **empezaron** esta obra,
en adelante ningún proyecto les parecerá **imposible**.
Vayamos, pues, y **confundamos** su lengua,
para que no se **entiendan** unos con otros".

I LECTURA   Desde sus orígenes, el ser humano ha tenido problemas de convivencia y ha buscado soluciones para convivir en paz. Esta lucha es parte del ser hombre y sólo se terminará al final de los tiempos.

Esto lo pensaban los antepasados que van a conformar el pueblo de Dios. Durante el exilio, sus sabios y entendidos se inspiraron en imágenes y narraciones que encontraron en la entonces poderosa Babilonia y forjaron el relato tan importante de la torre de Babel. Hubo al principio una leyenda popular que narraba la fundación de Babilonia y que terminaba: "También se le llamó Babel" (Génesis 11:9a). El nombre de Babilonia o Babel está relacionado con la confusión que pertenecía al relato arcaico. De ahí pasó a la imposibilidad de entenderse. La discordia había salido de los constructores.

¿Cuál sería el sentido original de este relato? Parece que quiere hablarnos del límite de toda condición humana. Hay la oposición entre lo alto y lo bajo, la ruina del monumental zigurat, "el cimiento terrestre de la casa celeste", lo muestra: el hombre no puede alzarse sobre su condición para conquistar lo divino.

La terminación de la construcción no fue motivada por un pecado determinado. No. Simplemente se trata de que haga lo que haga, el hombre nunca podrá tomar el lugar de Dios. La oposición entre las dos condiciones se expresa en un paralelismo antitético:

Vamos, hagamos y
vamos, construyamos (Génesis 11: 3, 6. Hombres)
frente a *vamos, descendamos* y
confundamos (Génesis 11:7. Dios).

Entonces el Señor los **dispersó** por toda la tierra
　　y **dejaron** de construir su ciudad;
　　por eso, la ciudad se llamó **Babel**,
　　porque ahí **confundió** el Señor la lengua de todos los hombres
　　y desde ahí los **dispersó** por la superficie de la **tierra**.

En la vigilia extendida se hacen las cuatro lecturas del Antiguo Testamento; en la breve, sólo una.

O bien:

I LECTURA　　Éxodo 19:3–8, 16–20

Lectura del libro del Éxodo

En aquellos días, **Moisés** subió al monte Sinaí
　　para hablar con **Dios**.
El Señor lo **llamó** desde el monte y le **dijo**:
　　"Esto **dirás** a la casa de Jacob,
　　esto **anunciarás** a los hijos de Israel:

'Ustedes han visto **cómo** castigué a los egipcios
　　y de qué manera los he **levantado** a **ustedes** sobre alas de águila
　　y los he **traído** a mí.
Ahora bien, si **escuchan** mi voz y guardan mi **alianza**,
　　serán mi especial **tesoro** entre todos los pueblos,
　　aunque toda la tierra es **mía**.
Ustedes serán para mí un reino de **sacerdotes**
　　y una **nación** consagrada'.
Éstas son las palabras que has de **decir** a los hijos de Israel".

Moisés **convocó** entonces a los **ancianos** del pueblo
　　y les expuso todo lo que el Señor le había **mandado**.
Todo el pueblo, a una, **respondió**:
　　"Haremos cuanto ha dicho el Señor".

El tono es serio y solemne. Nota las frases dobles que buscan captar la tención de la asamblea.

Estas expresiones de ternura hazlas relevantes del cariño y protección de Dios por los suyos.

Los hombres quieren llegar al cielo, pero Dios tiene que descender para ver la obra del hombre. Los hombres se quieren unir contra Dios y acaban desuniéndose.

Era un relato que corría de boca en boca antes de que la tomaran los autores finales de nuestro libro y la pusieran por escrito. El humano no ha de pretender ser Dios.

I LECTURA Celebramos la víspera de la fiesta de Pentecostés, solemnidad que realza la venida del Espíritu Santo sobre el grupo de los discípulos del Señor que los lanza a extender la comunidad fundada por Jesús. Para interpretar este gran acontecimiento de inicios de la comunidad cristiana, la Iglesia escoge un texto del Éxodo donde el Señor invita a un grupo que ha salvado a iniciar con él un proyecto de vida distinto.

Asistimos a la narración del nacimiento de una comunidad nueva: al pie del Sinaí, un grupo de exesclavos, una masa de gente sin rumbo ni origen va a ser conjuntada en un pueblo con características propias y con un futuro eterno. Dios trasformó a esa masa de esclavos en su pueblo. Esta elección siempre marcará a Israel, le dará consuelo y alegría en sus tristezas y, cuando parezca que está a punto de desaparecer, el Señor lo sostendrá y lo hará seguir adelante.

La primera estrofa tiene la primera persona del *yo* de Dios, que trae a cuento su primera relación salvífica en Egipto: "Han visto lo que he hecho a Egipto y cómo les he hecho venir a ustedes hasta a mí". El hilo de la historia no puede reducirse a una enumeración de sucesos sin fin, como una serie de piedras que no forman una figura. Esos su-

Teofanía imponente: si bien suceden varias cosas, procura que se capten como un evento unitario y no como acciones aisladas.

Al **rayar** el alba del tercer día, hubo **truenos** y relámpagos;
    una densa nube **cubrió** el monte
        y se **escuchó** un fragoroso resonar de trompetas.
    Esto hizo temblar al **pueblo,** que estaba en el campamento.
Moisés hizo **salir** al pueblo para ir al **encuentro** de Dios;
    pero la gente se **detuvo** al pie del monte.
Todo el monte Sinaí humeaba,
    porque el Señor había **descendido** sobre él en **medio** del fuego.
Salía humo como de un horno y todo el monte **retemblaba**
        con violencia.
El sonido de las trompetas se hacía cada vez **más fuerte.**
Moisés **hablaba** y Dios le **respondía** con truenos.
El Señor **bajó** a la cumbre del monte
    y le dijo a Moisés que **subiera.**

O bien:

I LECTURA   Ezequiel 37:1–14

Lectura del libro del profeta Ezequiel

Llena tu voz de un tono de asombro, como si ocurrieran cosas inesperadas del todo.

En aquellos días, la mano del **Señor** se posó sobre mí,
    y su **espíritu** me trasladó
    y me colocó en **medio** de un campo lleno de huesos.
Me hizo dar vuelta en torno a **ellos.**
Había una cantidad **innumerable** de huesos
        sobre la superficie del **campo**
        y estaban completamente **secos.**

Eleva un poco tu voz para dar fuerza a las palabras proféticas.

Entonces el Señor me **preguntó:**
    "Hijo de hombre, ¿podrán a caso **revivir** estos huesos?"
Yo respondí: "**Señor,** tú lo **sabes".**
Él **me dijo:**
"Habla en mi **nombre** a estos huesos y diles:
    'Huesos secos, **escuchen** la palabra del Señor.

cesos indican más bien el lugar en que Dios se reveló su mensaje y a sí mismo.

Así como tomó a Israel, así nos tomó el Señor a los cristianos y nos envió al Espíritu Santo para forjar con nosotros una comunidad donde exista la bondad y la preocupación por los demás. Esta llamada de Dios exige una respuesta: "Ahora, si ustedes quieren escuchar mi voz y custodiar mi alianza…". Es la invitación a decir *sí.* Mediante nuestra aceptación, nuestro sí, nos convertimos en propiedad de Dios. Ahí nacemos a una auténtica comunidad que

tiene como centro de cohesión al mismo Dios, que nos cohesiona.

I LECTURA El profeta Ezequiel fue un sacerdote llevado al exilio en tiempos de Nabucodonosor. En el exilio babilónico (es decir, fuera de Judá) recibió el mandato de profetizar.

Una necesidad nuclear para los exiliados era saber la finalidad del destierro y su término. ¿Cuándo se acabaría ese castigo impuesto por el Señor a su pueblo? Para algunos desterrados, ya no había esperanza de regresar: el pueblo de Judá había termi-

nado de existir. Para otros, no sabemos su número, había esperanzas de que pronto hubiera una repatriación. En este ambiente surgió Ezequiel como profeta.

Por medio del exilio el pueblo debía recibir un mensaje claro. No sólo sobre la justeza del castigo sino hacia dónde apuntaba éste y cuál sería el remedio para salir de ahí. Por eso, la aparición de un profeta resultó en esperanza. A través del profeta, el Señor se explicaría y daría sentido a lo sucedido.

La liturgia escoge el episodio en que el profeta recibe una visión de Dios. Vio Ezequiel un valle lleno de huesos secos. Por

Esto **dice** el Señor Dios a estos huesos:
  He aquí que yo les **infundiré** el espíritu y revivirán.
Les **pondré** nervios, haré que les **brote** carne,
  la **cubriré** de piel, les **infundiré** el espíritu y revivirán.
Entonces **reconocerán** ustedes que yo soy el Señor'".

Ahora sucede todo lo dicho. Enfatiza las frases en primera persona de singular.

Yo pronuncié en el nombre del **Señor**
  las **palabras** que él me había **ordenado,**
  y mientras **hablaba,** se oyó un gran estrépito,
  se produjo un terremoto
  y los **huesos se juntaron** unos con otros.
Y vi cómo les iban **saliendo** nervios y carne
  y cómo se **cubrían** de piel; pero **no tenían espíritu.**
Entonces me dijo el Señor:
  "Hijo de hombre, **habla** en mi nombre al espíritu y **dile:**
  'Esto dice el Señor: **Ven, espíritu,** desde los cuatro vientos
  y **sopla sobre** estos muertos, para que vuelvan a la vida' ".

Yo **hablé** en nombre del Señor, como él me había **ordenado.**
Vino sobre ellos el **espíritu,**
  revivieron y se pusieron de pie.
Era una multitud **innumerable.**
El Señor me dijo:
  "Hijo de hombre:
  Estos huesos son toda **la casa de Israel,** que ha dicho:
  '**Nuestros** huesos están secos;
  pereció nuestra esperanza y estamos **destrozados**'.
Por eso, **habla** en mi nombre y diles:
  'Esto **dice el Señor:** Pueblo mío,
  yo mismo **abriré** sus sepulcros,
  los haré salir de ellos y los **conduciré** de nuevo
    a la **tierra** de Israel.

Aminora la velocidad poco a poco y resalta los "yo" de Dios.

Cuando **abra** sus sepulcros y los **saque** de ellos, pueblo mío,
  ustedes **dirán** que yo soy el Señor.
Entonces les **infundiré** mi espíritu,
  los **estableceré** en su tierra y **sabrán** que yo,
  el Señor, lo **dije** y lo **cumplí**' ".

medio de preguntas que Dios va haciendo al profeta, ésto entiende que Judá —que parece estar muerta, extinguida— resurgirá. Van a revivir esos huesos secos, muertos, que no tienen más esperanza que desaparecer en el valle o ser enterrados en sepulcros. El Señor hace asistir al profeta a una escena prodigiosa en la que los huesos se reúnen para formar seres humanos y, después, recibiendo el Espíritu, que significa la fuerza, para recobrar la vida. Dios infundirá vida a su pueblo muerto. Es decir, los resucitará. Esta lectura apunta hacia lo que, con el tiempo, el pueblo de Dios sabrá

sobre la venida del Espíritu Santo que adentrará el Evangelio en los cristianos y les dará la fuerza para llevar a cabo el proyecto del Señor Jesús.

I LECTURA Esta lectura nos lleva a un ambiente extraordinario: la promesa de Dios de dar generosamente a su pueblo el Espíritu, o sea la fuerza para salir de la desgracia en que se encontraba. Dice claramente que este Espíritu lo derramará "sobre todo hombre", abriendo una pequeña rendija a la universalidad en su

mundo cerrado donde se veían sólo la gracia y desgracia del pueblo de Israel.

Joel profetizó después del destierro cuando el pueblo de Dios ya se había reconstituido de alguna manera. La anhelada paz y felicidad, como el pueblo había deseado, no llegó. No habían sido fieles a las directivas de la reforma de Nehemías. La dependencia de los persas y después de los griegos, traerá de nuevo las tan anheladas justicia y paz. El pueblo siente que ante los grandes imperios no puede imponer su manera de vivir tal como lo esperaba. Por eso, la voz de Joel resulta esperanzadora.

O bien:

I LECTURA   Joel 3:1–5

Lectura del libro del profeta Joel

Esto dice el Señor Dios:
  "**Derramaré** mi espíritu sobre todos;
  profetizarán sus hijos y sus hijas,
  sus ancianos **soñarán** sueños
  y sus jóvenes verán **visiones.**
También sobre mis siervos y mis siervas
  derramaré mi espíritu en aquellos días.

Haré **prodigios** en el cielo y en la tierra:
  sangre, fuego, columnas de humo.
El sol se **oscurecerá,**
  la luna se **pondrá** color de sangre,
  antes de que llegue el día **grande** y terrible del Señor.

Cuando **invoquen** el nombre del Señor se salvarán,
  porque en el monte Sión y en Jerusalén **quedará** un grupo,
  como lo ha **prometido** el Señor
  a los sobrevivientes que ha **elegido**".

SALMO RESPONSORIAL   Salmo 104:1–2a, 24 y 35c, 27–28, 29bc–30
R. Envía tu Espíritu, Señor, y repuebla la faz de la tierra.

O bien **R. Aleluya.**

Bendice, alma mía, al Señor:
  ¡Dios mío, qué grande eres!
Te vistes de belleza y majestad,
  la luz te envuelve como un manto. **R.**

Cuántas son tus obras, Señor,
  y todas las hiciste con sabiduría;
  la tierra está llena de tus criaturas.
¡Bendice, alma mía, al Señor! **R.**

Todos ellos aguardan
  a que les eches comida a su tiempo:
  se la echas, y la atrapan;
  abres tu mano, y se sacian de bienes. **R.**

Les retiras el aliento, y expiran
  y vuelven a ser polvo;
  envías tu aliento, y los creas,
  y repueblas la faz de la tierra. **R.**

Nota la repetición de palabras para hacerlas evidentes a la asamblea. Marca bien el paso de un párrafo al siguiente.

Con resolución, pronuncia estos prodigios que Dios obra.

Mira a la asamblea como si a ella estuviera destinado este párrafo.

Para meditar

Ahora se anuncia que la fuerza —el espíritu— será derramado sobre todo el pueblo. Pedro en el día de Pentecostés alude a este texto para afirmar que el Espíritu Santo se derramará sobre todo hombre, tal como lo estaban experimentando en esos momentos con la manifestación del Espíritu Santo. El Espíritu, al derramarse sobre todo el pueblo, le proporcionará la fuerza para poder caminar por las indicaciones divinas y vivir en la paz tan anhelada. Joel habla de una manifestación externa de la intervención divina. Los astros, empezando por el sol y la luna, y el mundo celestial anuncian la llegada del día del Señor y, por lo mismo, la salvación.

Nosotros los cristianos releemos esta profecía en la perspectiva abierta por la venida del Espíritu Santo. Ahora podemos y debemos llevar a la realidad lo anunciado en esta profecía.

II LECTURA En Romanos, Pablo argumenta la imposibilidad humana de vivir agradando a Dios, porque nadie puede cumplir la Ley a la perfección. De una manera u otra, esa imposibilidad factual ha llevado a la creación entera, no sólo a la humanidad, a una existencia sometida a la cólera divina, a una existencia sin Dios. Esta situación se refleja en la corrupción que significa el triunfo del pecado y de la muerte. Sin embargo, al resucitar a Cristo Jesús, esa condición de toda creatura ha sido cambiada, porque Dios ha derramado su Espíritu de santificación para vivir en la condición gloriosa de los hijos de Dios. Este Espíritu es la fuerza liberadora que los creyentes reciben, en forma de arras o primicias, en su bautismo.

San Pablo se vale de la imagen de los dolores de parto para explicar los padeci-

II LECTURA   Romanos 8:22–27

Lectura de la carta del apóstol san Pablo a los romanos

Hermanos:
  Sabemos que la **creación** entera gime
    hasta el presente y sufre **dolores** de parto;
  y no sólo ella, sino **también** nosotros,
  los que **poseemos** las primicias del Espíritu,
  gemimos **interiormente**, anhelando que se realice
    plenamente nuestra condición de **hijos de Dios**,
  la **redención** de nuestro cuerpo.

Porque ya es nuestra la salvación,
  pero su **plenitud** es todavía objeto de esperanza.
Esperar lo que ya se posee **no es** tener esperanza,
  porque ¿**cómo** se puede **esperar** lo que ya se posee?
En cambio, si esperamos algo que todavía **no poseemos**,
  tenemos que esperarlo con **paciencia**.

El **Espíritu** nos ayuda en nuestra debilidad,
  porque nosotros no sabemos **pedir** lo que nos **conviene**;
  pero el Espíritu mismo **intercede** por nosotros con gemidos
    que no pueden expresarse con **palabras**.
Y Dios, que conoce **profundamente** los corazones,
  sabe lo que el Espíritu quiere decir,
  porque el Espíritu ruega **conforme** a la voluntad de **Dios**,
  por los que le **pertenecen**.

Lecturacompleja: lo que importa es que descubras las frases principales. Apóyate en la puntuación y respeta las líneas.

Lee enfatizando los contrastes y los matices. Dales el tono adecuado.

---

mientos que los creyentes experimentan. La redención de la carne (creatural) está por consumarse. Y aquí tiene asiento su esperanza que mira a la plenitud. El creyente vive en la esperanza, porque el Espíritu Santo habita en él, y lo conforta para luchar contra toda suerte de corrupción y pecado. En esta lucha, la oración constante y paciente es el dinamo hacia la manifestación final y total de la gloria divina.

Los cristianos hemos de preocuparnos no sólo por nuestra redención personal y comunitaria, sino por la de toda creatura que padece el flagelo de la corrupción del pecado. El pecado es una realidad personal, sin duda, pero también social y estructural que daña a toda creatura, tal como la Iglesia nos enseña. Es el Espíritu de Santidad el que garantiza la victoria pascual de los hijos del Padre celestial.

EVANGELIO Llegó el séptimo día de la fiesta. La fiesta de las Chozas o Tabernáculos recordaba la estadía de Israel al pie del Sinaí y la falta de agua en el desierto. Ya en la Tierra Prometida, esta fiesta aludía a la falta de lluvia en los sembradíos. La fiesta se centraba alrededor del agua. Como en casi todo, lo religioso se mezclaba con lo profano. La fiesta coincidía con un tiempo en que había ya cosechas y, por lo tanto, corría el dinero, diríamos en nuestra mentalidad. Era el momento de pagos. Existía un sentido de bonanza, aunque para algunos fuera muy reducida. Por la mañana, la gran procesión salía de Siloé llevando el agua para derramarla sobre el altar junto con la copa de vino para la libación. Esta agua, que anunciaba el agua de los últimos tiempos, traía recuerdos antiguos y ansias mesiánicas. Venía el recuerdo de la

EVANGELIO   Juan 7:37–39

Lectura del santo Evangelio según san Juan

Breve pero impactante: las palabras de Jesús deben resonar en el corazón de la asamblea.

El **último** día de la fiesta,
   que era el más **solemne**,
   exclamó Jesús en voz alta:
   "El que tenga sed, que venga a **mí**;
   y **beba,** aquel que cree en mí.
Como dice la Escritura:
   Del corazón del que cree en mí brotarán ríos de agua viva".

Baja el tono y mira a la asamblea de un extremo al otro del recinto para que se sepa aludida.

Al decir esto,
   se refería al **Espíritu Santo** que habían de recibir
     los que **creyeran** en él,
   pues aún **no había venido** el Espíritu,
   porque Jesús no había sido **glorificado.**

travesía por el desierto y del agua dada por Moisés.

Jesús da el sentido profundo de la fiesta. Esta agua no era más que una señal de él. Él es el agua auténtica, como había dicho a la samaritana. Él sí quita la sed. Al que beba de él, al que crea en él, se le hará un río en el interior. Ésta es una alusión clara a la Escritura, en concreto, a una serie de textos (Isaías 23:3; Ezequiel 47; Zacarías 14:8). El evangelista da una explicación. Se trata del Espíritu que recibirán sus discípulos después de la resurrección. Es el Espíritu el que

vivifica, el que llena el ansia de felicidad y, sobre todo, el que llena el deseo de Dios.

Jesús se convierte en el objeto del culto de esa fiesta. Esa agua misteriosa llenará los deseos y proyectos del hombre. Por eso se habla de río, para dar el sentido de saciedad, de abundancia. Para eso envió el Padre al Espíritu Santo, para llevar a cumplimiento las palabras de Jesús y así llenar los deseos de felicidad que todo ser humano abriga.

PENTECOSTÉS, MISA DEL DÍA

Relato vivo y espectacular: da colores a tu voz. Aleja la monotonía y la llaneza. Tampoco dramatices.

Eleva el tono al final de las preguntas. Vocaliza con cuidado las regiones para no causar hilaridad y que se note la pluralidad.

I LECTURA   Hechos 2:1–11

Lectura del libro de los Hechos de los Apóstoles

El **día** de Pentecostés,
    todos los discípulos estaban reunidos en un **mismo** lugar.
De repente se oyó un **gran** ruido que venía del cielo,
    como cuando sopla un viento fuerte,
    que **resonó** por **toda** la casa donde se encontraban.
Entonces aparecieron **lenguas** de fuego,
    que se distribuyeron y **se posaron** sobre ellos;
    se llenaron **todos** del Espíritu Santo
    y empezaron a hablar en **otros** idiomas,
    según el Espíritu los **inducía** a expresarse.

En esos días había en Jerusalén judíos **devotos**,
    venidos de **todas** partes del mundo.
Al **oír** el ruido, acudieron **en masa** y quedaron **desconcertados**,
    porque **cada uno** los oía hablar en su **propio idioma**.

Atónitos y llenos de admiración, preguntaban:
    "¿No son galileos **todos estos** que están hablando?
    ¿**Cómo**, pues, los oímos hablar en nuestra **lengua nativa**?
Entre **nosotros** hay medos, partos y elamitas;
    otros vivimos en Mesopotamia, Judea, Capadocia,
    en el Ponto y en Asia, en Frigia y en Panfilia,
    en Egipto o en la zona de Libia que limita con Cirene.

I LECTURA Para el autor de Hechos de los Apóstoles el suceso de Pentecostés tuvo una importancia decisiva, ya que describe el inicio del desarrollo de la comunidad de Jesús. Antes de separarse el Resucitado del grupo de discípulos, les anunció como algo decisivo para el futuro la venida del Espíritu Santo sobre ellos. Este evento va a lanzar al grupo apostólico a predicar a todo el mundo lo dicho y hecho por Jesús, sobre todo su resurrección.

El autor presenta el suceso de Pentecostés como el cumplimiento de la revelación de Dios en el Sinaí (Éxodo 19:16–19):

ruido, fuego, voces. Las lenguas de fuego se posan sobre cada uno de los discípulos. Da el Espíritu identidad a cada uno y a todos. El Espíritu promueve al *yo* y al *nosotros*. El Espíritu nos da la responsabilidad personal y comunitaria. Un aspecto incluye al otro. Esta corriente continúa en el don de lenguas. Pentecostés impulsa al discípulo a salir de sí mismo, de su lenguaje o idioma, para que se integre también en las lenguas de los demás. El Espíritu Santo garantiza la unidad y la catolicidad de la Iglesia.

Desde esa efusión del Espíritu, el evangelio de Jesús se expande y se difunde por

todo el mundo de entonces. Este inicio apunta hacia un fin. Nada ni nadie podrá detener esa agua de la que el profeta Ezequiel hablaba en su visión. Veía un agua que salía del centro del altar e irrigaba toda la sequedad del arroyo Cedrón e iba vivificando las orillas de este arroyo, provocando que a sus lados germinaran árboles y, sobre todo, reviviera el mar dando vida donde sólo había muerte. Esta es la función del Espíritu Santo: darnos vida, una vida que se muestra a los ojos de los demás.

La Iglesia tiene épocas en que parece que se seca, que su espíritu se apaga. Ella

Algunos somos **visitantes**, venidos de Roma, judíos y prosélitos;
   también hay cretenses y árabes.
Y sin embargo, **cada quien**
   los oye hablar de las maravillas de Dios en **su propia** lengua".

Para meditar

SALMO RESPONSORIAL   Salmo 104:1ab y 24ac, 29bc–30, 31 y 34
R. Envía tu Espíritu, Señor, y repuebla la faz de la tierra.

O bien: **R. Aleluya.**

Bendice, alma mía, al Señor:
   ¡Dios mío, qué grande eres!
Cuántas son tus obras, Señor,
   la tierra está llena de tus criaturas. **R.**

Les retiras el aliento, y expiran
   y vuelven a ser polvo;
   envías tu aliento, y los creas,
   y repueblas la faz de la tierra. **R.**

Gloria a Dios para siempre,
   goce el Señor con sus obras.
Que le sea agradable mi poema,
   y yo me alegraré con el Señor. **R.**

II LECTURA   Romanos 8:8–17

Lectura de la carta del apóstol san Pablo a los romanos

Hermanos:
Los que viven en forma **desordenada** y **egoísta**
   no pueden agradar a Dios.
Pero ustedes no llevan esa clase de vida,
   sino una vida **conforme al Espíritu**,
   puesto que el Espíritu de Dios habita **verdaderamente**
      en ustedes.
Quien no tiene el **Espíritu de Cristo**, no es de Cristo.
En cambio, si Cristo **vive** en ustedes,
   aunque su **cuerpo** siga sujeto a la muerte a causa del pecado,
   su **espíritu** vive a causa de la actividad salvadora de Dios.
Si el Espíritu del Padre, que **resucitó** a Jesús de entre los
      muertos, habita en ustedes,

La lectura tiene un tono acusatorio. Apoya bien el "ustedes" cada vez que aparezca.

---

misma siente el desánimo y la fragilidad. Empoderar a la Iglesia en medio de situaciones catastróficas es función del Espíritu Santo, que está acompañándonos hasta que el Señor regrese por nosotros.

II LECTURA En esta parte, san Pablo aduce las razones por las que la persona que cree en Cristo Jesús ha sido transformada con el bautismo recibido. Ese bautismo es como un parteaguas entre dicha vida transformada y una vida preocupada por acomodarse a los criterios del mundo y que en nuestra lectura aparece

como "desordenada y egoísta". El texto bíblico la resume en la muy paulina frase "Vivir según la carne". A ese modo de vivir se opone la novedad pascual de "vivir según el Espíritu". Ésta es una vida generada de la misma resurrección de Cristo que Dios ha obrado al infundir su hálito divino en la carne inerte de su elegido. Los elegidos de Dios son los bautizados y su vocación es la de disfrutar de la vida nueva.

El bautismo cristiano simboliza una realidad espiritual que trasciende la experiencia individual. En primer término, se trata de un evento comunitario, eclesial, de

pertenencia a todo el pueblo de Dios, al que se ingresa. Sin esta marca relacional, el bautismo no pasaría de ser uno de esos logros individuales, tan pregonados en nuestra sociedad de consumo, que ameritaría un reconocimiento. Pero el bautismo se recibe, no se adquiere. Por ser un don que Dios brinda mediante su pueblo santo, al elegido sólo le toca acogerlo y valorarlo; es decir, ser consecuente con él. En segundo término, el renacer del agua y del Espíritu alcanza su sentido cabal sólo si genera un modo de ser nuevo, o sea "destruir las malas acciones"

entonces el Padre, que **resucitó** a Jesús de entre los muertos,
también les dará **vida** a sus cuerpos mortales,
por obra de su **Espíritu**, que habita en ustedes.

Por lo tanto, hermanos, **no** estamos **sujetos** al desorden egoísta
del hombre,
para hacer de ese **desorden** nuestra regla de conducta.
Pues si ustedes viven de ese modo, **ciertamente** serán
destruidos.
Por el **contrario**,
si con la ayuda del Espíritu **destruyen** sus malas acciones,
entonces **vivirán**.

Los que se dejan **guiar** por el Espíritu de Dios,
ésos son hijos de Dios.
No han recibido ustedes un espíritu de **esclavos**, que los haga
temer de nuevo,
sino un espíritu de **hijos**,
en virtud del cual podemos llamar **Padre** a Dios.

El **mismo** Espíritu Santo, **a una** con nuestro propio espíritu,
da testimonio de que somos **hijos** de Dios.
Y si somos hijos, somos también **herederos** de Dios
y **coherederos** con Cristo,
puesto que sufrimos **con él** para ser glorificados junto **con él**.

O bien: *1 Corintios 12:3–7, 12–13*

Con vigor renovado, anuncia estas seis líneas. Enfatiza las frases de la filiación alargando las sílabas.

como lo dice la lectura o dicho en lenguaje paulino, "morir a las obras de la carne".

El bautizado no orienta más su vida por las apetencias "carnales", sino por el deseo de agradar a Dios Padre, en cuya casa familiar hemos sido introducidos. Por eso, la actitud primaria del bautizado es agradecer con palabras y con hechos. Los creyentes viven agradecidos y agradeciendo, al tiempo que aniquilan las obras pecaminosas que no son sino expresión de rebeldía al Señor. En la oración cotidiana lo expresamos cuando solicitamos al Padre: "hágase tu voluntad en la tierra como en el cielo". Es el Espíritu re-

cibido el que nos auxilia a pronunciar esas palabras, y las decimos reunidos, a una sola voz, porque somos hijos del mismo Padre.

EVANGELIO | La parte del evangelio propuesto para la celebración de hoy pertenece al gran discurso escrito por Juan en cinco capítulos (13—17). En esa parte, Juan habla de lo fundamental de la misión de Jesús. Resume, como es normal en un discurso de adiós, lo que para el Maestro es la escencia de su misión.

El Espíritu Santo es un componente esencial de la misión de Jesús, no sólo por

la experiencia de su bautismo, como el Bautista testifica (ver Juan 1:32–34), sino porque es uno de los dones que el creyente recibe al aceptar a Cristo (ver Juan 7:37–39). Al celebrar la venida del Espíritu Santo sobre la comunidad discipular, es lógico que volteemos a mirar su función en las palabras de los capítulos 14 y 16 cuando Jesús les habla clara y explícitamente de él a sus discípulos.

Para la época que transcurrirá la comunidad cristiana sin la presencia física de Jesús, el Espíritu Santo será el que acompañe y haga realidad lo enseñado por Jesús.

Cuida que tu voz transparente la bondad y solicitud de Jesús por los suyos.

EVANGELIO   Juan 14:15–16, 23–26

Lectura del santo Evangelio según san Juan

En aquel tiempo, Jesús dijo a sus discípulos:
   "Si me aman, **cumplirán** mis mandamientos;
   yo le **rogaré** al Padre
   y él les enviará **otro** Consolador que esté **siempre** con ustedes,
   el **Espíritu** de verdad.

El que me ama, **cumplirá** mi palabra
   y mi Padre **lo amará** y vendremos a él
   y haremos **en él** nuestra morada.
El que **no me ama**, no cumplirá mis palabras.
Y la palabra que están oyendo **no es mía**,
   sino **del Padre**, que me envió.

Afirma las acciones del Espíritu Santo al pronunciarlas con serenidad y confianza.

Les he hablado de esto **ahora** que estoy con ustedes;
   pero el **Consolador**,
   el Espíritu Santo que mi Padre les enviará **en mi nombre**,
   les enseñará **todas** las cosas
   y les recordará **todo** cuanto yo **les he dicho**".

O bien: *Juan 20:19–23*

Además, le dará la fuerza necesaria para llevar a cabo esta tarea, que no es fácil. El mundo podrá creer únicamente siempre y cuando los discípulos vivan como Jesús les enseñó y mostró.

El Espíritu Santo desarrollará en la comunidad discipular la labor de conducirla a la comprensión total de lo predicado y enseñado por Jesús y, muy importante, le dará la fuerza al grupo cristiano para resistir y llevar a cabo la encomienda.

En nuestro evangelio dominical se repiten dos verbos que tienen hondas raíces en el Deuteronomio: *amor* y *observar* los mandamientos. Con estos dos verbos Jesús resume el sentido de su misión que es su vida: el amor. El amor lleva a la observancia o la supone. Por eso, quien ama a Jesús observará su palabra. Llevar a la práctica la palabra de Jesús es acoger al Señor como Palabra de Dios. Y no es posible llegar a este amor sin una práctica correspondiente. Tomar el "camino", o sea la manera de vivir de Jesús, es aceptarlo como Palabra encarnada. Se encarnó, como dice san Juan, para darnos la posibilidad de ser hijos de Dios y de vivir como tales. El Espíritu Santo tiene la función de conducirnos por ese camino con su inspiración y fuerza.

SANTÍSIMA TRINIDAD

I LECTURA   Proverbios 8:22–31

Lectura del libro de los Proverbios

Descubre la cadencia de cada línea y respeta los acentos. Nota que este poema lo pronuncia la Señora Sabiduría.

Esto dice la sabiduría de Dios:
   "El Señor me poseía desde **el principio**,
      antes que sus obras **más** antiguas.
   Quedé establecida **desde** la eternidad, desde **el principio**,
      antes de que la tierra **existiera**.
   Antes de que existieran los abismos
      y **antes** de que brotaran los manantiales de las aguas,
      fui concebida.

   Antes de que las montañas
      y las colinas quedaran asentadas, **nací yo**.
   Cuando **aún** no había hecho el Señor la tierra **ni los campos**
      ni el primer polvo del universo,
      cuando él **afianzaba** los cielos,
      ahí estaba yo.
   Cuando **ceñía** con el horizonte la faz del abismo,
      cuando **colgaba** las nubes en lo alto,
      cuando **hacía brotar** las fuentes del océano,
      cuando **fijó** al mar sus límites
      y mandó a las aguas que **no los traspasaran**,
      cuanto establecía los cimientos de la tierra,
      yo **estaba** junto a él como **arquitecto** de sus obras,
      yo era su encanto **cotidiano**;

Nota los "yo" enfáticos. Extiende esas frases para que la audiencia las note.

I LECTURA Los libros de sabiduría de la antigüedad atesoran la experiencia humana de varias generaciones que han explorado formas y medios distintos para llevar una vida armoniosa, satisfactoria y plena. Guardan un conocimiento práctico, más que técnico, que ilumina esas cuestiones sustanciales que todo ser humano se plantea en algún momento de la vida, desde cosas tan empíricas como la sucesión de las estaciones y los fenómenos naturales hasta asuntos filosóficos como el discernimiento de la verdad, el natural de hombres y dioses y el sentido de la vida.

Para los sabios del Pueblo de la Biblia, todas esas cuestiones tienen respuesta en la Torah ("instrucción") o Ley, que es la medida de todas las cosas.

Al meditar en la creación del mundo narrada en la Torah y al contacto con los relatos cosmológicos de las culturas circunvecinas, los sabios de la Biblia evidenciaron que los escritos mosaicos no eran sino reflejo o dependencia de una concepción o idea de la mente divina de la que todo se originó. A esa idea preexistente, universal y que sostiene o da coherencia al cosmos entero la llamaron "sabiduría". Pero dicha sabiduría no es algo ajeno o extraño a Dios sino algo que le pertenece, algo como su propia intimidad. Con el paso del tiempo, esta especulación cobró tal fuerza que hará de la sabiduría casi una entidad distinta a Dios, primero bajo los ropajes del lenguaje poético y luego con expresiones directas más atrevidas hasta llegar a las confesiones cristianas que verán esa sabiduría de Dios encarnada en Cristo Jesús, el Verbo de Dios (ver Sabiduría 9:9; Juan 1:1–18).

Celebrar a la Santísima Trinidad es hacernos presente el misterio inagotable de Dios, que es una comunión de personas y

Baja la velocidad de lectura y eleva el rono en la línea final.

todo el tiempo me **recreaba** en su presencia,
jugando con el orbe de la tierra
y mis delicias eran **estar** con los hijos de los hombres".

Para meditar

SALMO RESPONSORIAL   Salmo 8:4–5, 6–7, 8–9

R. Señor, Dios nuestro, ¡qué admirable es tu nombre en toda la tierra!

Cuando contemplo el cielo,
   obra de tus dedos,
la luna y las estrellas que has creado.
¿Qué es el hombre para que te acuerdes
   de él;
el ser humano, para darle poder? **R.**

Lo hiciste poco inferior a los ángeles,
   lo coronaste de gloria y dignidad,
   le diste el mando sobre las obras de
   tus manos,
todo lo sometiste bajo sus pies. **R.**

Rebaños de ovejas y toros,
   y hasta las bestias del campo,
   las aves del cielo, los peces del mar,
todo lo sometiste bajo sus pies. **R.**

II LECTURA   Romanos 5:1–5

Lectura de la carta del apóstol san Pablo a los romanos

Hermanos:
Ya que hemos sido **justificados** por la fe,
   mantengámonos **en paz** con Dios,
   por **mediación** de nuestro Señor Jesucristo.
Por él hemos obtenido, con la fe,
   la **entrada** al mundo de la gracia,
   en el cual nos **encontramos**;
   por él, podemos **gloriarnos**
      de tener **la esperanza** de participar en **la gloria** de Dios.

Tono pedagógico: encadena bien y marca los enlaces para que el razonamiento pueda seguirse.

que sale a nuestro encuentro para ofrecernos el camino que conduce a una vida razonablemente dichosa. Nos invita a vivir en comunión con los demás y con él mismo, que ahora sabemos que es Padre, Hijo y Espíritu Santo. Reiterada en nuestro bautismo, ésta es nuestra vocación más profunda y nuestra tarea más exigente y noble.

II LECTURA San Pablo desarrolla aquí las verdades basilares de la fe. El punto que lo sostiene todo es la resurrección de Cristo, de la que se deriva un cúmulo de consecuencias benéficas para todos y

cada uno de los creyentes. La primera de todas ellas es el estado de paz con Dios al que accede el creyente; esto significa que el ser humano, pecador, deja de ser enemigo de Dios y que se vuelve una criatura reconciliada gratuitamente. Así pues, la existencia cristiana ancla en la reconciliación conseguida por Cristo Jesús.

El punto que sobresale en este fragmento de la carta es que el cristiano experimenta ya la gloria de Dios. Puede sonar ilusorio o descabellado, pero Pablo asegura que esto es una realidad totalizante, porque el fiel recibe su vigor de la resurrección del

Señor. En efecto, la fe en Cristo le da al bautizado un rumbo y un destino de gloria. Es una vida que ha dejado de estar sometida a los caprichos de las fuerzas cósmicas y arcanas; ni siquiera se mira ya ensombrecida por la cólera de un Dios enemistado con el mundo y que puede descargar sobre el pecador azotes insospechados. Nada de eso. La vida del cristiano está energizada por la dinámica de la gloria divina, incluso en las penosas dificultades y sufrimientos que la asedian. Pablo anota que es en el sufrimiento donde se templa la perseverancia ("virtud

Identifica las formas verbales. Procura sacar tu voz desde el diafragma.

Más aún, nos gloriamos **hasta** de los sufrimientos,
  pues **sabemos** que el sufrimiento **engendra** la paciencia,
  la paciencia engendra la virtud **sólida**,
  la virtud sólida **engendra** la esperanza,
  y la esperanza **no defrauda**,
  porque Dios **ha infundido** su amor en nuestros corazones
  por medio del **Espíritu Santo**,
  que **él mismo** nos ha dado.

EVANGELIO   Juan 16:12–15

Lectura del santo Evangelio según san Juan

En aquel tiempo, Jesús dijo a sus discípulos:
  "**Aún** tengo **muchas** cosas que decirles,
  pero **todavía** no las pueden comprender.
Pero **cuando venga** el Espíritu de verdad,
  él los **irá guiando** hasta la verdad **plena**,
  porque no hablará **por su cuenta**,
  sino que dirá lo que **haya oído**
  y les anunciará las cosas **que van a suceder**.
Él me **glorificará**,
  porque **primero** recibirá de mí
    lo que les vaya **comunicando**.
Todo lo que tiene el Padre **es mío**.
Por eso he dicho que **tomará** de lo mío
  y se lo comunicará **a ustedes**".

Adopta un tono de confianza y marca bien el antes y después señalados en el texto.

Balancea bien tus frases de manera que se note la íntima relación entre Jesús y el Espíritu.

Aísla esta oración del "Todo".

sólida") que cultiva el Espíritu de Dios derramado en el corazón del bautizado.

San Pablo hace ver que la vida del bautizado está como preñada por la obra de la Trinidad. Padre, Hijo y Espíritu Santo cooperan para que la gloria de la redención se vuelva una realidad actual en el aquí y ahora, gracias a la esperanza que "no defrauda", dice.

EVANGELIO Lo desconocido infunde temor, y esto es lo que los discípulos de Jesús experimentan porque su maestro no estará más con ellos. Se avecina

el tiempo del desamparo cuando parecen no tener modo de salir adelante. Jesús, sin embargo, no dejará a los suyos en la orfandad; les garantiza que estarán mejor que antes porque recibirán al Espíritu de la verdad. Sólo que, para que esto suceda, es preciso que ocurran los acontecimientos pascuales. Sin "la ausencia" de Jesús no hay lugar para el Espíritu prometido.

Todos los creyentes reciben en su bautismo al Espíritu Santo, que es el mistagogo del misterio pascual de Cristo; él guía en esa revelación a cada individuo, pero, ante todo, guía a la entera comunidad de fe en la Trini-

dad. La verdad de Cristo no aporta novedades inauditas a la experiencia cristiana; más bien abreva en las promesas antiguas de salvación para que, a partir de ellas, el Espíritu anticipe el porvenir. Con ello cualquier temor queda disipado.

La cristiana es una comunidad de ungidos por el Espíritu de Dios y capacitada para discernir cualquier "novedad" con el criterio de la Pascua de Cristo, o sea el Evangelio mismo. Nada hay que temer en el caminar azaroso de la historia humana, porque la gloria del Señor es su verdad total, la que todos buscamos.

SANTÍSIMO CUERPO Y SANGRE DE CRISTO

Proclama la bendición con espíritu de alabanza verdadero. Nota sus partes, para que la asamblea perciba el sentido cabal.

I LECTURA   Génesis 14:18–20

Lectura del libro del Génesis

En **aquellos** días, Melquisedec, **rey** de Salem,
   presentó **pan y vino**, pues era sacerdote del Dios **altísimo**,
   y **bendijo** a Abram, diciendo:
"Bendito sea Abram de parte del Dios altísimo,
   creador de cielos y tierra;
   y bendito sea el Dios altísimo,
   que entregó a tus enemigos en tus manos".

Y Abram le dio el diezmo de todo lo que había rescatado.

Para meditar

SALMO RESPONSORIAL   Salmo 110:1, 2, 3, 4
R. Tú eres sacerdote eterno, según el rito de Melquisedec.

Oráculo del Señor a mi Señor:
   "Siéntate a mi derecha,
   y haré de tus enemigos
      estrado de tus pies". **R.**

Desde Sión extenderá el Señor
   el poder de tu cetro:
   somete en la batalla a tus enemigos. **R.**

"Eres príncipe desde el día de tu nacimiento,
   entre esplendores sagrados;
   yo mismo te engendré, como rocío,
   antes de la aurora". **R.**

El Señor lo ha jurado y no se arrepiente:
"Tú eres sacerdote eterno,
   según el rito de Melquisedec". **R.**

I LECTURA En la escena bíblica, Abram aparece como un estratega militar que de Hebrón salió a rescatar a su pariente Lot, caído en manos de una formidable coalición de reyes que domina la región de Sodoma y Gomorra, donde habitaba. De regreso a su tierra, Abram para en Jerusalén (antes Salén). Ahí, el rey de la ciudad, Melquisedec, realiza una ofrenda acompañada de una bendición a la que el Patriarca retribuye con el diezmo de lo obtenido en su campaña militar. Que un rey fuera sacerdote era lo común en los pueblos cananeos y del Oriente Medio. Es la ofrenda

de Melquisedec ("Rey de justicia") lo que ha ocasionado que este episodio se retome en nuestra celebración.

La bendición de Melquisedec es doble. Primero, bendice al oferente con un punto central del credo israelita: que Dios es el creador del universo (ver Génesis 1 y 2). Así pues, Abram es el beneficiario y de ninguna manera un semidios, aunque sea un prodigio en su campaña militar. Abram sólo es una creatura. Segundo, se bendice al "Dios altísimo" (*Elyon*) que apoya a sus fieles, aunque habite en los cielos. La victoria de

Abram, en realidad, es de Dios. Y esto es lo que reconoce la liturgia.

Pan y vino son ofrendas muy comunes en la antigüedad, aunque la ocasión ameritaba un sacrificio animal. Los Padres de la Iglesia notarán esto para subrayar la superioridad del culto nuevo, el cristiano, frente al mosaico. Pan y vino son oblación simple y pacífica, productos agrícolas, que son los elementos retenidos también en el sacramento cristiano.

El Cuerpo y la Sangre de Cristo son la provisión que el Creador nos da para vencer la iniquidad y la muerte, nuestro enemigo.

Relato precioso: haz una pausa luego de la primera línea y baja la velocidad de lectura al describir los gestos eucarísticos.

II LECTURA   1 Corintios 11:23–26

Lectura de la primera carta del apóstol san Pablo a los corintios

Hermanos:
Yo **recibí** del Señor **lo mismo** que les **he transmitido**:
    que el **Señor Jesús**, la noche en que iba a ser **entregado**,
    tomó **pan** en sus manos,
    y pronunciando la **acción de gracias**, lo **partió** y dijo:
    "**Esto** es **mi cuerpo**, que se entrega **por ustedes**.
Hagan **esto** en memoria **mía**".

Lo mismo hizo con el cáliz, después de cenar, **diciendo**:
    "**Este** cáliz es la **nueva** alianza que se sella **con mi sangre**.
Hagan esto en memoria mía **siempre** que beban **de él**".

Eleva tu tono y cierra así, alzando la voz, como si la lectura prosiguiera.

Por eso, **cada vez** que ustedes comen de **este** pan
    y beben de **este** cáliz,
    proclaman **la muerte** del Señor, **hasta** que vuelva.

EVANGELIO   Lucas 9:11–17

Lectura del santo Evangelio según san Lucas

En aquel tiempo,
Jesús habló del **Reino de Dios** a la multitud
    y **curó** a los enfermos.

Que se note el vínculo entre los dos párrafos iniciales; forman una sola secuencia.

Cuando **caía** la tarde, los **doce** apóstoles se acercaron a decirle:
    "**Despide** a la gente para que vayan a los pueblos y caseríos
    a buscar alojamiento y comida,
    porque **aquí** estamos en un lugar solitario".
Él les contestó: "Denles **ustedes** de comer".
    Pero ellos le replicaron:

Con ellos bendecimos a Dios, pues al recibirlos nos reconocemos creaturas dependientes. Eso somos en la Iglesia, pueblo que bendice a su Creador.

II LECTURA El bautismo y la Cena del Señor fueron los dos núcleos originarios que convocaron y sostuvieron la experiencia de vida de los primeros grupos cristianos. De esos dos sacramentos san Pablo nos entrega informaciones preciosísimas que nos adentran en el sentido de ambos. Como todos los sacramentos, éstos arraigan en la muerte y resurrección

de Jesús, y son como su actualización, según escuchamos en la lectura de la fiesta de hoy, centrada en la Eucaristía.

En el relato paulino resalta la profunda dimensión comunitaria. La Eucaristía es competencia de la comunidad creyente total; es a la vez una acción individual y una que forma a los reunidos y que los encadena, por así decirlo, a otras generaciones de cristianos ("recibí... lo que les he transmitido"). Esta comunidad discipular recibe y entrega. Ahí se hace discípula de su Señor, reiterando su misterio pascual.

"Hagan esto en mi memoria" es la frase repetida que sella los gestos sobre el pan y la copa. Pero estos gestos memoriales entrañan un compromiso comunitario pascual: la alianza por la vida. Al mimetizar lo hecho por Jesús se abraza no solo la noche de su entrega sino su memoria completa, que se abre a la vida nueva. Por eso la celebración eucarística es congregación de "los entregados"; es decir, de quienes ofrendan su vida por la causa del Reino de Dios ("hasta que vuelva"). Ellos se vinculan también unos a otros por esa solidaridad sagrada creada por el Pan de Vida y la Copa de

Da un tono decidido a esta orden de Jesús.

Observa la resonancia eucarística en los gestos de Jesús. Apóyate en las negrillas para que la asamblea perciba la sintonía.

"No tenemos más que **cinco** panes y **dos** pescados;
a no ser que vayamos **nosotros** mismos
a **comprar** víveres para **toda** esta gente".
Eran como **cinco mil** varones.

Entonces Jesús dijo a sus discípulos:
"**Hagan** que se sienten en grupos como de cincuenta".
Así lo hicieron, y **todos** se sentaron.
Después Jesús tomó **en sus manos**
los **cinco** panes y los **dos** pescados,
y **levantando** su mirada al cielo,
pronunció sobre ellos una oración **de acción de gracias**,
los partió y los fue dando a los discípulos,
para que **ellos** los distribuyeran **entre la gente**.

Comieron **todos** y se **saciaron**,
y de lo que **sobró** se llenaron **doce** canastos.

Salvación. Es Cristo mismo el que crea la unidad común.

EVANGELIO El milagro de la multiplicación de los panes de este evangelio está enmarcado por escenas donde se pregunta por la identidad de Jesús. En la escena anterior, Herodes aparece intrigado por lo que oye de Jesús, y en la posterior, Jesús exige que sus discípulos se pronuncien al respecto. Las numerosas curaciones, la enseñanza a la turba y la alimentación a los cinco mil dejan ver que Jesús es alguien mayor a "los antiguos profetas" (Lucas 9:8), ¡el Mesías de Dios! (9:20), que hace realidad las promesas de Dios a su pueblo (ver Lucas 1:53; Isaías 49:10; 55:1).

Para captar mejor la importancia del prodigio de alimentar al pueblo, es preciso notar la gran precariedad de las condiciones de vida de la mayoría de la gente en la antigüedad (y de hoy), cuando el pan era escaso y significaba el duro trabajo del día. Alimentar a una ciudad entera (cinco mil hombres), bien organizada (en cincuentenas) con recursos irrisorios (cinco panes y dos pescados), dice claramente que Jesús es el admirable Administrador del Reino de Dios que salvará a los suyos de la enfermedad, el hambre y la ignorancia.

El Dios de la alianza nueva obsequia a su pueblo el alimento eucarístico. Este alimento nos recupera el deber del amor fraterno, de alimentar a los más vulnerables como un cuerpo organizado, sano y educado con la vitalidad de la misma Palabra de Dios. Nuestra vocación eclesial es la de producir y reproducir el Pan para todos, tal como el Mesías nos encomienda: "Denles ustedes de comer".

XIII DOMINGO DEL TIEMPO ORDINARIO

I LECTURA   1 Reyes 19:16, 19–21

Lectura del primer libro de los Reyes

En **aquellos** tiempos, el Señor le dijo a Elías:
   "**Unge** a Eliseo, el hijo de Safat,
   originario de Abel Mejolá,
   para que **sea profeta** en lugar tuyo".

Elías partió luego y **encontró** a Eliseo, hijo de Safat,
   que estaba **arando**.
Delante de él trabajaban **doce** yuntas de bueyes
   y él trabajaba con la **última**.
Elías pasó junto a él y le echó **encima** su manto.
Entonces Eliseo **abandonó** sus bueyes,
   corrió detrás de Elías y le dijo:
   "**Déjame** dar a mis padres el beso de despedida
   y te **seguiré**".
Elías le contestó:
   "Ve y **vuelve**,
   porque **bien** sabes lo que **ha hecho** el Señor contigo".

Se fue Eliseo,
   se llevó los dos bueyes de la yunta, los **sacrificó**,
   asó la carne en la hoguera que hizo con la madera del arado
   y la **repartió** a su gente para que se la comieran.
Luego se levantó,
   siguió a Elías y se puso **a su servicio**.

Relato pintoresco y de sabor popular: no lo hagas pesado ni demasiado solemne.

Ralentiza esta línea; es la vocación del profeta.

Acelera en esta parte. Las acciones son decididas y no admiten pausa.

I LECTURA Elías es el padre del profetismo bíblico. Él estuvo activo en el reino del norte, Israel, en una época de prosperidad sin precedentes (siglo IX a. C.) cuando reinaba la casa de Omrí. Las estratégicas relaciones internacionales habían propiciado el flujo de bienes y personas que traían sus dioses y sus cultos; eran novedades atractivas e impusieron la moda. Pronto los fieles de Yahveh se vieron relegados, lo que exacerbó el celo de sus profetas, entre los que descuellan Elías (cuyo nombre significa "Yahveh es mi Dios") y el heredero de su espíritu, Eliseo ("Yahveh

ha salvado"), cuya unción profética escuchamos hoy.

Aunque la orden de Yahveh a su profeta es doble, ungir a Jehú como rey y a Eliseo como profeta, la lectura litúrgica sólo toma lo que concierne al sucesor de Elías. Eliseo era de familia próspera, pero acepta ponerse al servicio de Elías. El ingreso al grupo de profetas de Yahveh le significó un cambio radical de vida. Había grupos de profetas diversos que eran casi institucionales, pues se aglutinaban en torno a algún culto popular relevante y hacían de curanderos y, más frecuentemente, de consultores o adivinos

que pronunciaban oráculos en nombre de la divinidad a la que servían; eran semiambulantes. A diferencia de los sacerdotes que vivían de las ofrendas y sacrificios del santuario, los profetas se mantenían de las dádivas de la gente, lo que significaba precariedad. Pero eso mismo les daba libertad para sus pronunciamientos. Eliseo se mete de aprendiz de Elías y hay que entenderlo en ese horizonte.

Eliseo pide ir a despedirse de sus padres. Atrás deja la rica casa paterna y esa seguridad. Al sacrificar su yunta de bueyes y alimentar con su carne a los trabajadores,

Para meditar

SALMO RESPONSORIAL   Salmo 16:1–2a y 5, 7–8, 9–10, 11

R. Tú, Señor, eres el lote de mi heredad.

Protégeme, Dios mío, que me refugio en ti;
    yo digo al Señor: "Tú eres mi bien".
El Señor es el lote de mi heredad y mi copa;
    mi suerte está en tu mano. **R.**

Bendeciré al Señor, que me aconseja
    hasta de noche me instruye internamente.
Tengo siempre presente al Señor,
    con él a mi derecha no vacilaré. **R.**

Por eso se me alegra el corazón,
    se gozan mis entrañas,
    y mi carne descansa serena,
    porque no me entregarás a la muerte,
    ni dejarás a tu fiel conocer la corrupción. **R.**

Me enseñarás el sendero de la vida,
    me saciarás de gozo en tu presencia,
    de alegría perpetua a tu derecha. **R.**

II LECTURA   Gálatas 5:1, 13–18

Lectura de la carta del apóstol san Pablo a los gálatas

La lectura pide un tono sereno y alegre. Esfuérzate en frasear cada línea completa.

Hermanos:
    Cristo nos ha liberado para que seamos **libres**.
Conserven, pues, la libertad
    y **no se sometan** de nuevo al yugo de la esclavitud.
Su **vocación**, hermanos, es la libertad.
Pero **cuiden** de no tomarla como pretexto
        para **satisfacer** su egoísmo;
        antes bien, **háganse** servidores los unos de los otros **por amor**.
Porque **toda** la ley se resume en un **solo** precepto:
    Amarás a tu prójimo como a ti mismo.
Pues si ustedes se muerden y devoran **mutuamente**,
    acabarán por **destruirse**.

Advierte el tono exhortativo y encarece con tu voz a la asamblea.

Los **exhorto**, pues,
    a que **vivan** de acuerdo con las **exigencias** del Espíritu;
        así no se dejarán **arrastrar**
    por el **desorden egoísta** del hombre.
Este desorden está **en contra** del Espíritu de Dios,
    y el Espíritu está en contra de **ese desorden**.

se ve como el signo de su decisión radical. Nada hay que le reclame volver atrás. Será la palabra que eventualmente reciba de Yahveh la que le llenará la vida. Eliseo heredará el manto profético de Elías para mantener viva la llama de la fe en Yahveh, el Dios de la alianza sinaítica.

II LECTURA A la carta a los Gálatas se le conoce como el manifiesto paulino de la libertad cristiana. La frase con la que abre la lectura es tan reveladora como contundente: "Para la libertad nos ha liberado Cristo". Hay que mirarla en su con-

texto. En los versos seleccionados para la lectura, sobresalen tres elementos que nos ayudan a situar el tipo de libertad de la que Pablo habla aquí.

Primero, el Apóstol exhorta a no volver al yugo de la esclavitud. El término *yugo* tiene ecos legales muy explícitos, pues en medios judíos se hablaba del "Yugo de la ley" al que el fiel se sometía con la circuncisión; esto se lee en los versos omitidos de la selección litúrgica (versos 2–6 y 7–12). Pablo supo que habían llegado a Galacia predicadores judeocristianos que buscaban persuadir a los gálatas cristianos a circunci-

darse como condición para alcanzar "la plenitud de la salvación". A tales predicadores les parecía que la fe en Cristo Jesús era insuficiente para acceder a los bienes de la salvación y que había que someterse al yugo de las prescripciones mosaicas, ritos, dietas y calendarios que la circuncisión implica. Pablo reprueba tajantemente el punto. "De circuncidarse ustedes", escribe, "Cristo de nada les sirvió". Cristo nos ha liberado de ese yugo, y la libertad es nuestra vocación.

El segundo punto que ayuda a entender la libertad que gana la fe cristiana es cuando el creyente se coloca frente a los

Pronuncia bien el "querrían".

Y esta oposición es **tan radical**,
      que les **impide** a ustedes hacer lo que **querrían** hacer.
Pero si los **guía** el Espíritu,
      ya **no están** ustedes bajo el **dominio** de la ley.

EVANGELIO   Lucas 9:51–62

Lectura del santo Evangelio según san Lucas

Observa los párrafos en la lectura y recuerda hacer una pausa doble antes de iniciar cada uno de ellos.

Cuando ya se **acercaba** el tiempo
      en que **tenía** que salir de este mundo,
      Jesús tomó la **firme** determinación
      de emprender el viaje **a Jerusalén**.
Envió mensajeros por delante
      y ellos fueron a una aldea **de Samaria**
      para conseguirle **alojamiento**;
      pero los samaritanos **no quisieron** recibirlo,
      porque **supieron** que iba a Jerusalén.
Ante esta **negativa**,

Entona bien la interrogación de los discípulos.

      sus discípulos **Santiago y Juan** le dijeron:
      "**Señor**, ¿quieres que hagamos bajar **fuego** del cielo
      para que **acabe** con ellos?"
Pero Jesús se volvió hacia ellos y **los reprendió**.

Otro escenario: separa bien los cuadros.

Después se fueron a **otra** aldea.
Mientras iban de camino, **alguien** le dijo a Jesús:
      "Te **seguiré** a dondequiera que vayas".
Jesús le respondió:
      "Las zorras tienen **madrigueras** y los pájaros, **nidos**;
      pero el **Hijo** del hombre
            no tiene en dónde reclinar la cabeza".

---

propios deseos, la concupiscencia. Es evidente que la libertad cristiana no es un salvoconducto para "hacer lo que me venga en gana"; esto sería esclavizarse a los impulsos egoístas de cada individuo. El egoísmo, apunta Pablo, lleva a la destrucción mutua y al caos. No es esta la marca de Cristo ni de la comunidad. Antes bien, la libertad cristiana está ceñida al mandamiento de amar al prójimo como a uno mismo, lo que lleva a convertirse en servidor de los demás, pero no por yugo alguno sino por el amor que Dios ha infundido en el bautizado, que no es otra cosa que su Espíritu. Así pues, el antí-

doto para la apetencia de prevalecer sobre los demás es servirlos amorosamente.

El tercer elemento es la libertad del Espíritu de Dios. Éste es el marco de la relación con Dios: la libertad del Espíritu del amor. El bautizado no habrá de poner pretextos ni resistirse a las exigencias de amor que percibe a su alrededor. Son exigencias que hay que cumplir con amor y caridad; ésta es la norma suprema y ninguna otra. La libertad se realiza ejercitándola, no de otra manera.

La lectura nos ayuda a escrutar lo que verdaderamente debe guiar nuestras actitudes y acciones en el mundo que nos

rodea. Ser seguidor de Cristo es volver a poner en el centro del corazón al prójimo, porque sólo entonces la libertad cristiana, la del Espíritu Santo, podrá hacer algo para transformar la realidad.

EVANGELIO En la lectura distinguimos dos hilos mayores; uno colorea la suerte del propio Jesús y el otro lo que significa seguirlo. Por supuesto que ambos hilos se trenzan en el discipulado que se expresa como "andar por el camino"; es decir, el seguir al Mesías en su ruta a la gloria. En efecto, con Lucas 9:51 arranca "la

Sírvete de las negrillas para enfatizar las palabras clave en cada cuadrito.

A otro, Jesús le dijo: "**Sígueme**".
Pero él le respondió:
   "**Señor**, déjame ir primero a **enterrar** a mi padre".
Jesús le replicó:
   "Deja que los muertos **entierren** a sus muertos.
Tú, ve **y anuncia** el Reino de Dios".

Otro le dijo:
   "**Te seguiré**, Señor;
   pero déjame primero **despedirme** de mi familia".
Jesús le contestó:
   "El que **empuña** el arado y mira **hacia atrás**,
   no sirve para el Reino de Dios".

subida" de Jesús a Jerusalén, que termina ya cerca de Betfagé (ver 19:28). La subida de Jesús debe entenderse en un doble sentido: el de su peregrinación al templo y el de su ascensión al cielo, como ya anticipó el cuadro de la transfiguración (9:31).

Jesús arranca su ascensión enviando un par de seguidores a que le preparen hospedaje en una aldea samaritana. La mutua animadversión entre los fieles al templo de Jerusalén, los judíos y los samaritanos era de sobra conocida; ambos grupos se regían por la Ley. El episodio ilustra lo que significará creer en el Cristo a este nivel: el recha-

zo. Esto es justamente lo que reclama una determinación a prueba de todo, pues el Mesías del Evangelio del Reino, encarnado en Jesús de Nazaret, es uno reprobado, no uno que seduce a las personas afincadas en su nacionalismo político o religioso. Santiago y Juan parecen muy lejos del camino del Mesías. Se ve que no todos están dispuestos a andar como él.

Las tres viñetas de seguimiento indican que volverse discípulo de Jesús implica una vida de itinerancia en la que los mismos vínculos familiares quedan relegados por la urgencia de propiciar la experiencia del Reino de Dios.

Este evangelio nos exige examinar si es el Reino de Dios lo que llevamos en el corazón de nuestra vida. ¿Estamos listos para andar el camino de rechazo que lleva a la gloria? ¿Cuál es nuestra experiencia de Dios? ¿Es la de Jesús de Nazaret? ¿Es esto lo que manifestamos en nuestro modo de ser Iglesia o Pueblo de Dios? La del Evangelio, no es una experiencia de poder y de gloria, sino lo contrario, una marcada por el rechazo social, pero de confianza en el Dios de la vida que nos sustenta a cada momento.

XIV DOMINGO DEL TIEMPO ORDINARIO

I LECTURA   Isaías 66:10–14

Lectura del libro del profeta Isaías

Proclamación poética intensa: imprime un tono alegre y gozoso a tu voz y a tu pesencia, pero nada de ligereza.

Alégrense con Jerusalén,
   gocen con ella **todos** los que la aman,
  alégrense de su alegría
    todos los que por ella **llevaron luto**,
para que se **alimenten** de sus pechos,
se llenen de sus consuelos
y **se deleiten** con la **abundancia** de su gloria.

Resalta las acciones de Dios. Mira a la asamblea al llegar al "ustedes".

Porque **dice** el Señor:
  "Yo haré **correr** la paz sobre ella **como un río**
y la **gloria** de las naciones
   como un torrente **desbordado**.
Como niños serán llevados en el regazo
y **acariciados** sobre sus rodillas;
  como **un hijo** a quien su madre **consuela**,
  así los consolaré **yo**.
En Jerusalén serán ustedes **consolados**.

Ve bajando la velocidad pero no tu tono para preparar la salida de la lectura.

Al ver esto **se alegrará** su corazón
  y sus huesos **florecerán** como un prado.
Y los **siervos** del Señor **conocerán** su poder".

I LECTURA El poema que escuchamos llama a retomar la reconstrucción de Jerusalén. Habría sido compuesto hacia la mitad del siglo IV a. C., cuando las repetidas invitaciones a retornar del exilio para instaurar una nación próspera y gloriosa se habían estrellado una y otra vez contra las adversidades multiplicadas en la terca realidad. Pero la ilusión no moría y surge la voz profética.

En las líneas previas, el poema habló de Jerusalén como si ésta fuera una mujer encinta. El poeta habla así de la novedad de una nación "parida" milagrosamente, sin dolor alguno, casi sin darse cuenta. Al parto milagroso sigue la invitación a celebrar y exultar que se escucha en la liturgia de hoy, cuya lectura omite la última línea del poema que tiene sentido judicial; todo se centra en el júbilo por lo que Dios ha hecho.

Se invita a celebrar con la ciudad a todos los fieles de Dios, que estuvieron tristes y acongojados por la desgracia que antes se abatió sobre ella. Es el momento del cambio; el futuro es seductor. El Señor anuncia que el caudal de la paz y la gloria de las naciones desemboca en Sión. ¿Cómo sucede esto? Con los propios fieles que peregrinan al templo. Se les invita a acercarse a Sión para que experimenten la hospitalidad maternal que allí se dispensa; serán como criaturas a las que se amamanta, se les llena de caricias y se les lleva en brazos. Esto es lo que debe experimentar cada visitante del Templo del Señor. A aquella generación avejentada y estéril de espíritu, el Señor les oferta la seguridad y el vigor que parecían calcinados.

Somos el nuevo pueblo de Dios que forja la historia caminando con esperanza, brindando hospitalidad y engendrando alegría. Aunque las dificultades parecen crecer,

Para meditar

SALMO RESPONSORIAL   Salmo 66:1–3, 4–5, 6–7a, 16 y 20

R. Aclamen al Señor, tierra entera.

Aclamen al Señor, tierra entera;
   toquen en honor de su nombre,
   canten himnos a su gloria;
   digan a Dios:
   "¡Qué temibles son tus obras!" **R.**

Que se postre ante ti la tierra entera,
   que toquen en tu honor,
   que toquen para tu nombre.
Vengan a ver las obras de Dios,
   sus temibles proezas en favor
      de los hombres. **R.**

Transformó el mar en tierra firme,
   a pie atravesaron el río.
Alegrémonos con Dios,
   que con su poder gobierna eternamente. **R.**

Fieles de Dios, vengan a escuchar,
   les contaré lo que ha hecho conmigo.
Bendito sea Dios, que no rechazó mi súplica
   ni me retiró su favor. **R.**

II LECTURA   Gálatas 6:14–18

Lectura de la carta del apóstol san Pablo a los gálatas

Hermanos:
No permita Dios que yo **me gloríe** en algo
      que **no sea** la cruz de nuestro Señor Jesucristo,
   por el cual el mundo está **crucificado** para mí
   y yo para el mundo.
Porque en **Cristo Jesús**
      de nada vale el estar circuncidado o no,
   sino el ser una **nueva** creatura.

Para todos los que vivan **conforme** a esta norma
   y también para el **verdadero** Israel,
   la paz y la **misericordia** de Dios.
De ahora en adelante,
   que **nadie** me ponga más obstáculos,
   porque llevo **en mi cuerpo**
      la marca de los sufrimientos que **he pasado** por Cristo.

Hermanos,
   que la gracia de **nuestro** Señor Jesucristo
      esté con ustedes. **Amén.**

Testimonio muy personal de san Pablo: imposta tu voz con profundidad para que convenza.

Esta bendición sale del corazón. No levantes los ojos sino hasta pronunciar la fórmula conclusiva litúrgica.

es necesario recobrar la visión de nuestros antecesores en la fe para experimentar la paz y la gloria de todos los hijos de Dios, estén donde estén. Es hora de consolar a los afligidos.

II LECTURA Pablo termina esta carta remachando lo fundamental de su mensaje: el único motivo de orgullo del creyente es la cruz de Cristo. Lo que motivó el escrito fue la aparición de misioneros cristianos que exigían circuncidarse a los convertidos gálatas para ingresar a la comunidad de salvación. Pablo se opuso radical-

mente porque aceptarlo era despojar la muerte y resurrección de Cristo de su sentido salvífico. Obligar a los creyentes procedentes del paganismo a circuncidarse era ingresarlos al régimen de la Ley, no de la gracia en la fe del Señor Jesús. Pablo desenmascara a esos misioneros porque cuando dice que no es tanto su celo por las prescripciones mosaicas lo que les importa sino gloriarse de que, por su misión, los gálatas se han sometido a la ley. De allí la reacción de Pablo.

El Apóstol asume con toda radicalidad lo que significa el haber sido bautizado en el

nombre de Cristo Jesús: crucificar el mundo y vivir crucificado para el mundo. Crucificar al mundo significa tener por despreciable lo que a los ojos de la sociedad representa honra y prestigio. Entonces, como ahora, se aplaudía a los conquistadores, a los que someten a los más débiles, a los que hacen su voluntad sin importar el precio, a los que se apropian de lo deseado sin importar el medio, por ejemplo. Vivir crucificado para el mundo es aniquilar toda apetencia que impide la vida fraternal y de servicio desinteresado a los demás.

EVANGELIO   Lucas 10:1–12, 17–20

Lectura del santo Evangelio según san Lucas

Lectura amplia pero atractiva: frasea con cuidado cada oración, para que la asamblea siga cada imagen descrita.

En aquel tiempo,
    Jesús **designó** a otros setenta y dos discípulos
    y los mandó por delante, de **dos en dos**,
    a **todos** los pueblos y lugares a donde pensaba ir,
    y les dijo:
"La cosecha es **mucha** y los trabajadores **pocos**.
Rueguen, por tanto, al dueño de la mies
        que **envíe** trabajadores a sus campos.
Pónganse en camino;
        yo los envío como **corderos** en medio de lobos.
No lleven ni dinero, ni morral, ni sandalias
        y **no** se detengan a saludar **a nadie** por el camino.
Cuando **entren** en una casa digan:
        'Que la paz **reine** en esta casa'.
Y si **allí** hay gente amante de la paz,
        el deseo de paz de ustedes, **se cumplirá**;
        si no, **no se cumplirá**.
Quédense en esa casa.
Coman y beban **de lo que tengan**,
        porque el trabajador **tiene derecho** a su salario.
No anden de casa en casa.
En **cualquier** ciudad donde entren y los reciban,
        coman **lo que les den**.
Curen a los enfermos que haya y **díganles**:
        'Ya se **acerca** a ustedes el Reino de Dios'.

Haz una pausa antes y después de esta afirmación, central en la misión del discípulo: curar, como signo de cercanía del Reino de Dios.

Pablo se refiere a su propio cuerpo como testimonio incontestable de lo que dice. En las cicatrices de su cuerpo resplandece la cruz de Cristo, no la circuncisión. En otros lugares de sus cartas, Pablo asegura haber padecido azotes en la sinagoga, naufragios, hambruna, fatiga y enfermedad por la causa del Evangelio. Un predicador que no lleva las marcas de la cruz de Cristo probablemente sea un falsario o alguien detrás de su propio prestigio y afirmación. El sufrimiento corporal por la causa de Cristo es la marca elocuente de la fidelidad al Señor; sin

lo corporal, la fe adolece de su argumento más necesario y convincente.

EVANGELIO La lectura es la continuación a los episodios de seguimiento escuchados la semana pasada. El grupo de discípulos de Jesús ha ido creciendo y sigue al Maestro en la ruta a Jerusalén. En este camino el discípulo va a aprender las dificultades que entraña seguir a Jesús.

Como antes ocurrió con los Doce en Galilea (9:1—6:10), Jesús hace un nuevo envío de discípulos, pero seis veces más nu-

meroso. Este envío a "todos los pueblos y lugares por donde pensaba ir" alude a la necesidad de que nadie se quede sin recibir el mensaje de paz del Reino de Dios. Las instrucciones para los setenta y dos son bastante precisas y reflejan la conducta a la que debían atenerse los predicadores cristianos que, de a pares, andaban de un pueblo a otro llevando las noticias o historias de Jesús. Pronto debió regularse a estos profetas cristianos, porque los abusos comenzaron a surgir.

Las instrucciones guardan esta secuencia: el camino, la casa, la ciudad.

En este párrafo arranca el tema del rechazo de los enviados. Procura elevar tu velocidad de lectura.

Pero si entran en una ciudad **y no los reciben**,
    salgan por las calles y digan:
'Hasta **el polvo** de esta ciudad
    que se nos ha pegado a los pies nos lo sacudimos,
    en **señal de protesta** contra ustedes.
De todos modos, **sepan** que el Reino de Dios **está** cerca'.
Yo **les digo** que en el **día** del juicio,
    Sodoma será tratada con **menos** rigor que esa ciudad".

Marca bien la pausa antes de ingresar en este párrafo. Haz contacto visual con la asamblea al terminarlo.

Los setenta y dos discípulos regresaron **llenos de alegría**
    y le dijeron a Jesús:
    "Señor, **hasta** los demonios se nos someten **en tu nombre**".

Ahora se da el sentido de lo realizado. Modera el tono. Ve bajando el ritmo de lectura, pero no el entusiasmo.

Él les contestó: "**Vi** a Satanás caer del cielo **como el rayo**.
A ustedes les he dado poder
    para **aplastar** serpientes y escorpiones
    y para vencer **toda** la fuerza del enemigo,
    y **nada** les podrá hacer daño.
Pero **no se alegren** de que los demonios se les someten.
Alégrense **más bien**
    de que sus nombres **están escritos** en el cielo".

Abreviada: *Lucas 10:1–9*

En este punto se leen las sentencias por la desgracia de Corazaín y Betsaida y un dicho sobre la autoridad del enviado, que no recogen nuestra lectura (10:13—15:16). La lectura cierra describiendo el regreso de los enviados y su sentido teológico.

Encabeza las instrucciones una máxima que da el horizonte de la misión de los enviados: su trabajo es respuesta a la súplica que se eleva ante la urgente necesidad de personas que hablen y dispongan al pueblo de Dios a la visita en su mesías. Esta visita es la llegada de Jesús, apremiada por la

Pascua que se avecina. Se recurre a una imagen agrícola: la cosecha no admite demora, porque se perdería. Hay que echar mano de cuantos jornaleros haya disponibles. Los enviados son jornaleros, no dueños de los campos; su trabajo no cesa ni su súplica al Dueño, con lo que reconocen sus flacas fuerzas para la tarea.

La alegre tarea de anunciar el Reino de Dios compete a cada bautizado. El anuncio se nutre de lo precario y en pobreza para producir paz, salud y el pan de cada día; allí se revela la victoria de Dios sobre Satán y

toda forma del mal. El Señor nos sigue enviando a anunciarlo con la alegría de inscribir nuestro nombre en el cielo.

XV DOMINGO DEL TIEMPO ORDINARIO

I LECTURA   Deuteronomio 30:10–14

Lectura del libro del Deuteronomio

En **aquellos** días,
   habló **Moisés** al pueblo y le dijo:
   "**Escucha** la voz del Señor, tu Dios,
   que te manda **guardar** sus mandamientos y disposiciones
      escritos en el libro de esta ley.
Y **conviértete** al Señor tu Dios,
   con **todo** tu corazón y con **toda** tu alma.

Estos mandamientos que te doy,
   no son superiores a tus fuerzas
      ni están **fuera** de tu alcance.
No están en el cielo, de modo que pudieras decir:
   '¿**Quién** subirá por nosotros al cielo
      para que **nos los traiga**,
   los escuchemos y **podamos** cumplirlos?'
Ni **tampoco** están al **otro** lado del mar,
   de modo que **pudieras** objetar:
   '¿**Quién** cruzará el mar por nosotros
      para que nos los traiga,
   los escuchemos y **podamos** cumplirlos?'
Por el contrario,
   todos mis mandamientos están **muy** a tu alcance,
   en tu boca y **en tu corazón**,
   para que **puedas** cumplirlos".

La exhortación debe ser cálida y comedida, sin endurecer el tono.

Nota cómo se eslabonan las frases negativas "no… no… ni…". Busca que no se pierda esa hilazón.

Marca el contraste bajando la velocidad de lectura, pero aumentando el volumen de voz.

I LECTURA Dios le había dado al pueblo su ley para darle una ruta hacia una vida feliz, en justicia y santidad, y con identidad propia entre las naciones. Pero las transgresiones en forma de idolatrías, crímenes e injusticias descarrilaron aquel proyecto. Llegaron las desgracias que fueron consideradas sanciones por los profetas; la principal fue la deportación a Babilonia en la que el pueblo casi se desintegra. Dios, sin embargo, seguía cuidando y pastoreando a los suyos en aquella nación extraña hasta que los hizo volver a la tierra de la promesa. Allí, los repatriados se propusieron recomenzar un proyecto nacional basado en la alianza con Dios. En este trasfondo de regeneración surgen las palabras que escuchamos este día.

El exhorto primero que el Deuteronomio hace al pueblo es a convertirse al Señor de todo corazón. Convertirse es volverse a Dios y ponerlo como el centro y el motor de toda la vida y de todo lo que se haga o se deje de hacer. Convertirse al Señor es dejar de lado todo lo que no lleve a Dios. Dios es el bien mayor al que una persona puede aspirar. Sin esta convicción profunda, anclada en el corazón de cada integrante de la comunidad, no va a tenerse una vida dichosa y plena. De buscar ese bien supremo   vivir en comunión con Dios— deriva el resto.

La ley de Dios es como su voz para el fiel; le indica el camino para acercarse a él, para vivir en alianza de vida. La ley de Dios no es una serie de normas inhumanas ni sobrehumanas que los simples mortales no puedan cumplir. Más bien son disposiciones al alcance de la mano de cada cual. El autor dice que están "en tu boca y en tu corazón"; es como decir: "los conoces de memoria". El fiel israelita repetía diariamente los mandamientos del Señor, los conocía bien.

Para meditar

SALMO RESPONSORIAL   Salmo 69:14 y 17, 30–31, 33–34, 36ab y 37

R. Busquen al Señor, y revivirán sus corazones.

Mi oración se dirige a ti,
Dios mío, el día de tu favor;
  que me escuche tu gran bondad,
  que tu fidelidad me ayude.w
Respóndeme, Señor, con la bondad de
    tu gracia;
  por tu gran compasión, vuélvete
    hacia mí. **R.**

Yo soy un pobre malherido;
  Dios mío, tu salvación me levante.
Alabaré el nombre de Dios con cantos,
  proclamaré su grandeza con acción
    de gracias. **R.**

Mírenlo, los humildes, y alégrense,
  busquen al Señor, y revivirá su corazón.
Que el Señor escucha a sus pobres,
  no desprecia a sus cautivos. **R.**

El Señor salvará a Sión,
  reconstruirá las ciudades de Judá.
La estirpe de sus siervos la heredará,
  los que aman su nombre vivirán
    en ella. **R.**

O bien: *Salmo 19:8, 9, 10, 11*

II LECTURA   Colosenses 1:15–20

Lectura de la carta del apóstol san Pablo a los colosenses

Confesión de fe cantada: el himno pide solemnidad y gallardía. Alarga la última línea de esta estrofa ralentizando su lectura.

Cristo es la **imagen** de Dios invisible,
  el **primogénito** de **toda** la creación,
  porque en él tienen su **fundamento todas** las cosas creadas,
  del cielo y de la tierra, las visibles y **las invisibles**,
  sin **excluir** a los tronos y dominaciones,
  a los principados y **potestades**.
Todo fue creado **por medio de él y para** él.

Nota las afirmaciones pareadas. Apóyate en la puntuación.

Él existe **antes** que todas las cosas,
  y **todas** tienen su consistencia **en él**.
Él es también la **cabeza** del cuerpo, que es **la Iglesia**.
Él es el **principio**, el **primogénito** de entre los muertos,
  para que sea el primero **en todo**.

Hay un crescendo que culmina en esta parte. Termina en tono elevado, como pide la profesión de fe.

Porque Dios **quiso** que en Cristo habitara **toda plenitud**
  y **por él** quiso reconciliar consigo **todas** las cosas,
  del cielo y de la tierra,
  y darles **la paz** por medio de su sangre,
  derramada en la cruz.

Saberlos es ya un modo de acercarse al Señor. De allí se abre a la posibilidad de interiorizarlos, entender la razón o el beneficio que aporta cada mandato. Sólo cuando el fiel se mueve por esto, la ley va logrando su propósito: vivir en comunión con Dios.

El nuevo pueblo de Dios, la Iglesia, tiene por misión en la tierra cumplir la voluntad de Dios tal como Jesús hizo; sometió su voluntad a la del Padre para que pudiera generarse vida nueva. Esa vida nueva se nos ha derramado con el Espíritu Santo, recibido en Pentecostés pero también en cada sacramento y acción litúrgica del pueblo

nuevo siempre y cuando nos volvamos al Señor con todo el corazón y con toda el alma cumplamos su voluntad. Está allí, al alcance de la mano, para que la hagamos nuestro bien supremo.

II LECTURA Ubicada en la región de Frigia, la ciudad de Colosas era notable por su comercio, aunque sus mejores días ya habían pasado. La comunidad cristiana había sido fundada por Epafras, colaborador de Pablo, y estaba compuesta por una mayoría proveniente del paganismo, aunque también había judíos

entre sus miembros. La carta muestra elementos de ser deuteropaulina y está concebida para que funja como carta circular; es decir, que una vez leída se pase a la comunidad de Laodicea, y tal vez a la de Hierápolis.

En la lectura de hoy tenemos líneas de un himno litúrgico dedicado a Cristo, ubicado en una parte que polemiza contra los falsos maestros. El autor adopta y adapta una composición con fuertes resabios bíblico-sapienciales, como los de Proverbios 8, Sabiduría 7 o incluso en Juan 1. Pueden verse dos partes en el himno. La primera

EVANGELIO   Lucas 10:27–37

Lectura del santo Evangelio según san Lucas

En aquel tiempo,
    se presentó ante Jesús un **doctor** de la ley
        para ponerlo **a prueba** y le preguntó:
    "**Maestro**, ¿qué **debo** hacer para **conseguir** la vida eterna?"
Jesús le dijo:
    "¿**Qué es** lo que **está escrito** en la ley? ¿Qué **lees** en ella?"
El doctor de la ley contestó:
    "*Amarás al Señor tu **Dios**, con **todo** tu **corazón**,*
    *con **toda** tu **alma**,*
    *con **todas** tus **fuerzas** y con **todo** tu **ser**,*
    *y a tu **prójimo** como a **ti mismo**".*
Jesús le dijo:
    "Has contestado **bien**; si haces eso, **vivirás**".

El doctor de la ley, **para justificarse**,
    le preguntó a Jesús: "¿Y **quién es** mi prójimo?"
Jesús le dijo:
    "Un hombre que bajaba por el camino de Jerusalén a Jericó,
    cayó en manos de unos ladrones, los cuales **lo robaron**,
    lo hirieron y lo dejaron **medio muerto**.
Sucedió que por el **mismo** camino bajaba un **sacerdote**,
    el cual **lo vio** y pasó **de largo**.
De **igual** modo, un **levita** que pasó por ahí,
    lo vio y **siguió adelante**.
Pero un **samaritano** que iba de viaje, al verlo,
    se **compadeció** de él, se **le acercó**,
    ungió sus heridas con aceite y vino y se las vendó;
    luego lo puso sobre su cabalgadura,
    lo llevó a un mesón y **cuidó de él**.

Observa las dos fases del relato. Busca los acentos de cada parte y apóyate en las preguntas, que sostienen la descripción.

Eleva el volumen de la voz y baja la velocidad.

Relato vivo: dótalo de calidez y familiaridad.

---

canta la relación de Cristo en la obra de la creación y la segunda en la obra de la "pacificación" o redención mediante el derramamiento de su sangre en cruz.

La confesión del himno coloca a Cristo en el centro absoluto de la obra de Dios, pero lo distingue de ella porque Cristo es anterior a las creaturas. Él es como el arquetipo que le da razón de ser a cada creatura y a la creación total. Si es su fundamento, también es su finalidad, pues la creación está encaminada a él. Cristo es la consistencia de todo, y todas las cosas solamente tienen sentido en cuanto orientadas y unidas a él.

Cristo es la plenitud de todo, profesa la fe cristiana. Hablar de plenitud es decir que la historia nuestra, el día a día, guarda un sentido de muerte y de resurrección definitivo. Los cristianos no están sujetos al capricho de las potencias cósmicas, como creían los paganos y todavía algunos contemporáneos hoy; más bien los fieles amoldan su vida a la paz y a la reconciliación plenas, adquiridas por la sangre redentora del Señor. Es una paz definitiva y plena que Dios nos ha otorgado en Cristo, su primogénito.

La liturgia de la Iglesia no es sino prolongación de la obra de Cristo a toda la humanidad. A los que participamos de ella nos une a Cristo, y nos impulsa a vivir como personas reconciliadas con Dios y con todos los seres de la creación. Por eso la Iglesia es la comunidad de los redimidos en la sangre de nuestro Señor.

EVANGELIO   La parábola del buen samaritano se desprende del diálogo entre un sabio judío y Jesús. Con ella, Jesús explica cómo se ama según el mandamiento divino: con todo el corazón.

Al día siguiente sacó **dos denarios**,
    se los dio al dueño del mesón y le dijo:
        '**Cuida** de él y lo que gastes de más, te **lo pagaré** a mi regreso'.

¿**Cuál** de estos tres
    te parece que **se portó** como prójimo
        del hombre que fue asaltado por los ladrones?"
El doctor de la ley le respondió:
    "El que tuvo **compasión** de él".
Entonces Jesús le dijo:
    "**Anda** y **haz tú** lo mismo".

La segunda invitación a actuar tiene que ser amable e irresistible. Siéntete también interpelado por la voz de Jesús.

No hay otra vía para entrar en la vida eterna si no es amando totalmente. La parábola implica una moraleja doble, pues muestra lo que hay que evitar y también lo que hay que imitar.

Llama la atención la crítica del evangelista a las convenciones sociales y religiosas cuando se trata de precisar quién es el prójimo. Cuando los asaltantes violentan a un anónimo e indefenso peregrino, al parecer aquellos con quienes ha compartido devoción (el sacerdote y el levita) son incapaces de mover un dedo para auxiliarlo. No se dan motivos de esa aséptica conducta, por lo que el lector intuye que el acceso a la vida eterna no pasa por allí.

Cuando podría esperarse la aparición en escena de un piadoso judío, Jesús coloca a un samaritano. La antípoda no podía ser más beligerante para sus oyentes, pues sus vecinos eran odiados por cismáticos. Tampoco se dan motivos para el proceder del buen samaritano, únicamente su compasión por la víctima, de la que se hace prójimo, como concluye la pregunta retórica de Jesús. A ese samaritano es al que todos, no sólo el maestro de la ley y los escuchas, hay que imitar.

La palabra del Señor nos pide salir de nosotros e ir hasta las personas en desgracia para ayudarlas y podernos convertir en prójimo de alguien. Son ellas las que nos abren las puertas de la vida eterna.

XVI DOMINGO DEL TIEMPO ORDINARIO

I LECTURA   Génesis 18:1–10

Lectura del libro del Génesis

Un día,
  el Señor se le apareció **a Abraham** en el encinar de Mambré.
Abraham estaba sentado en la entrada de su tienda,
  a la hora del calor **más fuerte**.
Levantando la vista,
  vio **de pronto** a tres hombres que estaban de pie **ante él**.
Al verlos,
  se dirigió a ellos **rápidamente** desde la puerta de la tienda,
  y **postrado** en tierra, dijo:
  "**Señor mío**, si he hallado gracia a tus ojos,
  te ruego que no pases junto a mí sin detenerte.
Haré que traigan un poco de agua
    para que se laven los pies
  y **descansen** a la sombra de estos árboles;
  traeré **pan** para que **recobren** las fuerzas
  y después **continuarán** su camino,
  pues **sin duda** para eso han pasado junto a su siervo".

Ellos le contestaron:
  "Está bien. **Haz** lo que dices".
Abraham entró **rápidamente** en la tienda donde estaba Sara
  y le dijo:
  "**Date prisa**, toma **tres** medidas de harina,
  amásalas y cuece unos panes".

Brinda lo mejor de tu hospitalidad servicial en esta lectura. Prepárala con minucia. Experimenta también la hermandad de la asamblea.

Todo ocurre con presteza. Imprime velocidad a tu lectura en esta parte.

I LECTURA   El relato de la hospitalidad de Abraham sigue al de la alianza sellada con la circuncisión del patriarca y precede al de la destrucción de las ciudades pecadoras de Sodoma y Gomorra (Génesis 17–19). De esta disposición podemos ya deducir la importancia vital de la hospitalidad para el pueblo de la alianza; la hospitalidad es un mandamiento que deriva de la unión con Dios, transgredirlo significa un crimen que clama al cielo.

La tradición judía recalca la necesidad de vencer las adversidades que implica el ser hospitalario o acoger a los extraños, como nos muestra el caso de Abraham. A la hora del calor más fuerte del día, resguardado a la sombra de su tienda, Abraham mira a los caminantes extranjeros. No los deja a su suerte. El patriarca empatiza con ellos y se mueve a brindarles sombra y descanso. Les abre su casa. Ellos ni siquiera tuvieron que pedirlo.

El hospedero debe sobreponerse también a sus propios dolores. Aunque el relato no lo dice, los rabinos esclarecen que aquel encuentro ocurrió "al tercer día", o sea cuando los dolores de la circuncisión son peores. Con esto debemos aprender que la hospitalidad es un mandamiento exigente, que implica derrotar las adversidades tanto internas como externas. Pero es un mandamiento que, como todos los de la alianza, genera un futuro inesperado. En este caso, en la forma del hijo de Abraham y Sara.

En el pueblo de Dios, los extranjeros dejan de serlo cuando son acogidos con alegría, cariño y generosidad, e integrados a la familia de Dios. El Señor nos llama a crear una comunión nueva que nos hermane a todos bajo el techo común del mismo Padre que nos bendice el pan.

Luego Abraham **fue corriendo** al establo,
escogió un ternero y se lo dio a un criado
para que lo matara y **lo preparara**.
Cuando el ternero estuvo asado,
tomó **requesón y leche** y lo sirvió **todo** a los forasteros.
Él permaneció **de pie** junto a ellos, bajo el árbol,
mientras comían.
Ellos le preguntaron:
"¿**Dónde** está Sara, **tu mujer**?"
Él respondió:
"**Allá**, en la tienda".
Uno de ellos le dijo:
"Dentro de un año **volveré** sin falta
a visitarte por **estas** fechas;
para **entonces**, Sara, tu mujer, habrá tenido **un hijo**".

La promesa deberá ser clara y firme, que llene de esperanza a la asamblea.

Para meditar

SALMO RESPONSORIAL   Salmo 15:2–3ab, 3cd–4ab, 5

R. Señor, ¿quién puede hospedarse en tu tienda?

El que procede honradamente
y práctica la justicia,
el que tiene intenciones leales
y no calumnia con su lengua. **R.**

El que no hace mal a su prójimo
ni difama al vecino,
el que considera despreciable al impío
y honra a los que temen al Señor. **R.**

El que no presta dinero a usura
ni acepta soborno contra el inocente.
El que así obra nunca fallará. **R.**

II LECTURA   Colosenses 1:24–28

Lectura de la carta del apóstol san Pablo a los colosenses

Hermanos:
Ahora **me alegro** de sufrir **por ustedes**,
porque **así** completo
lo que falta a la pasión de Cristo en mí,
por el **bien** de su cuerpo, que es **la Iglesia**.

En tu lectura se transmite la fe de la Iglesia. Siéntete agradecido y eslabón de este flujo de vida espiritual.

II LECTURA Esta parte de la carta lleva la mirada al designio divino de la salvación en Cristo para los no judíos. Se trata de un misterio largamente escondido a cuyo servicio Dios destina ministros consagrados que lo descubran a todos. Entonces el ministerio consiste en hacer manifiesta la obra de Dios en Cristo, no en oscurecerla.

Anotemos un par de rasgos de ese ministerio. El primero es que se trata de un quehacer que compromete la corporeidad del consagrado. Éste es un rasgo de la cruz de Cristo, cuyo servidor tiene que hacer vi-sible. La verdadera sabiduría no se conforma sólo de anuncios, consejos y doctrinas bien articuladas, sino que porta la marca corporal de la cruz. Un ministro de la sabiduría verdadera sin una vida ascética difícilmente sirve a la obra de Dios.

El segundo trazo es que el trabajo ministerial busca hacer del creyente una persona madura o acabada (*téleios*) en Cristo; esto implica forjar el misterio de la muerte y resurrección en la vida personal. La ascética corporal del ministro obtiene ahora su sentido, pues se trata de generar una vida nueva, no sujeta a los apetitos naturales sino comandada por la madurez de la resurrección.

El dolor y los padecimientos de los consagrados no habrán de llevarlos a la depresión ni al abatimiento; al contrario, son ocasión de hacerse a la medida de Cristo cuando testifican la alegre esperanza de su resurrección. El cuerpo marcado por la cruz es donde la gloria de Dios resplandece para el mundo.

EVANGELIO El episodio en la casa de Marta ha sido malinterpretado por muchas generaciones cristianas.

Las dos líneas finales de este párrafo deben alentar a la asamblea en todas sus esperanzas. Pronúncialas con mucho aliento.

Por disposición **de Dios**,
    yo he sido constituido **ministro** de esta Iglesia
        para predicarles por entero **su mensaje**,
    o sea, el designio **secreto**
        que Dios ha mantenido **oculto** desde siglos y generaciones
    y que ahora **ha revelado** a su pueblo santo.

Palabras de todo evangelizador y catequista: dilas con entusiasmo. Pablo invita a poner todos nuestros recursos para que Cristo sea más amado y más seguido cada día.

Dios **ha querido** dar a conocer **a los suyos** la gloria y riqueza
    que **este designio** encierra para los paganos, es decir,
    que Cristo **vive** en ustedes
    y es la **esperanza** de la gloria.
Ese mismo Cristo es el que **nosotros** predicamos
    cuando corregimos a los hombres
    y los instruimos **con todos** los recursos de la sabiduría,
    a fin de que **todos** sean **cristianos perfectos**.

EVANGELIO   Lucas 10:38–42

Lectura del santo Evangelio según san Lucas

Lectura de aprendizaje en el hogar: usa un tono moderado y afable.

En aquel tiempo,
    entró Jesús en un poblado,
    y una mujer, llamada **Marta**, lo recibió en su casa.
Ella tenía una hermana, llamada **María**,
    la cual **se sentó** a los pies de Jesús
    y se puso **a escuchar** su palabra.
Marta, entre tanto, se **afanaba** en diversos quehaceres,
    hasta que, acercándose a Jesús, le dijo:
    "**Señor**, ¿no te has dado cuenta de que mi hermana
        me ha **dejado sola** con todo el quehacer? Dile **que me ayude**".

Imprime cierta urgencia a las palabras de Marta y serenidad a las de Jesús.

El Señor le respondió:
    "Marta, Marta, **muchas** cosas te preocupan y te inquietan,
    siendo así que **una sola** es necesaria.
María escogió la **mejor** parte y **nadie** se la quitará".

Jesús daría preferencia a la vida monástica y contemplativa, como si estuviera representada por María, y no a la activa, figurada por la dueña de casa. Por fortuna, los estudiosos de los evangelios nos han enseñado que esto no es sustentable. De hecho, esta viñeta evangélica que encontramos en san Lucas es una bocanada de aire fresco para el discipulado, bajo cualquiera de sus variadas modalidades.

Todo sucede en casa. Se trata de un asunto interno de la comunidad discipular. Se infiere que habría cierto conflicto funcional entre las protagonistas. Tradicional-mente, ellas se ocupaban de las tareas domésticas y tenían su horizonte de vida no en el espacio público sino en el privado. La señora de la casa, Marta, se ajusta a esto, pero Jesús la reta a que no conforme su vida únicamente a eso; ella debe buscar "la sola cosa necesaria" del seguimiento. Por su parte, María aprende del Maestro porque es discípula. Esta imagen sola resulta contra-cultural en un medio que omitía la educación formal de las mujeres. Jesús valida el aprendizaje, porque ellas también tienen un rol ordenado en la comunidad discipular en cuanto a la palabra del Señor; al igual que los varones, ellas están llamadas a ser discípulas misioneras.

Nuestra comunidad cristiana multigeneracional sigue buscando en el Evangelio la fuente de su inspiración. Hoy la Palabra nos pide tanto ser hospitalarios como ponernos a su escucha.

XVII DOMINGO DEL TIEMPO ORDINARIO

I LECTURA   Génesis 18:20–32

Lectura del libro del Génesis

Confiere un tono de preocupación paternal a las palabras de Dios.

En **aquellos** días, el Señor dijo:
   "El **clamor** contra Sodoma y Gomorra es **grande**
   y su pecado es **demasiado** grave.
Bajaré, pues, a ver si sus hechos **corresponden** a ese clamor;
   y si no, **lo sabré**".

Procura dar vivacidad al diálogo que ocurre en el camino.

Los **hombres** que estaban con Abraham
      se despidieron **de él** y se encaminaron hacia Sodoma.
Abraham se quedó ante el Señor y le preguntó:
   "¿**Será** posible que tú **destruyas** al inocente
      junto con el culpable?
Supongamos que hay **cincuenta** justos en la ciudad,
   ¿**acabarás** con todos ellos y **no perdonarás** al lugar
      en atención a esos **cincuenta** justos?
Lejos de ti tal cosa:
   matar al inocente **junto** con el culpable,
   de manera que la suerte del justo sea como la del malvado;
   eso **no puede ser**. El juez de **todo** el mundo ¿**no hará justicia**?"
El Señor le contestó:
   "Si **encuentro** en Sodoma **cincuenta** justos,
   perdonaré a **toda** la ciudad en atención a ellos".

Abraham **insistió**:
   "Me he **atrevido** a hablar a mi Señor,
   yo que soy **polvo** y ceniza.

I LECTURA La visita del Señor a Abraham, que se cuenta en el capítulo 18 del Génesis, pone de relieve la generosa hospitalidad del patriarca, como escuchamos el domingo pasado, y la misericordia de Dios en su trato con los humanos, como se mira en el episodio de hoy. Para una comprensión más adecuada, es clave referirse al texto bíblico omitido en nuestra lectura donde se refiere lo que Dios está pensando mientras toma rumbo a Sodoma y Gomorra, y Abraham va a su lado para despedirlo y encaminarlo.

En su soliloquio mental, Dios se pregunta si ha de descubrirle a Abraham la razón de su viaje. Resuelve hacerlo por un motivo pedagógico: que su elegido, el patriarca, enseñe a sus hijos a ser justos y rectos manteniéndose en el camino del Señor; de lo contrario, correrán la suerte de las ciudades pecadoras. Dios va a constatar en carne propia, por así decir, la veracidad del clamor del pecado que sube hasta el cielo. El descenso de Dios, por tanto, es una inspección para castigar el pecado clamoroso. El precio del pecado es la muerte y la des-

trucción. En este punto es que embona el regateo de Abraham.

Al descubrirle Dios sus planes al patriarca, está haciendo lo que suele hacer con sus profetas. Los planes de Dios, por tanto, no son oscuros ni desconocidos; están legibles allí, en las Escrituras y dependen de la rectitud y justicia que obren los humanos. Para los fieles del Señor, el futuro no es algo incierto, como les sucede a los habitantes de Sodoma y Gomorra, sino una realidad que se genera desde las decisiones apegadas al camino del Señor.

Supongamos que faltan **cinco** para los cincuenta justos,
　¿por **esos cinco** que faltan, destruirás **toda** la ciudad?"
Y le respondió el Señor:
　"**No** la destruiré, si encuentro allí **cuarenta y cinco** justos".

Abraham **volvió** a insistir:
　"**Quizá** no se encuentren allí más que **cuarenta**".
El Señor le respondió:
　"En atención a los cuarenta, **no lo haré**".

Abraham **siguió** insistiendo:
　"Que **no se enoje** mi Señor, si **sigo** hablando,
　¿y si hubiera **treinta**?"
El Señor le dijo:
　"**No lo haré**, si hay **treinta**".

Abraham insistió **otra vez**:
　"Ya que me he **atrevido** a hablar a mi Señor,
　¿y si se encuentran **sólo** veinte?"
El Señor respondió:
　"En atención a **los veinte**, **no** la destruiré".

Abraham **continuó**:
　"**No se enoje** mi Señor, hablaré sólo **una vez más**,
　¿y si se encuentran **sólo diez**?"
Contestó el Señor:
　"Por **esos diez**, **no destruiré** la ciudad".

La insistencia de Abraham debe encubrir
ya cierta pena en tu tono.

Da serenidad y firmeza a la respuesta
del Señor.

Para meditar

SALMO RESPONSORIAL　Salmo 138:1–2a, 2bc–3, 6–7ab, 7c–8

R. Cuando te invoqué, Señor, me escuchaste.

Te doy gracias, Señor, de todo corazón;
　porque has oído las palabras de mi boca.
Delante de los ángeles tañeré para ti,
　me postraré hacia tu santuario. **R.**

Daré gracias a tu nombre, por tu
　misericordia y tu lealtad.
Cuando te invoqué, me escuchaste,
　acreciste el valor en mi alma. **R.**

El Señor es sublime, se fija en el humilde,
　y de lejos conoce al soberbio.
Cuando camino entre peligros,
　me conservas la vida;
　extiendes tu izquierda contra la ira de
　　mi enemigo. **R.**

Y tu derecha me salva.
El Señor completará sus favores conmigo:
Señor, tu misericordia es eterna,
　no abandones la obra de tus manos. **R.**

El regateo de Abraham enseña también el papel de intercesión que el pueblo de Dios desempeña respecto a las naciones. Ante la inminente justicia divina, Abraham busca un resquicio para que los pocos justos no corran la suerte de los pecadores. Es una manera de ejercer su llamado para convertirse en bendición de todos los pueblos de la tierra. Dios accede a la súplica de su amigo y deja manifiesta su misericordia. Sólo que el clamor del pecado es incontenible y puede multiplicarse como ocurrió en los tiempos de Noé cuando Dios destruyó la creciente violencia con el diluvio. Ahora, a

esas ciudades donde los crímenes imperan, las hará pasar por el fuego para salvar a la humanidad.

II LECTURA El bautismo sella la unión del creyente con Cristo y su entrada a la comunidad discipular. Esto es lo que explicita el autor de esta carta a unos cristianos que en su mayoría venían del paganismo.

　El baño bautismal marca un antes y un después en la condición del creyente. Sin Cristo, el hombre se encuentra en situación de muerte porque todo cuanto hace está

bajo el dominio del pecado. En esta forma de entender la salvación, el pecado es un régimen de vida, resultante de que el hombre cuenta sólo con sus fuerzas para hacer el bien y vivir en la justicia; impulsado por las prescripciones y mandamientos, el humano vive acosado por la transgresión o el pecado y luchando contra él. Esto, sin embargo, lejos de llevar a una vida buena y justa, ha resultado en una maldad creciente y un déficit o alejamiento respecto al Creador. Por esto el humano se ve sumido en la iniquidad cuyo precio es la muerte. Esta condición insolvente de muerte y oscuridad

II LECTURA   Colosenses 2:12–14

Lectura de la carta del apóstol san Pablo a los colosenses

Hermanos:
Por el bautismo fueron ustedes **sepultados** con Cristo
    y también **resucitaron** con él,
    mediante **la fe** en el poder de Dios,
    que lo **resucitó** de entre los muertos.

Ustedes estaban **muertos** por sus pecados
    y **no pertenecían** al pueblo de la alianza.
Pero él les dio una **vida nueva** con Cristo,
    perdonándoles **todos** los pecados.
Él **anuló** el documento que nos era contrario,
    cuyas cláusulas **nos condenaban**,
    y lo eliminó **clavándolo** en la cruz de Cristo.

Con garbo y entusiasmo en tu porte, procura que la asamblea note que valoras tu identidad bautismal.

Evita leer rápido. Vocaliza bien y busca la entonación de cada línea.

EVANGELIO   Lucas 11:1–13

Lectura del santo Evangelio según san Lucas

Un día, Jesús estaba **orando** y cuando terminó,
    uno de sus discípulos le dijo:
    "Señor, **enséñanos** a orar, como Juan enseñó a sus discípulos".

Entonces Jesús les dijo: "Cuando oren, **digan**:
    '**Padre**, **santificado** sea tu nombre,
    venga tu Reino,
    danos hoy nuestro pan de **cada** día
    y **perdona** nuestras ofensas,
    puesto que **también** nosotros perdonamos
    a todo aquel que nos ofende,
    y no nos dejes **caer** en tentación'".

Distingue cada parte de este evangelio y recítalo con sabrosura, como deleitándote en cada frase.

No aceleres tu lectura. Anda pausado, firme y decidido en cada frase. No es una oración, sino una enseñanza. Muestra a la asamblea cómo ora un hijo a su Padre.

---

se ha visto revertida por Cristo, en su muerte y resurrección.

La imaginería del bautismo en el nombre de Cristo ayuda a entender la comprensión cristiana de la salud. Al ser sumergido en el agua, el fiel muere en Cristo; es "co-sepultado", como anota san Pablo en Romanos 6. Al levantarse del agua, el fiel resurge en Cristo; es "co-resucitado" (Romanos 6). No es posible una unión más real, poderosa e íntima de muerte y vida.

Pero el bautismo hace ingresar al fiel en una comunidad de creyentes, el pueblo de la alianza en Cristo. Aquí, el régimen es el de la gracia, que hace posible al creyente vivir agradando a Dios porque ha recibido el don de los tiempos finales, el Espíritu Santo. Esta es la fuente de la vida nueva que este pueblo genera para transformar la condición del mundo. No es una obra humana sino de Dios que la lleva a cabo por su poder.

Más que enfocada en no transgredir los mandamientos divinos, la espiritualidad del cristiano debe concentrarse en llevar a cabo lo que a Dios le agrada, lo que es justo a sus ojos. Él nos ha otorgado su Espíritu y nos asiste con su fuerza para vencer la iniquidad y el pecado, porque la gracia del Señor es más abundante y vigorosa que nuestras fallas y deficiencias. Ese mismo Espíritu nos une los unos a los otros en la solidaridad fraterna de la alianza nueva.

EVANGELIO La oración tiene importancia capital en el Evangelio de san Lucas. En este tramo, Jesús enseña a sus discípulos las palabras con las que habrán de orar, así como la perseverancia necesaria para alcanzar los bienes del reinado de Dios. A esta oración la conocemos como el Padrenuestro porque así inicia en la versión de san Mateo. Acá, en la versión

Ejemplos importantes: dales tono a los diálogos y a las enseñanzas.

También les dijo:
"**Supongan** que alguno de ustedes
    tiene un amigo que viene a **medianoche** a decirle:
'**Préstame**, por favor, **tres panes**,
pues un amigo **mío** ha venido **de viaje**
y no tengo **nada** que ofrecerle'.
Pero **él** le responde desde dentro:
'**No** me molestes.
No puedo levantarme a dártelos,
    porque la puerta **ya está cerrada**
y mis hijos y yo estamos **acostados**'.
Si el otro **sigue** tocando,
    yo les **aseguro** que, aunque no se levante
      a dárselos por **ser su amigo**,
    sin embargo, por su molesta **insistencia**,
    sí se levantará y le dará **cuanto** necesite.

Las frases van pareadas. Asume su ritmo propio.

Así también les digo a ustedes:
Pidan y se les dará, **busquen** y encontrarán,
    toquen y **se les abrirá**.
Porque quien pide, **recibe**;
    quien busca, **encuentra**, y al que toca, **se le abre**.
¿**Habrá** entre ustedes **algún** padre que,
    cuando su hijo le pida **pan**, le dé **una piedra**?
¿O cuando le pida **pescado** le dé una **víbora**?
¿O cuando le pida **huevo**, le dé un **alacrán**?
Pues, si ustedes, que son **malos**,
    saben dar **cosas buenas** a sus hijos,
      ¿**cuánto más** el Padre celestial dará **el Espíritu** Santo
        a quienes **se lo pidan**?"

lucana, tenemos cinco peticiones luego de la invocación al Padre con la que el orante asume ante Dios la condición filial; es decir, alguien que pertenece a la casa paterna.

La primera invocación expresa el compromiso filial de honrar al Padre mediante una conducta honorable y recta. Santificar es lo contrario a contaminar o a lesionar con impureza el honor divino. Enseguida se suplica para que se haga realidad el reinado de Dios; es decir, que gobierne y haga cumplir su ley, como lo especifican las siguientes peticiones.

La petición central es por el pan que sustenta el día a día de los hijos. Éste es el rasgo más claro de paternidad. No se pide que los graneros estén repletos para asegurar el sustento filial por el resto del año, pues la idea es mantener la conciencia de la dependencia continua del Padre común en la precariedad diaria. Por eso viene la súplica por el perdón paterno, porque sin él no puede vivirse bajo su techo. Compartir el pan implica saberse beneficiado de su favor y su clemencia; por eso es la única petición que se desdobla cuando el orante aduce el perdón de los propios ofensores

sin restricción alguna. La petición final versa sobre el sostén paterno ante las dificultades de mantenerse en la comunión o alianza de la casa paterna.

Esta oración es como un resumen de todo el Evangelio. La recitamos tres veces cada día para interiorizarla y amoldar nuestro corazón al de Jesús, el Hijo, que nos mantiene en comunión fraterna y con el Padre que nos da la vida.

XVIII DOMINGO
DEL TIEMPO ORDINARIO

Habla un maestro de sabiduría. Transmite seguridad. Alarga la pausa en los puntos del párrafo.

Dale ritmo a las preguntas y a las frases de "vana ilusión".

I LECTURA   Eclesiastés 1:2; 2:21–23

Lectura del libro del Eclesiastés (Cohélet)

Todas las cosas, **absolutamente** todas, son **vana** ilusión.
Hay quien se agota **trabajando**
   y pone en ello **todo** su talento,
   su ciencia y su habilidad,
   y tiene que **dejárselo todo** a otro que **no lo trabajó**.
Esto es **vana** ilusión y **gran** desventura.
En efecto, ¿**qué** provecho saca el hombre
       de **todos** sus trabajos y afanes bajo el sol?
De día **dolores**, **penas** y **fatigas**; de noche **no descansa**.
¿No es **también eso** vana ilusión?

Para meditar

SALMO RESPONSORIAL   Salmo 90:3–4, 5–6, 12–13, 14 y 17

R. Señor, tú has sido nuestro refugio de generación en generación.

Tú reduces el hombre a polvo,
   diciendo: "Retornen, hijos de Adán".
Mil años en tu presencia son un ayer,
      que pasó;
   una vela nocturna. **R.**

Los siembras año por año,
   como hierba que se renueva:
   que florece y se renueva por la mañana,
   y por la tarde la siegan y se seca. **R.**

Enséñanos a calcular nuestros años,
   para que adquiramos un corazón sensato.
Vuélvete, Señor, ¿hasta cuando?
Ten compasión de tus siervos. **R.**

Por la mañana sácianos de tu misericordia,
   y toda nuestra vida será alegría y júbilo.
Baje a nosotros la bondad del Señor
   y haga prósperas las obras de
      nuestras manos. **R.**

I LECTURA En el breve segmento que leemos hoy del libro del Qohélet, pareciera que el sabio judío es un nihilista empedernido. Habla como si la vida del hombre careciera de sentido alguno, porque la muerte todo lo aniquila. Nadie rebasa su límite. Hay que decir, sin embargo, que esta impresión no se ajusta a una lectura total de su libro. De hecho, la tradición judía lo agrupó con los "rollos" que se habrían de leer durante los días de la celebración de la Fiesta de las Tiendas, que era la más jubilosa de todas. Esos días celebran la alegría de vivir; celebran el don de la Ley.

Por lo tanto, la Ley de Dios no es un yugo que el Señor sujete al cuello de sus fieles, sino una luz que les da para no tropezar en su caminar por el mundo.

Lo que escuchamos debe ponderarse frente a esta verdad de fondo: hay que vivir con intensidad cada momento de la vida, porque todo cesa con la muerte. Qohélet no sabe de la vida celestial posterior a la muerte. Por lo que este existencialismo pragmático está lleno de racionalidad. Por una parte, no promueve una vida impulsada por los caprichosos del momento; por la otra, zanja la ilusión de que la satisfacción es

ilimitada. La racionalidad a la vida se la da Dios; el resto es efímero. El hombre está llamado a vivir en la presencia de Dios: regido por su Ley pero gozando el día a día, disfrutando de esos breves momentos que el Creador le dispensa a su creatura. Esta sabiduría es la que la tradición cristiana va a atemperar cuando coloca al creyente ante la muerte con los ritos del Miércoles de Ceniza e incluso del Viernes Santo. Este es el telón de fondo también de los ejercicios ignacianos, pues el creyente debe discernir el rumbo y sentido que quiere darle a su vida.

II LECTURA   Colosenses 3:1–5, 9–11

Lectura de la carta del apóstol san Pablo a los colosenses

Hermanos:
Puesto que ustedes **han resucitado** con Cristo,
    busquen los bienes **de arriba**, donde está Cristo,
    sentado a la **derecha** de Dios.
Pongan **todo** el corazón en los bienes **del cielo**,
    no en los de la tierra, porque **han muerto**
    y su vida **está escondida** con Cristo **en Dios**.
Cuando se manifieste **Cristo**, **vida** de ustedes,
    entonces **también** ustedes
        se manifestarán gloriosos **juntamente** con él.

Den muerte, pues, a **todo** lo malo que hay en ustedes:
    la fornicación, **la impureza**, las pasiones **desordenadas**,
    los malos deseos y la avaricia, que es una forma de **idolatría**.
No sigan **engañándose** unos a otros;
    despójense del modo de actuar del **viejo** yo
    y **revístanse** del nuevo yo,
    el que se va renovando conforme va adquiriendo
        el **conocimiento** de Dios, que lo creó a su **propia imagen**.

En este orden **nuevo**
    ya **no hay** distinción entre judíos y **no judíos**,
    israelitas y **paganos**, bárbaros y **extranjeros**,
    esclavos **y libres**,
    sino que Cristo es **todo** en todos.

Como rogando, pronuncia con cierta vehemencia las frases que llevan las peticiones principales.

Mantén la fuerza de los cuatro imperativos para encarecer su cumplimiento.

La línea final es definitiva; alárgala vocalizando deliberadamente sus palabras.

II LECTURA En esta parte de la carta a los Colosenses, el autor exhorta a los creyentes a conformar su vida a las condiciones pascuales que el bautismo cristiano implica. El bautismo no es un baño ritual que se toma según el gusto personal de cada individuo. El bautismo implica un cambio radical de vida y trae consigo un compromiso comunitario y social. A nivel de la espiritualidad religiosa de la época, la vida del creyente ha dejado de estar sometida a las potencias o poderes que se pensaba regían los destinos humanos, porque al sumergirse en las aguas bautismales han muerto simbólicamente con Cristo y al emerger han resucitado con él. Esta dinámica pascual cristiana es la que le da su sentido y horizonte al día a día de los seguidores del Cristo.

Los discípulos de Cristo no se caracterizan por el saber o conocimiento de las realidades celestes, sino porque su nuevo modo de vivir es uno que ha sepultado lo malo, aquello que daña la integridad humana. El autor enumera una quintela de vicios que arrastran los seres humanos lejos de su ideal de vida. Los vicios son atractivos porque representan lo que para muchos significa "vivir verdaderamente". Esa idea entonces era tan vigorosa y falsa como lo es ahora, por lo que se ve en las redes sociales donde se presume la incivilidad y la bajeza de usuarios ruines y prepotentes. El discípulo de Cristo no debe vivir así. La vida verdadera es otra, una invisible a los ojos del mundo, porque es una vida que procede del mismo Resucitado.

EVANGELIO En esta parte del viaje a Jerusalén, encontramos una serie de enseñanzas sobre algunas implicaciones al aceptar la Buena Nueva del

EVANGELIO   Lucas 12:13–21

Lectura del santo Evangelio según san Lucas

En aquel tiempo,
hallándose **Jesús** en medio de una multitud, un hombre le dijo:
"**Maestro**, dile a mi hermano que **comparta** conmigo
la herencia".
Pero Jesús le contestó:
"**Amigo**, ¿**quién** me ha puesto como **juez**
en la distribución de herencias?"

Y dirigiéndose a la multitud, dijo:
"**Eviten** toda clase de avaricia,
porque la vida del hombre
no depende de la abundancia de los bienes que posea".

Después les propuso esta **parábola**:
"Un hombre **rico** obtuvo una **gran** cosecha y se puso a pensar:
'¿**Qué haré**, porque no tengo ya
en **dónde** almacenar la cosecha?
Ya sé lo que voy a hacer:
derribaré mis graneros y construiré otros **más grandes**
para **guardar** ahí mi cosecha y **todo** lo que tengo.
Entonces podré decirme:
Ya tienes bienes acumulados para **muchos años**;
descansa, come, bebe y date a la **buena vida**'.
Pero Dios le dijo:
'¡**Insensato**! Esta misma noche vas a **morir**.
¿**Para quién** serán **todos** tus bienes?'
Lo **mismo** le pasa al que amontona riquezas para **sí mismo**
y no se hace **rico** de lo que **vale** ante Dios".

Identifica los momentos diferentes del texto y marca dónde prolongar la pausa para transitar de un asunto a otro.

Antes de abordar este párrafo, pasea la mirada de un lado a otro del recinto.

Dale cierta dureza al discurso divino. Luego avanza como pesando las frases del cierre.

Reino de Dios. Antes ha habido una serie de advertencias que deben llevar al discípulo a confiarse a la asistencia divina incluso cuando estén siendo procesados por dar testimonio del Hijo del Hombre. Ahora, el Maestro puntualiza lo que implica vivir en el horizonte del Reino de Dios.

La respuesta del Maestro a la solicitud del que le pide a Jesús intervenir para que su hermano le comparta la herencia, deja ver que no compete a la comunidad discipular zanjar asuntos de herencias familiares. Éstas tenían ya una regulación ancestral en la que el primogénito recibía "la parte del león" y era el responsable de perpetuar el nombre paterno. El discípulo no pone sus esperanzas en los bienes poseídos.

La parábola del rico afortunado ilustra lo mismo. Los planes del terrateniente, en los que él es el centro y artífice de todo, hacen de lado los deberes más sustantivos que los bienes materiales tienen que cumplir. Todo bien tiene una hipoteca social inexcusable. La posesión no es más que una oportunidad de administrar en favor de los demás, primordialmente de los más vulnerables. Ligado a esto, la gestión de los bienes debe realizarse de cara a Dios; es decir, sabiendo que él es el Dueño y poseedor de todo, y a quien hemos de dar cuentas.

Este evangelio nos da la oportunidad de retomar los principios de la doctrina social de la Iglesia. Cuando las riquezas o bienes materiales generan un impulso acumulativo, se traiciona la intención de Dios y del Evangelio del Reino. Nos corresponde hacer más expansiva y distributiva la hipoteca social de los bienes, culturales y materiales, porque es el compromiso de nuestro bautismo.

XIX DOMINGO DEL TIEMPO ORDINARIO

I LECTURA   Sabiduría 18:6–9

Lectura del libro de la Sabiduría

La noche de la **liberación** pascual
 fue anunciada **con anterioridad** a nuestros padres,
para que se **confortaran**
 al **reconocer** la firmeza de las promesas
 en que habían **creído**.

Tu pueblo **esperaba** a la vez la **salvación** de los justos
 y **el exterminio** de sus enemigos.
En efecto, con aquello mismo
 con que **castigaste** a nuestros adversarios
 nos **cubriste** de gloria a tus elegidos.

Por cso,
 los **piadosos** hijos de un pueblo **justo**
 celebraron la Pascua en sus casas,
 y de **común acuerdo** se impusieron esta ley sagrada,
 de que **todos** los santos participaran **por igual**
 de los bienes y de los peligros.
Y ya desde entonces
 cantaron los himnos de nuestros padres.

Identifica las acciones principales. No cortes las frases, aunque las líneas lo hagan en algún caso.

Dirígete a Dios. No mires a la asamblea.

Hay como un crescendo en el entusiasmo de la descripción. Termina en tono alto.

I LECTURA El Libro de la Sabiduría de Salomón enseña el temor de Dios como el principio fundamental para vivir felizmente. En nuestra lectura, el autor medita ampliamente sobre los eventos de la historia de Israel (caps. 10—19), mostrando que la sabiduría de Dios ha estado operando de generación en generación, incluso como una especie de anticipo o preludio de lo que será el destino definitivo del pueblo.

Enfoquemos tres aspectos complementarios en lo que hoy leemos en la liturgia. El primero pareciera sostener a los otros: aprender a vivir confiados en la promesa. El ejemplo es el de los padres del pueblo que vivieron alentados por la esperanza de la liberación de la esclavitud egipcia, anunciada a Abraham cuando Dios selló alianza con él (ver Génesis 15:13–14 y 46:3–4). A la generación del éxodo, esa promesa le valió de consuelo (ver Éxodo 13:5).

En efecto, enseña el autor, la sabiduría de Dios obró de modo tal que un evento implicó un castigo terrible para los opresores y la salvación de los elegidos. Se refiere al exterminio de los primogénitos egipcios que significó la liberación de los hebreos la noche de la primera Pascua.

El segundo aspecto estriba en la solidaridad entre los miembros de la alianza. Están vinculados para ser pueblo de justos, de elegidos, de piadosos y santos. Esto está implicado en la celebración pascual. Ellos no son como los demás pueblos; su pertenencia a Dios los hace diferentes, pero los liga al tronco común que los hace partícipes "de los bienes y de los peligros" por igual. La Pascua renueva este ligamen transgeneracional.

El tercer aspecto consiste en lo ritual de la celebración. La Pascua se festeja de

Para meditar

SALMO RESPONSORIAL   Salmo 33:1 y 12, 18–19, 20 y 22

R. Dichoso el pueblo que el Señor se escogió como heredad.

Aclamen, justos, al Señor,
    que merece la alabanza de los buenos.
Dichosa la nación cuyo Dios es el Señor,
    el pueblo que él se escogió
        como heredad. **R.**

Los ojos del Señor están puestos en sus fieles,
    en los que esperan su misericordia,
    para librar sus vidas de la muerte
    y reanimarlos en tiempo de hambre. **R.**

Nosotros aguardamos al Señor:
    él es nuestro auxilio y escudo;
    que tu misericordia, Señor, venga
        sobre nosotros,
    como lo esperamos de ti. **R.**

II LECTURA   Hebreos 11:1–2, 8–19

Lectura de la carta a los hebreos

Hermanos:
La fe es la forma de **poseer**, ya desde ahora, lo que **se espera**
    y de **conocer** las realidades que **no se ven**.
Por ella fueron alabados nuestros mayores.

Por **su fe**, Abraham, **obediente** al llamado de Dios,
    y **sin saber** a dónde iba,
    partió hacia la tierra que habría de recibir como **herencia**.
Por **la fe**,
    vivió **como extranjero** en la tierra prometida,
    en tiendas de campaña,
    como Isaac y Jacob, **coherederos** de la **misma** promesa
        después de él.
Porque ellos **esperaban** la ciudad
        de sólidos cimientos,
    cuyo arquitecto y constructor **es Dios**.

Lectura complicada: reconoce las frases principales y las subordinadas, y enfatiza con propiedad.

Nota lo repetitivo de "por la fe" y haz que se perciba.

---

noche, en las casas ("ocultamente", dice el texto griego) e incluye el canto de los tradicionales himnos del *Hallel* (Salmos 113–118; ver Marcos 14:26). Es aquí, en la intimidad de la liturgia doméstica, donde se consolida la identidad de los hijos de Dios.

II LECTURA Nuestra lectura comienza formulando en dos frases lo que significa la fe (*pistis*). La primera tiene que ver con la base o sustrato (*hypóstasis*) del poseer; la otra, con la prueba o evidencia (*élenchos*) de lo invisible, según nuestra

lectura. En ambas frases se transparenta una tensión que es el nervio de la fe.

Con la primera frase se describe la fe como poseer ya cosas que se esperan. Suena contradictorio (un oxímoron). Si se espera algo, poseerlo sólo ocurrirá en un futuro, distante o próximo, pero futuro al fin. Lo actual y vigente es la no posesión. Nuestra traducción dice "la forma de poseer, ya desde ahora…" para acentuar que la fe es algo vigente, una certeza o garantía que da para vivir. Surge entonces la pregunta por aquello que el creyente espera poseer pero que lo hace ya vivir como "teniéndolo".

La segunda frase de nuestra traducción implica cierta deducción del conocimiento que no pasa por lo visual ("*Prueba* de lo que no se ve"). Eso que no se ve, las realidades invisibles o espirituales, presentes y futuras, requieren del humano una percepción singular. La fe, por tanto, es una convicción fundada sobre realidades futuras, que da para vivir, como hicieron los antepasados. En efecto, Abel, Enoc y Noé pertenecen a la galería de los héroes de la fe (ver 11:3–7), pero se destacan los padres del pueblo, Abrahán, Isaac y Jacob, junto con Sara. Todos creyeron

Por **su fe**, Sara, aun siendo **estéril**
    y a pesar de su **avanzada** edad, pudo **concebir** un hijo,
    porque **creyó** que Dios habría de ser **fiel** a la promesa;
    y así, de un **solo** hombre, ya anciano,
    nació una descendencia **numerosa**
        como las estrellas del cielo
    e **incontable** como las arenas del mar.

En esta especie de conclusión, baja el tono y alarga las negrillas para enfatizar.

Todos ellos murieron **firmes** en la fe.
No alcanzaron los bienes **prometidos**,
    pero **los vieron** y los saludaron con gozo **desde lejos**.
Ellos **reconocieron** que eran extraños
    y peregrinos en la tierra.
Quienes hablan **así**,
    dan a entender **claramente** que van **en busca** de una patria;
    pues si hubieran **añorado** la patria de donde **habían salido**,
    habrían estado a tiempo de **volver** a ella todavía.
Pero ellos **ansiaban** una patria mejor: **la del cielo**.
Por eso Dios **no se avergüenza** de ser llamado **su Dios**,
    pues les tenía preparada **una ciudad**.

Dale solemnidad a la promesa divina al separar la línea en itálicas.

Por **su fe**, Abraham, cuando Dios le puso **una prueba**,
    se dispuso a **sacrificar** a Isaac, su hijo **único**,
    garantía de la promesa,
    porque Dios le había dicho:
    De Isaac nacerá la descendencia que ha de llevar tu nombre.
Abraham **pensaba**, en efecto,
    que Dios tiene **poder** hasta para **resucitar** a los muertos;
    por eso le fue devuelto Isaac,
    que se **convirtió** así en un **símbolo** profético.

Abreviada: *Hebreos 11:1–2, 8–12*

---

en lo que no se veía y Dios les deparó un destino dichoso, gracias a su fe.

La fe de Abrahán se destaca por su obediencia, por encaminarse a una tierra desconocida y haber soportado los rigores de ser extranjero, tal como harían Isaac y Jacob también. Lo que hicieron no fue por fama o vanagloria; más bien estaban convencidos de una realidad invisible, más allá de la tierra de Canaán y que contrasta con ella. Ellos pudieron *ver* la "ciudad de sólidos cimientos" que rebasaba por mucho sus tiendas de nómadas. Esa ciudad es hechura total de Dios, porque él es su arquitecto y albañil. De esta Imagen hallamos referencias entre los profetas (ver Isaías 54:10–13; Ezequiel 48:30–35) y luego en muchos escritos de la época del autor, especialmente en el Apocalipsis de san Juan (caps. 21—22).

La ciudad celeste a poseer expresa la comunión definitiva con Dios (ver Hebreos 12:22), en tanto que la descendencia prometida a los padres del pueblo representa la esperanza de vida futura. Dios mantuvo su palabra incluso en el caso extremo de Isaac, al que convirtió en un "símbolo profético" de la resurrección de Cristo y de los cristianos.

La fe vigoriza al creyente para vivir con gozo en un mundo extraño en el que se sabe extranjero y peregrino. Ella le brinda, ya desde ahora, la experiencia de la comunión eterna y el gozo de la vida nueva. Esto es la Iglesia: comunión de peregrinos a la patria celestial.

EVANGELIO En nuestra lectura del evangelio se destacan tres partes. La primera reúne máximas o consejos sobre la actitud que los discípulos de Jesús deben tener frente a los bienes materiales. La segunda introduce en el mismo discurso

EVANGELIO   Lucas 12:32–48

Lectura del santo Evangelio según san Lucas

En aquel tiempo, Jesús dijo a sus discípulos:
   "**No temas**, rebañito mío,
      porque **tu Padre** ha tenido a bien darte el Reino.
   Vendan sus bienes y **den** limosnas.
   Consíganse unas bolsas que **no se destruyan**
      y **acumulen** en el cielo un tesoro que **no se acaba**,
      allá donde **no llega** el ladrón,
      ni carcome la polilla.
   Porque donde **está** su tesoro, **ahí** estará su corazón.

   Estén listos, con la túnica **puesta** y las lámparas **encendidas**.
   Sean **semejantes** a los criados
         que **están esperando** a que su señor **regrese** de la boda,
         para **abrirle** en cuanto llegue y toque.
   Dichosos aquellos
         a quienes su señor, al llegar, **encuentre** en vela.
   Yo **les aseguro** que se recogerá la túnica,
      los **hará sentar** a la mesa y **él mismo** les servirá.
   Y si **llega** a medianoche o a la madrugada
      y los **encuentra** en vela, **dichosos** ellos.

   Fíjense en esto:
      Si un padre de familia
         supiera a qué hora va a venir el ladrón,
      estaría **vigilando**
      y **no dejaría** que se le metiera por un boquete en su casa.
   Pues también ustedes **estén** preparados,
      porque a la hora en que **menos** lo piensen
         vendrá el Hijo del hombre".

Palabras llenas de ternura y cariño: hazlas sonar tersas, no alambicadas.

Ve aumentando la velocidad de lectura y eleva tu tono en "dichosos".

Aquí mira a la asamblea, como involucrándola en lo que sigue.

---

la expectativa de la venida del Señor, pero guardando un tono general, tal como se desprende del ejemplo del padre de familia. La tercera insiste en la perspectiva parusíaca, pero focalizada en los deberes que los líderes de las comunidades cristianas habrán de observar.

La parte primera se introduce con unas palabras tiernas de Jesús. *Su rebañito* es la comunidad discipular que hace la experiencia paternal y providente del Reino. El tema embona con las preceptivas de no acumular bienes y emplearlos para solventar las necesidades de los más pobres, tal como se ha venido exponiendo en los domingos previos. La experiencia del Reino es una experiencia que pasa por la desposesión y la austeridad sustentable, pero de ningún modo por el lucro y lo superfluo. Los bienes materiales aprisionan el corazón humano y le exigen una dedicación creciente que termina por enajenar a la persona y volverla extraña ante sus propios hermanos. Nada más lejos que esto en lo que concierne al Reino del Padre.

En la parte segunda, san Lucas nota que los creyentes han dejado esfumar el anhelo de la vuelta del Señor. Por eso exhorta a vigilar en todo momento y a estar bien dispuestos. No puede haber espacio para la dejadez. El fruto de la atención constante es algo verdaderamente insospechado: ¡el propio Señor los servirá! El servicio del Hijo del Hombre es lo que la comunidad de fe experimenta ya en el banquete eucarístico, del que participan los creyentes que aguardan el regreso del Cristo de Dios.

La parte tercera de nuestra lectura, detonada por la pregunta de Pedro, destaca la actitud que los líderes de las comunidades cristianas habrán de adoptar. A los que se esmeran en cumplir la voluntad de Cristo,

Préstale a la voz de Pedro un tono de genuino interés.

Entonces **Pedro** le preguntó a Jesús:
  "¿Dices esta parábola **sólo** por nosotros o **por todos**?"
El Señor le respondió:
  "**Supongan** que un administrador,
  puesto por su amo **al frente** de la servidumbre,
  con el encargo de repartirles a su tiempo los alimentos,
  se porta con **fidelidad y prudencia**.
Dichoso este siervo,
  si el amo, a su llegada,
  lo encuentra **cumpliendo** con su deber.
Yo les aseguro que lo pondrá al frente **de todo** lo que tiene.
Pero si este siervo piensa:
  'Mi amo **tardará** en llegar'
  y empieza a **maltratar** a los criados y a las criadas,
  a comer, a beber y **a embriagarse**,
  el día menos pensado y a la hora **más inesperada**,
  llegará su amo y lo castigará **severamente**
  y le hará correr **la misma suerte** que a los hombres **desleales**.

El servidor que, **conociendo** la voluntad de su amo,
  no haya preparado ni hecho **lo que debía**,
  recibirá **muchos** azotes;
  pero el que, **sin conocerla**,
  haya hecho algo **digno de castigo**, recibirá **pocos**.

Al que **mucho** se le da, se le **exigirá** mucho,
  y al que **mucho** se le confía, se le exigirá **mucho más**".

Abreviada: *Lucas 12:35–40*

Marca bien estas dos líneas finales; cada una es bimembre. Respeta las comas.

aquellos que cuidan bien de los siervos del Señor, se les recompensará con la administración de todos los bienes de su amo. A los que abusan y maltratan a los siervos, y ellos mismos llevan una vida disoluta, se les condenará a la mofa de todos y al desamparo absoluto; no quedarán impunes.

XX DOMINGO DEL TIEMPO ORDINARIO

No hay medias tintas. La resolución es malvada y así debe escucharse.

Al aclarar la situación del pozo, mira a la asamblea.

Baja el tono al decir las palabras del etíope. Recupéralo luego en la decisión del rey.

I LECTURA   Jeremías 38:4–6, 8–10

Lectura del libro del profeta Jeremías

Durante el sitio de Jerusalén,
   los jefes que tenían **prisionero** a Jeremías dijeron al rey:
"Hay que **matar** a este hombre,
   porque las cosas que dice
     desmoralizan a los guerreros
     que quedan en esta ciudad
   y a **todo** el pueblo.
Es **evidente** que **no busca** el bienestar del pueblo,
   sino su **perdición**".

Respondió el rey Sedecías: "Lo tienen ya **en sus manos**
   y el rey **no puede nada** contra ustedes".
Entonces ellos tomaron a Jeremías y,
   descolgándolo con cuerdas,
     lo echaron en el **pozo** del príncipe Melquías,
     situado en el patio de la prisión.
En el pozo no había agua, sino **lodo**,
   y Jeremías quedó **hundido** en el lodo.

Ebed–Mélek, el etíope, oficial de palacio,
   fue a ver al rey y le dijo:
"**Señor**, está **mal** hecho
     lo que **estos** hombres hicieron con Jeremías,
   arrojándolo al pozo, donde va a **morir** de hambre".

Entonces el rey **ordenó** a Ebed–Mélek:

I LECTURA La resistencia del rey Jeconías y la toma de la capital de Judea por los caldeos (babilonios) provocaron la primera deportación de los judíos (597 a. C.). Los caldeos impusieron como rey vasallo a Sedecías (597–586/7 a. C.). Sin embargo, los líderes de la capital, llámense príncipes o jefes como en nuestra lectura, promovían sacudirse el yugo del norte cuando llegaban noticias de cierta inestabilidad política y militar en el imperio. Jeremías se opuso, pero vino la rebelión y los babilonios sitiaron la ciudad. Los líderes aguardaban un auxilio del reino del Nilo que

nunca llegó. En ese contexto se entiende la lectura de este día. El profeta veía con claridad que para que el pueblo sobreviviera, tenía que someterse a los babilonios (ver Jeremías 38:3; 27:6, 8). Su postura va a acarrearle sus peores días: atentados, cárcel y azotes promovidos por las élites.

Al profeta lo acusan de traición a la patria. El rey debe decidir. Sedecías es un pelele; no tiene voluntad propia, con todo y que ocupa el trono. Los notables no quieren mancharse las manos con sangre y meten a Jeremías en un pozo enfangado para que muera allí.

Al profeta lo salva Ebedmélek. Alegó ante el rey que al estar sitiados sin agua ni comida, Jeremías morirá de cualquier manera. El rey accede. El eunuco toma una treintena de hombres para superar a los guardias del prisionero y lo saca haciendo una cuerda con ropas del propio rey. Se ve que ni lazos hay en la ciudad.

Aprendemos del episodio que es necesario escuchar voces alternas y disidentes para discernir la voluntad de Dios respecto a las circunstancias que una comunidad o una persona confronta. La opinión de la mayoría no siempre beneficia a todos; con fre-

"Toma **treinta** hombres contigo
y saca del pozo a Jeremías, **antes** de que muera".

Para meditar

SALMO RESPONSORIAL   Salmo 40:2, 3, 4, 18

R. Señor, date prisa en ayudarme.

Yo esperaba con ansia al Señor;
   él se inclinó y escuchó mi grito. **R.**

Me levantó de la fosa fatal,
   de la charca fangosa;
   afianzó mis pies sobre roca,
   y aseguró mis pasos. **R.**

Me puso en la boca un cántico nuevo,
   un himno a nuestro Dios.
Muchos, al verlo, quedaron sobrecogidos
   y confiaron en el Señor. **R.**

Yo soy pobre y desgraciado,
   pero el Señor se cuida de mí;
   tú eres mi auxilio y mi liberación:
   Dios mío, no tardes. **R.**

II LECTURA   Hebreos 12:1–4

Lectura de la carta a los hebreos

Se busca la perseverancia de los oyentes.
Imprime firmeza en las frases más emotivas.

Hermanos:
Rodeados, como estamos,
   por la **multitud** de antepasados nuestros,
   que dieron **prueba** de su fe,
   dejemos **todo** lo que nos estorba;
   librémonos del pecado que nos ata,
   para correr **con perseverancia**
      la carrera que tenemos por delante,
   fija la mirada en Jesús,
   autor y consumador de nuestra fe.
Él, en vista del gozo que se le proponía,
   aceptó la cruz, **sin temer** su ignominia,
   y por eso **está sentado** a la derecha del trono de Dios.

La meditación apela al valor de los oyentes,
no a su compasión.

Mediten, pues, en el **ejemplo** de aquel
   que **quiso** sufrir tanta oposición
   de parte de los pecadores,
   y no se cansen **ni pierdan** el ánimo,
   porque **todavía** no han llegado a **derramar** su sangre
      en la lucha **contra** el pecado.

---

cuencia se repite sólo lo que agrada y acomoda a los intereses propios, sin sopesar los pros y los contras de cada opción. Pero el espíritu profético de Cristo, que cada bautizado ha recibido, exige que decidamos habiendo escuchado su voz, nunca sin ella.

| II LECTURA | Prosigue la exhortación de la carta a los Hebreos para que los escuchas emulen a los héroes de la fe. Atendemos a una suerte de recapitulación donde se dice que lo que realmente obstruye la fe es "el pecado que nos ata". El pecado anula la fe del que sólo mira la ga-

nancia inmediata y busca pasarlo bien en el mundo. Por su parte, la fe supone un estilo de vida que requiere de perseverancia cotidiana y un ascetismo permanente. Sabemos bien de la flaqueza que nos aqueja cuando se trata de ser fieles a la voluntad de Dios. Por eso, nuestro objetivo a largo plazo necesita apoyo continuo y constante. El escritor nos anima a poner los ojos en el exaltado a la derecha de Dios.

Cristo Jesús es "el autor y consumador de nuestra fe", lo cual evidentemente evoca aquello de que Dios es "el arquitecto y constructor" de la ciudad eterna, como ya se

dijo. Pero la fe de Cristo supera con creces la fe de los propios patriarcas: "Aceptó la cruz, sin temer su ignominia". ¿Hay algo atractivo en la cruz? ¡Nada! Por eso apura la motivación que sólo la fe puede proporcionar: el gozo prometido por Dios de ser ciudadano de la ciudad celeste; o sea, de vivir en comunión con él.

Aunque en nuestros lugares no vemos perseguida la fe en Cristo, miremos a nuestros antecesores, todos los santos, para cobrar ánimo y no conformarnos a los criterios del mundo y su mercadotecnia, sino a los de la fe que nos impulsa al gozo eterno.

EVANGELIO   Lucas 12:49–53

Lectura del santo Evangelio según san Lucas

Palabras apasionadas: no aminores ese espíritu.

En aquel tiempo, Jesús dijo a sus discípulos:
   "He venido a traer **fuego** a la tierra
   ¡y **cuánto** desearía que ya estuviera ardiendo!
Tengo que recibir un bautismo
   ¡y **cómo** me angustio mientras llega!

Deja la pregunta como en suspenso por un momento. Luego prosigue en tono un tanto impetuoso.

¿**Piensan** acaso que he venido a traer **paz** a la tierra?
De **ningún** modo.
No he venido a traer la paz, sino la **división**.
De aquí en **adelante**,
   de **cinco** que haya en una familia,
   estarán **divididos** tres contra dos y dos contra tres.
Estará dividido el padre **contra** el hijo,
   el hijo **contra** el padre,
   la madre contra la hija y **la hija** contra la madre,
   la suegra contra la nuera
   y la nuera contra la suegra".

EVANGELIO Escuchamos unos dichos proféticos sobre lo que significa la venida de Jesús. Son dichos de sabor apocalíptico que muestran la ruptura entre el orden actual y el futuro, a causa justamente de la fe en él.

El fuego es un elemento destructor: una tierra en llamas es letal para la vida. Jesús no vino a traer muerte; él habla de su venida. Los sabios judíos hablaban de que este mundo corrupto sería exterminado por el fuego, para que surgiera una "tierra nueva". La venida del Mesías implica algo tan nuevo y poderoso que transforma a personas y sociedades.

Otro tanto valen las palabras sobre la paz. Jesús no es enemigo de la paz ni de la unidad. Hacerse su discípulo, sin embargo, implica romper con los modos que promueven la fama y el éxito individuales, el consumismo exhibicionista y la afirmación propia a costa de la dignidad de la persona, la familia y el bien común.

Nuestra fe en la venida de Cristo debe ser fuego que transforma y crea comunión en la pluralidad de las naciones y culturas.

Ésta es nuestra vocación profética de Iglesia católica.

ASUNCIÓN DE LA BIENAVENTURADA VIRGEN MARÍA, MISA DE LA VIGILIA

I LECTURA   1 Crónicas 15:3–4, 15–16; 16:1–2

Lectura del primer libro de las Crónicas

Se describe una fiesta. Acompaña con tu actitud del corazón lo que vas diciendo.

En aquellos días,
    David **congregó** en Jerusalén a **todos** los israelitas,
    para **trasladar** el arca de la alianza
        al lugar que le **había preparado**.
Reunió también a los **hijos** de Aarón y a los **levitas**.
Esto cargaron en hombros los travesaños sobre los cuales
    estaba colocada el arca de la alianza, tal como lo
    había mandado
    Moisés, por orden del Señor.

Que se noten los verbos de mando y los de cumplimiento. Debe recalcarse la correspondencia.

David **ordenó** a los jefes de los levitas
    que entre los de su tribu nombraran **cantores**
        para que **entonaran** cantos festivos,
    acompañados de arpas, cítaras y platillos.

Introdujeron, pues, el arca de la alianza
    y la **instalaron** en el centro de la tienda
        que David le **había preparado**.

La acción principal culmina aquí. Pausa antes de proclamar las acciones finales.

Ofrecieron a Dios **holocaustos** y sacrificios **de comunión**,
    y cuando David **terminó** de ofrecerlos,
    bendijo al pueblo en **nombre** del Señor.

I LECTURA El arca de la alianza era símbolo de la igual participación y compromiso de las familias que componían aquella nación agrupada bajo la Ley del Señor para llevar una vida digna, libre y de justicia. Tal fue el sueño emanado del Sinaí. El traslado e introducción del arca en Jerusalén fue un evento importante porque centralizó el poder militar y religioso en la sede del rey. Para la generación que regresó de la deportación aquello encierra importancia capital, porque el templo es su centro de vida.

La Iglesia conmemora la Asunción de María Santísima al cielo, para que pensemos que ella es el arca de la alianza nueva, que Dios ha sellado con la humanidad en Cristo Jesús. La que llevó en su seno a Jesús y lo dio a luz también participó de aquel ideal de vida del pueblo que toma forma en el arca de la alianza. Su traslado al cielo nos indica que nuestros ideales de vida no se agotan en esta tierra, sino que nos proyectan a forjar una sola nación cuya patria está junto a Dios mismo.

II LECTURA Desde el primer aliento de nuestra existencia, la muerte nos acompaña cada día de nuestra vida. Con todo, nos empeñamos en no verla, en ignorarla, en evitar pensar en ella, porque incomoda y amedrenta al punto de querer que desaparezca. Nos engañamos. Ella es ineludible. Por eso, san Pablo toma este asunto "por los cuernos" y, con un par de textos proféticos, muestra a los cristianos la vía para derrotar a la muerte.

Las palabras proféticas de Isaías (25:8) y de Oseas (13:14) hallan su pleno cumplimiento en la victoria de Cristo. Es el triunfo

Para meditar

SALMO RESPONSORIAL   Salmo 131:6–7, 9–10, 13–14

R. Levántate, Señor, ven a tu mansión; ven con el arca de tu poder.

Oímos que estaba en Efratá,
   la encontramos en el Soto de Jaar:
entremos en su morada,
postrémonos ante el estrado de
sus pies. **R.**

Que tus sacerdotes se vistan de gala,
   que tus fieles vitoreen.
Por amor a tu siervo David,
   no niegues audiencia a tu Ungido. **R.**

Porque el Señor ha elegido a Sión,
   ha deseado vivir en ella:
"Ésta es mi mansión por siempre;
   aquí viviré porque lo deseo". **R.**

II LECTURA   1 Corintios 15:54–57

Lectura de la primera carta del apóstol san Pablo a los corintios

No aceleres la lectura; avanza respetando la puntuación de las líneas. Cuida la respiración.

Hermanos:
Cuando nuestro ser **corruptible** y mortal
   se revista de incorruptibilidad e inmortalidad,
      entonces **se cumplirá** la palabra de la Escritura:
La muerte ha sido aniquilada por la victoria.
   ¿Dónde está muerte, tu victoria?
   ¿Dónde está, muerte, tu aguijón?
El **aguijón** de la muerte es el **pecado**
   y la **fuerza** del pecado es **la ley**.
Gracias a Dios,
   que nos **ha dado** la victoria por nuestro Señor **Jesucristo**.

Que se perciba el desafío. Ve aumentando el volumen de voz. Termina en un tono alto.

EVANGELIO   Lucas 11:27–28

Lectura del santo Evangelio según san Lucas

No reprimas la espontaneidad de este episodio. Tras el grito de la mujer, pausa como esperando una reacción del auditorio.

En **aquel** tiempo, mientras Jesús hablaba a la multitud,
   una mujer del pueblo, **gritando**, le dijo:
      "¡**Dichosa** la mujer que te llevó **en su seno**
      y cuyos pechos te **amamantaron**!"
Pero Jesús le respondió:
   "Dichosos **todavía más** los que **escuchan** la palabra de Dios
   y la ponen **en práctica**".

Impulsa con serenidad lo que corona el episodio.

máximo, definitivo, porque cualquier otro éxito tiene alcance limitado, muy limitado, cuando lo comparamos con la victoria sobre la muerte, su resurrección. De ella se participa mediante el bautismo. Por esto podemos cantar a pleno pulmón: la muerte ha sido aniquilada.

Dios le ha concedido a María Santísima la gracia de la incorruptibilidad, porque la exentó del pecado original que es la raíz de la corrupción. Nuestra garantía de victoria no es nuestra fuerza de voluntad ni nuestros ejercicios ascéticos o de piedad, sino

Cristo resucitado. Es su vida nueva nuestra única ruta a la victoria final.

EVANGELIO   Esta viñeta del evangelio tiene el sabor de lo popular: espontánea, anónima. Captura un grito femenino que la tradición nos ha guardado como Evangelio.

La mujer habla palabras con ecos de la bendición de Jacob a su hijo José (ver Génesis 49:25). Tal vez parezca peregrino, pero una de las figuras mesiánicas era la del "hijo de José", con rasgos regios (como la de David) y dolientes. El grito espontáneo es un signo del

espíritu profético que impulsa a revelar una verdad; en este caso, la identidad mesiánica de Jesús que luego se esclarecerá con las enseñanzas sobre el signo de Jonás (ver Lucas 29–32). Por su cuenta, la respuesta de Jesús deja ver dónde fijarnos para ponderar una dicha más acorde con la voluntad de Dios. Más que la bendición de la fecundidad, valen los frutos de la Palabra escuchada.

María es la primera oyente de la Palabra que albergó en su seno virginal. Si permitimos que esa Palabra modele totalmente nuestra vida, podremos unirnos a la dicha celestial de quien llevó en su seno al Verbo de la vida.

ASUNCIÓN DE LA BIENAVENTURADA VIRGEN MARÍA, MISA DEL DÍA

I LECTURA Apocalipsis 11:19; 12:1–6, 10

Lectura del libro del Apocalipsis del apóstol san Juan

Visión extraordinaria: léala con entonación. Avanza como admirando cada detalle descrito. Asómbrate y deja que la asamblea se contagie.

Se **abrió** el templo de Dios en el cielo
   y **dentro** de él se vio el **arca** de la alianza.
Apareció entonces **en el cielo** una figura **prodigiosa**:
   una mujer **envuelta** por el sol,
   con la luna **bajo sus pies**
   y con una corona de **doce** estrellas en la cabeza.
Estaba **encinta** y a punto de **dar a luz**
   y **gemía** con los dolores del parto.

El dragón es formidable y aterrador. Detecta el punto culminante de la acción y crea el suspenso antes del parto.

Pero apareció también en el cielo **otra** figura:
   un **enorme** dragón, color de fuego,
   con **siete** cabezas y **diez** cuernos,
   y una corona en **cada una** de sus siete cabezas.
Con su cola
     barrió la tercera parte de las estrellas del cielo
   y las **arrojó** sobre la tierra.
Después se detuvo **delante** de la mujer que iba a dar a luz,
   para **devorar** a su hijo, en cuanto éste **naciera**.
La mujer dio a luz un **hijo varón**,
   destinado a gobernar **todas** las naciones
     con cetro **de hierro**;
   y su hijo fue llevado **hasta Dios** y hasta su trono.
Y la mujer **huyó** al desierto, a un lugar **preparado** por Dios.

I LECTURA El Apocalipsis entrega su mensaje mediante una simbología densa, llena de referentes de realidades que no siempre logramos identificar con toda precisión, y que, por lo mismo, su interpretación se llena de sugerencias. Todo ocurre en forma de visiones celestes.

Lo que hoy escuchamos forma parte de una serie de eventos que detona el sonar de la séptima trompeta que anuncia el establecimiento del Reino de Dios. Esto comienza con la apertura del santuario celeste, el verdadero, y con una serie de señales que apuntan a la batalla que está librándose

para que el gobierno (imperio mesiánico) se vuelva realidad.

El santuario celeste deja ver su más preciado tesoro: el arca de su alianza. Así se indica claramente que Dios tiene presentes sus promesas y está cumpliéndolas. Por eso vienen las otras señales.

La señal de la mujer hace alusión al pueblo de las promesas de Dios (el pueblo mesiánico), al que los profetas refieren como una mujer que va a dar a luz (ver Isaías 60:20; 66:7), lo que apunta a la realidad nueva que Dios está generando para sus fieles. El niño que nace y que Dios res-

cata de la muerte es el Mesías, que está junto al trono divino aguardando hasta el momento de su retorno. Así pues, el reinado está ya inaugurado, porque la resurrección de Cristo significa la victoria de Dios. El dragón, la segunda señal celeste, simboliza las fuerzas que destruyen a los humanos y a la creación, opuestas al reino mesiánico. Así se entiende que los cristianos sufran los embates del dragón, pero saben ya que la victoria final está garantizada.

En su liturgia, la Iglesia contempla la asunción de María Virgen al cielo, porque reconoce en ella a un miembro distinguido

Entonces **oí** en el cielo una voz **poderosa**, que decía:
"**Ha sonado** la hora de la victoria de nuestro Dios,
de su dominio y de su reinado, y **del poder** de su Mesías".

Para meditar

SALMO RESPONSORIAL   Del salmo 44
R. De pie, a tu derecha, está la reina.

Hijas de reyes salen a tu encuentro.
De pie, a tu derecha, está la reina,
enjoyada con oro de Ofir. **R.**

Escucha, hija, mira y pon atención:
olvida a tu pueblo y la casa paterna;
el rey está prendado de tu belleza;
ríndele homenaje, porque él es
tu señor. **R.**

Entre alegría y regocijo
van entrando en el palacio real.
A cambio de tus padres, tendrás hijos,
que nombrarás príncipes por toda
la tierra. **R.**

II LECTURA   1 Corintios 15:20–27

Lectura de la primera carta del apóstol san Pablo a los corintios

Argumento complicado: identifica los verbos principales y dales acento propio.

Hermanos:
Cristo **resucitó**,
y resucitó como la **primicia** de **todos** los muertos.
Porque si por **un hombre** vino la muerte,
también por un hombre vendrá **la resurrección** de los muertos.

La secuencia tiene un orden. Procura que la asamblea lo capte; sé claro.

En efecto, así como en Adán **todos** mueren,
así **en Cristo** todos **volverán** a la vida;
pero cada uno **en su orden**:
primero **Cristo**, como primicia;
después, a la hora de su **advenimiento**,
los que **son de Cristo**.

---

del pueblo de Dios. Múltiples generaciones cristianas representaron estas imágenes del Apocalipsis en la Inmaculada Concepción y en otras imágenes marianas, para señalar la especial protección que Dios le prodigó y la victoria sobre el pecado y la muerte. Ella nos alienta a generar una humanidad nueva que haga resplandecer en cada ser humano la imagen de Dios y no los rasgos del dragón. Esta es la gloria de nuestro Dios.

II LECTURA   El puntal de la fe cristiana es éste que Pablo trata en la fase final de la carta a los Corintios: la resu-

rrección de los muertos, o mejor dicho, la resurrección de Cristo. Se trata de una creencia bastante extendida entre las culturas del Medio Oriente antiguo, pero no entre las occidentales. En el propio judaísmo se comenzó a abrir paso esta idea, con cierta claridad, sólo con las guerras macabeas, pero muchos no la aceptaban, incluso en el tiempo del Señor Jesús. Resulta natural, pues, que los cristianos de Corinto necesitaran afianzar este misterio fundamental de su fe, para poder vivir en consecuencia. La lectura de hoy habla de la

resurrección de Cristo y de su repercusión para los creyentes.

Pablo coloca la primacía de la resurrección de Cristo en analogía con Adán, cuya falta primera acarreó la muerte para todos los seres humanos, incluido Cristo. No hay excepciones. Si en Adán se da una solidaridad por la humanidad, otro tanto ocurre en Cristo, cuya resurrección nos beneficia a todos con la vida. La vitalidad de la resurrección de Cristo es también universal. El creyente participa por la fe de la vida de Cristo desde su bautismo, y ésta es su garantía

Baja la velocidad de tu lectura para que la audiencia note lo imponente de la descripción. Subraya palabras como "todos", "último", "todo", "bajo".

Enseguida será la consumación,
cuando, después de haber **aniquilado todos** los poderes del mal,
Cristo **entregue** el Reino a su Padre.
Porque él **tiene** que reinar
hasta que el **Padre** ponga bajo sus pies a **todos** sus enemigos.
El **último** de los enemigos en ser **aniquilado**, será **la muerte**,
porque **todo** lo ha **sometido** Dios **bajo** los pies de Cristo.

EVANGELIO   Lucas 1:39–56

Lectura del santo Evangelio según san Lucas

El relato inicia como muchos, en tono neutro. Luego va cobrando relieve conforme hablan los protagonistas. Diferencia las partes.

En aquellos días,
María se encaminó **presurosa**
a un pueblo de las montañas de Judea,
y entrando en la casa de Zacarías, **saludó** a Isabel.
En cuanto ésta **oyó** el saludo de María,
la creatura **saltó** en su seno.

Sube un tanto el tono en las palabras de Isabel.

Entonces Isabel quedó **llena** del Espíritu Santo,
y levantando la voz, **exclamó**:
"¡**Bendita** tú entre las mujeres y **bendito** el **fruto** de tu vientre!
¿**Quién** soy **yo** para que la **madre** de mi Señor **venga** a verme?
Apenas llegó tu saludo a mis oídos,
el niño **saltó** de gozo **en mi seno**.
Dichosa tú, que **has creído**,
porque **se cumplirá**
cuanto te fue **anunciado** de parte del Señor".

Entonces dijo **María**:
"Mi alma **glorifica** al Señor
y *mi espíritu se llena de júbilo en Dios, mi salvador,*
porque puso sus ojos en la humildad de su esclava.

para ser resucitado en su advenimiento o parusía.

La resurrección de Cristo le significa también reinar. Pablo habla del reino mesiánico inaugurado ya, pero no consumado. Gracias a la fe, el cristiano experimenta una anticipación de la vida verdadera. No es algo abstracto y etéreo, porque la experiencia la hace en la comunidad que lo acoge, nutre y proyecta a vivir de una manera diferente, resucitada, en el mundo. Esta forma de vida es posible, gracias a la vitalidad del Resucitado. Cierto, resta la derrota definitiva de la muerte, pero esta ocurrirá tras el adveni-

miento, cuando todos los enemigos hayan sido aniquilados.

Con la Asunción de María Virgen, también se afianza nuestra fe en la resurrección de los muertos, pues ella le ha participado a su hijo su misma carne, carne incorrupta, en la que el pecado no tuvo poder alguno. Su asunción nos invita a anhelar estar allí mientras participamos ya de los bienes mesiánicos en la vida sacramental del pueblo de Dios. Éste es nuestro apoyo hasta el advenimiento del Señor.

EVANGELIO San Lucas dedica los capítulos iniciales de su obra a contar cómo se originó la fe cristiana que muchos grupos en diversas naciones del Imperio romano ahora profesan. Él transmite tradiciones sobre las concepciones portentosas de Juan Bautista y de Jesús, cuyas madres, todavía embarazadas, se encontraron. En este punto, él recoge este diálogo entre Isabel y María que consiste en una verdadera alabanza a Dios por su salvación que va tomando forma tangible en las creaturas que ellas llevan en su seno. Esto es lo que escuchamos hoy en la liturgia.

Tono exultante, profético, exultante: no lo bajes.

Desde ahora me llamarán **dichosa todas** las generaciones,
    porque ha hecho **en mí grandes cosas** el que **todo** lo puede.
Santo es su nombre
    y su misericordia llega de generación en generación
    a los que lo temen.

Ha hecho **sentir** el poder de **su brazo:**
    dispersó a los de corazón **altanero,**
    destronó a los potentados
    y exaltó a los humildes.
A los hambrientos los colmó de bienes
    y a los ricos los despidió **sin nada.**

Alarga estas líneas y eleva un poco el tono en donde concluyen las comillas.

Acordándose de su misericordia,
    vino en ayuda de Israel, su siervo,
    como lo **había prometido** a nuestros padres,
    a Abraham y a su descendencia **para siempre**".

María permaneció con Isabel unos **tres** meses
    y luego **regresó** a su casa.

Isabel saluda a María bendiciéndolos a ella y a su creatura, Jesús. Esas palabras las conserva la tradición católica en el rezo del Rosario. Pero Isabel añade una pregunta de tono admirativa que puede resonar a la reacción de David cuando a su palacio se acercaba el arca de la alianza (ver 2 Samuel 6:9). El rey tuvo miedo a la terrible santidad del arca, que era signo de la presencia de Dios. Ahora, por el contrario, la cercanía de Dios causa júbilo y alabanza entre los suyos.

El cántico de María traza el panorama de la obra de Dios que se remonta hasta las promesas a los padres y se prolonga en sus descendientes. Ella ha experimentado la misericordiosa santidad de Dios que se derrama en forma de saciedad sobre los hambrientos, exaltación sobre los pobres, vaciedad sobre los ricos e ignominia sobre los altaneros. Ella ha sido exaltada porque creyó en el cumplimiento de "cuando le fue anunciado de parte del Señor". Hasta allá habrá de alcanzar nuestra fe.

XXI DOMINGO DEL TIEMPO ORDINARIO

I LECTURA   Isaías 66:18–21

Lectura del libro del profeta Isaías

Esto dice el Señor:
 "Yo vendré para **reunir** a las naciones de **toda** lengua.
Vendrán y **verán** mi gloria.
Pondré en medio de ellos **un signo**,
 y **enviaré** como mensajeros a algunos de los supervivientes
  hasta los países **más** lejanos y las islas **más** remotas,
 que no han oído hablar **de mí** ni han visto mi gloria,
 y ellos **darán** a conocer mi nombre **a las naciones**.

Así como los hijos de Israel
 traen ofrendas al templo del Señor en vasijas limpias,
 así también mis mensajeros traerán,
 de **todos** los países, como **ofrenda** al Señor,
 a los **hermanos** de ustedes
 a caballo, en carro, en literas,
 en mulos y camellos,
 hasta **mi monte santo** de Jerusalén.
De entre ellos **escogeré** sacerdotes y levitas".

Procura que la primera línea suene introductoria; el "yo" de la segunda lína comanda toda la lectura. Subraya las formas de primera persona de singular.

La comparación es muy clara. Acentúa las formas verbales de futuro.

I LECTURA Esta lectura se encuentra prácticamente al final del libro profético de Isaías, donde se reúnen varios oráculos sobre la suerte futura de Jerusalén, y, por ende, de los fieles del Señor. Son oráculos que infunden esperanza en un futuro promisorio a medida que los que han vuelto del destierro se trazan un proyecto nacional centrado en las instituciones cultuales, aunque irá topando con serios obstáculos. Un asunto preocupante era la vuelta a la patria de los que habían sido dispersados por las invasiones babilonias casi dos generaciones atrás. Ahora que la situación era favorable para regresar, los dispersos no retornan para emprender el sueño alentado en el exilio. La circunstancia es deprimente y para sortearla hay que mirar al futuro.

La voz profética contempla un peregrinaje universal de los pueblos de la tierra, cuyo listado es omitido en nuestra lectura litúrgica, hasta Jerusalén. Dios mismo está poniendo en obra este proyecto. Y como inicio, coloca una señal, el templo, de donde salen emisarios a convocar a los dispersos que serán portados como ofrenda al Dios de Israel. Entonces, las mismas funciones sacras quedan realizadas por individuos de entre los reunidos, y no por razón de la tribu o la sangre; Dios mismo empuja la novedad.

La señal del templo como lugar de la reunión de todos los hijos de Dios es uno de los motivos recogidos en el evangelio de san Juan, que la mira en Cristo enaltecido. También aquí la salvación universal va aparejada al sacerdocio de todo el pueblo de Dios. Estos son también puntales de la Iglesia, nuevo pueblo de Dios, cuya única vocación es manifestar la gloria de Dios ante todos los pueblos de la tierra.

SALMO RESPONSORIAL   Salmo 117:1, 2

R. Vayan por todo el mundo y prediquen el Evangelio.

O bien: **R. Aleluya.**

Alaben al Señor, todas las naciones,
   aclámenlo, todos los pueblos. **R.**

Firme es su misericordia con nosotros,
   su fidelidad dura por siempre. **R.**

II LECTURA   Hebreos 12:5–7, 11–13

Lectura de la carta a los hebreos

Hermanos:
Ya se han **olvidado** ustedes de la exhortación
      que Dios les **dirigió**, como a hijos, diciendo:
Hijo mío, no **desprecies** *la* **corrección** *del* **Señor**,
   ni te **desanimes** *cuando te* **reprenda**.
Porque el Señor corrige a los que **ama**,
   y da **azotes** *a sus hijos* **predilectos**.
Soporten, pues, la corrección,
   porque Dios los trata **como a hijos**;
   ¿y qué padre hay que **no corrija** a sus hijos?

Es cierto que de momento
      ninguna corrección nos causa alegría,
   sino **más bien** tristeza.
Pero **después** produce, en los que la recibieron,
   frutos **de paz** y **de santidad**.

Por eso, **robustezcan** sus manos cansadas
   y sus rodillas vacilantes;
   caminen por un camino plano,
   para que el cojo ya no se tropiece,
   sino **más bien** se alivie.

Para meditar

Esta lectura proclámala cual hermano mayor.

En estos renglones, cambia el tono y busca cierta comprensión entre los integrantes de la asamblea.

Los imperativos son de ánimo, no de regaño. Que el final suene alentador.

II LECTURA A los escuchas de la epístola a los Hebreos se les complicaba entender por qué su condición de cristianos les vale persecuciones. Si la voluntad divina es que el mundo crea en Cristo resucitado, ¿cómo hay que entender las tribulaciones que esa fe les acarrea? Para educar a los hijos, el autor echa mano a la experiencia centenaria ya en la época. Diferente a nuestra época, la educación consistía en gran medida en correcciones a los educandos, especialmente en el seno familiar, a fin de que creciera conforme al modelo de su padre. Por eso, al hijo que se amaba se le corregía no con palabras sino con castigos y golpes que debían enderezar la conducta torcida, los defectos involuntarios o cualquier cosa que desagradara. Esta forma de educar era común y corriente hasta hace poco en los sistemas de educación de muchos pueblos. De él se vale el autor, para explicar que los pesares y las angustias presentes no son sino correcciones que harán de los cristianos hijos irreprochables a los ojos de Dios.

La pedagogía del castigo y la represión puede ser contraproducente y terminar en frustración si la sanción es excesiva o no se mira claramente su fin correctivo. Para que la enmienda produzca el efecto deseado, el educando debe querer emular el modelo; de lo contrario, el resentimiento anclará en el corazón y corromperá la relación familiar, laboral o escolar. Por eso la corrección debe ir acompañada de razones y clarividencias que la hagan ver necesaria, aceptable y hasta deseable. En el andar cristiano, esto se traduce en "paz y santidad", como escuchamos en la lectura.

A quién le agrada ser corregido; solemos reaccionar agresivamente cuando alguien nos llama la atención. Por lo mismo,

EVANGELIO   Lucas 13:22–30

Lectura del santo Evangelio según san Lucas

En aquel tiempo,
   Jesús iba **enseñando** por ciudades y pueblos,
   mientras se encaminaba **a Jerusalén**.
Alguien le preguntó:
   "Señor, **¿es verdad** que son **pocos** los que se salvan?"

Jesús le respondió:
   "**Esfuércense** por entrar por la puerta, que es **angosta**,
   pues yo les **aseguro**
     que muchos **tratarán** de entrar
   y **no podrán**.
Cuando el **dueño** de la casa se levante de la mesa
   y **cierre** la puerta, ustedes se quedarán **afuera**
   y se pondrán a tocar la puerta, diciendo:
   '¡Señor, **ábrenos**!'
Pero **él** les responderá:
   '**No sé** quiénes son ustedes'.

Entonces le dirán con **insistencia**:
   'Hemos comido y bebido **contigo**
   y tú **has enseñado** en nuestras plazas'.
Pero él **replicará**:
   'Yo **les aseguro** que **no sé** quiénes son ustedes.
Apártense de mí, **todos** ustedes los que hacen el mal'.
Entonces llorarán ustedes y se **desesperarán**,
   cuando vean a Abraham, a Isaac, a Jacob
   y a **todos** los profetas en el Reino de Dios,
   y ustedes se vean echados **fuera**.

Vendrán **muchos** del oriente y del poniente,
   del norte y del sur,
   y participarán **en el banquete** del Reino de Dios.
Pues los que ahora son **los últimos**, serán **los primeros**;
   y los que **ahora** son los primeros, **serán** los últimos".

Que la pregunta capte la atención de la asamblea. Prepárala bien.

La respuesta de Jesús es serena y certera certera. Mantén el tono.

Al terminar este párrafo, no alargues la pausa. Lo que sigue debe sonar a una reacción inmediata a la respuesta contundente del dueño de la casa.

Alarga tu mirada por la asamblea y baja un poco el tono en las últimas líneas.

---

propiciamos un ambiente de permisividad donde los límites entre lo bueno y lo malo se desdibujan hasta la perversión. Esto que vale de la pedagogía educativa nos ayuda a visualizar las adversidades y contrariedades de la vida como correctivos que deben impulsarnos a asimilarnos a Cristo. Él es nuestro modelo de vida.

EVANGELIO El banquete como imagen de la salvación mesiánica ayuda a entender que no es la cercanía o familiaridad adquirida con el Señor lo que permitirá participar en ella, sino las obras que hayamos realizado. El evangelista denuncia un modelo sociopolítico en el que el círculo inmediato del dueño de la casa (sus amigos y sus personeros) está pervertido. Por lo que se dice en el símil, ellos parecen detentar autoridad. Es decir, son un círculo de liderazgo en la comunidad cristiana, con familiaridad con el Señor; "comer y beber" obliga a pensar en la cena eucarística. Esos líderes en las agrupaciones cristianas, lejos de conducirse con la verdad del Evangelio, se han convertido en una especie de club de malhechores, como acusa el dueño de la casa al desconocerlos: "todos ustedes los que hacen el mal".

La presencia del Reino de Dios trae una inversión en lo vigente, pues los desclasados y marginados pasan a ser primeros. Ésta es una marca del mesianismo de Jesús, que el papa Francisco se ha empeñado en hacer relevante. Esta debe ser nuestra actitud cotidiana, también cuando nos reunimos a celebrar la Eucaristía donde se prefigura nuestra vocación y nuestro destino verdaderos.

XXII DOMINGO
DEL TIEMPO ORDINARIO

I LECTURA   Eclesiástico 3:19–21, 30–31

Lectura del libro del Eclesiástico (Sirácide)

Hijo **mío**, en tus asuntos procede **con humildad**
    y te amarán **más** que al hombre dadivoso.
Hazte tanto **más pequeño** cuanto **más grande** seas
    y **hallarás** gracia ante el Señor,
    porque **sólo él** es poderoso
    y **sólo** los humildes le dan gloria.

No hay remedio para el hombre orgulloso,
    porque ya está **arraigado** en la maldad.
El hombre **prudente** medita **en su corazón**
    las sentencias de los otros,
    y su gran anhelo es **saber escuchar**.

Las frases van en pares y acompañadas de una conclusión. Entona según el caso.

Para meditar

SALMO RESPONSORIAL   Salmo 68:4–5ac, 6–7ab, 10–11

R. Preparaste, oh Dios, casa para los pobres.

Los justos se alegran,
    gozan en la presencia de Dios,
    rebosando de alegría.
Canten a Dios, toquen en su honor,
    alégrense en su presencia. **R.**

Padre de huérfanos, protector de viudas,
    Dios vive en su santa morada.
Dios prepara casa a los desvalidos,
    libera a los cautivos y los enriquece. **R.**

Derramaste en tu heredad,
    oh Dios una lluvia copiosa,
    aliviaste la tierra extenuada;
    y tu rebaño habitó en la tierra
    que tu bondad, oh Dios,
    preparó para los pobres. **R.**

I LECTURA El libro del Sirácide o Eclesiástico nos fue transmitido en griego, por eso se cuenta entre los deuterocanónicos. Sin embargo, es una traducción del hebreo hecha hacia el 132 a. C. por el nieto de Jesús ben Sirá cuando estaba en Egipto. El abuelo compiló sus observaciones para que los que lo leyeran llevaran una vida acorde a la Ley del Señor. Con frecuencia, para enseñar con toda claridad lo que quiere inculcar, el sabio se vale de opuestos y así evitar al oyente confusión. En nuestra lectura, el proceder humilde se contrasta con la conducta orgullosa para sopesar sus resultados.

La humildad está al alcance de todos, la riqueza no. Hay ricos avaros por los que el pueblo no tiene mayor respeto. Pero los hay también generosos que saben ganarse el aprecio de los demás; al ayudar con sus bienes a otros se ganan el favor de éstos y se sienten grandes y poderosos. El sabio aconseja buscarse el favor de Dios, pero por el camino de hacerse pequeño. Este abajarse de la persona no es para victimizarse, sino para que la obra de Dios, su gloria, sea notoria.

El orgullo es lo opuesto a la prudencia. El orgullo es la búsqueda de afianzar la propia voluntad y personalidad ante los demás, e incluso sobre ellos. El orgullo impide ver los propios límites y reconocer el bien en las personas que lo rodean. El orgulloso cree que sólo él es bueno. Lo contrario sucede con alguien prudente, porque atiende la voz de sus semejantes.

II LECTURA El hombre de la Biblia quiere acercarse a Dios, vivir en su presencia, pues mayor delicia no hay. Por eso en los libros de la divina revelación se

II LECTURA   Hebreos 12:18–19, 22–24

Lectura de la carta a los hebreos

Hermanos:
Cuando ustedes se **acercaron** a Dios,
   no encontraron **nada material**, como en el Sinaí:
   ni fuego **ardiente**, ni oscuridad, ni tinieblas,
   ni huracán, **ni estruendo de trompetas**,
   ni palabras pronunciadas por aquella voz
      que los israelitas **no querían** volver a oír nunca.

Ustedes, en cambio,
   se han acercado a Sión,
   el monte y la ciudad del **Dios viviente**,
   a la Jerusalén **celestial**,
   a la reunión festiva de **miles y miles** de ángeles,
   a la asamblea de **los primogénitos**,
   cuyos nombres están escritos **en el cielo**.
Se han acercado a Dios,
   que es el juez de **todos** los hombres,
   y a los espíritus de los justos
      que **alcanzaron** la perfección.
Se han acercado **a Jesús**,
   el **mediador** de la nueva alianza.

[con] muchas regulaciones para aproximarse al espacio sagrado, el templo y el altar. Ese acercarse humano no se refiere simplemente a abreviar la distancia física, sino que se traduce en una experiencia religiosa como se deduce del tratamiento que hace el autor de la carta a los Hebreos en el segmento de hoy.

La percepción física de Dios, retratada en el párrafo que refiere a la epifanía del Sinaí, se traducía en los elementos de las liturgias del templo: trompetas, coros, fuego e incienso llenaban los sentidos de los fieles, congregados para contemplar el hacer de los sacerdotes en su espacio exclusivo. Esto no es lo que los cristianos han experimentado. Las señales y los símbolos de la fe en Cristo andan por una vía espiritual, figurada apenas en los modos materiales de manifestar el misterio divino.

La comparación del autor hace ver que la actual realidad cristiana es superior a la del pasado. Su acercamiento a Dios ha ocurrido en Cristo Jesús, en cuyo sacrificio se tiene una alianza nueva. Se subraya el aspecto judicial del segmento, lo que deja percibir que los escuchas padecen acoso o persecución por su nueva fe. Ellos pertenecen ya a la asamblea celeste, sus nombres están junto con aquellos que han sido fieles a Dios con absoluta radicalidad, como Jesús.

Cuando la Iglesia se reúne en asamblea también implora a Dios por justicia para todos los que son perseguidos por su fidelidad a los mandamientos divinos. Los fieles no rezan solos; lo hacen unidos a los coros celestes que alaban sin cesar al Dios santo y justo. Nos adherimos a Cristo y es en su nombre que imploramos.

EVANGELIO   Lucas 14:1, 7–14

Lectura del santo Evangelio según san Lucas

Un sábado, Jesús fue a comer
     en casa de uno de **los jefes** de los fariseos,
     y éstos estaban **espiándolo**.
Mirando cómo los convidados **escogían** los **primeros** lugares,
     les dijo esta parábola:

"Cuando te **inviten** a un banquete de bodas,
     no te sientes en el lugar **principal**,
     no sea que haya **algún otro** invitado **más importante** que tú,
     y el que los invitó **a los dos** venga a decirte:
     '**Déjale** el lugar a éste',
     y **tengas** que ir a ocupar, **lleno** de vergüenza,
     el **último** asiento. Por **el contrario**, cuando te inviten,
     ocupa el **último** lugar, para que,
     cuando **venga** el que te invitó, te diga:
     'Amigo, **acércate** a la cabecera'.
Entonces te verás **honrado**
     en presencia **de todos** los convidados.
Porque el que se engrandece a sí mismo, **será humillado**;
     y el que se humilla, **será engrandecido**".

Luego dijo al que lo había invitado:
     "Cuando des una comida o una cena,
     no invites a tus amigos, ni a tus hermanos,
     ni a tus parientes, ni a **los vecinos ricos**;
     porque **puede ser** que ellos te inviten **a su vez**,
     y con eso quedarías **recompensado**.
Al contrario,
     cuando des un banquete, invita **a los pobres**,
     a los lisiados, a los cojos **y a los ciegos**;
     y así serás **dichoso**, porque ellos **no tienen** con qué pagarte;
     pero ya se **te pagará**, cuando **resuciten** los justos".

Las imágenes son muy conocidas para todos. Haz la pausa del punto y haz notar que lo siguiente está más ligado entre sí.

Pronuncia estos consejos con tono fraterno, no impositivo.

Antes de iniciar este párrafo, haz contacto visual con la asamblea. Repite la acción en distintos puntos de la lectura. Cambia el tono.

EVANGELIO En la cultura del tiempo de Jesús, los banquetes tenían una importancia singular, porque eran la mejor expresión de la vida social; en cierta manera, en ellos se plasmaba uno de los ideales de vida del mundo helenizado: la comunión (*koinonía*) entre los ciudadanos. El banquete tenía la virtud de reunir a personas de distintos estratos sociales bajo un mismo techo, aunque lo más común eran los banquetes entre iguales, o sea gentes de un mismo gremio, estamento social o "amigos". Tal es el banquete organizado por los fariseos que presenta san Lucas. Los fari-

seos se organizaban como en pequeñas cofradías y cultivaban sus propios valores.

Tal vez tengamos la imagen de que los fariseos eran gente malvada. Esto no es verdad. Eran como el prototipo de pueblo de Dios, gente piadosa, honorable, cumplidora de las leyes de pureza y que gozaba de la estiman de los ciudadanos. Jesús mismo tiene mucha sintonía con ellos, pues lo invitan en varias ocasiones a comer, aunque son las desavenencias lo que prevalece en nuestra mente. En este caso, san Lucas no dice en qué espera sorprender a Jesús aquel grupo fariseo. Mientras lo acechan, Jesús

los sorprende, poniendo "patas arriba" sus modos de comportarse en el banquete.

A esa gente buena, Jesús le recrimina su ansia de reconocimiento y su escasa solidaridad con los pobres y menesterosos, al tiempo que les exige poner su mira en la escatología, o sea en "el día de la resurrección de los justos". Éstas son características del Reino de Dios, del que la celebración eucarística cristiana es "pignus" o garantía, y que nos obliga a extender sus beneficios a cada área de nuestra cultura actual.

XXIII DOMINGO DEL TIEMPO ORDINARIO

I LECTURA   Sabiduría 9:13–19

Lectura del libro de la Sabiduría

¿**Quién** es el hombre que puede **conocer**
    los designios de Dios?
¿**Quién** es el que puede saber lo que el Señor **tiene dispuesto**?
Los pensamientos de los mortales son **inseguros**
    y sus razonamientos **pueden** equivocarse,
    porque un cuerpo **corruptible** hace **pesada** el alma
    y el **barro** de que estamos hechos **entorpece** el entendimiento.

Con dificultad conocemos lo que hay sobre la tierra
    y a **duras penas** encontramos lo que **está** a nuestro alcance.
¿**Quién** podrá **descubrir** lo que hay en el cielo?
¿**Quién conocerá** tus designios, si **tú** no le das la sabiduría,
    enviando tu santo espíritu desde lo alto?

Sólo con esa sabiduría
    lograron los hombres **enderezar** sus caminos
    y **conocer** lo que te agrada.
Sólo con esa sabiduría se salvaron, Señor,
    los que te agradaron **desde** el principio.

Imprime a cada párrafo un tono y acento distintivo.

En esta parte, que tu mirada recorra la asamblea, como buscando su asentimiento. Nota que se dirigen a Dios estas líneas.

Cambia el tono y subraya las palabras que se repiten para que la asamblea las note.

I LECTURA   En esta lectura se puede notar cómo el autor hace avanzar la idea por medio de preguntas pareadas. El primer par confronta las determinaciones veleidosas y cambiantes de los humanos con los pensamientos duraderos del Señor. Por eso, ¿cabe confiar el futuro propio a la voluntad de algún humano? El autor agrega una razón de corte platónico que considera al alma humana pura y orientada a los más nobles valores, en tanto que lo material y corpóreo empuja a la persona hacia lo corruptible y sensorial. Ningún humano, por lo tanto, puede penetrar las determinaciones del Dios único.

El siguiente par de preguntas surge de la constatación de lo limitado del conocimiento humano, que apenas percibe el entorno inmediato; el cielo, sin embargo, le está vedado. Las realidades celestes, las de Dios, no son accesibles al humano; es Dios, por el contrario, el que hace el camino hacia el hombre cuando le participa su espíritu. Sólo éste puede guiar a los fieles en la correcta dirección, hacia Dios.

El ser humano aspira naturalmente a una vida feliz, a pesar de los vaivenes de su existencia; sin embargo, el espíritu de Dios le certeza a sus pasos. Escuchar ese espíritu y secundar sus mociones e inspiraciones nos hace personas sabias, porque nos lleva a vivir agradando a Dios.

II LECTURA   La carta a Filemón está provocada por la devolución o retorno de Onésimo a su dueño que quizá resida en Laodicea. El esclavo se había refugiado bajo la protección de Pablo que estaba prisionero "por causa del Evangelio", posiblemente en Éfeso. En esas circunstancias, Pablo lo bautizó, pero en lugar de

Para meditar

SALMO RESPONSORIAL   Salmo 90:3–4, 5–6, 12–13, 14 y 17

R. Señor, tú has sido nuestro refugio de generación en generación.

Tú reduces el hombre a polvo, diciendo:
"Retornen, hijos de Adán".
Mil años en tu presencia
    son un ayer, que pasó;
    una vela nocturna. **R.**

Los siembras año por año,
    como hierba que se renueva:
    que florece y se renueva por la mañana,
    y por la tarde la siegan y se seca. **R.**

Enséñanos a calcular nuestros años,
    para que adquiramos un corazón sensato.
Vuélvete, Señor, ¿hasta cuándo?
Ten compasión de tus siervos. **R.**

Por la mañana sácianos de tu misericordia,
    y toda nuestra vida será alegría y júbilo.
Baje a nosotros la bondad del Señor
    y haga prósperas las obras de
    nuestras manos. **R.**

II LECTURA   Filemón 9–10, 12–17

Lectura de la carta del apóstol san Pablo a Filemón

Querido hermano:
Yo, **Pablo**, ya anciano y ahora, **además**,
    prisionero por la causa de Cristo Jesús,
    quiero **pedirte** algo en favor de **Onésimo**, mi hijo,
    a quien he **engendrado** para Cristo **aquí**, en la cárcel.

Te lo envío. **Recíbelo** como a mí mismo.
Yo hubiera querido **retenerlo** conmigo,
    para que **en tu lugar** me atendiera,
    mientras estoy **preso** por la causa del Evangelio.
Pero no he querido hacer **nada** sin tu consentimiento,
    para que el favor que me haces no sea como **por obligación**,
    sino por tu **propia** voluntad.
Tal vez él fue apartado de ti por un breve tiempo,
    a fin de que lo recuperaras para **siempre**,
    pero ya no como **esclavo**,
    sino como **algo mejor** que un esclavo,
    como hermano **amadísimo**.
Él ya lo es **para mí**. ¡**Cuánto** más **habrá** de serlo para ti,
    no **sólo** por su calidad de hombre,
    sino de **hermano** en Cristo!

Encuentra un tono comedido y cortés a la petición de Pablo.

Esta línea tiene cierta autonomía. Nota que las oraciones van ligadas; manténlas así en tu tono.

Pronuncia con cálido entusiasmo el resto del párrafo.

retenerlo lo remite con una carta que ha de ser leída en presencia de una iglesia doméstica, que hospedaría a Filemón. En esta carta, Pablo ruega que Onésimo sea acogido conforme su nueva condición.

En las comunidades en las que se gestó, nació y difundió la fe cristiana, los individuos estaban estructurados socialmente conforme una condición básica: o eran libres o eran esclavos. La esclavitud no era asunto de raza, como en el sistema esclavista en las tierras de este continente, sino de estatus social. No se conocen números precisos, pero las guerras de expansión romana y el sistema de

endeudamiento, entre otros factores, llevaron al aumento de esclavos que exigía el sostener los sistemas de producción global. En algunos puntos del Imperio romano, se calcula que tal vez más de la mitad de la población serían esclavos. Se dice que una familia romana de estrato social equivalente a lo que hoy sería la clase media debía de tener al menos un esclavo, pero había potentados que poseían miles de ellos. Filemón poseería al menos a Onésimo.

El bautismo cristiano sitúa a todos los creyentes en el mismo plano, difuminando las barreras sociales que eran tan podero-

sas. Esto es lo que Pablo trae ante la iglesia de la casa de Filemón, porque quiere que esa afirmación se verifique en lo cotidiano y que todos lo asuman. El mismo reto confrontamos todos los que nos congregamos en el nombre de Cristo Jesús: ser coherentes con el Evangelio.

EVANGELIO   Luego de ilustrar la comunión del reino con las escenas del banquete, san Lucas considera lo que exige el seguimiento de Jesús. Mesa y camino van juntos. Jesús y su grupo están en el camino a Jerusalén. En esta parte del

Por tanto, si me **consideras** como compañero tuyo,
   recíbelo como a **mí mismo**.

EVANGELIO   Lucas 14:25–33

Lectura del santo Evangelio según san Lucas

En aquel tiempo,
   caminaba con Jesús una **gran** muchedumbre
   y él, volviéndose a sus discípulos, les dijo:
   "Si alguno **quiere** seguirme
   y no me **prefiere** a su padre y a su madre,
   a su esposa y a sus hijos,
   a sus hermanos y a sus hermanas,
   más aún, a **sí mismo**, no puede ser mi discípulo.
Y el que no carga su cruz **y me sigue**,
   no puede ser mi discípulo.

Porque, ¿**quién** de ustedes, si quiere **construir** una torre,
   no se pone **primero** a calcular el costo,
   para ver si tiene **con qué** terminarla?
No sea que, después de haber **echado** los cimientos,
   no pueda acabarla y todos los que se enteren
      comiencen a burlarse de él, diciendo:
'Este hombre **comenzó** a construir y **no pudo** terminar'.
¿O qué rey que va a **combatir** a otro rey,
   no se pone **primero** a considerar si será capaz
      de salir con **diez mil** soldados
      al encuentro del que viene **contra** él con **veinte mil**?
Porque si no, cuando el otro esté **aún lejos**,
   le enviará una embajada
      para **proponerle** las condiciones de paz.

Así pues,
   cualquiera de ustedes que no renuncie **a todos** sus bienes,
   no puede ser mi discípulo".

Mira hacia la parte central de la asamblea al comenzar las palabras de Jesús.

Haz contacto visual con el fondo de la asamblea al llegar a las preguntas.

Contempla la asamblea antes del párrafo final.

---

evangelio va decantándose lo que implica el discipulado en términos prácticos respecto a los bienes materiales.

Jesús coloca a su seguidor ya no frente a sus vínculos familiares sino ante su propio yo. El seguir a Jesús genera una identidad que lleva la marca de la cruz; es decir, su único bien consiste en cumplir la voluntad de Dios al precio que sea. San Lucas pone dos ejemplos.

La construcción de la torre remata con lo que la gente diría en caso de no terminarla. Para evitar la afrenta, hay que poner todo lo que necesite el proyecto discipular para culminarlo; es asunto de honor personal. El honor del discípulo de Jesús radica en su coherencia total con el camino del Maestro que ha renunciado a toda posesión, no en "el qué dirán". El ejemplo del rey abona en el mismo sentido. Ser discípulo implica jugarse la vida, como en la guerra, y estar dispuesto a perderlo todo con tal de salvarla. Resulta claro, por lo tanto, que este discipulado es incompatible con acumular y salvaguardar los bienes para un plan B.

Por el bautismo, Dios nos llama a seguir a Cristo con fidelidad absoluta. En medio de nuestras vacilaciones y caídas, miremos a la cruz para hacerla nuestro único bien y renunciar a todo lo demás. Sólo entonces podremos unirnos en el camino que lleva a la gloria.

XXIV DOMINGO
DEL TIEMPO ORDINARIO

I LECTURA Éxodo 32:7–11, 13–14

Lectura del libro del Éxodo

Hay aspereza en este intercambio. No es un simple reporte de datos sino una acalorada disputa.

En aquellos días, dijo el Señor a **Moisés**:
"Anda, **baja** del monte, porque **tu pueblo**,
el que **sacaste** de Egipto, se ha **pervertido**.
No tardaron en desviarse
del camino que yo les había **señalado**.
Se han **hecho** un becerro de metal,
se han **postrado** ante él
y le han ofrecido **sacrificios** y le han dicho:
'**Éste** es tu dios, Israel; es el que te **sacó** de Egipto'".

El Señor le dijo **también** a Moisés:
"**Veo** que éste es un pueblo de cabeza **dura**.
Deja que mi ira se encienda contra ellos **hasta consumirlos**.
De ti, en cambio, haré **un gran pueblo**".

Adopta otro tono ahora; como el de alguien que quiere arreglar las cosas por las buenas.

Moisés **trató** de aplacar al Señor, su Dios, diciéndole:
"**¿Por qué** ha de encenderse tu ira, Señor,
contra este pueblo **que tú** sacaste de Egipto
con **gran** poder y **vigorosa** mano?
Acuérdate de Abraham, de Isaac y de Jacob, siervos tuyos,
a quienes juraste **por ti mismo**, diciendo:
'**Multiplicaré** su descendencia
como las estrellas del cielo
y les daré en posesión **perpetua**
toda la tierra que les **he prometido**'".

I LECTURA El éxodo de los hebreos desde la tierra de la servidumbre tiene como primer destino el pie del monte Sinaí. Allí, los liberados contemplan la epifanía del Dios poderoso que los liberó y sellan su mutua pertenencia en una alianza santa: serán propiedad exclusiva de Dios entre los pueblos de la tierra. Moisés, mediador de la alianza, sube al monte a encontrarse con el Señor en repetidas ocasiones. El escritor sagrado nos deja ver lo que ocurre en una de esas subidas y la querella entre Dios y su enviado, Moisés, por haber roto la alianza y postrarse ante "un becerro de metal".

La apostasía descrita en el Éxodo parece reflejar los contextos religiosos del tiempo de la monarquía, cuando el yahvismo era la fe de las diferentes tribus unidas en una alianza. En tal contexto, las religiones de sus vecinos fenicios y cananeos les parecían muy atractivas: los dioses tenían representaciones muy reconocibles y los modos de unirse a ellos eran tangibles y atractivos. Pensemos simplemente en los seculares cultos baálicos del entorno, cuya deidad más encumbrada, Baal ("el señor de los cie-

los tormentosos") solía representarse con un rayo o con un toro.

En la religión cananea, el toro era símbolo de vitalidad por su fuerza y vigor. Baal se asociaba a los fenómenos atmosféricos, a los campos y a la fertilidad de la tierra y de sus habitantes propiciada por la lluvia. Los devotos representaban en rituales sacros los esponsales de sus dioses y diosas, lo que era abyecto y abominable a los yahvistas cuya divinidad no debía ser representada y exigía una fidelidad absoluta. El culto a los baales estaba muy difundido, como dejan entrever las numerosas estatuillas de

Y el Señor **renunció** al castigo
con que había **amenazado** a su pueblo.

Para meditar

SALMO RESPONSORIAL Salmo 51:3–4, 12–13, 17 y 19
R. Me levantaré y volveré donde mi padre.

Misericordia, Dios mío, por tu bondad,
  por tu inmensa compasión borra mi culpa;
lava del todo mi delito,
  limpia mi pecado. **R.**

Oh Dios, crea en mí un corazón puro,
  renuévame por dentro con espíritu firme;
no me arrojes lejos de tu rostro,
  no me quites tu santo espíritu. **R.**

Señor, me abrirás los labios,
  y mi boca proclamará tu alabanza.
Mi sacrificio es un espíritu quebrantado;
  un corazón quebrantado y humillado
  tú no lo desprecias. **R.**

II LECTURA   1 Timoteo 1:12–17

Lectura de la primera carta del apóstol san Pablo a Timoteo

Con ánimo de fortalecer a un líder en su tarea, hay que infundir entusiasmo con clara serenidad.

Querido hermano:
Doy gracias a aquel que me **ha fortalecido**,
  a nuestro Señor Jesucristo,
  por haberme considerado **digno** de confianza
    al ponerme a su servicio,
  a mí, que antes fui **blasfemo**
  y **perseguí** a la Iglesia con violencia;
  pero Dios tuvo misericordia **de mí**,
  porque en mi incredulidad obré **por ignorancia**,
  y **la gracia** de nuestro Señor
    se **desbordó** sobre mí, al darme la fe y el amor
      que **provienen** de Cristo Jesús.

Haz contacto visual con la asamblea al pronunciar la primera línea.

Puedes **fiarte** de lo que voy a decirte
  y aceptarlo **sin reservas**:
    que Cristo Jesús vino **a este mundo**
      a **salvar** a los pecadores,
    de los cuales yo soy **el primero**.

---

toros que se han encontrado por toda la región. Baal y sus cultos de fertilidad fueron los mayores competidores de Yahveh y su alianza.

La polémica entre Yahveh y Moisés claramente establece que no hay forma de transigir en este asunto; la fidelidad al Dios del Sinaí debe ser absoluta y sin componendas. La consecuencia de la idolatría no puede ser otra sino la ira fulminante de Yahveh. A lo largo de su historia, este pensamiento vino una y otra vez: ¿cómo es que, a pesar de sus transgresiones, Israel siga

vivo? Si Israel vive es porque tiene un mediador ante Dios.

La intercesión de Moisés guarda un doble aspecto. Por un lado, él no aminora ni excusa la culpa del pueblo ni tampoco busca a alguien más que cargue con la culpa. Por el otro, lleva la mirada del Señor no al pueblo idólatra sino a sus propias hazañas de liberación motivadas por su promesa a los patriarcas. Ese pueblo pecador es la descendencia que guarda las promesas hechas a Abraham, Isaac y Jacob. Es esa memoria de liberación la garante de su sobrevivencia.

El nuevo pueblo de Dios también se ve tentado por los ídolos modernos del poder, del tener y del placer, que acosan el corazón de cada fiel. Incluso si cae, el creyente debe recordar que tiene un intercesor ante Dios: Cristo Jesús. Para esto nos reunimos cada semana: para avivar la memoria de la salvación.

II LECTURA Las cartas pastorales son un grupo de escritos dirigidos no a comunidades sino a individuos. Sus destinatarios son líderes cristianos a los que se les da consejos para conducir las comu-

Alarga esta línea que menciona el ejemplo paulino.

Pero Cristo Jesús **me perdonó**,
    para que **fuera yo** el primero
        en quien él manifestara **toda** su generosidad
    y sirviera yo de **ejemplo**
        a los que habrían de creer **en él**,
    para obtener **la vida eterna**.

Al rey eterno, **inmortal**, invisible, **único** Dios,
    honor y gloria por los siglos de los siglos. **Amén**.

EVANGELIO   Lucas 15:1–32

Lectura del santo Evangelio según san Lucas

Visualiza las secciones de las parábolas y decide el tono y la velocidad de cada una de ellas.

En aquel tiempo, se acercaban a Jesús
    los **publicanos** y los **pecadores** a escucharlo;
    por lo cual los fariseos y los escribas
        murmuraban entre sí:
    "Este **recibe** a los pecadores y **come** con ellos."

Jesús les dijo entonces esta parábola:
"**¿Quién** de ustedes, si tiene **cien** ovejas y se le pierde **una**,
    no deja las noventa y nueve **en el campo**
    y va en busca de la que se le perdió **hasta encontrarla**?
Y una vez que la encuentra,
    la carga sobre sus hombros, lleno de alegría,
    y al llegar a su casa,
    reúne a los amigos y vecinos y les dice:
    'Alégrense conmigo,
    porque ya encontré la oveja que se me había perdido'.
Yo les aseguro

Haz contacto visual con la asamblea en este momento.

    que **también** en el cielo habrá **más alegría**
        por un pecador que **se arrepiente**,
    que por noventa y nueve justos, que **no necesitan** arrepentirse.

nidades bajo su encomienda. Este tipo de escritos es muy similar a cierta literatura administrativa de la época, en la que funcionarios de mayor rango dan respuesta a preguntas o consultas de servidores públicos subalternos ante casos o situaciones inesperados y se les otorgan competencias para resolverlas. Es el caso de esta carta primera a Timoteo, a quien conocemos como colaborador cercano de san Pablo, incluso como co-remitente en algunos de sus escritos indisputados.

Timoteo sería delegado del Apóstol para combatir a los herejes de Éfeso y man-

tener el orden entre la comunidad cristiana. Lo que leemos hoy viene del inicio de la carta. Tras el saludo y las advertencias más urgentes, el autor eleva una acción de gracias donde coloca su propia vida como paradigma (ejemplo a seguir) para todos los futuros creyentes. Es justamente esta actitud, entre otros motivos, lo que ha despertado sospechas sobre su autenticidad paulina. En nuestra lectura podemos diferenciar dos partecitas coronadas con la *eulogía* (bendición) con la que cierra.

En la primera partecita, domina el motivo del agradecimiento a Cristo Jesús, por

"haberme investido de autoridad… pues me consideró fiel para asignarme al servicio". El lenguaje empleado es el administrativo, como resalta la traducción más literal del verso. Lo que se espera de todo servidor público o subalterno es que sea fiel a quien le asigna un oficio o despacho. La asignación no deriva de los méritos, en este caso deméritos, del Apóstol, sino de la misericordia divina exclusivamente. Hay en el trocito un juego de palabras que muestra que esa gracia de compasión divina ha quedado traducida en la fe (*pístis*) y la caridad (*agapé*) que resultan de vivir en Cristo Jesús. Por

Aminora la velocidad, pero no la intensidad en esta parábola.

¿Y qué mujer hay,
    que si tiene **diez** monedas de plata y pierde una,
    no enciende luego una lámpara y **barre** la casa
    y la **busca** con cuidado hasta **encontrarla**?
Y cuando la encuentra,
    reúne a sus amigas y vecinas y les dice:
    '**Alégrense** conmigo,
    porque **ya encontré** la moneda que se me **había perdido**'.
Yo les **aseguro**
        que así **también** se alegran los ángeles de Dios
        por un **solo** pecador que se arrepiente".

Conviene adoptar un ritmo algo más acelerado de lectura en esta parábola.

También les dijo esta parábola:
    "Un hombre tenía **dos** hijos,
    y **el menor** de ellos le dijo a su padre:
    'Padre **dame** la parte que me toca de la herencia'.
Y él **les repartió** los bienes.

No muchos días después,
    el hijo **menor**, juntando **todo** lo suyo,
    se fue a un país **lejano** y allá **derrochó** su fortuna,
    viviendo de una manera **disoluta**.
Después de malgastarlo **todo**,
    sobrevino en aquella región una **gran hambre**
    y él empezó a pasar **necesidad**.
Entonces fue a pedirle trabajo a un habitante de aquel país,
    el cual lo mandó a sus campos a **cuidar cerdos**.
Tenía ganas de **hartarse** con las bellotas que comían **los cerdos**,
    pero **no lo dejaban** que se las comiera.

Nota la exclación y hazla con propiedad. Luego imprime un tono resolutivo a lo que sigue.

Se puso entonces a reflexionar y se dijo:
    '**¡Cuántos** trabajadores en casa de mi padre tienen pan **de sobra**,
    y yo, aquí, me estoy muriendo **de hambre**!
Me levantaré, **volveré** a mi padre y le diré:
    Padre, he pecado contra el cielo y **contra ti**;
    ya **no merezco** llamarme **hijo tuyo**.
Recíbeme como a uno de tus trabajadores'.

eso decimos que en la *diakonía* (servicio cristiano) el único modo de ser fiel es vivir en comunión de Cristo.

El siguiente pensamiento se vuelca sobre la médula de la obra de la redención: Cristo vino al mundo para salvar a los pecadores. Más allá de esta verdad a recibir sin restricciones, es el propio Pablo el que testifica que la salud es para cualquier pecador. La venida de Cristo hizo evidente la generosidad de Dios para perdonar a los transgresores. Esto debe motivar a toda persona para acercarse mediante la fe al Señor que es misericordioso. Basta ver lo

sucedido con Pablo para convencerse de la gracia divina.

La bendición nace con espontaneidad por la gracia misericordiosa manifiesta en Cristo Jesús. Es una bendición de corte litúrgico que la Iglesia, comunidad de los perdonados en Cristo Jesús, repite semana con semana y en cada Eucaristía al único Dios.

EVANGELIO En la ruta a Jerusalén, Jesús va instruyendo a su grupo de seguidores sobre distintos aspectos del discipulado, que es la vía por la que se verifica la visita de Dios a su pueblo. Pero este

proyecto confronta diferentes resistencias. Es el caso de los escribas y fariseos que eran los más reputados para orientar respecto a los designios divinos.

Los escribas eran especialistas en las Escrituras Sagradas, la Ley y los Profetas, las interpretaban y las aplicaban a lo cotidiano, mientras que los fariseos eran personas que por su piedad y apego a las normas de pureza ritual eran ejemplo para los demás; además, estos últimos se organizaban en grupos que celebraban banquetes, en los que se manifestaba la santidad y pureza de cada cual, eso que se llama "comensalidad

Esta línea acentúala y encadena las siguientes acciones. Delimita bien este parágrafo.

Enseguida se puso en camino hacia la casa de su padre.
Estaba todavía **lejos**,
    cuando su padre **lo vio** y se enterneció **profundamente**.
Corrió hacia él,
    y **echándole** los brazos al cuello, lo **cubrió** de besos.
El muchacho le dijo:
    'Padre, he pecado contra el cielo y **contra ti**;
    ya **no merezco** llamarme **hijo tuyo**'.

Pero el padre les dijo a sus criados:
    '¡**Pronto**!, traigan la túnica más rica y **vístansela**;
    pónganle un anillo en el dedo y **sandalias** en los pies;
    traigan el becerro gordo y **mátenlo**.
Comamos y **hagamos una fiesta**,
    porque este hijo mío estaba **muerto** y ha **vuelto a la vida**,
    estaba **perdido** y lo hemos **encontrado**'.
Y empezó el banquete.

Procura que se note el entusiasmo del corazón paternal. A las órdenes dales calidez también.

El hijo **mayor** estaba en el campo, y al volver,
    cuando se acercó a la casa, **oyó** la música y los cantos.
Entonces llamó a uno de los criados y le preguntó qué pasaba.
Éste le contestó:
    'Tu hermano **ha regresado**,
    y tu padre mandó matar el **becerro gordo**,
    por haberlo recobrado **sano y salvo**'.
El hermano mayor **se enojó** y no quería entrar.

Haz que estas palabras suenen a reproche.

Salió entonces el padre **y le rogó** que entrara;
    pero él replicó:
    '¡Hace **tanto** tiempo que te sirvo,
    sin desobedecer **jamás** una orden tuya,
    y tú no me has dado **nunca** ni un cabrito
        para comérmelo con mis amigos!
Pero **eso sí**, viene ese **hijo tuyo**,
    que **despilfarró** tus bienes con **malas** mujeres,
    y tú **mandas matar** el becerro gordo'.

---

cerrada", pero también su cohesión social, pues se apoyaban socialmente entre sí.

En la lectura de hoy, se menciona el punto de disensión entre Jesús y los detentores de los valores de la religión: "Éste recibe a los pecadores y come con ellos". Ésta es una práctica inédita, opuesta a lo consensuado, pero también completamente inexplicable en alguien que tiene fama de ser un hombre de Dios y que tiene seguidores. En tres parábolas, Jesús va a mostrar que su comensalidad indiscriminada es compatible con la visita de Dios a su pueblo.

La primera parábola se introduce con una pregunta que cada cual debe responder. El dueño de un centenar de ovejas es alguien de cierta prestancia económica y social, para quien una oveja perdida representa una sangría que no puede permitirse; sale en su búsqueda. Sin embargo, el ovejero de la parábola hace algo inesperado: "deja las noventa y nueve en el desierto". Cabe pensar que, en descampado, los pastores se hacen rediles o escogen espacios que cercan con piedras, ramas y barañas para mantener un rebaño junto. Hay un riesgo en dejarlas solas, pero no es el punto

de la parábola, que se alarga en el cuidado con la oveja encontrada y lo que ella provoca: alegría en el dueño y en sus amigos y vecinos. Hay que unirse a esa alegría, porque es la alegría de Dios. Si bien no hay hallazgo sin riesgo, hay que aceptar la invitación mesiánica a festejar por un pecador que se arrepiente.

La segunda parábola es similar, pero aumenta la pérdida implicada. Cualquiera de las mujeres haría lo que hace la mujer de la parábola cuando pierde una de las diez monedas de plata (dracma) que atesora. Cada una de esas monedas representa el

Deben sonar comprensivas y hasta compasivas las palabras del padre.

El padre repuso:

'Hijo, tú **siempre** estás conmigo y **todo** lo mío es **tuyo**.

Pero era **necesario** hacer fiesta y **regocijarnos**,

porque este **hermano tuyo** estaba **muerto**

y ha **vuelto** a la vida, estaba **perdido** y lo hemos **encontrado**'".

Abreviada: *Lucas 15:1–10*

salario de un día de trabajo. Nada se dice de si ella misma las ganó, si es ama de casa, si es viuda, ni si tiene familia. El punto es que la pérdida representa mucho más que en el caso de la oveja, al grado de que la mujer gasta hasta aceite de la lámpara para encontrar lo perdido. Su riesgo es compensado. Y hay más: su alegría no se la guarda sino que la comparte con sus amigas y vecinas. Así sucede en el Cielo por un pecador que se arrepiente.

La tercera parábola eleva lo que está en juego: un hijo de dos. Ahora lo perdido es un ser humano. El relato es amplio y describe lo que significa el arrepentimiento del pecador, que es un hijo de Dios restituido en su dignidad filial. Esto es lo que vale la pena celebrar y es lo que Jesús hace cuando nos recibe y nos sienta a su mesa. ¿Es la misericordia de Dios la causa de nuestra alegría?

XXV DOMINGO DEL TIEMPO ORDINARIO

La lectura requiere cierto grado de indignación ante la injusticia.

Esta serie de denuncias debe sonar acusatoria, no a reporte noticioso.

El par de líneas finales debe sonar sentencioso. Temina con un tono elevado, como si faltara algo todavía.

I LECTURA   Amós 8:4–7

Lectura del libro del profeta Amós

Escuchen esto los que buscan al pobre
    sólo para arruinarlo
    y andan diciendo:
"¡**Cuándo** pasará el descanso del primer día del mes
    para **vender** nuestro trigo,
    y el descanso **del sábado**
    para **reabrir** nuestros graneros?"
Disminuyen las medidas,
    aumentan los precios,
    alteran las balanzas,
    obligan a los pobres a venderse;
    por un **par de sandalias** los compran
    y hasta venden **el salvado** como trigo.

El Señor, gloria de Israel, **lo ha jurado**:
"No olvidaré **jamás ninguna** de estas acciones".

I LECTURA   La voz de Amós en los santuarios nacionales del reino del Norte, Israel, se levantó para denunciar las tropelías que padecen los menos favorecidos en una sociedad pujante, alentada por la bonanza del intercambio de mercancías con sus vecinos, del paso de las caravanas con rumbo a Egipto, por ejemplo, el cual también importaba modelos culturales. La prosperidad del reino despertaba incluso la codicia de los imperios expansionistas, e igualmente el independentismo entre los nacionales. Ese bienestar, sin embargo, no se labraba sin abusos e injusticias. Los santuarios reales eran el espacio donde se evidenciaba la gloria del progreso económico y donde el discurso del bienestar se propagaba, con sus respetivos procedimientos. De antiguo, los templos eran espacios de comercio, entre otras funciones públicas. En ese horizonte de vida aparece Amós, campesino del sur, que fue a poner los puntos sobre las íes de parte del Dios de la alianza.

El oráculo que escuchamos es judicial: sentencia a los que postran a los pobres criminalmente. ¿Quiénes son? En este caso, la denuncia es contra los comerciantes. Ansiosos por acumular ganancias, tienen a los pobres como clientes preferidos. El culto les impone veda comercial en alimento y vestido, dos sectores sustantivos de la sobrevivencia. Amós denuncia el fraude: los pesos y medidas son mentirosos para encarecer los productos. Peor aún, dan salvado por trigo y obligan al pobre a venderse por un par de sandalias. Su voracidad no tiene límites. Nada de esto olvidará el Señor.

Los pobres deben estar en el centro de cualquier promoción genuinamente social, tenga corte religioso o político, por simple filantropía y humanismo ético. La opción por los pobres arraiga en los derechos humanos

Para meditar

SALMO RESPONSORIAL   Salmo 113:1–2, 4–6, 7–8

R. Alaben al Señor que ensalza al pobre.

O bien: **R. Aleluya.**

Alaben, siervos del Señor,
    alaben el nombre del Señor.
Bendito sea el nombre del Señor,
    ahora y por siempre. **R.**

El Señor se eleva sobre todos los pueblos,
    su gloria sobre los cielos.
¿Quién como el Señor, Dios nuestro,
    que se eleva en su trono
    y se abaja para mirar
    al cielo y a la tierra? **R.**

Levanta del polvo al desvalido,
    alza de la basura al pobre,
    para sentarlo con los príncipes,
    los príncipes de su pueblo. **R.**

II LECTURA   1 Timoteo 2:1–8

Lectura de la primera carta del apóstol san Pablo a Timoteo

Ésta es una recomendación pastoral, no un mandato administrativo simplemente.

Te ruego, hermano, que **ante todo**
    se hagan **oraciones**, plegarias, **súplicas**
    y acciones de gracias por **todos** los hombres,
    y en particular, por los **jefes** de Estado
    y las demás autoridades,
    para que **podamos** llevar una vida tranquila y **en paz**,
    entregada a Dios y respetable **en todo sentido**.

En esta parte, se complica el hilo del argumento; esfuérzate en frasear cuidadosamente.

Esto es bueno y **agradable a Dios**, nuestro salvador,
    pues él quiere que **todos** los hombres se salven
    y **todos** lleguen al conocimiento **de la verdad**,
    porque no hay sino **un solo Dios**
    y un **solo mediador** entre Dios y los hombres,
    Cristo Jesús, hombre él también,
    que se **entregó** como rescate **por todos**.

y debe permear nuestra conciencia y nuestras estructuras sociales hasta conseguir que la equidad se constate en la vida digna y valiosa de cada uno de los hijos de Dios. Ésta es su auténtica gloria.

II LECTURA Las líneas de nuestra lectura hacen énfasis en la actitud que los creyentes deben guardar respecto a los foráneos, los conciudadanos y las autoridades civiles. Se subraya que compartimos con ellos la condición humana; así que todos necesitamos de la mediación de Cristo. El punto fundamental es que

ellos también son beneficiarios de la oferta salvadora de Dios. Uno se cobija en un mediador pidiendo omitir la sentencia por el pecado. En esto, la encarnación de nuestro Señor muestra su sentido porque él comparte con la humanidad entera esta condición y puede ser ahora nuestro genuino representante ante Dios. Cristo no es un ángel ni tampoco hombre meramente; la confesión cristiana proclama que Cristo es Dios y hombre verdadero. Y es en esa humanidad que los no cristianos pueden reconocer la verdad de la salvación. No es en nombre propio que oramos y suplicamos

elevando nuestras manos, sino en el nombre de Cristo.

La vida cristiana no es una burbuja litúrgica ni un invernadero espiritual aséptico. El creyente difunde en su entorno vital la experiencia de la salvación con el dinamismo de la fe, esperanza y caridad. En su conciencia habita un verdadero sentido de compromiso con el mundo, y a esto abona la oración. Las autoridades tienen el sagrado deber de velar por el bien común. Esta meta, sin embargo, no se consigue sin la colaboración de todos y cada uno de los entes sociales, incluida la comunidad de fe.

Él **dio testimonio** de esto a su debido tiempo
   y de esto yo he sido constituido,
   digo la verdad y no miento,
   pregonero y apóstol para **enseñar** la fe y la verdad.

Quiero, pues, que los hombres,
   libres de odios y divisiones,
   hagan oración **dondequiera** que se encuentren,
   levantando al cielo sus manos puras.

Afirma la voz y pronuncia con tono decidido la frase principal.

EVANGELIO   Lucas 16:1–13

Lectura del santo Evangelio según san Lucas

En aquel tiempo, Jesús dijo a sus discípulos:
   "Había una vez un hombre **rico** que tenía un administrador,
el cual fue acusado ante él de haberle **malgastado** sus bienes.
Lo llamó y le dijo:
   '¿Es cierto lo que me han dicho de ti?
Dame cuenta de tu trabajo,
   porque en adelante ya **no serás** administrador'.

Entonces el administrador se puso a pensar:
   '¿Qué voy a hacer **ahora** que me **quitan** el trabajo?
No tengo fuerzas para **trabajar** la tierra
   y me da vergüenza **pedir** limosna.
Ya sé lo que voy a hacer, para tener a alguien
      que me **reciba** en su casa, cuando me despidan'.

Entonces fue llamando **uno por uno**
      a los **deudores** de su amo.
Al primero le preguntó: '¿**Cuánto** le debes a mi amo?'
El hombre respondió: '**Cien** barriles de aceite'.
El administrador le dijo:
   'Toma tu recibo, **date prisa** y haz otro por **cincuenta**'.

Esta parábola exige tomar partido al escucha. Dale tono severo a la exigencia del amo.

Aunque en dos líneas, es una sola oración. Imprime cierta premura a toda esta sección.

Orar por nuestras autoridades es un deber de fe y una manera de avanzar en la paz y la tranquilidad a la que todos aspiramos en el rincón del mundo que nos corresponde habitar.

EVANGELIO En la comunidad de san Lucas se enfrentaban serias tensiones entre la gestión de los bienes y lo que significa el genuino discipulado cristiano.

   La parábola del administrador fraudulento y astuto trae a discusión la actitud fundamental que un creyente debe asumir ante un momento de crisis inevitable, el juicio inminente. Con todo, no se trata de una lección de administración bienes. El protagonista de la parábola es un administrador despilfarrador (que evoca la parábola del hijo pródigo). Sopesa bien lo que se le viene encima y adopta una resolución que va a empeorar su situación, pero que le salvará el honor y la vida. La argucia de "los hijos de este mundo" es lo que deben aprender los oyentes, "los hijos de la luz", no sus obras. Esa experiencia (o sabiduría práctica) debe notarse en otros aspectos relevantes para los discípulos, pues a ellos se dirigen las enseñanzas.

   El dinero (*mammón*) carga injusticias, por lo que debe ser usado en favor de los pobres y para que abra la vía a "las moradas eternas". Es insensato acumularlo y, peor aun, no compartirlo. El importe social del dinero debe notarse en el bien que causa sobre todo a pobres y marginados.

   En el siguiente dicho hay una trasposición de sentido. Jesús aconseja una fidelidad escrupulosa en la administración de los bienes menores y ajenos, que avale la recepción de los propios. ¿Cuáles son? Se

Haz que esto suene algo apresurado, pero sin atropellar las palabras.

Luego preguntó al siguiente: 'Y tú, ¿**cuánto** debes?'
Este respondió: '**Cien** sacos de trigo'.
El administrador le dijo:
    'Toma tu recibo y haz **otro** por **ochenta**'.

El amo tuvo que **reconocer**
    que su mal administrador había procedido **con habilidad**.
Pues los que pertenecen a **este mundo**
    son **más hábiles** en sus negocios
        que los que pertenecen a la luz.

Y yo les digo:
    Con el dinero, tan lleno de **injusticias**,
    gánense amigos que, cuando ustedes mueran,
    los reciban **en el cielo**.

El que es **fiel** en las cosas pequeñas,
    también es fiel en **las grandes**;
    y el que es **infiel** en las cosas pequeñas,
    también es infiel **en las grandes**.
Si ustedes no son **fieles** administradores del dinero,
    tan lleno de injusticias,
    ¿**quién** les confiará los bienes **verdaderos**?
Y si no han sido fieles en lo que **no es** de ustedes,
    ¿**quién** les confiará lo que **sí es** de ustedes?

Nota los dos momentos de la conclusión. Aminora la velocidad y haz contacto visual con la asamblea antes de pronunciar la fórmula litúrgica.

No hay criado que pueda servir **a dos amos**,
    pues **odiará** a uno y **amará** al otro,
    o se **apegará** al primero y **despreciará** al segundo.
En resumen,
    no pueden ustedes servir a Dios **y al dinero**".

Abreviada: *Lucas 16:10–13*

trata de los bienes que se tienen en común con los otros creyentes y que sirven para sustentar a los pobres, también en sentido espiritual. ¿Se les confiará la administración del Evangelio y de la Mesa del Señor a quienes no son fieles ni en el dinero inicuo?

La sentencia que cierra la lectura pone al discípulo de Jesús ante la disyuntiva de a quién va a servir: o a Dios o a la riqueza. No hay término medio. Servir con los bienes que cada quien posee es la vocación de todo fiel cristiano. Si no conseguimos hacer esto como Pueblo de Dios o Iglesia que somos, no pasaremos de formar un club re-

ligioso. La palabra del Señor nos llama para ser sagaces y tejer la red de la solidaridad eficiente con los desfavorecidos.

XXVI DOMINGO
DEL TIEMPO ORDINARIO

I LECTURA   Amós 6:1, 4–7

Lectura del libro del profeta Amós

Esto dice el Señor todopoderoso:
   "¡Ay de ustedes, los que se sienten **seguros** en Sión
   y los que **ponen** su confianza
   en el **monte sagrado** de Samaria!
Se reclinan sobre divanes **adornados** con marfil,
   se **recuestan** sobre almohadones
   para **comer** los corderos del rebaño
   y las terneras en **engorda**.
Canturrean al son del arpa, **creyendo** cantar como David.
Se **atiborran** de vino,
   se ponen los perfumes **más costosos**,
   pero **no se preocupan** por las desgracias de sus hermanos.

Por eso irán al destierro **a la cabeza** de los cautivos
   y **se acabará** la orgía de los disolutos".

Esta denuncia requiere de un tono lamentativo en su inicio. Luego identifica los delitos y dilos como si fueran uno solo.

Es la sentencia y debe sonar lapidaria. Vocalízala cuidadosamente.

Para meditar

SALMO RESPONSORIAL   Salmo 146:7, 8–9a, 9bc–10
R. Alaba, alma mía, al Señor.

O bien: **R. Aleluya.**

El mantiene su fidelidad perpetuamente,
   hace justicia a los oprimidos,
   da pan a los hambrientos.
El Señor liberta a los cautivos. **R.**

El Señor abre los ojos al ciego,
   el Señor endereza a los que ya se doblan,
   el Señor ama a los justos,
   el Señor guarda a los peregrinos. **R.**

Sustenta al huérfano y a la viuda
   y trastorna el camino de los malvados.
El Señor reina eternamente,
   tu Dios, Sión, de edad en edad. **R.**

I LECTURA El profeta Amós denuncia los modos empleados por las elites, comerciantes, sacerdotes y consejeros de gobierno para enriquecerse a costa de la población llana y simple. Por eso, su fuerte denuncia y el anuncio de que Dios mismo cobrará esa cuenta.

Amós fustiga la fe de la clase dominante que vive despreocupadamente, confiada en su piedad. Dicha fe se expresa en los ritos del culto a Yahveh practicado principalmente en dos santuarios: el de Sión y el de Samaría. Las elites israelitas viven en la burbuja de su propia realidad.

El profeta reprueba los sacrificios de comunión que se realizaban al cobijo de los santuarios mencionados. Henchidos de piedad, ofrecían lo mejor de sus rebaños y, bañados y perfumados, se reunían a "comer, beber y alegrarse" al son de música piadosa. Sus ofrendas eran la máxima expresión de la gracia divina. El profeta, por su parte, mira en esta aparente bienaventuranza una seria cuarteadura (desgracias, se lee en la liturgia) que los líderes no quieren ver. La cuarteadura es la brecha entre pobres y ricos. Por eso, se anuncia la deportación.

Uno de los peligros más grandes del culto es que alimenta un sentido de bienestar y buena conciencia entre los participantes. Esta palabra de Dios, sin embargo, nos pide mirar las fracturas en un sistema de prosperidad que se levanta sobre los desfavorecidos. Nuestro reto es que la comunión de vida que proclamamos en nuestra liturgia sea total. Mientras haya alguien excluido no estará completa.

II LECTURA En el primer párrafo de nuestra lectura Pablo exhorta a Timoteo, a cultivar las virtudes

II LECTURA   1 Timoteo 6:11–16

Lectura de la primera carta del apóstol san Pablo a Timoteo

Hermano:
Tú, como hombre de Dios,
    lleva una vida de rectitud, **piedad**, fe,
    amor, **paciencia** y mansedumbre.
Lucha en el noble combate **de la fe**,
    conquista la vida eterna a la que has sido **llamado**
    y de la que hiciste **tan admirable** profesión
        ante **numerosos** testigos.

Ahora, **en presencia** de Dios, que da vida a **todas** las cosas,
    y de **Cristo** Jesús,
    que dio tan admirable **testimonio** ante Poncio Pilato,
    te **ordeno** que **cumplas** fiel e irreprochablemente,
        todo lo mandado,
    hasta la venida de nuestro Señor Jesucristo,
    la cual **dará** a conocer a su **debido tiempo** Dios,
    el bienaventurado y **único** soberano,
    Rey de los reyes y **Señor** de los señores,
    el **único** que posee la inmortalidad,
    el que habita en una luz **inaccesible**
    y a quien **ningún** hombre ha visto **ni puede** ver.
    A él **todo** honor y poder **para siempre**.

EVANGELIO   Lucas 16:19–31

Lectura del santo Evangelio según san Lucas

En aquel tiempo, Jesús dijo a los fariseos:
    "Había un hombre **rico**,
    que se vestía **de púrpura** y telas **finas**
    y banqueteaba **espléndidamente** cada día.
Y un **mendigo**, llamado Lázaro,
    yacía a la entrada de su casa **cubierto** de llagas
    y **ansiando** llenarse con las **sobras**

El exhorto debe hacerse con amabilidad fraterna, tal como se le habla a un hermano menor.

Apóyate en los puntos y las comas; dales la justa entonación. No cortes las frases prolongadas.

Aunque la parábola es conocida, procura realzar los detalles de las descripciones.

---

ciudadanas enunciadas en dos tripletes. En el primero tenemos la justificación, la piedad y la fe, que compendian los deberes de la religión. La justificación o rectitud se entiende como la condición establecida por una relación honesta y respetuosa con los dioses, en este caso con Dios, en un marco de derecho. La piedad consiste en honrar a la divinidad mediante votos y ofrendas. La fe es confiar en la deidad.

En el segundo triplete tenemos el amor, la perseverancia (paciencia) y la mansedumbre, virtudes del trato diario con los demás. El amor identifica a otro humano como "otro yo". La perseverancia es la fortaleza ante la adversidad. La mansedumbre es lo contrario a la arrogancia en el trato común. No son virtudes cristianas estrictamente, sino las de todo ciudadano respetable.

Ejercitar las virtudes busca ganar "la batalla de la fe" cuya corona es la vida eterna. La vida cristiana no es fácil ni consiste en pasarla bien. Timoteo parece saber bien de qué se trata, pues ya ha experimentado los rigores de seguir a Cristo, ahora glorioso, y que vendrá en un futuro próximo. Sin esa venida en el horizonte, el creyente sería presa del desaliento y abandonaría el combate.

El párrafo segundo es una amplia eulogía con dos tripletes de frases titulares que subrayan la condición gloriosa del Señor. Cierra la alabanza una formulación litúrgica que nos deja ver dónde se verifica ya el señorío invisible de Dios.

EVANGELIO La actitud que los discípulos de Jesús han de adoptar ante los bienes materiales viene ilustrada con otra parábola, ésta dirigida a

Elonga la descripción de la muerte del mendigo y pausa tras la nota del entierro del rico.

que caían de la mesa del rico.
Y **hasta** los perros se acercaban a **lamerle** las llagas.

Sucedió, pues, que **murió** el mendigo
y los ángeles lo llevaron al **seno de Abraham**.
Murió **también** el rico y lo enterraron.
Estaba éste en el lugar **de castigo**,
en medio de **tormentos**,
cuando levantó los ojos y vio a lo lejos a **Abraham**
y a **Lázaro** junto a él.

Para que se note la secuencia, liga la primera línea a lo previo. Distingue las voces en diálogo, haciendo más pausada la voz de Abraham.

Entonces **gritó**: 'Padre Abraham, ten piedad **de mí**.
Manda a Lázaro que moje en agua la **punta** de su dedo
y me **refresque** la lengua,
porque me torturan **estas llamas**'.
Pero Abraham le contestó:
'Hijo, **recuerda** que en tu vida recibiste **bienes**
y **Lázaro**, en cambio, **males**.
Por eso él goza **ahora** de consuelo,
mientras que tú sufres **tormentos**.
Además, entre ustedes y nosotros
se abre un abismo **inmenso**,
que **nadie** puede cruzar, ni hacia **allá** ni hacia **acá**'.

El rico **insistió**:
'Te **ruego**, entonces, padre Abraham,
que mandes a Lázaro **a mi casa**,
pues me quedan allá **cinco hermanos**,
para que les **advierta**
y no acaben **también** ellos en este lugar de tormentos'.
Abraham le dijo:
'Tienen a Moisés y a los profetas; **que los escuchen**'.
Pero el rico **replicó**:
'No, padre Abraham. Si **un muerto** va a decírselo,
entonces sí se arrepentirán'.
Abraham **repuso**: 'Si **no escuchan** a Moisés y a los profetas,
no harán caso, ni aunque **resucite** un muerto'".

Las respuestas del Patriarca deben sonar firmes y serenas. Que la última frase se oiga lapidaria.

los fariseos. Aquí vale el dicho "Te lo digo a ti mi hija, escúchalo tú mi nuera".

La parábola tiene dos escenas sucesivas: una descripción de lo que sucede en la tierra y un amplio diálogo de lo que ocurre en el más allá. El primer cuadro pone en la imaginación del oyente algo que conoce de sobra, aunque con un ribete extremo: los perros lamen las llagas del mendigo que ni puede cubrírselas, mientras el rico viste regiamente. El diálogo subsecuente descubre lo que ocurre tras la muerte y que es inaccesible al ojo humano, pero afirmado en la revelación divina. Mientras el rico va a

parar al "lugar de tormentos", el pobre disfruta en "el seno de Abraham". La causa de la inversión en el destino parece simple compensación, pero tiene también su fundamento en la revelación de "Moisés y los profetas". Comida y vestido sentencian la suerte definitiva.

Jesús nos urge a compartir los bienes con los "invisibles" en nuestro medio social, personas que no queremos ver porque laceran nuestro sentido de bienestar. Esos "indeseables" nos urgen a compartir la comida, el vestido y el espacio de nuestro mundo. De no satisfacer esas exigencias de

vida humana, nuestra fe quedará estéril. "En vida" hay que responder.

XXVII DOMINGO DEL TIEMPO ORDINARIO

I LECTURA   Habacuc 1:2-3; 2:2-4

Lectura del libro del profeta Habacuc

¿**Hasta cuándo**, Señor, pediré auxilio,
   sin que me escuches,
   y denunciaré **a gritos** la violencia que reina,
   sin que vengas **a salvarme**?
¿**Por qué** me dejas ver la injusticia
   y **te quedas mirando** la opresión?
Ante mí no hay más que **asaltos y violencias**,
   y **surgen** rebeliones y desórdenes.

El Señor me respondió y me dijo:
   "**Escribe** la visión que te he manifestado,
   ponla clara en tablillas
      para que se pueda **leer** de corrido.
Es **todavía** una visión de algo **lejano**,
   pero que viene corriendo y **no fallará**;
   si se tarda, **espéralo**, pues llegará **sin falta**.
El malvado **sucumbirá** sin remedio;
   el justo, en cambio, **vivirá** por su fe".

Infunde cierto apuro a las preguntas del profeta, pero sin exageración.

Vocaliza con toda claridad la instrucción. Prolonga la línea que habla de la lejanía y luego avanza a un mismo ritmo hasta el final.

I LECTURA Habacuc es otro escrito de los que componen el libro de los Doce profetas de la Biblia hebrea. Su profecía, presentada como visión, está dirigida contra los caldeos o babilonios, y suele fecharse en torno al año 600 a. C., aunque su escritura contendría seguridad añadidos y glosas posteriores. Los dos parágrafos de la lectura conjuntan una especie de denuncia profética en forma de lamento y la sentencia divina.

El lamento se formula en dos cuestionamientos profundos, tomados de los primeros versos del librito. El primero clama por un *basta* que limite lo que se ha vuelto intolerable. ¿Qué es esto? La violencia que campea por todas partes. El segundo pregunta por la finalidad que Dios buscaría al dejar que su profeta vea y padezca los crímenes irrefrenables. No hay ley que ordene la vida ciudadana ni que cobije al propio profeta cuya vida está en riesgo. Sólo Dios puede detener eso; él mira los abusos, pero no interviene. Este es un rasgo retórico, como se ve enseguida.

Dios responde con una visión que dará constancia en días ulteriores; se escribe para que perdure. Lo que se avecina no es algo inconexo. Es tan terrible que no habrá quien lo soporte en pie. Es la sentencia divina ante la violencia irrefrenable de los malvados. La frase final deja una rendijita para el que se atiene a Dios.

La confianza o fortaleza (*emunah*) en Dios es el vigor que se requiere para sobrevivir a la catástrofe inminente. Dicha confianza (fe) no es simple fideísmo ni pietismo voluntarista, sino que tiene un respaldo ético primordial. El justo, el hombre de Dios, no es quien perpetra crímenes, asaltos, violencias, rebeliones ni desórdenes.

Para meditar

SALMO RESPONSORIAL   Salmo 95:1–2, 6–7, 8–9

R. Ojalá escuchen hoy la voz del Señor: "No endurezcan el corazón".

Vengan, aclamemos al Señor,
　demos vítores a la Roca que nos salva;
　entremos a su presencia dándole gracias,
　aclamándolo con cantos. **R.**

Entren, postrémonos por tierra,
　bendiciendo al Señor, creador nuestro.
Porque él es nuestro Dios,
　y nosotros su pueblo,
　el rebaño que él guía. **R.**

Ojalá escuchen hoy su voz:
"No endurezcan el corazón como en Meribá,
　como el día de Masá en el desierto;
　cuando vuestros padres me pusieron
　　a prueba
　y me tentaron, aunque habían visto
　　mis obras". **R.**

II LECTURA   2 Timoteo 1:6–8, 13–14

Lectura de la segunda carta del apóstol san Pablo a Timoteo

Querido hermano:
Te recomiendo que **reavives** el don de Dios
　que recibiste cuando te **impuse** las manos.
Porque el Señor **no** nos ha dado un espíritu **de temor**,
　sino de **fortaleza**, de amor y de moderación.

No te avergüences, pues,
　de **dar testimonio** de nuestro Señor,
　ni te avergüences **de mí**, que estoy preso **por su causa**.
Al contrario, **comparte** conmigo los sufrimientos
　　por la **predicación** del Evangelio,
　sostenido por la fuerza de Dios.
Conforma tu predicación
　　a la **sólida** doctrina que recibiste de mí acerca de la fe
　y el amor
　　que tienen su **fundamento** en Cristo Jesús.
Guarda este tesoro con la ayuda del **Espíritu Santo**,
　que habita **en nosotros**.

Nota el tono cálido y pausado de estos consejos como de un hermano mayor. Dale pausa a las comas.

El párrafo se prolonga. Frasea con propiedad respetando la puntuación.

En nuestra actual circunstancia, recordemos que somos tejedores de confianza. La mentira, el fraude y la traición socaban la integridad de nuestro medio vital. Nuestra distinción bautismal nos impulsa a ser personas íntegras, honestas y confiables, por los cuatro costados. Sólo entonces podremos llamarnos personas de fe.

II LECTURA Este escrito pastoral, la segunda carta a Timoteo, tiene rasgos muy personalizados y viene a ser una especie de testamento paulino, enviado desde Roma (2 Timoteo 1:17). Como las cartas paulinas, en general, ésta puede verse articulada en tres partes. En la parte primera, tras un saludo viene una acción de gracias y la participación en la experiencia sufriente del apóstol. La segunda contiene instrucciones de carácter apostólico. La tercera habla de las condiciones de Pablo al final de su carrera apostólica. Los dos párrafos de la lectura de nuestra celebración proceden de la parte primera, en la que Pablo exhorta en tono muy personal a Timoteo, poniendo al frente su propio ejemplo luego de la acción de gracias.

Se estima que Timoteo encabeza una comunidad cristiana de Éfeso. Para realizar su encomienda, Pablo ha impuesto las manos sobre él. Este gesto sirve para comunicar un don (*charisma*) cuya finalidad parece estar desglosada enseguida. Aunque podría pensarse que esa imposición de manos significaría un rito de investidura apostólica, lo cierto es que las virtudes mencionadas enseguida miran directamente a la predicación del Evangelio.

El espíritu participado por el Señor a sus fieles no es de cobardía (*deilía*) sino de fuerza (*dýnamis*), amor (*agápe*) e inteligencia

EVANGELIO   Lucas 17:5–10

Lectura del santo Evangelio según san Lucas

Proclama este evangelio con la misma disposición de la petición de los apóstoles.

En aquel tiempo, los apóstoles dijeron al Señor:
    "**Auméntanos** la fe".
El Señor les contestó: "Si tuvieran fe,
    aunque fuera **tan pequeña** como una semilla de mostaza,
    podrían decir a ese árbol frondoso:
    '**Arráncate** de raíz y **plántate** en el mar', y los **obedecería**.

Eleva el tono para interrogar, pero también al final de cada pregunta.

¿**Quién** de ustedes, si tiene un siervo que **labra** la tierra
        o **pastorea** los rebaños,
    le dice cuando éste regresa del campo:
    '**Entra** enseguida y **ponte** a comer'?
¿No le dirá **más bien**:
    '**Prepárame** de comer y disponte **a servirme**,
    para que **yo** coma y beba; **después** comerás y beberás tú'?
¿Tendrá acaso que **mostrarse agradecido** con el siervo,
    porque éste cumplió **con su obligación**?

Antes de las dos líneas finales, haz contacto visual con la asamblea y baja la velocidad.

Así **también** ustedes,
    cuando hayan **cumplido** todo lo que se les mandó, digan:
    'No somos más que **siervos**,
    sólo hemos hecho lo que **teníamos** que hacer'".

(*sofronismós*). Estas virtudes se necesitan para sostener el consecuente testimonio del Evangelio, pues éste suscita reacciones adversas y contrarias en quienes viven para su propia ganancia y complacencia. En esto se distingue también el liderazgo cristiano del resto.

EVANGELIO La lectura de este evangelio tiene dos focos principales, unidos con el tema de la fe, que los apóstoles convocan con su petición. Con ella se cierra una enseñanza sobre el perdón, en el relato evangélico, y se transita a lo que es-

cuchamos. Basta una pizca de fe para hacer cosas inauditas. Igualmente, se requiere fe para vivir cumplidamente en la comunidad cristiana.

El ejemplo del esclavo y su amo no busca ilustrar la equidad entre ellos, ni siquiera la reciprocidad de atención, sino inculcar el cumplimiento de los deberes de la fe. Al mismo tiempo, habría creyentes que sentirían no tener fe porque eran incapaces de obrar algún prodigio. En cierta manera, Jesús enseñaría que esos portentos no son producto de una fe grande, pues la fe opera en la observancia de los propios deberes.

Servir al Señor es el deber de todo creyente, pues con el bautismo comenzamos a formar parte de su casa, "la casa de Cristo". Así establecimos una alianza con Dios; no en calidad de iguales, ni siquiera de corresponsables, sino de servidores en deuda de fidelidad. Esa fidelidad a la voluntad del Señor es la fe operante.

XXVIII DOMINGO DEL TIEMPO ORDINARIO

Historia interesante y llena de color: nota los cambios de escena y haz las pausas correspondientes.

I LECTURA   2 Reyes 5:14–17

Lectura del segundo libro de los Reyes

En aquellos días,
    Naamán, el general del ejército de Siria,
    que estaba **leproso**,
    se bañó **siete** veces en el Jordán,
    como le había dicho **Eliseo**, el hombre de Dios,
    y su carne quedó **limpia** como la de un niño.

Volvió con su comitiva a donde estaba el hombre de Dios
    y se le presentó diciendo:
    "**Ahora sé** que no hay más Dios que el **de Israel**.
Te pido que **aceptes** estos regalos de parte de tu siervo".
Pero Eliseo contestó:
    "**Juro** por el Señor, en cuya presencia estoy,
    que no aceptaré **nada**".
Y por más que Naamán **insistía**, Eliseo **no aceptó** nada.

El pronunciamiento de Naamán es el punto culminante del relato. Las líneas finales van juntas. Termina en un tono alto.

Entonces Naamán le dijo:
    "Ya que te niegas, **concédeme** al menos
        que me den unos sacos con tierra de **este** lugar,
    los que puedan llevar un par de mulas.
La usaré para **construir** un altar al Señor, **tu Dios**,
    pues a **ningún** otro dios
        volveré a ofrecer más sacrificios".

I LECTURA La curación de Naamán forma parte del ciclo de los milagros de Eliseo. Evidencian que el espíritu profético de Elías sigue presente y activo. Más aun, los prodigios del discípulo adquieren una dimensión internacional, con lo cual se muestra la superioridad de la religión del Dios de Israel frente a las otras, al mismo tiempo que la apertura de la salud y su gratuidad.

La lepra resultaba imposible de curar en aquella época. Eliseo debía vencer también las resistencias del general sirio que menospreciaba las instrucciones del profe-

ta, enviadas por medio de un siervo suyo. A regañadientes, Naamán se somete y el resultado es prodigioso; tras bañarse siete veces en el Jordán su carne queda como la de un niño. Esto equivale a un nacimiento. La gratitud brota en forma de regalos, pero Eliseo se niega tajantemente a recibirlos. La salud del Dios de Israel es absolutamente gratuita, incluso para los foráneos. Aquel extranjero, que no puede entrar en la alianza con Dios, busca vincularse de algún modo con él y se lleva tierra para construirle un altar, allá, en su suelo.

La historia de Naamán nos lleva a pensar en nuestra propia condición. Pese a ser extraños, Dios nos ha acogido en su familia, gracias al baño bautismal que recibimos en Cristo Jesús. Esta es la mayor de las gracias y la garantía de nuestra salud. Vivamos agradecidos. Nuestra gratitud deberá notarse en confiar en su palabra y mantener celosamente la alianza de su Espíritu en nuestro corazón.

II LECTURA El fragmento de nuestra lectura culmina la primera parte de esta carta pastoral, en la que se

Para meditar

SALMO RESPONSORIAL   Salmo 98:1, 2–3ab, 3cd–4

R. El Señor revela a las naciones su justicia.

Canten al Señor un cántico nuevo,
   porque ha hecho maravillas.
Su diestra le ha dado la victoria,
   su santo brazo. **R.**

El Señor da a conocer su victoria,
   revela a las naciones su justicia:
   se acordó de su misericordia y su fidelidad
   en favor de la casa de Israel. **R.**

Los confines de la tierra han contemplado
   la victoria de nuestro Dios.
Aclama al Señor, tierra entera;
   griten, vitoreen, toquen. **R.**

II LECTURA   2 Timoteo 2:8–13

Lectura de la segunda carta del apóstol san Pablo a Timoteo

En este trocito testimonial, llena tu voz de convicción y haz contacto visual con la asamblea tras la palabra "elegidos".

Querido hermano:
Recuerda **siempre** que Jesucristo, descendiente de David,
   resucitó de entre los muertos,
   conforme al Evangelio que **yo predico**.
Por **este** Evangelio sufro hasta **llevar cadenas**,
   como un malhechor;
   pero la **palabra** de Dios **no está** encadenada.
Por eso lo sobrellevo **todo** por amor a los elegidos,
   para que **ellos** también alcancen en Cristo Jesús **la salvación**,
   y **con ella**, la gloria **eterna**.

Procura guardar el balance en el tono de estas frases pareadas y nota cómo se rompe con la línea final.

Es **verdad** lo que decimos:
   "Si morimos con él, **viviremos** con él;
   si nos mantenemos firmes, **reinaremos** con él;
   si **lo negamos**, él también **nos negará**;
   si le somos infieles, él **permanece fiel**,
   porque **no puede** contradecirse **a sí mismo**".

estimula a Timoteo a secundar el ejemplo del autor que "lleva cadenas" por la causa del Evangelio.

No son los sufrimientos lo que se busca, sino rememorar lo que el Evangelio significa. El autor no se refiere a los relatos evangélicos (que en el momento del tiempo del escrito no estaban redactados como los conocemos ahora; por entonces se estarían configurando sus elementos y sólo verán la luz en la siguiente generación cristiana). El núcleo del Evangelio ha quedado establecido con el acontecimiento pascual de la

muerte y resurrección de Cristo Jesús, que es la confesión cristiana.

La confesión cristiana tiene un componente mesiánico: la filiación davídica de Jesús. Este no es un dato que pueda alcanzarse por registros externos sino por la interpretación de las Escrituras. Si las Escrituras no están al alcance de los creyentes para nutrirse y arraigarse en ellas, a su fe les hará siempre falta un elemento sustancial. La resurrección es el dato primario. Supone una historia detrás que muestra quién es Jesús, cómo es que fue ejecutado y por qué Dios lo resucitó. Estos ingredien-

tes pertenecen al kerigma (o anuncio) de fe más antiguo.

La lectura cierra con una especie de himno que parece enraizar en el ámbito bautismal. Habla de la participación del creyente en el Misterio pascual de Cristo. Aunque ya participamos en Cristo, se nos exhorta a la perseverancia ante el prometedor futuro que nos aguarda. Hay que fijar los ojos en Cristo para que su fidelidad sostenga la debilidad acosada por los adversarios del Evangelio.

EVANGELIO   Lucas 17:11–19

Lectura del santo Evangelio según san Lucas

En aquel tiempo, cuando **Jesús** iba de camino **a Jerusalén**,
    pasó entre Samaria y Galilea.
Estaba **cerca** de un pueblo,
    cuando le salieron al encuentro **diez** leprosos,
    los cuales se detuvieron **a lo lejos**
    y **a gritos** le decían:
    "Jesús, maestro, **ten compasión** de nosotros".

Al verlos, Jesús les dijo:
"Vayan a presentarse **a los sacerdotes**".
Mientras iban de camino, quedaron **limpios** de la lepra.

Uno de ellos, al ver que **estaba curado**,
    regresó, alabando a Dios **en voz alta**,
    se **postró** a los pies de Jesús y le dio **las gracias**.
Ése era **un samaritano**.
Entonces dijo Jesús: "¿No eran **diez** los que quedaron **limpios**?
¿**Dónde están** los otros nueve?
¿No ha habido **nadie**, fuera de este **extranjero**,
    que **volviera** para dar gloria a Dios?"
Después le dijo al samaritano:
    "**Levántate** y vete. Tu fe **te ha salvado**".

Mírate entre el grupo de necesitados de la salud de Dios. Desde esa condición, da el tono y el volumen de voz para esta proclamación.

La instrucción de Jesús debe sonar natural, no como una imposición autoritatia.

Haz notar cierta sorpresa o extrañeza en tu voz ante esta acción inesperada.

Imprime un tono de alegría a la última frase de Jesús.

EVANGELIO   Este episodio se lee en una sección de enseñanzas sobre lo que significa la fe.

El milagro de la curación de los diez leprosos sorprende porque no se realiza con ningún gesto ni contacto de Jesús con ellos y, sobre todo, por la reacción de los curados. En efecto, los diez suplican al Maestro desde lejos, como se requería de una persona que padeciera esa enfermedad. Ellos están en la mejor disposición de escuchar y obedecer. Apelan a la compasión del Señor y la consiguen. Sin más, Jesús les instruye algo un tanto absurdo: presentarse a los sacerdotes. Estos eran los encargados de examinar a los fieles para admitirlos en la comunidad de vida que se reunía en el culto; había sacerdotes en cada pueblo y ciudad. Se encaminan sin reparar en lo incomprensible de la orden. En el camino quedan curados. Así se ilustra que la fe es la sumisión a la palabra de Jesús.

La reacción de los curados no es igual. San Lucas destaca la de un samaritano que regresa alabando a Dios y se postra agradecido a los pies de Jesús. Entonces, el Maestro deriva otra enseñanza. Los extranjeros y excluidos, los que no tienen familiaridad con la salvación, son los que glorifican a Dios. Ponerse a disposición de Jesús es darle gloria a Dios. Aquel samaritano muestra una fe que no se guarda el agradecimiento, sino que lo comparte e invita a imitarlo. Es una fe que salva. Jesús levanta al postrado, ahora transformado en una persona nueva, salva.

Ese samaritano anónimo y del que no escuchamos ni una sola palabra puede ser nuestro modelo para acudir al Señor, implorar su misericordia y obedecerlo dando gracias a Dios porque nos salva con su palabra.

XXIX DOMINGO DEL TIEMPO ORDINARIO

I LECTURA Éxodo 17:8–13

Lectura del libro del Éxodo

Relato fluido: respeta los signos ortográficos y pronuncia con claridad.

Cuando el pueblo de Israel
    caminaba a través del desierto,
    llegaron los **amalecitas** y lo atacaron en Refidim.
Moisés dijo entonces a **Josué**:
    "**Elige** algunos hombres y sal **a combatir** a los amalecitas.
Mañana, yo me colocaré en lo **alto** del monte
        con la vara de Dios **en mi mano**".

Este párrafo muestra el poder de la oración. Moisés es un ejemplo de perseverencia al orar. Que se note en tu proclamación.

Josué **cumplió** las órdenes de Moisés
    y **salió** a pelear **contra** los amalecitas.
Moisés, Aarón y Jur subieron a **la cumbre** del monte,
    y sucedió que,
        cuando Moisés tenía las manos **en alto**, dominaba **Israel**,
        pero cuando **las bajaba**, Amalec **dominaba**.

Como Moisés **se cansó**,
    Aarón y Jur lo hicieron **sentar** sobre una piedra,
    y colocándose **a su lado**, le **sostenían** los brazos.

El párrafo final corona la lectura y revela la dimensión comunitaria de la oración. Léelo pausadamente.

Así, Moisés pudo mantener **en alto** las manos
        hasta la puesta del sol.
Josué **derrotó** a los amalecitas y **acabó** con ellos.

I LECTURA Estamos en el corazón del libro del Éxodo: la alianza entre Dios y su pueblo en el monte Sinaí. En esta sección leemos las rebeliones del pueblo contra Moisés en el desierto por la falta de agua dulce (15:23–27), por la falta de pan y carne (16) y por la sed (17:1–8). En el desierto, Israel deberá descubrir y afianzar su vocación de hombres y mujeres libres.

Entonces aparecen los amalecitas, enemigos de Israel (Deuteronomio 25:17–19). Pueblo seminómada de larga historia, Amalec será un enemigo persistente de Israel durante los reinados de Saúl y de David. Si

ya la falta de alimento y bebida había hecho sufrir a los que cruzaban el desierto, el encuentro con este pueblo enemigo representará un nuevo desafío.

Aparece por primera vez Josué, el sucesor de Moisés y el que acompañará la entrada de Israel a la Tierra Prometida. Moisés lo manda a la batalla, al frente de un grupo de prófugos de Egipto. El triunfo sobre Amalec requerirá la intercesión de Moisés.

La salvación de Dios se muestra por el bastón que Moisés lleva en su mano durante la oración fragorosa. Pero incluso con el bastón, el caudillo necesita que alguien lo

auxilie en su fatiga porque la pelea se alarga. Los que sostienen sus brazos muestran que la oración requiere del sustento comunitario. La lectura exalta la obra de Dios que salva a su pueblo. Nos enseña también que, por excepcional que sea el poder de Moisés, la limitación humana requiere siempre el auxilio de la comunidad.

II LECTURA En las Cartas Pastorales (las dos a Timoteo y la dirigida a Tito) Pablo se dirige a los líderes que ha dejado al frente de las comunidades. Les da

Para meditar

SALMO RESPONSORIAL   Salmo 121:1–2, 3–4, 5–6, 7–8

R. El auxilio me viene del Señor que hizo el cielo y la tierra.

Levanto mis ojos a los montes:
   ¿de dónde me vendrá el auxilio?
El auxilio me viene del Señor,
   que hizo el cielo y la tierra. **R.**

No permitirá que resbale tu pie,
   tu guardián no duerme;
no duerme ni reposa
   el guardián de Israel. **R.**

El Señor te aguarda a su sombra,
   está a tu derecha;
de día el sol no te hará daño,
   ni la luna de noche. **R.**

El Señor te guarda de todo mal,
   él guarda tu alma;
el Señor guarda tus entradas y salidas,
   ahora y por siempre. **R.**

II LECTURA   2 Timoteo 3:14—4:2

Lectura de la segunda carta del apóstol san Pablo a Timoteo

La exhortación parte de la experiencia de infancia de Timoteo. Trae a tu memoria las primeras enseñanzas de fe que recibiste y tenlas de telón de fondo en tu proclamación.

Querido hermano:
Permanece **firme** en lo que **has aprendido**
   y se te ha confiado,
      pues **bien sabes** de quiénes lo aprendiste
   y desde tu infancia
      estás familiarizado con la **Sagrada Escritura**,
   la cual **puede darte** la sabiduría que,
por la fe **en Cristo Jesús**, conduce a la **salvación**.

Este párrafo contiene una enseñanza sobre la utlidad de la Palabra de Dios. Lee con aplomo, pero sin que suene a regaño.

Toda la Sagrada Escritura está **inspirada** por Dios
   y es **útil** para enseñar, para **reprender**,
   para **corregir** y para educar en la virtud,
   a fin de que el hombre de Dios **sea perfecto**
   y esté **enteramente** preparado para **toda** obra buena.

Enlaza bien las frases que leas. Apóyate en las negrillas para los énfasis.

En **presencia** de Dios y de Cristo Jesús,
   que ha de venir **a juzgar** a los vivos y a los muertos,
   te pido **encarecidamente**,
   por su advenimiento y por su Reino,
   que **anuncies** la palabra;
   insiste a tiempo y a **destiempo**;
   convence, reprende y exhorta
      con **toda** paciencia y sabiduría.

recomendaciones y advertencias para que desempeñen bien la encomienda.

Ya hacia su última parte (la próxima semana será el último domingo que leeremos pasajes de esta carta), Pablo comienza a despedirse. Quiere dejar en la memoria de Timoteo dos recuerdos: el del mismo Pablo, que le ha enseñado la perseverancia en medio de los sufrimientos (3:10–13), y la enseñanza que Timoteo ha recibido en el seno de su propia familia desde que era pequeño (3:14–15).

Por Hechos de los Apóstoles sabemos que Timoteo era hijo de padre pagano y de madre judía y que fue convertido por Pablo en la ciudad de Listra (ver Hechos 16:1–4). Fue fiel compañero de viaje del Apóstol. Ya Pablo ha recordado la fe sincera de la abuela Loide y la madre Eunice (1 Timoteo 1:5). Por eso refiere ahora que Timoteo conoce desde pequeño la Sagrada Escritura y lo exhorta a perseverar en las enseñanzas que lo han acompañado desde su niñez. Este texto animará a las familias en la tarea de transmisión de la fe.

Nuestro pasaje contiene también una singular afirmación sobre la inspiración de los libros bíblicos. Además, Pablo señala los múltiples usos de la Escritura: la enseñanza, la corrección, la educación… y afirma que la razón de esta utilidad reside en que la Escritura está inspirada por Dios. No basta leerla ni estudiarla, pues la Palabra busca ser acogida para convertirse en guía y acicate para una vida llena de buenas obras.

EVANGELIO El Evangelio según san Lucas insiste mucho en la oración. Ha desarrollado una larga catequesis sobre la oración (10:38—11:13) en la que insiste en la necesidad de orar con con-

EVANGELIO   Lucas 18:1–8

Lectura del santo Evangelio según san Lucas

En aquel tiempo,
  para **enseñar** a sus discípulos
  la **necesidad** de orar siempre
  y **sin desfallecer**,
Jesús les propuso **esta** parábola:

"En cierta ciudad había **un juez**
  que **no temía** a Dios **ni respetaba** a los hombres.
Vivía en aquella misma ciudad **una viuda**
  que acudía a él **con frecuencia** para decirle:
'**Hazme** justicia contra mi adversario'.

Por **mucho** tiempo, el juez **no le hizo caso**,
  pero después se dijo:
'Aunque **no** temo a Dios **ni** respeto a los hombres,
sin embargo, por la **insistencia** de esta viuda,
voy a hacerle **justicia**
  para que **no me siga** molestando'".

Dicho esto, Jesús comentó:
  "Si **así** pensaba el juez **injusto**,
  ¿creen ustedes acaso que Dios no hará justicia **a sus elegidos**,
  que **claman** a él **día y noche**, y que los hará **esperar**?
Yo les digo que les hará justicia **sin tardar**.
Pero, cuando **venga** el Hijo del hombre,
  ¿**creen** ustedes que **encontrará fe** sobre la tierra?"

El párrafo introductorio ofrece la finalidad de todo el relato. Pronúncialo pausada y claramente.

Respeta el ritmo de la parábola y la velocidad. La frase de la viuda debe leerse con énfasis.

Jesús saca la enseñanza de la parábola. Haz contacto visual con la asamblea. Deja que resuene la frase final al hacer un silencio antes del responsorio final.

fianza y perseverancia. Este mensaje se completa con lo que hoy leemos.

Lucas contó antes una parábola gemela en contenido: el dueño de una casa termina abriendo su puerta al inoportuno amigo que solicita ayuda, sólo para que aquél lo deje en paz (Lucas 11:5–13). Con esa insistencia habrán de orar los discípulos. Además de conseguir lo pedido, la oración es capaz de cambiar el corazón de la persona que ora, como nos enseña la misma oración de Jesús en el Getsemaní (Lucas 22:39–46).

La parábola del juez y la viuda que hoy leemos subraya dos aspectos nuevos. Los que escuchan la parábola habrán de permanecer fieles al Señor en la oración, incluso cuando parece que la fe va perdiendo importancia en el mundo. Los primeros cristianos pensaban que eso ocurriría en los últimos días, al final de los tiempos (ver Mateo 24:10–12; 2 Tesalonicenses 2:3). El mensaje tiene especial relevancia en nuestros tiempos en que asuntos como el amor y la compasión pasan a muy segundo plano ante la dictadura del lucro y del placer. Tam-

bién contra esa falta de fe, la oración es antídoto poderoso.

El segundo elemento es la relación que la parábola establece entre oración y exigencia de justicia. No es casual que los mejores orantes de la Biblia sean los pobres, los afligidos, los perseguidos (Salmo 22; 35; 55), como la viuda. El Padre celestial les hará justicia cuanto antes, nos asegura hoy la palabra del evangelio. La oración ha de animar al discípulo para el restablecimiento de la justicia en nuestro mundo. La fe y la promoción de la justicia son las dos alas que permiten a la Iglesia volar con equilibrio.

XXX DOMINGO
DEL TIEMPO ORDINARIO

Texto sapiencial: léelo con tono mesurado y sereno; su propósito es enseñar y convencer.

I LECTURA   Eclesiástico 35:15–17, 20–22

Lectura del libro del Eclesiástico (Sirácide)

El Señor es un **juez**
      que **no se deja** impresionar por **apariencias**.
No menosprecia **a nadie** por ser pobre
      y **escucha** las súplicas del oprimido.
No desoye los gritos angustiosos del huérfano
      ni las quejas **insistentes** de la viuda.

Este párrafo es una invitación a la humildad y perseverancia. Haz contacto visual con la asamblea.

Quien **sirve** a Dios con **todo** su corazón **es oído**
      y su plegaria **llega** hasta el cielo.
La oración del humilde **atraviesa** las nubes,
      y mientras él no obtiene **lo que pide**,
      permanece **sin descanso** y no desiste,
      hasta que el Altísimo **lo atiende**
      y el justo juez **le hace justicia**.

Para meditar

SALMO RESPONSORIAL   Salmo 34:2–3, 17–18, 19 y 23
R. Si el afligido invoca al Señor, él lo escucha.

Bendigo al Señor en todo momento,
   su alabanza está siempre en mi boca;
   mi alma se gloría en el Señor:
   que los humildes lo escuchen
      y se alegren. **R.**

El Señor se enfrenta con los malhechores,
   para borrar de la tierra su memoria.
Cuando uno grita, el Señor lo escucha
   y lo libra de sus angustias. **R.**

El Señor está cerca de los atribulados,
   salva a los abatidos.
El Señor redime a sus siervos,
   no será castigado quien se acoge a él. **R.**

I LECTURA   El Eclesiástico fue redactado en la última parte de la dominación griega (332–143 a. C.) que obligó a dialogar dos culturas muy distintas: la israelita y la griega. A través de sentencias, exhortaciones, proverbios y juegos de palabras, los ojos penetrantes del redactor, Jesús Ben Sirá, descubren caminos eficaces para alcanzar la felicidad, siempre en consonancia con la ley de Dios revelada a Moisés. Sus formas de expresión dan a este libro un atractivo especial, especialmente en estos tiempos de auge de la literatura de superación personal. Con la ley de Dios

como trasfondo, el Eclesiástico podría ser considerado como un tutorial para alcanzar la verdadera felicidad.

Nuestra lectura se compone de dos fragmentos arrancados de una unidad más amplia: 35:11–24. Compara a Dios con la imagen de un juez. La primera parte de la lectura (vv. 12–14) pondera la imparcialidad de Dios en el juicio, alejado de toda corrupción y trato discriminatorio, al tiempo que subraya su carácter misericordioso. Aparece la categoría 'viudas y huérfanos', un binomio que la Biblia usa para hablar de las personas vulnerables, aquellas que no tie-

nen quién las defienda. Dios no dejará de hacerles justicia, mientras que abatirá a los violentos y a quienes no han sido compasivos con sus hermanos más débiles.

En la segunda parte de la lectura (vv. 16–18) hay una referencia clara a la oración del pobre, que llega siempre al corazón de Dios y encuentra en él respuesta a su aflicción. El humilde, que no tiene a nadie más a quien recurrir, encuentra en Dios al garante de su derecho a la vida plena y feliz.

II LECTURA   Nombrado por el Apóstol como responsable de la

II LECTURA   2 Timoteo 4:6–8, 16–18

Lectura de la segunda carta del apóstol san Pablo a Timoteo

Pablo habla de su muerte. Es una confidencia entre amigos. El tono habrá de ser afectuoso e íntimo, pero sin dramatizar.

Querido hermano:
Para mí **ha llegado** la hora del sacrificio
   y **se acerca** el momento de mi partida.
He luchado **bien** en el combate,
   he corrido hasta la meta,
   he perseverado en la fe.
Ahora **sólo espero** la corona merecida,
   con la que el Señor, justo juez, me premiará **en aquel día**,
   y no solamente **a mí**,
   sino a **todos aquellos** que esperan
      con amor
      su **glorioso** advenimiento.

Haz evidente el tono de reproche de la primera frase, pero subraya después a confianza de Pablo en Dios.

La **primera** vez que me defendí ante el tribunal,
   nadie me ayudó.
Todos me abandonaron.
Que **no** se les tome en cuenta.
Pero el Señor estuvo **a mi lado**
   y **me dio fuerzas** para que, por mi medio,
   se proclamara **claramente** el mensaje de salvación
   y lo oyeran **todos** los paganos.
Y fui **librado** de las fauces del león.
El Señor me **seguirá** librando de **todos** los peligros
   y me llevará **salvo** a su Reino celestial.
A él la gloria por los siglos de los siglos. **Amén.**

iglesia de Éfeso, Timoteo recibe esta carta como si fuera el testamento espiritual de quien lo escogió para el servicio del Evangelio cuando aún era joven, tímido y enfermizo (ver 1 Timoteo 4:12; 5:23; 2 Timoteo 1:8). De la última sección de la carta (4:9–18) está entresacado el texto que hoy se proclama.

Se trata de una reflexión, casi una confesión, sobre la manera como Pablo enfrenta su propia muerte. El Apóstol se ha esforzado por predicar a tiempo y destiempo el Evangelio de la salvación, con su enseñanza y con su vida. En la primera sección

de la lectura (vv. 6–8), Pablo interpreta su muerte en clave sacrificial: compara su vida con una libación que se derrama sobre el altar. La vida de Pablo es una ofrenda total.

Es probable que esta carta haya sido redactada una vez que Pablo hubiera ya sufrido martirio; escuchamos el eco de su muerte en la corona de gloria a la que alude el Apóstol. Los discípulos tienen en Pablo un ejemplo de entrega que va hasta el martirio cruento final. La entereza del Apóstol ante su propia muerte lo presenta como un hombre cabal, incluso ante la perspectiva del

sufrimiento final y la muerte violenta. Este pasaje es su digno epitafio.

La segunda sección de la lectura (vv. 16–18) es parte de una lista de recomendaciones finales que Pablo hace para concluir la carta. Pablo se ha sentido solo y abandonado en su proceso judicial, pero en vez de guardar rencores, prefiere reconocer la bondad de Dios que no lo abandonó nunca.

EVANGELIO La parábola del fariseo y el publicano es exclusiva de Lucas. Tiene como objetivo brindar un comportamiento que imitar. Por eso es rele-

EVANGELIO   Lucas 18:9–14

Lectura del santo Evangelio según san Lucas

De nuevo el evangelista anota en una breve frase introductoria el objetivo de la parábola. Léela con claridad.

En aquel tiempo, Jesús dijo esta parábola
        sobre algunos que se tenían **por justos**
    y **despreciaban** a los demás:

    "**Dos hombres** subieron al templo **para orar**:
    uno era **fariseo** y el otro, **publicano**.
El fariseo, **erguido**, oraba así en su interior:
    '**Dios mío**,
    te doy gracias porque **no soy** como los **demás hombres**:
    ladrones, injustos y adúlteros;
    tampoco soy como **ese** publicano.
Ayuno **dos** veces por semana
    y pago el **diezmo**
    de **todas** mis ganancias'.

Que quede muy clara la diferencia entre una y otra oración. Apóyate en las negrillas para dar profundidad a las frases. La frase conclusiva de Jesús al terminar la parábola es inesperada: léela con énfasis.

El publicano, en cambio, se quedó **lejos**
    y **no se atrevía** a levantar los ojos al cielo.
Lo único que hacía era **golpearse** el pecho, diciendo:
    'Dios mío, **apiádate** de mí, que **soy un pecador**'.

Pues bien, yo les **aseguro**
        que **éste** bajó a su casa **justificado** y **aquél no**;
    porque **todo** el que se enaltece **será humillado**
    y el que **se humilla** será **enaltecido**".

---

vante la introducción de la parábola que la refiere a propósito de quienes "confían en sí mismos y desprecian a los demás".

Dos personajes constituyen el eje de la parábola: un fariseo, prototipo de quienes se consideraban justos porque cumplían a cabalidad los mandamientos de la Ley de Moisés, y un recaudador de impuestos, considerado pecador público porque, además de enriquecerse con la necesidad ajena, era considerado como colaboracionista con el Imperio romano. El fariseo cree obtener la salvación a partir de su propio mérito; el recaudador sabe que es un pecador

imperdonable y que no tiene obras buenas que presentar, así que sólo le resta la compasión de Dios.

Sin demeritar el cumplimiento religioso, la parábola muestra uno de sus grandes riesgos: que el cumplidor se envanezca y desprecie a quienes no son como él. Desde una presunta perfección conseguida a base de méritos propios, es fácil desatender las propias miserias y deslizarse hacia un juicio negativo de las demás personas. Este riesgo subsiste en la comunidad cristiana hoy.

Los rasgos de cada personaje se presentan de manera exagerada para que el

contraste quede manifiesto. Se trata de dos maneras de entrar en relación con Dios: la de quien cree poder ganar la aprobación de Dios cumpliendo preceptos religiosos y la del peor de los pecadores que pide clemencia porque sabe que no tiene méritos que presentar. Y como la salvación siempre es gracia inmerecida para todos, la conclusión de la parábola es impactante: sólo el pecador empedernido vuelve a casa con su súplica escuchada.

XXXI DOMINGO DEL TIEMPO ORDINARIO

I LECTURA Sabiduría 11:22—12:2

Lectura del libro de la Sabiduría

Vas a proclamar una hermosa oración. Siéntela cuando la leas, para que te salga del corazón. Así mantendrás la atención de la asamblea.

Señor, **delante** de ti,
 el mundo **entero**
   es como un **grano** de arena en la balanza,
 como **gota** de rocío mañanero,
 que cae sobre la tierra.

Te compadeces **de todos**,
 y aunque puedes destruirlo **todo**,
 aparentas **no ver** los pecados de los hombres,
 para darles ocasión **de arrepentirse**.
Porque tú amas **todo** cuanto existe
 y no aborreces **nada** de lo que has hecho;
 pues si hubieras aborrecido **alguna** cosa,
 no la **habrías creado**.

¿**Y cómo** podrían seguir existiendo las cosas,
 si **tú** no lo quisieras?
¿**Cómo** habría podido conservarse algo **hasta ahora**,
 si tú no lo hubieras llamado **a la existencia**?

Hacia el final de este párrafo ve preparando la salida. Que Dios ama la vida es una de las frases claves de la lectura.

Tú perdonas **a todos**, porque todos **son tuyos**,
 Señor, que **amas** la vida,
 porque tu espíritu **inmortal**, está en **todos** los seres.

I LECTURA Escrito en segunda mitad del siglo I a. C. en la cosmopolita ciudad de Alejandría, el libro de la Sabiduría es el más reciente del Antiguo Testamento. Por haber sido escrito en griego y no en hebreo, no aparece en la Biblia hebrea ni en las Biblias protestantes.

En la sección en la que se sitúa nuestra lectura (capítulos 10–19), el autor se embarca en una larga meditación sobre el éxodo, desarrollando el contraste entre la distinta suerte de Israel y la de Egipto. La misma acción de Dios salva a Israel y a la vez castiga a sus enemigos.

Ese es el tono de la unidad 11:15—12:2: el ciego capricho del Faraón y el culto idolátrico que practicaba merecían el castigo despiadado de Dios. La buena noticia del pasaje, sin embargo, es que, con todo y este merecimiento, Dios trata con moderación incluso a sus enemigos, porque él ama a todas sus creaturas y busca su conversión y arrepentimiento.

El discurso del sabio se convierte en arrobada contemplación de la grandeza de Dios frente a la pequeñez humana. Dios lo puede todo, porque es el Creador de todo. Sin embargo, su poder no es arbitrario sino compasivo, porque es fuente de misericordia. Y porque ama a todas sus creaturas, ofrece oportunidades de conversión y, a través de represiones temporales, va llevando poco a poco los corazones para que se aparten del mal. Dios es un Dios de paciencia infinita y su acción no se detiene nunca en el castigo; llega siempre al perdón, porque a todos nos ama.

En nuestro tiempo, que Dios ame a todas sus criaturas tiene una resonancia ecológica innegable. En *Laudato si´*, el papa Francisco dice que hasta la destrucción de la más pequeña especie empobrece al

Dios es grande cuando perdona. Ve bajando la velocidad de la lectura. Pronuncia suave pero enfáticamente la frase final.

Por eso a los que caen,
    los vas corrigiendo **poco a poco**,
    los **reprendes** y les traes a la memoria **sus pecados**,
    para que **se arrepientan** de sus maldades
    y crean **en ti**, Señor.

Para meditar

SALMO RESPONSORIAL   Salmo 145:1–2,8–9, 10–11, 13cd–14

R. Bendeciré tu nombre por siempre jamás, Dios mío, mi rey.

Te ensalzaré, Dios mío, mi rey;
    bendeciré tu nombre por siempre jamás.
Día tras día, te bendeciré
    y alabaré tu nombre por siempre jamás. **R.**

Señor,
    que te bendigan tus fieles;
    que proclamen la gloria de tu reinado,
    que hablen de tus hazañas. **R.**

El Señor es clemente y misericordioso,
    lento a la cólera y rico en piedad;
    el Señor es bueno con todos,
    es cariñoso con todas sus criaturas. **R.**

El Señor es fiel a sus palabras,
    bondadoso en todas sus acciones.
El Señor sostiene a los que van a caer,
    endereza a los que ya se doblan. **R.**

Que todas tus criaturas te den gracias,

II LECTURA   2 Tesalonicenses 1:11—2:2

Lectura de la segunda carta del apóstol san Pablo a los tesalonicenses

La exposición puede sonar compleja. Respeta el ritmo de las frases y pronuncia con claridad cada palabra. Si respetas los signos de puntuación, harás una lectura correcta.

Hermanos:
Oramos **siempre** por ustedes,
    para que Dios
    los haga **dignos**
        de la vocación a la que los **ha llamado**,
    y con **su poder**, lleve a efecto **tanto** los **buenos** propósitos
        que **ustedes** han formado,
    como lo que **ya han emprendido** por la fe.
Así **glorificarán** a nuestro Señor Jesús
    y él los glorificará **a ustedes**,
    en la medida en que **actúe** en ustedes
        la gracia de nuestro Dios y de Jesucristo, el Señor.

conjunto de la obra creada. La interdependencia de las especies es una vía para que reconozcamos la compasión de Dios por nosotros.

II LECTURA Esta carta a los Tesalonicenses responde a ciertas inquietudes de la comunidad cristiana ante el retraso de la segunda venida del Señor. Circulan algunas doctrinas sobre la venida de Jesús que crean confusión al anunciar que era inminente.

La primera sección (1:11–12) es una oración de intercesión. Pablo hace recordar a todos los miembros de la comunidad su identidad de discípulo: están llamados a alcanzar la plenitud de la vocación recibida en el bautismo a través de una conducta que resplandezca ante los demás, como testimonio que glorifique a Dios. Tal es la misión de todo cristiano: ser luz para los demás mediante las buenas obras; así Cristo será conocido y amado por todos los corazones. No habremos de olvidar nunca esta dimensión misionera de nuestra fe operante.

En la segunda sección (2:1–2), el Apóstol advierte de que los malentendidos provocan supuestas revelaciones a propósito de la inmediatez de la segunda venida de Cristo. El fin llegará cuando se haya cumplido el plazo establecido por Dios y no cuando el alarmismo de dudosas revelaciones lo indiquen. Hoy seguimos lamentando que predicaciones de este tipo subsistan en nuestras comunidades. La reciente crisis del COVID–19 ha sido caldo de cultivo para este tipo de doctrina extravagante alentada, lamentablemente, en diversas redes sociales.

Aunque la explicación, llena de signos apocalípticos (2 Tesalonicenses 2:3–12), nos resulte incomprensible en sus detalles, la enseñanza es clara: la esperanza firme

Entra un nuevo tema. No olvides leer con tono exhortativo, dirigiendo la mirada a la comunidad en el párrafo final.

Por lo que toca a **la venida** de nuestro Señor Jesucristo
   y a nuestro encuentro **con él**,
   les rogamos que **no se dejen perturbar** tan fácilmente.
No se alarmen ni por **supuestas** revelaciones,
   ni por palabras o cartas **atribuidas** a nosotros,
   que los induzcan a pensar
       que el día del Señor **es inminente**.

EVANGELIO   Lucas 19:1–10

Lectura del santo Evangelio según san Lucas

Relato delicioso y con ritmo narrativo propio: léelo con vivacidad, pero pausadamente y sin prisas.

En aquel tiempo,
Jesús entró en **Jericó**, y al ir atravesando la ciudad,
   sucedió que un hombre llamado **Zaqueo**,
   jefe de publicanos y **rico**, trataba de conocer a Jesús;
   pero la gente **se lo impedía**,
   porque Zaqueo era de **baja** estatura.
Entonces **corrió** y se subió a un árbol
       para **verlo** cuando pasara por ahí.
Al llegar a ese lugar, Jesús **levantó** los ojos y le dijo:
   "Zaqueo, **bájate** pronto,
   porque **hoy** tengo que hospedarme **en tu casa**".

Es el momento de un gozoso encuentro. Marca el contraste con el murmullo de desaprobación.

Él bajó **enseguida** y lo recibió **muy contento**.
Al ver esto, comenzaron **todos** a murmurar diciendo:
   "Ha entrado a hospedarse en casa **de un pecador**".

Zaqueo, poniéndose de pie, dijo a Jesús:
   "**Mira**, Señor, voy a dar a los pobres **la mitad** de mis bienes,
   y si he defraudado a alguien, le restituiré **cuatro** veces más".
Jesús le dijo:

Dale solemnidad a las palabras finales de Jesús.

   "**Hoy** ha llegado la salvación **a esta casa**,
   porque **también él** es hijo de Abraham, y el Hijo del hombre
   ha venido **a buscar** y **a salvar** lo que se había **perdido**".

en la segunda venida de Cristo hace de la Iglesia una comunidad escatológica que, sin alarmismos inútiles, adelanta, con su vida recta, los cielos nuevos y la tierra nueva que anhelamos.

EVANGELIO El Dios que siempre ofrece oportunidad de conversión, del cual nos habla el libro de la Sabiduría en la primera lectura, resplandece en el encuentro de Jesús con Zaqueo, el cobrador de impuestos. Los publicanos cobraban impuestos para el Imperio. Por ello, eran despreciados por sus connacionales que los

consideraban abusadores y traidores a la alianza, la cual contemplaba a Dios como el único gobernante de su pueblo. Jesús es acusado muchas veces de hacerse amigo de publicanos y pecadores.

Una de las preocupaciones de Lucas es la relación que el discípulo de Jesús tiene con los bienes materiales. Pocos versículos antes (ver Lucas 18:18–30), Jesús ha constatado, en el rechazo del jefe de la sinagoga a desprenderse de sus bienes, lo crucial que es para sus discípulos compartir lo que tienen con los más necesitados. Zaqueo, en cambio, muestra a Jesús su deseo de se-

guirlo precisamente saldando sus deudas y compartiendo sus bienes con los pobres. Se convierte así en un modelo de discípulo.

El relato tiene como centro la conversión que Jesús exige a sus discípulos. Jesús es el que viene a salvar lo que estaba perdido. Esta historia es, querido lector, la suya y la mía.

TODOS LOS SANTOS

I LECTURA   Apocalipsis 7:2–4, 9–14

Lectura del libro del Apocalipsis

Yo, Juan, vi a un **ángel** que **venía** del oriente.
Traía consigo el **sello** del **Dios vivo** y gritaba con voz **poderosa**
    a los **cuatro ángeles** encargados de hacer daño
a la tierra y al mar.
Les dijo:
"¡**No hagan daño** a la tierra,
    ni al **mar**, ni a los **árboles**,
hasta que terminemos de **marcar** con el **sello**
    la frente de los **servidores** de nuestro **Dios**!"
Y pude oír el **número** de los que habían sido **marcados**:
    eran ciento **cuarenta** y **cuatro mil**,
    procedentes de **todas** las **tribus** de Israel.

Vi luego una **muchedumbre** tan grande,
    que **nadie** podía contarla.
Eran individuos de **todas** las **naciones** y **razas**,
    de **todos los pueblos** y **lenguas**.
Todos estaban **de pie**, delante del **trono** y del **Cordero**;
    iban **vestidos** con una túnica **blanca**;
    llevaban **palmas** en las **manos** y **exclamaban**
      con voz poderosa:
"La **salvación** viene de nuestro **Dios**,
que está **sentado** en el **trono**, y del **Cordero**".

Imponente visión del autor: sin aspavientos, léela con firmeza, especialmente los momentos climáticos; apóyate en las negrillas.

En esta escena grandiosa, subraya las frases que caracterizan a los salvados. Lee con aplomo la proclamación que cierra la lectura.

I LECTURA El libro del Apocalipsis está escrito para animar y ofrecer claves de esperanza a una comunidad sometida a prueba por las dificultades. La apocalíptica, literatura de resistencia, producía libros de "revelación", para ayudar a las comunidades a encontrar la interpretación de los acontecimientos que las agobiaban, revisar el rumbo que llevaba la comunidad y discernir cuáles eran las señales (en medio de una historia compleja) de la presencia salvadora de Dios frente a las fuerzas que se le oponían. Los símbolos del Apocalipsis van desde imágenes tomadas de libros del Antiguo Testamento hasta fenómenos naturales, cataclismos, animales y monstruos. A través de todo ello, el autor animaba a quienes experimentaban la persecución y el martirio de parte del Imperio Romano.

La sección 6:1—7:17 es conocida como la de los siete sellos. Presenta las dos fuerzas que se enfrentan en el drama histórico: por un lado, los jinetes que traen al mundo muerte y desolación; por el otro, el ejército de aquellos que han muerto por su fidelidad a Dios, los 144 000 (cuyo número resulta de multiplicar las doce tribus por 12 000, como signo de sobreabundancia) y una enorme multitud, de todas las razas y culturas, imposible contar. Todos ellos llevan el vestido blanco del bautismo y del martirio.

Nuestro continente ha tenido muchos mártires que creyeron en el Evangelio y la justicia y que por defenderlos fueron eliminados por oligarquías, ejércitos y dictaduras. Entre los mártires se cuentan a Óscar Romero e Ignacio Ellacuría y compañeros de El Salvador, Juan Gerardi de Guatemala, Luis Espinal de Bolivia, Teresa Rosales de Nicaragua, y cientos de catequistas. Ellos son nuestros hermanos mayores, la inspira-

La actitud de adoración explota en la doxología. Léela con énfasis y claridad.

Subraya la vivacidad del diálogo. Formula bien la pregunta y eleva un poco la voz al proclamar gozoso la respuesta final.

Y todos los **ángeles** que estaban alrededor del **trono**,
   de los **ancianos** y de los **cuatro** seres **vivientes**,
   cayeron rostro en tierra delante del trono
   y **adoraron** a **Dios**, diciendo:
   "**Amén**. La alabanza, la gloria, la sabiduría,
   la acción de gracias, el **honor**, el poder y la **fuerza**,
   se le **deben** para **siempre** a nuestro **Dios**".

Entonces uno de los ancianos me preguntó:
   "¿**Quiénes** son y de **dónde** han venido
   los que llevan la **túnica blanca**?"
Yo le respondí:
   "Señor mío, **tú** eres quien lo **sabe**".
Entonces él me **dijo**:
   "Son los que han **pasado** por la gran **persecución**
   y han **lavado y blanqueado** su **túnica**
      con la sangre del **Cordero**".

Para meditar

SALMO RESPONSORIAL   Salmo 24:1–2, 3–4ab, 5–6
R. Este es el grupo que busca tu rostro, Señor.

Del Señor es la tierra y cuanto lo llena,
   el orbe y todos sus habitantes:
   él la fundó sobre los mares,
   él la afianzó sobre los ríos. **R.**

¿Quién puede subir al monte del Señor?
¿Quién puede estar en el recinto sacro?
El hombre de manos inocentes y
      puro corazón,
   ni jura contra el prójimo en falso. **R.**

Ese recibirá la bendición del Señor,
   le hará justicia el Dios de salvación.
Este es el grupo que busca al Señor,
   que viene a tu presencia, Dios de Jacob. **R.**

ción de nuestras comunidades. En el Día de Todos los Santos los recordamos con veneración.

II LECTURA Las tres cartas de Juan son testimonio de comunidades que trataban de vivir el seguimiento de Jesús en medio de una fuerte crisis de identidad. Comienzan a surgir en la comunidad falsos maestros que quieren mutilar el Evangelio: se solazan en la gloria de Jesús resucitado, pero pretenden ignorar la humanidad de Jesús y niegan su encarnación y su cruz.

En la primera carta de Juan, la más amplia de las tres cartas, encontramos una sección (2:29—4:6) dedicada a recordar a la comunidad su filiación divina: somos verdaderamente hijas e hijos de Dios. Esa filiación habrá de llevarnos a comportarnos como hermanos con los demás. Paternidad de Dios y fraternidad entre los seres humanos son las dos caras de una misma moneda.

Por su encarnación, Jesús ha logrado restablecer la perfecta comunión con Dios. Al entrar en esta comunión a través del bautismo, quedamos configurados con Cristo y comprometidos a un modo de vida distinto,

alternativo. Esta transformación realizada en el corazón del cristiano se vive y se testimonia aquí en la historia, pero espera su consumación final en el más allá: seremos semejantes a Dios, porque lo veremos tal cual es.

La Fiesta de Todos los Santos es una oportunidad para lanzar la mirada a esta realidad final. Es también un acicate a nuestro compromiso: el mundo habrá de encontrar, en nuestro comportamiento y nuestras opciones de vida, una señal clara del otro mundo posible que Dios nos llama a construir. Llamados a la comunión plena, aspira-

II LECTURA   1 Juan 3:1–3

Lectura de la primera carta del apóstol san Juan

El pastor se dirige paternalmente a la comunidad. Que tu tono manifieste la bondad de Dios que nos hace sus hijos.

Queridos hijos:
Miren cuánto **amor** nos ha tenido el **Padre**,
　　pues no sólo nos **llamamos** hijos de **Dios**, sino que lo **somos**.
Si el **mundo** no nos reconoce,
　　es porque **tampoco** lo ha **reconocido** a él.

Hay en este párrafo una esperanza desbordante: llegaremos todos a ver a Dios cara a cara. Comparte tu fe personal en esta lectura.

Hermanos míos,
　　ahora **somos hijos** de Dios,
　　pero aún **no** se ha **manifestado** cómo seremos al fin.
Y ya sabemos que, cuando él se **manifieste**,
　　vamos a ser **semejantes** a él,
　　porque lo **veremos** tal cual es.

Todo el que tenga **puesta** en Dios esta **esperanza**,
　　se **purifica** a sí **mismo** para ser tan puro como **él**.

EVANGELIO   Mateo 5:1–12a

Lectura del santo Evangelio según san Mateo

La descripción del lugar tiene algo de solemnidad. Que se note en tu lectura la autoridad del nuevo Moisés.

En aquel tiempo,
　　cuando Jesús vio a la **muchedumbre**,
　　subió al monte y se sentó.
Entonces se le acercaron sus **discípulos**.
Enseguida comenzó a **enseñarles**, hablándoles así:

Se trata de proclamaciones de felicidad. Adopta un tono de mensajero de buenas nuevas. Haz una pequeña pausa después de cada bienaventuranza.

"**Dichosos** los pobres de **espíritu**,
　　porque de ellos es el **Reino** de los **cielos**.
Dichosos los que **lloran**,
　　porque serán **consolados**.

---

mos a llegar a donde han llegado quienes nos han precedido en el camino de la fe.

EVANGELIO El primer discurso del Evangelio según Mateo es el sermón de la montaña (caps. 5–7). En este discurso se concentran las exigencias básicas del discipulado y se delinea su identidad más honda. Se trata de los principios de actuación que anuncian el tiempo nuevo que está inaugurando Jesús con su propuesta de salvación.

　　Jesús inicia el discurso en un solemne marco: sentado en una montaña, enseña desde ahí a la multitud. La sabiduría antigua de Israel había ensayado algunas pistas para encontrar la felicidad y mostrado qué tenía que hacer el ser humano para vivir plenamente (Salmo 1:1; 33:12; Proverbios 3:3). Jesús retoma esta tradición. Propone a sus discípulos una serie de declaraciones de felicidad que resultan inquietantes, por decir lo menos.

　　Mientras en Lucas (6:20–23), las bienaventuranzas eran el grito de alegría de las personas más desgraciadas —pobres, hambrientos, gente que sufre— porque el Reino llega para transformar la realidad de dolor que viven, en Mateo revelan la identidad del verdadero discípulo: aquel que, con corazón de pobre, reconoce su dependencia de Dios y construye relaciones interhumanas armoniosas y compasivas, desde una rectitud de corazón y una integridad de vida que reproducen las mismas actitudes de su Maestro. Las bienaventuranzas señalan el camino que debe seguir todo discípulo de Jesús. Son camino de santidad para quienes testimoniamos el Reino de Dios presente en nuestra historia.

Para que la lectura no se haga monótona, hay que mantener un ritmo ágil pero sin prisas.

Dichosos los **sufridos**,
    porque **heredarán** la **tierra**.
Dichosos los que tienen **hambre** y **sed** de **justicia**,
    porque serán **saciados**.
Dichosos los **misericordiosos**,
    porque **obtendrán misericordia**.
Dichosos los **limpios** de **corazón**,
    porque **verán** a Dios.
Dichosos los que **trabajan** por la **paz**,
    porque se les **llamará** hijos de **Dios**.
Dichosos los **perseguidos** por causa de la **justicia**,
    porque de ellos es el **Reino** de los **cielos**.

Haz contacto visual con la asamblea al comenzar el último párrafo y ve ralentando hasta cerrar.

Dichosos serán ustedes cuando los **injurien**,
    los **persigan** y **digan** cosas falsas de ustedes **por** causa **mía**.
Alégrense y salten de contento,
    porque su **premio** será **grande** en los **cielos**".

CONMEMORACIÓN DE TODOS LOS FIELES DIFUNTOS

En la primera parte hay un juego entre lo que piensan los sabios y lo que piensan los insensatos. Distingue quién habla para expresarlo correctamente.

El sufrimiento nos da oportunidad de convertirnos en sacrificio agradable. Comparte esta fe en tu proclamación.

Se describe aquí el futuro glorioso de los salvados. Dale tono gozoso a esta parte. No te apresures a terminar. Cada frase tiene su valor.

I LECTURA   Sabiduría 3:1–9

Lectura del libro de la Sabiduría

Las almas de los justos están en las **manos** de Dios
    y no los alcanzará **ningún tormento.**
Los insensatos **pensaban** que los justos habían muerto,
    que su salida de este mundo era una **desgracia**
    y su salida de entre nosotros, una completa **destrucción**.
Pero los justos están en **paz.**

La gente **pensaba** que sus sufrimientos eran un **castigo**,
    pero ellos esperaban **confiadamente** la inmortalidad.
Después de **breves** sufrimientos
    recibirán una **abundante** recompensa,
    pues Dios los puso a **prueba**
y los halló **dignos** de sí.
Los probó como **oro** en el crisol
    y los aceptó como un holocausto **agradable**.

En el día del juicio **brillarán** los justos
    como **chispas** que se propagan en un cañaveral.
Juzgarán a las naciones y **dominarán** a los pueblos,
    y el Señor **reinará** eternamente sobre ellos.

Los que confían en el Señor comprenderán la verdad
    y los que son **fieles** a su amor permanecerán a su lado,
    porque **Dios ama** a sus elegidos y cuida de ellos.

Se pueden usar éstas u otras lecturas provistas para las Misas de Difuntos.

I LECTURA   Los primeros cinco capítulos del libro de la Sabiduría describen a dos tipos de personas: justos y malvados. Los primeros viven sabiamente, agradando a Dios. Los segundos, en cambio, viven en la insensatez, en excesos, dan la espalda a su prójimo. El escritor sagrado aborda el problema clásico de por qué a los malvados les va bien y a los justos les toca enfrentar dificultades. En este contexto surge la afirmación de la resurrección y la inmortalidad.

El libro da voz a los malvados que, carentes de visión trascendente, se empeñan en vivir haciendo el mal. Si la vida del ser humano se terminara con la muerte y si a Dios no le interesara lo que nos pasara, entonces lo que habría que hacer sería "disfrutar la vida" y entregarse al tener, al placer y al sentir. Viven así porque son ignorantes: no conocen el designio secreto de Dios, que ha hecho a los seres humanos para la inmortalidad. La muerte no ha sido hecha por Dios, que ama la vida. La muerte es producto de nuestra humana limitación. La vida de las personas justas y sensatas no estará sometida para siempre al dominio de la muerte.

Creado a imagen de Dios, el ser humano lleva impreso en el corazón el deseo de vivir eternamente feliz con Dios. Por eso, la muerte física de los justos es mera apariencia, porque cuentan con la protección de Dios y, después de las tribulaciones, gozarán de paz. El problema de la retribución de Dios se enfoca desde una nueva óptica: cierto que los justos a veces tienen que sufrir, pero esos dolores pueden convertirse en ofrenda, en sacrificio agradable a Dios. Por eso, Aquél que nos ha creado desde el principio para que viviéramos una vida plena y feliz, consigue que su designio

Para meditar

SALMO RESPONSORIAL   Salmo 23:1–3, 4, 5, 6

R. El Señor es mi pastor, nada me falta.

O bien: **R. Aunque camine por cañadas oscuras, nada temo, porque tu vas conmigo.**

El Señor es mi Pastor, nada me falta:
 en verdes praderas me hace recostar;
 me conduce hacia fuentes tranquilas
 y repara mis fuerzas. **R.**

Me guía por el sendero justo,
 por el honor de su nombre.
Aunque camine por cañadas oscuras,
 nada temo, porque tu vas conmigo.
 tu vara y tu cayado me sosiegan. **R.**

Preparas una mesa ante mí,
 enfrente de mis enemigos;
 me unges la cabeza con perfume,
 y mi copa rebosa. **R.**

Tu bondad y tu misericordia
 me acompañan todos los días de mi vida,
 y habitaré en la casa del Señor por años
 sin término. **R.**

Primer párrafo de la segunda lectura
Que el gozo de tener al Espíritu Santo
se note en tu tono.

Frase: porque si cuando éramos enemigos… Haz contacto visual. Este anuncio es
una buena noticia para la asamblea toda.

II LECTURA   Romanos 5:5–11

Lectura de la carta del apóstol san Pablo a los romanos

Hermanos:
La esperanza **no defrauda**
 porque Dios ha **infundido** su amor en nuestros corazones
 por medio del **Espíritu Santo**, que él mismo nos ha dado.

En efecto, cuando todavía no teníamos **fuerzas**
 para salir del pecado,
Cristo murió por los **pecadores** en el tiempo señalado.
Difícilmente habrá alguien que **quiera** morir por un justo,
 aunque puede haber alguno
 que esté **dispuesto** a morir por una persona
 sumamente buena.
Y la **prueba** de que Dios nos ama está en que Cristo **murió**
 por nosotros,
 cuando aún éramos **pecadores**.

se cumpla, regalándonos la inmortalidad. En el Día de los Fieles Difuntos, esta verdad nos llena de consuelo.

II LECTURA San Pablo ha desarrollado ya en la carta a los Romanos (1:16—4:25) la manera maravillosa como Dios nos ha salvado en Cristo. Se propone ahora, en una segunda parte (5–8), ofrecer pistas para que el cristiano, reconciliado con el Padre por la muerte y resurrección de Cristo, camine guiado por el Espíritu Santo. Se trata, pues, de que el creyente viva una vida nueva con todas sus

consecuencias. Son los cuatro capítulos de mayor belleza y profundidad de la carta.

La lectura de hoy sirve de nexo entre estas dos grandes secciones de la carta. Su punto de partida es la obra que Dios realiza en nosotros cuando ponemos nuestra fe en Cristo y le entregamos nuestra vida. De ahí brota la esperanza en que la muerte no es la última palabra que Dios tiene para nosotros, sino la vida plena que Cristo nos regaló con su Misterio pascual.

La muerte y resurrección de Jesús son la claves para descifrar el misterio de la muerte. La condición pecadora de los seres

humanos no es un obstáculo para aspirar a una vida plena y eterna, porque el Hijo de Dios ha entregado su vida por nosotros sin que nosotros lo merciéramos, sólo por gracia. ¡Ésta es la buena noticia que nos anuncia Pablo!

EVANGELIO Todos los discursos del cuarto evangelio tienen como objetivo revelar algún aspecto de la persona de Jesús, de su identidad de Hijo y enviado del Padre. Con la figura del pan, Jesús habla de su propia persona. La gente lo busca no para conocerlo más, sino impul-

Con mayor razón, ahora que ya hemos sido **justificados**
por su sangre,
seremos **salvados** por él del castigo final.
Porque, si cuando **éramos** enemigos de Dios,
fuimos **reconciliados** con él por la muerte de su Hijo,
con mucho más razón, estando **ya** reconciliados,
recibiremos la **salvación** participando de la vida de su Hijo.
Y no sólo esto, sino que también nos **gloriamos** en Dios,
por medio de nuestro **Señor** Jesucristo,
por quien hemos **obtenido** ahora la reconciliación.

O bien: *Romanos 6:3–9*

EVANGELIO   Juan 6:37–40

Lectura del santo Evangelio según san Juan

En **aquel** tiempo,
Jesús dijo a la **multidud**:
"**Todo aquel** que me da el **Padre** viene hacia **mí**;
y al que **viene** a mí **yo** no lo echaré **fuera**,
porque he **bajado** del **cielo**,
no para hacer **mi voluntad**,
sino la **voluntad** del que **me envió**.

Y la **voluntad** del que **me envió**
es que **yo no pierda nada** de lo que **él** me ha **dado**,
sino que lo **resucite** en el **último día**.
La **voluntad** de mi Padre **consiste** en que **todo** el que vea al **Hijo**
y **crea en él**,
tenga **vida eterna** y yo lo **resucitaré** en el **último día**".

Respeta los signos de puntuación. Cada frase habrá de tener su propio peso en tu lectura. Esmérate en esto.

Es importante que en la fiesta de los difuntos llegue claro el mensaje de resurrección. Subraya las menciones.

---

sados solamente por la repartición milagrosa de panes que los había beneficiado. Jesús, en cambio, solicita una adhesión total a su persona y a su mensaje. El diálogo de Jesús con la gente es ríspido. Es difícil entender esta enseñanza que afirma que la voluntad de Dios es que todos crean en Jesús. Las murmuraciones no se hacen esperar. La gente quiere señales grandiosas, de la talla del maná en el desierto.

Jesús es el alimento que el Padre ofrece. La respuesta que se espera es la fe; es decir, la adhesión total a Jesús. El pan que Jesús nos da es superior al maná; es la pa-

labra misma de Dios, para que todos tengamos vida. Ese es el mensaje principal de la lectura de hoy: la fe en Jesús tiene como consecuencia la participación en la vida eterna. La frase con que cierra la lectura muestra la íntima relación entre la fe en Jesús y la resurrección.

Esta proclamación tiene un eco especial en este día: los Fieles Difuntos son aquellos hermanos y hermanas en la fe que se nos han adelantado. Confesamos hoy que la voluntad de Dios es que, quienes han creído en el Hijo, sean recibidos en su abrazo eterno.

Pero hay otro matiz que no debemos olvidar: el que cree, ya tiene vida eterna desde ahora (Juan 6:47). La Eucaristía es viático, comida de viajeros. Por eso tenemos la confianza de que nuestros hermanos difuntos, que se han alimentado del Cuerpo y la Sangre de Cristo, no verán su esperanza defraudada. Su destino final es la participación de la gloria eterna.

XXXII DOMINGO DEL TIEMPO ORDINARIO

I LECTURA   2 Macabeos 7:1–2, 9–14

Lectura del segundo libro de los Macabeos

El relato es de tremendo dramatismo. La tortura se narra abiertamente. Marca el contraste entre el malvado rey y la fuerza de los mártires.

En aquellos días,
   arrestaron a **siete** hermanos junto con su madre.
El rey Antíoco Epifanes los hizo azotar
      para **obligarlos** a comer carne de puerco,
   prohibida por la ley.
Uno de ellos, hablando **en nombre**
      de todos, dijo:
   "¿Qué quieres saber de nosotros?
Estamos **dispuestos** a morir
      antes que quebrantar la ley de nuestros padres".

El rey se **enfureció** y lo mandó **matar**.
Cuando el **segundo** de ellos estaba para morir,
   le dijo al rey:
   "**Asesino**, tú nos **arrancas** la vida presente,
   pero el rey del universo nos **resucitará** a una vida eterna,
   puesto que morimos por **fidelidad** a sus leyes".

El testimonio de los dos últimos mártires apunta a la resurrección. Manten el ritmo de la lectura.

Después comenzaron a burlarse del **tercero**.
Presentó la lengua como se lo exigieron,
   extendió las manos **con firmeza** y declaró **confiadamente**:
   "De Dios **recibí** estos miembros
   y por **amor** a su ley los desprecio,
   y de él espero **recobrarlos**".

I LECTURA Si bien los libros de los Macabeos son libros distintos e independientes, ambos narran hechos acontecidos entre los años 175–134 a. C. bajo el dominio griego. En esos años, se quiso imponer violentamente la cultura griega a los pueblos vasallos y eliminar con esto las tradiciones culturales y religiosas del judaísmo. La implantación de imágenes de dioses paganos en el Templo de Jerusalén, la prohibición de las costumbres alimenticias derivadas de la Ley de Moisés y la imposición de algunas costumbres griegas provocaron una gran oposición en Judea y motivó el sur-

gimiento de una revuelta violenta. Muchos judíos piadosos prefirieron el martirio al abandono de sus tradiciones. De esta época turbulenta provienen estos dos libros.

El segundo libro de los Macabeos describe las hazañas de Judas Macabeo, miembro de una familia de siete hermanos que enfrentaron la persecución religiosa en tiempos del rey Antíoco IV Epífanes y lucharon por recuperar para el pueblo judío la libertad de observar sus leyes y tradiciones, y el profanado Templo de Jerusalén. La visión del libro carece de matices. Aparecen, por un lado, Judas Macabeo y los judíos in-

tachables que se mantuvieron firmes en la fidelidad a la Ley de Moisés. Por otro lado, están los paganos, auxiliados por algunos judíos apóstatas, que se doblegaron ante la imposición griega (2 Macabeos 4:15), todos ellos presentados como malvados que quieren destruir el judaísmo. Además de insistir en la defensa de las costumbres derivadas de la Ley de Moisés, 2 Macabeos tiene una enseñanza importante sobre la resurrección de los muertos y la intercesión de los vivos por los difuntos.

El capítulo 7 muestra lo que significa aceptar libremente el sufrimiento y la muerte

El rey y sus acompañantes
     quedaron **impresionados** por el valor
     con que aquel muchacho **despreciaba** los tormentos.

Una vez muerto éste,
     sometieron al **cuarto** a torturas semejantes.
Estando ya para expirar, dijo:
     "**Vale** la pena morir a manos de los hombres,
     cuando se tiene la **firme esperanza**
        de que Dios nos resucitará.
Tú, en cambio, **no resucitarás** para la vida".

Las palabras del último mártir son una proclamación de esperanza. Que resuene su confianza en Dios en los oídos de la asamblea.

Para meditar

SALMO RESPONSORIAL Salmo 17:1, 5–6, 8b y 15

R. Al despertar me saciaré de tu semblante Señor.

Señor, escucha mi apelación
     atiende a mis clamores,
     presta oído a mi súplica,
     que en mis labios no hay engaño. **R.**

Mis pies estuvieron firmes en tus caminos,
     y no vacilaron mis pasos.
Yo te invoco porque tú me respondes,
       Dios mío;
     inclina el oído y escucha mis palabras. **R.**

Guárdame como a las niñas de tus ojos,
     a la sombra de tus alas escóndeme.
Yo con mi apelación vengo a tu presencia,
     y al despertar me saciaré de
        tu semblante. **R.**

II LECTURA   2 Tesalonicenses 2:16—3:5

**Lectura de la segunda carta del apóstol san Pablo
     a los tesalonicenses**

Hermanos:
Que el **mismo** Señor nuestro, **Jesucristo**,
     y nuestro **Padre** Dios,
        que nos **ha amado** y nos ha dado **gratuitamente**
           un consuelo **eterno** y una **feliz** esperanza,
     conforten los corazones de ustedes
     y los dispongan a **toda clase** de obras buenas
     y de **buenas** palabras.

El amor gratuito de Dios es fuente de consuelo. Que la asamblea se contagie de esperanza con tu proclamación.

antes de renunciar a la propia fe. Se narra la muerte de siete hermanos y su madre. Ninguno de los horrendos tormentos a los que son sometidos nos ahorra el autor. Nuestro pasaje abarca el martirio de los primeros cuatro hermanos. Las declaraciones pronunciadas antes de morir, desde el segundo hermano hasta el cuarto, constituyen muestra de la fe en la resurrección de los justos. Imposible que los cristianos no viéramos aquí una anticipación de la resurrección definitiva que alcanzó su plenitud en Jesús, el mártir que resucitó de entre los muertos y que con su resurrección inauguró una nueva era.

II LECTURA Como sucede en la mayor parte de las cartas atribuidas a san Pablo, se distinguen con cierta facilidad dos grandes secciones: primero, el desarrollo de las ideas teológicas que el Apóstol quiere transmitir y que conforma una sección que llamaremos doctrinal; segundo, las consecuencias de aquello que ha expuesto, con exhortaciones y recomendaciones para que las comunidades las pongan en práctica. En la segunda carta a los

Tesalonicenses, la sección exhortativa abarca de 2:13 a 3:15.

Pablo eleva una acción de gracias al Padre por la obra de salvación que ha realizado en Cristo y porque ha regalado a la comunidad la luz y fuerza del Espíritu Santo para discernir los caminos de santidad a la que él mismo nos llama. El Apóstol exhorta a los tesalonicenses a ser fieles y a manifestar esa fidelidad en tres campos concretos: la perseverancia en medio de las dificultades; la permanencia en la enseñanza que se ha recibido, sin irse tras engañosas ofertas ajenas al espíritu del Evangelio; y una opción

Pablo pide oraciones a la asamblea. Haz contacto visual con los oyentes como si los exhortaras a orar los unos por los otros.

Por lo demás, hermanos, **oren** por nosotros
    para que la **palabra** del Señor se propague **con rapidez**
  y sea recibida con honor,
    como aconteció **entre ustedes**.
Oren **también**
    para que Dios **nos libre** de los hombres **perversos y malvados**
    que nos acosan, porque **no todos** aceptan la fe.

La exhortación paulina se concretiza. Invita con tu tono a toda la asamblea a una espera paciente.

Pero el Señor, que **es fiel**,
    les dará **fuerza** a ustedes y los **librará** del maligno.
Tengo **confianza** en el Señor de que **ya hacen** ustedes
    y **continuarán** haciendo cuanto **les he mandado**.
Que el Señor **dirija** su corazón para que **amen** a Dios
    y esperen **pacientemente** la venida de Cristo.

EVANGELIO   Lucas 20:27–38

Lectura del santo Evangelio según san Lucas

En aquel tiempo, se acercaron a Jesús algunos **saduceos**.
Como los saduceos **niegan** la resurrección de los muertos,
    le preguntaron:
      "**Maestro**, Moisés nos dejó escrito
        que si alguno tiene un **hermano casado**
        que muere **sin** haber tenido hijos,
      se case con la viuda para **dar descendencia** a su hermano.
Hubo una vez **siete** hermanos,
    el **mayor** de los cuales se casó y murió **sin dejar hijos**.
El segundo, el tercero y los demás, **hasta el séptimo**,
    tomaron **por esposa** a la viuda
    y **todos** murieron **sin** dejar sucesión.
Por fin murió también la viuda.
Ahora bien, cuando llegue la resurrección,
    ¿**de cuál** de ellos **será esposa** la mujer,
    pues los siete **estuvieron** casados **con ella**?"

La trampa de los saduceos está envuelta en un relato ingenioso. Lee la narración con viveza y claridad.

---

decidida e irrenunciable por la práctica del bien. Solamente esa fidelidad dará consuelo al corazón del cristiano.

    Pablo recomienda la oración mutua. La oración del evangelizador por los destinatarios de su mensaje debe complementarse con la oración de la comunidad por aquellos que anuncian el Evangelio. Se trata de un círculo virtuoso que redunda en el crecimiento espiritual de ambas partes. La primera oración que el Apóstol solicita a la comunidad es por la difusión libre y la recepción entusiasta de la Palabra de Dios. Cuando se escucha con obediencia y cuan-

do se transmite fielmente, la Palabra puede transformar los corazones y cambiar las prácticas de quienes la reciben.

    Pablo ha enfrentado dura oposición a su trabajo en Filipos. Por eso, el segundo motivo por el que exhorta a la comunidad a orar es para que su trabajo, el trabajo pastoral de Pablo, se vea libre de las amenazas de quienes buscan su mal. Finalmente, los tesalonicenses son invitados por el Apóstol a permanecer firmes practicando las enseñanzas que les han sido transmitidas.

EVANGELIO La fe en la resurrección de los muertos estaba ya presente en Israel desde muchos años antes de Cristo. Esto no quiere decir, sin embargo, que todos los judíos la aceptaran. Entre quienes negaban la resurrección se encuentran los saduceos, un grupo dentro del judaísmo que estaba asociado a las clases altas sacerdotales. Eran rivales de los fariseos, porque no estaban de acuerdo en que éstos impusieran sus costumbres religiosas como obligatorias para todos los judíos. Por eso se apegaban más a la letra de la Ley de Moisés que a las interpretaciones que desa-

Jesús corrige la equivocación de los saduceos y nos enseña lo que es la vida eterna. Lee con aplomo su enseñanza.

Jesús les dijo:

"En **esta** vida, hombres y mujeres **se casan**,
pero en la vida **futura**,
los que sean juzgados **dignos** de ella
y de la resurrección **de los muertos**,
no se casarán **ni podrán** ya morir,
porque serán como **los ángeles** e hijos de Dios,
pues **él** los habrá resucitado.

Y que los muertos **resucitan**,
el **mismo** Moisés lo indica en el episodio de la zarza,
cuando llama al Señor, *Dios de Abraham, Dios de Isaac,
Dios de Jacob.*
Porque Dios **no es** Dios de muertos, **sino de vivos**,
pues para él **todos** viven".

O bien: *Lucas 20:27, 34–38*

La interpretación de Jesús del texto de la Ley de Moisés cierra su argimento. La frase final habrá de ser proclamada con fuerza.

rrollaban los fariseos. En cuanto grupo, aparecen pocas veces en relación directa con Jesús durante su ministerio. Los sumos sacerdotes y los ancianos, que conducen el proceso contra Jesús, son afines a los saduceos, como testimonia Hechos 4:1–2.

El pasaje de hoy es el único relato que nos presenta un diálogo directo de los saduceos con Jesús. Los saduceos negaban la resurrección de los muertos. Así que se acercan al profeta de Nazaret para proponerle una objeción sobre este tema. Sacan a colación la norma de Deuteronomio 25:5 que establece cuándo y en qué circunstan-

cias una viuda debe casarse con el hermano de su difunto marido para lograr tener un hijo y arrancarle al difunto la maldición de haber muerto sin dejar descendencia.

Hostiles a Jesús, los saduceos intentan ridiculizar la creencia en la resurrección. ¿De quién sería esposa una mujer que se ha casado con siete hermanos sin tener de ninguno de ellos descendencia? Jesús replica llamándolos ignorantes y subrayando el error saduceo de considerar la vida después de la muerte como si fuera una simple continuación de las condiciones de esta vida. Inmediatamente después, cita Éxodo 3:6:

Dios, que se define a sí mismo en relación con Abrahán, Isaac y Jacob, es Dios de vivos y no de muertos. Los patriarcas mencionados están vivos, pues Dios los ha hecho partícipes de su misma vida.

La fe de los cristianos en la resurrección brota de la resurrección de Cristo. No conocemos los detalles de su realización concreta, pero la resurrección se abre, no solamente como fuente de esperanza en la vida eterna, sino como acicate, motor que impulsa un nuevo tipo de convivencia humana. En Cristo, el cristiano vive ya resucitado, da testimonio con su vida del amor y la justicia.

XXXIII DOMINGO DEL TIEMPO ORDINARIO

Lectura corta pero llena de contenido: separa bien los dos segmentos para que se note el contraste.

El mensaje es para esta asamblea que escucha hoy. Haz contacto visual para que todos se sientan aludidos.

I LECTURA   Malaquías 3:19–20

Lectura del libro del profeta Malaquías

"Ya viene **el día** del Señor, **ardiente** como un horno,
   y **todos** los soberbios y malvados serán **como la paja**.
El día que viene los **consumirá**,
   dice el Señor de los ejércitos,
   hasta no dejarles **ni raíz ni rama**.
Pero para ustedes, los que **temen** al Señor,
   brillará el sol de justicia,
   que les **traerá** la salvación en sus rayos".

Para meditar

SALMO RESPONSORIAL   Salmo 98:5–6, 7–9a, 9bc

R. El Señor llega para regir la tierra con justicia.

Toquen la cítara para el Señor,
   suenen los instrumentos:
   con clarines y al son de trompetas,
   aclamen al Rey y Señor. **R.**

Retumbe el mar y cuanto contiene,
   la tierra y cuantos la habitan;
   aplaudan los ríos, aclamen los montes
   al Señor, que llega para regir la tierra. **R.**

Regirá el orbe con justicia
   y los pueblos con rectitud. **R.**

I LECTURA Conforme nos acercamos al fin del año litúrgico, la Iglesia comparte textos relativos al final de la historia. Hoy escuchamos las palabras de Malaquías, profeta que predicó hacia la mitad del siglo v cuando los desterrados habían ya vuelto del exilio. La promesa del retorno se había cumplido, pero no tardó mucho para que la injusticia volviera a establecerse entre los habitantes de Judá. Malaquías recoge muchas discusiones entre Dios y su pueblo. Los reproches de Dios muestran que, a pesar de la tolerancia del Imperio persa, las cosas no toman buen camino en Judá: un pequeño grupo detenta todo el poder, diseñan políticas que agravian a los más pobres y saquean a la población; el robo y el despojo se convierten en moneda común.

El profeta levanta la voz para denunciar estos atropellos y reafirma que Dios ama tanto a su pueblo, que prepara su venida poderosa. Los ricos depredadores y los sacerdotes que han traicionado su misión serán castigados en aquel día glorioso. Los pobres, en cambio, y todos los que se han mantenido fieles al compromiso de vivir rectamente, anhelan la llegada de ese día.

En la lectura, el sol muestra sus dos facetas. Es horno abrasador para quienes hacen el mal y olvidan a los más pobres. Es, en cambio, sol de justicia para quienes temen al Señor y practican la justicia. Un mismo calor, con dos consecuencias diversas. A quienes sostienen que es inútil ser fieles a la alianza, porque los malvados siempre salen triunfantes, el profeta lanza esta advertencia: para que el Día del Señor sea para nosotros salvación y no condenación, hay que aprender a caminar en la justicia (3:13–21).

II LECTURA   2 Tesalonicenses 3:7–12

**Lectura de la segunda carta del apóstol san Pablo
a los tesalonicenses**

Testimonio personal del Apóstol: Pablo se propone a sí mismo como ejemplo para la comunidad. Léelo con firmeza.

Hermanos:
Ya **saben** cómo **deben** vivir para **imitar** mi ejemplo,
    puesto que, cuando estuve **entre** ustedes,
    supe ganarme la vida y no dependí **de nadie** para comer;
    antes bien, de día y de noche trabajé **hasta agotarme**,
    para no serles **gravoso**.
Y no porque **no tuviera yo** derecho a pedirles el sustento,
    sino para darles **un ejemplo** que imitar.
Así, cuando estaba entre ustedes, les decía una **y otra vez**:
    "El que **no quiera** trabajar, que **no coma**".

Pablo se siente defraudado por las noticias que ha recibido. Haz sentir el tono de reproche pero sin dramatizar.

Y ahora vengo a saber
    que **algunos** de ustedes viven como **holgazanes**, sin
        hacer **nada**,
    y además, entrometiéndose **en todo**.
Les **suplicamos** a esos tales y les **ordenamos**,
    de parte del **Señor Jesús**,
    que se pongan **a trabajar** en paz
        para ganarse **con sus propias manos** la comida.

EVANGELIO   Lucas 21:5–19

Lectura del santo Evangelio según san Lucas

Jesús va a advertir a sus discípulos sobre conflictos futuros. Quiere liberarlos del miedo. Que se note la serenidad en tu voz.

En aquel tiempo, como **algunos** ponderaban
    la **solidez** de la construcción del templo
    y **la belleza** de las ofrendas votivas que lo adornaban,
Jesús dijo:
    "**Días** vendrán en que **no quedará** piedra sobre piedra
        de **todo** esto que están admirando;
    todo **será destruido**".

| II LECTURA | La sección final de la segunda carta a los Tesalonicenses (3:6–15) contiene un duro reproche en contra de aquellos que no quieren trabajar y, en cambio, viven metiéndose en todo. La acción que se denuncia parece estar motivada por dos circunstancias que confluyen: la creencia de que la segunda venida de Cristo era inminente, lo que llevaba a algunos a preguntarse si valía la pena trabajar, ahora que todo está a punto de acabarse, y la minusvaloración del trabajo manual, propio de cierta tendencia del pensamiento grecolatino, que consideraba más digno el trabajo intelectual.

Pablo rechaza la vida de ocio infructuoso que derivaba de estas dos fuentes de pensamiento. Él se ha esmerado en dar testimonio de trabajo y se ha rehusado recibir ayuda material de la comunidad porque ha preferido trabajar con sus propias manos. Que el Apóstol se refiera a sí mismo como ejemplo para la comunidad, nos lleva a sospechar que los ociosos que estaban dañando la convivencia comunitaria habrían sido predicadores que, so pretexto de vivir para la predicación de la Palabra, abusaban de las comunidades, las esquilmaban y terminaban siendo fuente de división entre las familias.

Pablo ha defendido el derecho de los predicadores de vivir de su trabajo y ha afirmado la obligación que la comunidad tiene de sostener a sus servidores (1 Corintios 9). Pero eso no habrá de dar lugar a personas abusivas que viven sin trabajar. La venida del Señor no habrá de ser pretexto ni para la flojera ni para convertir la predicación en un negocio. Tuvo razón san Benito cuando expresó la vocación cristiana con el lema *ora et labora*.

Jesús va a advertir a sus discípulos sobre conflictos futuros. Quiere liberarlos del miedo. Que se note la serenidad en tu voz.

Entonces le preguntaron:

"Maestro, ¿**cuándo** va a ocurrir esto
y **cuál** será la señal de que ya está **a punto** de suceder?"

Él les respondió:

"**Cuídense** de que **nadie** los engañe,
porque **muchos** vendrán usurpando mi nombre y dirán:
'**Yo soy** el Mesías. El tiempo **ha llegado**'.

Pero **no** les hagan caso.

Cuando oigan hablar de **guerras y revoluciones**,
que no los domine **el pánico**,
porque eso **tiene** que acontecer, pero **todavía** no es el fin".

Luego les dijo:

"Se **levantará** una nación contra otra y un reino **contra** otro.

En **diferentes** lugares habrá **grandes** terremotos,
epidemias y **hambre**,
y **aparecerán** en el cielo señales **prodigiosas** y terribles.

Pero **antes** de todo esto
los **perseguirán** a ustedes y los **apresarán**;
los llevarán a los tribunales y **a la cárcel**,
y los harán **comparecer** ante reyes y gobernadores,
por causa mía. Con **esto** darán testimonio **de mí**.

Grábense bien que **no** tienen que preparar de **antemano**
su defensa,
porque **yo** les daré palabras **sabias**,
a las que **no podrá** resistir ni contradecir
ningún adversario de ustedes.

La fidelidad al Evangelio está por encima de la familia. Las dos frases finales son un cierre hermoso. Léelas con seguridad.

Los traicionarán **hasta** sus propios padres,
hermanos, parientes y amigos.

Matarán a algunos de ustedes y **todos** los odiarán por **causa mía**.

Sin embargo, no caerá **ningún** cabello de la cabeza de ustedes.

Si se mantienen **firmes**, **conseguirán** la vida".

EVANGELIO En los últimos domingos del Tiempo Ordinario, la liturgia presenta pasajes de los discursos en que Jesús anuncia la destrucción de Jerusalén y la venida del Hijo del Hombre. En Lucas, este discurso ocupa todo el capítulo 21. La venida del Mesías glorioso viene marcada por un proceso en tres momentos: la destrucción del templo y ciudad de Jerusalén (21:5—6:21–24), las persecuciones contra los discípulos de Cristo (21:7–24) y finalmente la venida del Hijo del Hombre.

El templo fue siempre causa de orgullo para Israel. Había quienes pensaban que el templo existía desde toda la eternidad y nada podría destruirlo. Era la morada de Dios en la tierra. Como Jeremías anunció la destrucción del primer templo, construido en tiempos de Salomón, ahora Jesús anuncia que el segundo templo también será arrasado. En la perspectiva de Lucas, la destrucción de Jerusalén, anticipo y figura del Día del Señor, será al mismo tiempo el anuncio de una nueva etapa de la historia, la etapa de la difusión del Evangelio entre las naciones.

Las persecuciones que son anunciadas en este discurso confirman que el camino de la evangelización es un camino de cruz. El sufrimiento acompaña de manera inevitable el testimonio misionero de los cristianos. La certeza de la compañía permanente de Dios y la promesa de que, si permanecemos firmes, conseguiremos la vida plena, fortaleció seguramente a las primeras generaciones cristianas en medio de las persecuciones. Aun hoy, siguen siendo palabras que despiertan ánimo y nos llenan de paz también a nosotros, que tenemos que evangelizar en medio de ambientes problemáticos.

NUESTRO SEÑOR JESUCRISTO, REY DEL UNIVERSO

David será reconocido como rey de todo Israel. Es figura de Cristo. Lee el relato con frescura.

La unción de David lo constituye en rey. A Jesús nosotros lo llamamos "el ungido", que en griego es Cristo. Lee pausadamente y con aplomo.

Para meditar

I LECTURA   2 Samuel 5:1–3

Lectura del segundo libro de Samuel

En aquellos días, **todas** las tribus de Israel fueron a Hebrón
   a ver **a David**, de la tribu de Judá, y le dijeron:
   "**Somos** de tu **misma** sangre.
Ya desde **antes**, aunque Saúl **reinaba** sobre nosotros,
   tú **eras** el que **conducía** a Israel,
   pues **ya** el Señor te **había dicho**:
   'Tú serás **el pastor** de Israel, mi pueblo; **tú serás** su guía' ".

Así pues, los ancianos de Israel
   fueron a Hebrón a ver a David, **rey** de Judá.
David hizo con ellos un pacto **en presencia** del Señor
   y ellos **lo ungieron** como rey de **todas** las tribus de Israel.

SALMO RESPONSORIAL   Salmo 122:1–2, 4–5
R. Vayamos con alegría al encuentro del Señor.

¡Qué alegría cuando me dijeron:
"Vamos a la casa del Señor"!
Ya están pisando nuestros pies
   tus umbrales, Jerusalén. **R.**

Allá suben las tribus,
   las tribus del Señor.
Según la costumbre de Israel,
   a celebrar el nombre del Señor.

En ella están los tribunales de justicia,
   en el palacio de David. **R.**

I LECTURA La subida al trono del rey David es un relato largo. Parte del momento en el que David es ungido por Samuel, el último de los Jueces de Israel (1 Samuel 16:1) y no termina sino hasta este texto que hoy escuchamos cuando por fin David logra unir bajo su dominio a los descendientes de las doce tribus. La unión de todas las tribus se logra gracias a la avasalladora personalidad de David, a quien las tribus del norte terminan reconociéndolo rey. En el conjunto de vicisitudes por las que tiene que pasar David, el autor sagrado ve una elección especial de Dios que lo sostiene en el trono como medio para mostrar su amor por todo el pueblo.

Aprobado por Dios a pesar de desvíos, David se convirtió muy pronto en el símbolo del rey justo.

En un ambiente sacral se da el pacto final de los ancianos de las tribus del norte para reconocer rey a David. No será un rey absolutista, porque este reconocimiento supone la confianza del pueblo que lo ha reconocido rey. Detrás del reinado de David asoma la voluntad divina que va conduciendo la historia hasta llegar al verdadero rey, el Mesías, que establecerá la justicia y la paz para siempre.

II LECTURA Colosenses comienza con esta acción de gracias a Dios que el Apóstol pronuncia para reconocer su acción salvadora. En Cristo, Dios ha realizado en nosotros un nuevo y verdadero éxodo. Con la imagen de la luz y las tinieblas, Pablo afirma que, en el Misterio pascual, Dios nos ha sacado de la esclavitud y nos ha introducido al Reino de su Hijo. Este Reino de Jesús se concreta en nuestra participación en la vida de la Iglesia por el bau-

II LECTURA   Colosenses 1:12–20

Lectura de la carta del apóstol san Pablo a los colosenses

Hermanos:

Demos gracias a Dios Padre,
    el cual nos ha hecho **capaces** de participar
    en la **herencia** de su pueblo santo,
    en el **reino** de la luz.

Él nos ha **liberado** del poder de las tinieblas
    y nos **ha trasladado** al Reino de su Hijo amado,
    por cuya sangre **recibimos** la redención,
    esto es, **el perdón** de los pecados.

Cristo es **la imagen** de Dios invisible,
    el **primogénito** de toda la creación,
    porque **en él** tienen su fundamento **todas** las cosas creadas,
    del cielo y de la tierra, las visibles y **las invisibles**,
    sin excluir a los tronos y dominaciones,
    a los principados y potestades.
Todo fue creado **por medio** de él y **para él**.

Él existe **antes** que todas las cosas,
    y **todas** tienen su consistencia **en él**.
Él es también la **cabeza** del cuerpo, que es **la Iglesia**.
Él es el **principio**, el **primogénito** de entre los muertos,
    para que **sea** el primero **en todo**.

Porque Dios **quiso** que en Cristo habitara **toda plenitud**
    y **por él** quiso reconciliar consigo **todas** las cosas,
    del cielo y de la tierra,
    y darles **la paz** por medio de su sangre,
    derramada en la cruz.

Este pasaje es un himno que debe leerse con majestuosidad pero sin afectaciones. Dale el peso adecuado a cada frase.

Primogénito de la creación y primogénito entre los muertos son dos imágenes que definen a Jesús. Proclama con energía la dimensión cósmica de Cristo.

Ve deslizándote suavemente hacia el final. Que se note el gozo profundo que sientes en tu proclamación.

tismo, porque la comunidad cristiana es primicia del Reino. La herencia salvífica de Israel se comparte ahora con todos los redimidos por el Misterio pascual de Cristo.

Los versículos 15–20 son conocidos como el himno a Cristo, porque presenta a Jesús como creador y redentor. En dos ocasiones se califica a Jesús de primogénito. La primera vez es primogénito de "toda la creación"; es decir, el Hijo es quien mantiene en el universo el orden que Dios le había dado desde el principio. Así pues, Pablo sale en defensa de la superioridad de Cristo por encima de una larga lista de seres angélicos y

espirituales que determinaban la suerte de los seres humanos, según algunas creencias muy difundidas en Colosas. La segunda vez, Jesús es nombrado primogénito "de entre los muertos"; es decir, el primero de los resucitados, aquél de cuya resurrección emerge la nuestra.

Dos últimos elementos cierran el himno: Jesús es también la cabeza del cuerpo de la Iglesia. Somos el Cuerpo de Cristo, que gozamos de su acción constante. Jesús es nuestra cabeza porque se ha hecho uno de nosotros y quiere que formemos una sola familia donde nos complementemos los

unos a los otros. El toque final es el de la reconciliación: la plenitud de la divinidad habita en Cristo, por lo que es el único que puede reconciliar lo que en el mundo está dividido y desgarrado.

EVANGELIO Que la fiesta de Jesucristo, Rey del Universo sea celebrada en la Iglesia leyendo el relato de su pasión, es una paradoja significativa. Normalmente, identificamos realeza con dominio y triunfo. Que la Iglesia contemple a Jesucristo Rey desde la radical impotencia de la cruz y el aparente fracaso de su

EVANGELIO   Lucas 23:35–43

Lectura del santo Evangelio según san Lucas

Cuando Jesús estaba ya **crucificado**,
     las autoridades le hacían muecas, diciendo:
     "A **otros** ha salvado; que se salve **a sí mismo**,
     si **él es** el Mesías de Dios, el **elegido**".

También los soldados se **burlaban** de Jesús,
     y acercándose a él, le ofrecían **vinagre** y le decían:
     "Si **tú eres** el rey de los judíos, **sálvate** a ti mismo".
Había, en efecto, sobre la cruz,
     un letrero en griego, latín y hebreo, que decía:
     "**Este es** el **rey** de los judíos".

Uno de los malhechores crucificados
          insultaba a Jesús, diciéndole:
     "Si **tú eres** el Mesías, **sálvate** a ti mismo **y a nosotros**".
Pero el otro le reclamaba, **indignado**:
     "¿Ni siquiera **temes** tú a Dios estando en el **mismo** suplicio?
Nosotros **justamente** recibimos el pago de lo que hicimos.
Pero éste **ningún** mal ha hecho".
Y le decía a Jesús:
     "**Señor**, cuando llegues a tu Reino, **acuérdate** de mí".
Jesús le respondió:
     "Yo te **aseguro** que **hoy** estarás conmigo **en el paraíso**".

Momento dramático: el relato resalta las burlas dirigidas al crucificado. Da cierta solemnidad a la lectura, pero sin fingimiento.

La interacción entre Jesús y los malhechores es el centro de la lectura. Las palabras del buen ladrpon habrán de leerse con cierto dejo de ternura.

La frase con que Jesús cierra el diálogo es también para la asamblea. Haz contacto visual al pronunciarla.

---

misión, indica ya que los criterios de realeza que maneja Jesús son distintos de los de este mundo.

Dentro del relato de la pasión, la unidad de Lucas 23:32–43 muestra a Jesús asumiendo su muerte violenta y dando ejemplo a los discípulos de cómo enfrentar las adversidades. Jesús ora por quienes lo crucifican; no hay asomo de deseo de venganza en él. Todas las palabras que pronuncia desde la cruz son palabras de misericordia. Esta compasión alcanza también a aquellos que se burlan de él a los pies de la cruz. Jesús no cede a las propuestas que éstos le

hacen de usar el poder divino para terminar con el suplicio. Su inocencia se transparenta en el deseo de perdonar, en la donación que hace de su vida, no en beneficio propio sino para la salvación de la humanidad.

El diálogo de Jesús con los malhechores que están crucificados con él nos permite atisbar dos maneras distintas de confrontar la muerte del Mesía. Uno de ellos, cegado por el dolor, se une a la exigencia de los enemigos del Maestro y le exige el uso de su poder para salvarlo de la cruz; el otro, el único a quien Jesús le contesta, se abre a la salvación que brota de la

entrega del Maestro. La respuesta de Jesús sorprende: su salvación no es para la otra vida sino para ésta. La entrega de fe que realiza el buen ladrón hace posible que la salvación de Dios llegue a su vida hoy mismo. El reinado de este Mesías implica la entrega libre de su propia vida en favor de los demás. Es en este sentido que nosotros estamos llamados también a ser reyes como él.